W9-BNN-622

Judith Lennox

Alle meine Schwestern

Judith Lennox

Alle meine Schwestern

Roman

Aus dem Englischen
von Mechtild Sandberg

Piper
München Zürich

Die englische Originalausgabe erschien 2005
unter dem Titel »All my Sisters«
bei Macmillan in London.

Von Judith Lennox liegen auf deutsch außerdem vor:
Das Winterhaus
Tildas Geheimnis
Picknick im Schatten
Am Strand von Deauville
Die geheimen Jahre
Serafinas später Sieg
Der Garten von Schloß Marigny
Bis der Tag sich neigt
Die Mädchen mit den dunklen Augen
Zeit der Freundschaft
Das Erbe des Vaters

ISBN-13: 978-3-492-04918-4
ISBN-10: 3-492-04918-4
4. Auflage 2006

Gesetzt aus der Stempel Garamond
Satz: Uhl + Massopust, Aalen
Druck und Bindung: GGP Media GmbH, Pößneck
Printed in Germany

www.piper.de

Für meine Schwägerinnen
Frances und Sam

Dank

Dank schulde ich meinem Sohn Ewen für seine Hilfe bei den medizinischen Passagen in diesem Buch.

Dank auch den vielen freundlichen Menschen in Sri Lanka, die sich für mich Zeit genommen und ihre Erinnerungen und ihr Wissen so großzügig mit mir geteilt haben. Besonderer Dank gebührt Susantha, die viel dazu beigetragen hat, daß mein Aufenthalt in Sri Lanka zu einem so unvergeßlichen und lehrreichen Erlebnis wurde.

Und wie immer Dank meiner Agentin Maggie Hanbury und meinem Mann Iain für ihre unermüdliche Hilfsbereitschaft.

Prolog

Wenn sie nachts nicht schlafen konnte, machte sie Listen, Listen der Grafschaften Großbritanniens, seiner Industriestädte, der wichtigsten Exportartikel des Empire, Listen der Könige und Königinnen Englands und der Werke William Shakespeares. Ab und zu wurde eine Erinnerung geweckt. »*Ein Wintermärchen, Cymbeline, Der Sturm*«, murmelte sie in der Hitze einer kurzen Januarnacht vor sich hin und mußte plötzlich an einen Abend im Theater denken. Arthur, der neben ihr saß, streichelte in der Dunkelheit ihre Hand. Sie erinnerte sich seiner zart drängenden Berührung und des Verlangens, das in ihr erwachte, während sie den Stimmen auf der Bühne lauschte. *Was vergänglich und gemein, ward gewandelt durch das Meer…*

Doch er war von ihr gegangen. Lücken taten sich auf, Teile fehlten. Sie hatte ganze Tage – ja, Wochen – vergessen, mit allem, was geschehen war. Mit leichtem Erschrecken wurde sie sich bewußt, daß ihr vom Ablauf gewöhnlicher Tage ohne bemerkenswerte Ereignisse nichts im Gedächtnis geblieben war. Daß sie den genauen Farbton seiner Augen, die genauen Konturen seines Gesichts vergessen hatte.

Ihre Listen wurden zu einem Bemühen, die Vergangenheit festzuhalten und einzufrieren. Sie erinnerte sich an Picknicks in den Hügeln, an Urlaube am Meer. Hier, an diesem verlassenen Ort, erinnerte sie sich an salzige Seeluft und glitschigen braunen Tang. Sie hörte das Quietschen und Scheppern des Badekarrens, wenn er den Strand herunterkam, und hielt unwillkürlich wieder den Atem an wie damals in der dämmrigen, muffigen Umkleidehütte, im Vorgefühl des Schocks bei der Begegnung mit dem eiskalten Wasser der Nordsee. Sie und ihre Schwestern hatten Schwimmkostüme aus Schwarzem Serge angehabt. Der dicke Stoff kratzte auf der Haut, wenn er naß war. An einem anderen Teil des Strands badeten Frauen aus einfacheren Kreisen in ihren Sommerkleidern. Ihre hellen Röcke blähten sich auf dem Wasser, so daß sie aussahen wie seltsame durchscheinende Meeresgeschöpfe. *Wie Quallen, Marianne!* hatte Eva gerufen und mit einer Hand die zusammengekniffenen Augen beschattet. *Wie große dicke Quallen!*

War es Filey oder Scarborough gewesen, wo sie diese Frauen beobachtet hatten, die sich mit verzückten Gesichtern in ihren Kleidern von der Brandung schaukeln ließen? Es machte ihr zu schaffen, daß sie es nicht mit Sicherheit sagen konnte. Wenn sie in den frühen Morgenstunden erwachte, den Kopf voller Alpträume, hatte sie Angst vor der Zukunft und wurde von der Vergangenheit verfolgt. In den schlimmsten Nächten pflegte sie eine Stimme zu hören: *Vier Uhr morgens. Teufelsstunde.*

Wieder Erinnerungen, um die Finsternis zu vertreiben. Sie erinnerte sich an Sheffield, die Stadt, in der sie geboren und aufgewachsen war. Sie erinnerte sich an die großen Kaufhäuser und Hotels im Zentrum und an den grauen Rauchschleier, der wie ein Leichentuch über dem Industriegebiet hing. Sie erinnerte sich an das Prasseln der Hochöfen, das unaufhörliche Donnern und Dröhnen von Hämmern und Maschinen. An das Menschengewühl, den Geruch von Rauch und Regen.

In einer stickigen schlaflosen Nacht dachte sie an den Salon in Summerleigh mit den vier niedrigen rostbraunen Samtsesseln und Großtante Hannahs Lehnstuhl am Feuer. Auf dem Klavier standen gerahmte Fotografien von Mutter und Vater im Hochzeitsstaat sowie ein Bild von Großmutter Maclise mit hochgestecktem Haarknoten, hängenden Wangen und stählernem Blick, so monumental wie Königin Victoria. Ein Schnappschuß von den drei Jungen – James trug einen Blazer und einen flachen Strohhut, Aidan und Philip steckten in Matrosenanzügen.

Außerdem eine Fotografie der vier Maclise-Töchter. Sie und ihre Schwestern hatten weiße Musselinkleider an. Auf dem Foto hatten die Seidenschärpen um ihre Taillen bräunliche Töne angenommen, aber in Mariannes Erinnerung waren sie farbig. Die von Iris war so leuchtend blau wie Iris' Augen, Evas war apfelgrün, Clemencys butterblumengelb. Ihre eigene war blaßrosa wie Albertine-Rosen. Iris – goldblond, mit einer Haut wie Milch und Blut – stand an einen Baum gelehnt, das lachende Gesicht der Kamera zugewandt. Eva, klein und zierlich, blickte furchtlos voraus. Clemency wirkte linkisch, als fühlte sie sich in Musselin und Seide nicht wohl. Marianne wußte noch, daß sie selbst weggeschaut hatte. Der Fotograf hatte geglaubt, sie sei kamerascheu.

Er hatte sich getäuscht. Das Hinschauen machte ihr nichts aus; das Angeschautwerden irritierte sie. Sie haßte es, einen Raum voller Menschen zu betreten, zelebrierte niemals wie Iris einen großen Auftritt, um die Blicke der Männer auf sich zu ziehen, brachte niemals diesen raffinierten kleinen Fußschlenker zustande, der ausreichte, um ein verführerisches Stück rüschenbesetzten Unterrocks sehen zu lassen. Sie wollte nicht flirten und konnte es auch nicht. Die Liebe, hatte sie damals geglaubt, müsse völlige Übereinstimmung im Denken und Fühlen zweier Menschen sein, mit einem Blick besiegelt und fähig, Abwesenheit, Veränderung und Tod zu überstehen. Marianne war überzeugt, daß man der Liebe nur einmal im Leben begegnete.

In der Ferne pfiff eine Lokomotive. Mit weit geöffneten Augen fuhr sie im Dunkeln in die Höhe. Ihre erschütterte Konzentration barst und schoß in Splittern all die düsteren Gassen hinunter, die ihr so vertraut waren.

Was hatte sie alles gesehen! Was hatte sie alles getan! Dinge, deren sie sich selbst damals nicht für fähig gehalten hatte. War überhaupt etwas übrig von dem Mädchen, das sie einmal gewesen war, diesem Mädchen, das vor dem Objektiv eines Fotoapparats zurückgescheut und vor dem Blick eines Mannes geflohen war? War es möglich, sich in einen völlig anderen Menschen zu verwandeln?

Erzählen Sie mir von Ihrer Familie, hatte Arthur gesagt, als sie sich das erste Mal begegnet waren. *Von Ihren drei Brüdern und Ihren drei Schwestern.* Was würde sie sagen, wenn er jetzt um das gleiche bäte? Daß sie die Menschen, die sie einmal am meisten auf der Welt geliebt hatte, nicht mehr kannte? Daß sie einander wohl nicht wiedererkennen würden, wenn die anderen sich so sehr verändert hatten wie sie selbst?

Oder daß ihre Sehnsucht nach ihnen so groß war, daß sie manchmal das Gefühl hatte, der Schmerz träte ihr mit dem Schweiß aus allen Poren? Die Sehnsucht nach ihren Schwestern, die sie nie wiedersehen durfte.

I

Dicht an die Wand gedrückt, zog Marianne ihre einsame Bahn rund um den Ballsaal, als sie zufällig die Bemerkung einer der Anstandsdamen Mrs. Catherwood gegenüber hörte, die ihre eigene Tochter Charlotte und die Maclise-Mädchen hierher mitgenommen hatte. Die Anstandsdamen saßen alle in einem Raum neben dem Ballsaal, bei offener Tür, damit sie ihre Schützlinge im Auge behalten konnten. Die *tricoteuses* nannte Iris sie auf ihre freundlich sarkastische Art. Mrs. Palmer sagte: »Die zweite Maclise ist eine schreckliche Bohnenstange«, worauf die liebenswürdige Mrs. Catherwood entgegnete: »Marianne wird sich in spätestens ein, zwei Jahren zu einer bezaubernden jungen Frau mausern.« Marianne jedoch blieb nur der erste Satz im Kopf, als sie sich in den Schatten einer schweren dunkelroten Samtportiere zurückzog. *Eine schreckliche Bohnenstange... eine schreckliche Bohnenstange...* Die alten Zweifel überfielen sie. Es war schwer, nicht mit gekrümmten Schultern herumzulaufen, wie manche hochgewachsene Frauen das taten, um kleiner zu wirken. Es war schwer, das Bändchen ihrer Tanzkarte nicht um das leere Blatt zu wickeln.

Sie wünschte, sie wäre daheim bei Eva und Clemency. Was für ein Glück die beiden hatten, daß sie diesem fürchterlichen Ball fernbleiben durften, die eine erkältet, die andere noch nicht in die Gesellschaft eingeführt. Wie herrlich wäre es, jetzt gemütlich auf der Fensterbank in dem Zimmer zu sitzen, das sie sich mit Iris teilte, und zu lesen, *Three Weeks* von Elinor Glyn, das sie in ihrer Kommode unter den Strümpfen versteckt hatte. Wie im Fieber pflegte sie beim Lesen die Seiten umzuschlagen. Manchmal war Paul Verdayne, der seine geheimnisvolle Schöne in ein Schweizer Hotel verfolgte, realer und lebendiger als ihr Zuhause und ihre Familie.

Sie wünschte sich Geheimnis und Romantik, neue Anblicke und neue Gesichter, irgend etwas – irgend jemanden –, bei dem ihr Herz schneller schlagen würde. Aber was, dachte sie, während sie den Blick geringschätzig durch den Saal schweifen ließ, gab es in Sheffield schon Geheimnisvolles? Da tanzte Ellen Hutchinson in einem absolut häßlichen rosaroten Satinkleid mit James. Erbärmliche Aussichten, wenn der eigene Bruder der bestaussehende Mann im Saal war. Und dort wurde Iris reichlich tolpatschig von Ronnie Catherwood herumgeschwenkt. Marianne seufzte. Sie kannte jedes Gesicht. Nie im Leben könnte sie einen dieser pickeligen Jungen mit den flaumigen Schnurrbärtchen heiraten, die ihr seit ihrer Kindheit vertraut waren. Sie wirkten irgendwie unfertig, irgendwie ein bißchen lächerlich. Die Vorstellung, ihre Familie zu verlassen, um den Rest ihres Lebens mit einem dieser täppischen, durchschnittlichen jungen Männer zu verbringen, stieß sie ab.

Doch heiraten mußte sie. Wenn nicht, was dann? Ihr Leben würde wahrscheinlich weitergehen wie bisher. Da ihre Mutter es anscheinend nicht fertigbrachte, ein Hausmädchen länger als ein Jahr zu halten, klappte die Hausarbeit nicht so reibungslos, wie sie sollte. Und da ihre Mutter eine zarte Gesundheit hatte und Iris ein Talent dafür, sich vor allem Unangenehmen zu drücken, blieb die Verantwortung für den Haushalt größtenteils an Marianne hängen. Vielleicht würde sie einmal enden wie Großtante Hannah – als alte Jungfer. Sie würde ein unförmiges Korsett tragen und vielleicht eine Perücke. Bei der Vorstellung von sich selbst in schwarzem Bombassin mit Barthaaren am Kinn mußte sie lachen.

Und merkte plötzlich, daß jemand sie beobachtete. Sie konnte später nicht sagen, woher sie es wußte. Man konnte doch nicht spüren, aus welcher Richtung ein Blick kam?

Er stand auf der anderen Seite des Saals. Als ihre Blicke sich trafen, lächelte er und neigte leicht den Kopf. Es war wie ein Wiedererkennen. Sie mußte ihm schon einmal begegnet sein, wahrscheinlich auf irgendeinem öden Empfang oder bei einem langweiligen Konzert. Aber wenn das stimmte, dann würde sie sich doch an ihn erinnern!

Sein Blick war so intensiv, daß sie den plötzlichen Wunsch zu fliehen verspürte. Zwischen stattlichen Frauen mit Straußenfedern im Haar und älteren Herren mit Schnurrbärten und lüsternen Blicken hindurch lief sie aus dem Saal bis in einen schlechtbeleuchteten Korridor mit Türen zu beiden Seiten. Sie hörte das Klappern und Zischen aus den Küchenräumen. Dienstmädchen mit Tabletts voller Gläser eilten geschäftig durch den Gang; weiter hinten steckte sich ein Diener in Schürze und Hemdsärmeln eine Zigarette an.

Wahllos öffnete sie eine Tür. In dem kleinen Raum dahinter standen zwei durchgesessene Sessel mit abgewetzten Bezügen, ein Notenständer und ein recht zerschrammtes Klavier. Marianne knöpfte ihre Handschuhe auf und strich mit den Fingern über die Tasten. Dann sah sie die Noten durch. Schließlich setzte sie sich und begann zu spielen, leise zuerst, um nicht entdeckt zu werden. Dann aber ergriff die Musik von ihr Besitz, und sie gab sich ihr ganz hin.

Die Tür ging auf, sie erkannte den Mann aus dem Saal. Sie hob die Hände vom Instrument. Zitternd hingen sie über den Tasten.

»Verzeihen Sie«, sagte er. »Ich wollte Sie nicht erschrecken.«

Schnell klappte sie die Noten zu. »Ich sollte wieder hinübergehen.«

»Warum sind Sie weggelaufen? Macht Ihnen Klavierspielen mehr Spaß als Tanzen?«

»Aber ich habe ja nicht getanzt.«

»Hätten Sie denn gern getanzt?«

Sie schüttelte den Kopf. »Ich wäre am liebsten zu Hause bei meinen Schwestern.«

Sein volles hellbraunes Haar war leicht gewellt und kurz, das Blau seiner Augen einige Nuancen heller als das ihrer eigenen. Die ebenmäßig geschnittenen Züge und das kräftig ausgebildete Kinn vermittelten einen Eindruck von Zuverlässigkeit und Stärke. Er war wahrscheinlich einige Jahre älter als sie, und er war größer. Neben ihm würde sie nicht die Schultern krümmen oder den Kopf einziehen müssen.

»Wie viele Schwestern haben Sie?« fragte er.

»Drei.«

»Brüder auch?«

»Drei.«

»Sie sind sieben Geschwister! Ich bin allein. Ich kann mir gar nicht vorstellen, wie es ist, in einer so großen Familie aufzuwachsen.«

»Einzelkinder sind da anscheinend oft neidisch.«

»Ja? Also, ich war immer ganz froh, der einzige zu sein. Bei so vielen muß man doch ständig Angst haben, übersehen zu werden!« Er sah sie offen an. »Ich kann mir allerdings nicht vorstellen, daß man Sie übersieht.«

»Ich hätte überhaupt nichts dagegen, übersehen zu werden. Ich kann es nicht ertragen, wenn die Leute mich anstarren – mich bewerten.« Sie brach ab, erschrocken über ihre Freimütigkeit.

»Vielleicht bewerten sie Sie gar nicht. Vielleicht bewundern sie Sie.«

Die zweite Maclise ist eine schreckliche Bohnenstange. Marianne stand vom Klavierschemel auf. »Ich muß wieder in den Saal.«

»Warum? Sie tanzen doch nicht. Sie finden die Leute langweilig. Warum wollen Sie zurück? Oder finden Sie mich vielleicht noch langweiliger?«

Sie mußte zurück, weil seine Nähe hier, in diesem kleinen Raum, sie um ihre Ruhe brachte. Aber das konnte sie ihm natürlich nicht sagen, und so setzte sie sich nur wortlos wieder hin.

»Das ist doch wunderbar, Miss –?«

»Maclise«, murmelte sie. »Marianne Maclise.«

»Arthur Leighton.« Er gab ihr die Hand. »Erzählen Sie mir von Ihrer Familie. Von Ihren drei Brüdern und Ihren drei Schwestern. Wo stehen Sie in der Reihe?«

»James ist der älteste. Dann kommt Iris. Sie ist heute abend auch hier. Sie haben sie sicher gesehen. Sie hat blonde Haare, goldblond, blaue Augen und ist sehr schön.«

»Trägt sie ein weißes Kleid? Diamanten in den Ohren und eine weiße Gardenie im Haar?«

»Aha, sie ist Ihnen also aufgefallen.« Sie spürte Neid. Immer war Iris die Bewunderte.

Aber er sagte: »Ich beobachte gern. Es ist oft interessanter, die Leute zu beobachten, als mit ihnen zu sprechen.«

»Oh, finden Sie das auch? Gespräche sind oft so – *gezwungen. So verlogen*«, rief sie, beglückt über die Übereinstimmung.

»Aber nicht immer«, widersprach er freundlich. »Unser Gespräch hat doch nichts Verlogenes, oder?« Er kam auf das ursprüngliche Thema zurück. »Also, James und Iris sind die beiden ältesten. Und dann?«

»Dann komme ich und nach mir Eva. Sie ist dunkel wie ich. Aber sonst ist sie ganz anders. Sie ist längst nicht so groß, und sie ist – *sicherer, entschiedener.*« Mariane strich über ihren seidenen Rock. »Ich sehe irgendwie immer alles von zwei Seiten.«

»So mancher würde sagen, das ist gut – ein Zeichen von Reife.«

»Aber es macht die Entscheidung so schwer. Woher weiß man, welche die richtige ist?«

»Manchmal muß man eben etwas riskieren. Die Erfahrung habe ich jedenfalls gemacht.«

»Die Entscheidungen, die Sie treffen müssen, sind vermutlich etwas schwerwiegender als meine«, sagte sie bitter. »Bei mir geht es eigentlich immer nur darum, ob ich lieber das rosa

Kleid oder das weiße anziehen oder ob ich bei der Köchin lieber Pudding oder Biskuitrolle mit Marmelade bestellen soll.«

»Oh, Biskuitrolle«, erwiderte er ernsthaft. »Viel leckerer als Pudding. Und Sie sollten lieber Weiß als Rosa tragen. Lassen Sie das Rosa den hübschen Blondinen wie Ihrer Schwester Iris. Aber kräftigere Farben ständen Ihnen sicher auch gut. Veilchenblau vielleicht, wie die Blumen, die Sie tragen – sie haben die gleiche Farbe wie Ihre Augen.«

Marianne war sprachlos. Kein Mann, weder ihr Vater noch ihre Brüder oder die Brüder ihrer Freundinnen, hatte sich je in dieser Art über ihr Aussehen und ihre Kleidung geäußert. Es kam ihr irgendwie ungehörig vor.

»Und wer kommt dann?« fuhr er fort. »Ein Bruder oder eine Schwester?«

»Clemency. Meine Schwester Clemency ist die nächste. Danach folgen Aidan und Philip. Aidan ist dreizehn, Phil ist gerade elf geworden. Ich weiß nicht, ob ich sie wirklich kenne. Es sind eben Jungs, die zwei jüngsten in der Familie, sie laufen so mit. Außer Clemency hat niemand viel Zeit für sie.«

»In Ihrer Familie ist sicher immer eine Menge los. Einsam sind Sie bestimmt nie.«

Sie sollte in den Saal zurückkehren. Ein junges Mädchen und ein Mann ganz allein, das schickte sich nicht. Aber sie blieb. Ihre verborgene rebellische Seite, der sie so selten eine Stimme erlaubte, drängte sie, auf Vorsicht und Konvention zu pfeifen. Gerade jetzt fühlte sie sich ungeheuer lebendig, spürte beinahe, wie das Blut durch ihre Adern pulste. Ausnahmsweise einmal hatte sie nicht den Wunsch, woanders oder bei jemand anderem zu sein.

Sie schüttelte sich ein wenig, als müßte sie solche aufmüpfigen Ideen vertreiben, und sagte: »Jetzt müssen Sie mir aber auch etwas von Ihrer Familie erzählen, Mr. Leighton.«

»Mit Familie ist es bei mir leider nicht weit her. Meine Mutter ist bald nach meiner Geburt von uns gegangen, und ich war Mitte Zwanzig, als mein Vater starb. Ich habe einen Onkel und ein paar Cousins und Cousinen, das ist alles. Aber bedauern Sie mich jetzt nicht, ich habe einen großen Freundeskreis.«

»Hier, in Sheffield, haben Sie auch Freunde?«

»O ja, ich wohne seit einer Woche bei den Palmers. Mir gefällt die Stadt. Sie hat einige wirklich bemerkenswerte Sehenswürdigkeiten.« Er lächelte.

Wäre sie Iris gewesen, so hätte sie jetzt mit kokettem Augenaufschlag eine Bemerkung gemacht, die wie eine Zurechtweisung geklungen hätte, in Wirklichkeit jedoch eine Aufforderung zu weiteren Komplimenten gewesen wäre. Zum erstenmal kam ihr der Gedanke, daß er ihr vielleicht nur schmeichelte, und sie war enttäuscht, tiefer enttäuscht, als sie nach so kurzer Bekanntschaft für möglich gehalten hätte.

»Ich habe Sie vorhin im Saal lachen sehen«, sagte er unvermittelt. »Erst waren Sie so ernst, und dann haben Sie plötzlich gelacht. Ich hätte liebend gern gewußt, worüber.«

»Ach, ich habe mir vorgestellt, ich wäre eine dicke alte Jungfer.«

Seine Mundwinkel zuckten. »Ich glaube kaum, daß Ihnen so ein Schicksal blüht.«

»Wieso? Das kann leicht passieren.«

»Das glauben Sie doch nicht im Ernst!«

»Ich weiß, daß ich andere schockiere. Sie sagen natürlich nichts, aber ich merke es. Ich sage oft das Falsche.« Sie schaute ihn an. »Unser ganzes Gespräch war falsch, Mr. Leighton. Wir haben über lauter Dinge geredet, über die man eigentlich nicht spricht.«

»Und worüber spricht man?«

»Na ja – über das Wetter zum Beispiel – oder über das Fest, wie gelungen es ist.«

»Aha.«

»Wie gut die Kapelle spielt.«

»Der Geiger war daneben. Darf ich das sagen?«

»Völlig daneben, ja.« Sie lachte. »Es klang furchtbar.«

Nach einer Pause sagte er: »Darf ich dann vielleicht auch sagen, daß Sie sich vorhin geirrt haben?«

»Geirrt?«

»Als Sie sagten, Ihre Schwester Iris sei schön.«

»Aber alle finden Iris schön«, entgegnete sie verblüfft.

»Iris ist sehr hübsch, ja. Aber sie ist nicht schön. Sie sind schön, Miss Maclise.«

Sie errötete nie, wenn sie verlegen war, sie wurde immer blaß. Auch jetzt verlor ihr Gesicht die Farbe, und sie spürte, wie ihre Haut kalt wurde.

Er lehnte sich auf seinem Stuhl zurück und beobachtete sie. »Tja« sagte er dann, »ich finde, Sie sollten die Wahrheit wissen.«

Zu Hause in ihrem Zimmer nahm Marianne das Veilchensträußchen ab, das sie an der Taille trug, und legte es behutsam auf den Toilettentisch. Sie zog das Kleid aus, hängte es in den Schrank und stieg aus den üppigen Unterröcken, die knisternd zu einem Häufchen Seide auf dem Boden zusammenfielen. Dann schnürte sie das Korsett auf, streifte die seidenen Strümpfe ab, das Kamisol und den Schlüpfer. Schließlich hob sie die Arme und zog die Nadeln aus dem Haar, das schwer und dunkel ihren Rücken herabfiel. Nackt stellte sie sich vor den Spiegel und betrachtete sich. Er hatte gesagt, sie sei schön, und zum erstenmal in ihrem Leben teilte sie ihren Eindruck.

Arthur Leighton hatte sie gebeten, für ihn zu spielen, und sie hatte ein Stück von Rameau gewählt. Während sie jetzt die Melodie vor sich hin summte, erinnerte sie sich, wie ihre Hände sich berührt hatten, als sie beide gleichzeitig zu den Noten griffen, um umzublättern. Bei dieser Berührung, in diesem einen flüchtigen Moment, hatte sie das Dickicht der Verstellungen durchdrungen, das Männer und Frauen umgab, und alles, was sie immer verwirrt, was sie stets verachtet hatte – die Künstlichkeiten des Auftretens, die Falschheit des Flirts, die kalt berechnenden Überlegungen zu Vermögen und

Klasse, wenn es um Heirat und Ehe ging –, das alles war bedeutungslos geworden. Sie hatte ihn begehrt und gewußt, daß auch er sie begehrte, selbst wenn er es nicht gesagt hatte.

Sie schlüpfte in ihr Nachthemd, dann holte sie ihr Tagebuch heraus. *20. Mai 1909*, schrieb sie. *Ein verzauberter Abend. Heute hat mein Leben richtig angefangen.*

Am Ende der Speichertreppe angekommen, spähte Clemency in die Dunkelheit. »Philip?« rief sie. »Philip? Bist du hier?« Umrisse waberten im Licht der Petroleumlampe in ihrer Hand und entpuppten sich im nächsten Moment als dreibeiniger Stuhl oder als ein Stapel brüchiger alter Bücher.

»Philip?« rief sie noch einmal. Immer verkroch er sich an dem Tag, bevor er wieder ins Internat mußte, aber daß er sich den Speicher als Versteck ausgesucht haben könnte, war eher unwahrscheinlich, denn er fürchtete sich im Dunkeln.

Als sie unten durch den Flur zurückging, bemerkte sie unter einem Bett eine Bewegung. Sie kniete davor nieder. »Philip?«

Keine Antwort. Aber sie hörte sein angestrengtes Atmen. »Philip?« sagte sie noch einmal. »Jetzt komm doch raus! Es schimpft bestimmt keiner, ich verspreche es dir.«

Keuchend kroch er schließlich unter dem Bett hervor, Flusen in den Haaren, die Kleider voller Staub.

Sie setzte sich aufs Bett und zog ihn auf den Schoß. »Ach, mein kleiner Philip«, sagte sie und drückte ihn an sich. »Bin ich froh, daß ich dich endlich gefunden habe. Ich suche dich schon seit dem Frühstück.« Er pfiff ein wenig beim Atmen. »Der Staub ist schlecht für dich, das weißt du doch.«

Sie gingen nach unten. Die Ferien waren zu Ende. Philips Koffer lag offen in dem Zimmer, das er sich mit Aidan teilte. Sechs Wochen, dachte Clemency, sechs lange Wochen, bis ich ihn wiedersehe. Aber fang jetzt bloß nicht an zu heulen, ermahnte sie sich streng und sagte in betont munterem Ton: »Deine Malkreiden, Philip. Du hast deine Malkreiden nicht eingepackt.«

Er schaute sich um. Die Kreiden waren in einer alten Keksdose auf seiner Kommode. Sein verschwommener blauer Blick wanderte in die richtige Richtung, glitt über die Kreiden hinweg und streifte weiter.

»Auf der Kommode«, sagte sie und sah, wie er blinzelte, um besser sehen zu können.

Sie ging zu ihrer Mutter. Lilian Maclise saß an ihrem Toilettentisch. Obwohl es ein warmer Tag war, brannte ein Feuer im offenen Kamin, und die Vorhänge waren geschlossen.

»Geht es dir besser, Mutter?«

»Ach nein, leider nicht, Clemency.« Lilian lehnte sich in dem kleinen Sessel zurück und schloß die Augen. Das helle Haar umrahmte ein zartes Gesicht. Die Hände, die mit Döschen und Fläschchen auf dem Toilettentisch hantierten, waren schmal und blaß.

Neben ihrer Mutter kam sich Clemency immer wie ein Trampel vor. »Ich mache mir Sorgen um Philip, Mutter«, sagte sie. »Ich glaube, er sieht schlecht.«

»Unsinn. Niemand in der Familie sieht schlecht.«

Clemency ließ nicht locker. »Er sieht trotzdem schlecht. Vielleicht braucht er eine Brille.«

»Eine Brille?« Lilian riß die Augen auf und zog mit einem energischen Ruck an dem seidenen Tuch, das um ihre Schultern lag. »Was für eine Idee! Wenn Philip schwache Augen hätte – was ich bestreite –, wäre eine Brille genau das Verkehrte für ihn. Jeder weiß doch, daß das ständige Tragen einer Brille die Augen noch mehr schwächt.«

Clemency, der heiß geworden war, trat ein Stück vom Feuer weg. »Aber Mutter, er kann nicht richtig *sehen* –«

»Bitte sprich nicht so laut, Kind. Mein Kopf!« Lilian schloß wieder die Augen.

»Mutter?« rief Clemency erschrocken.

»Es tut mir wirklich leid, Schatz.« Lilian drückte mit den Fingerspitzen gegen die Stirn. »Ich bin einfach erschöpft. Und die Schmerzen …«

Beklommen sah Clemency ihre Mutter an. Es war ihr in letzter Zeit so viel besser gegangen, daß sie zu den Mahlzeiten sogar nach unten gekommen war. Clemency hatte Hoffnung geschöpft. Vielleicht würde ihre Mutter endlich wieder ganz gesund werden, obwohl sie sich eigentlich gar nicht erinnern konnte, sie je gesund erlebt zu haben. Sie hatte kurz nach Philips Geburt, als Clemency knapp fünf Jahre alt gewesen war, zu kränkeln begonnen. Philip war jetzt elf, und die Stimmung im Haus Maclise war abhängig von Lilians Befinden.

»Ach Gott«, hauchte Lilian. »Das ist alles so lästig. Ich kann mir gut vorstellen, daß du nachgerade genug hast von deiner hoffnungslosen alten Mutter, mein Schatz.«

»Aber nein! So was darfst du nicht glauben, Mutter. Ich möchte nur, daß es dir gutgeht. Das ist das einzige, was zählt.«

Lilian lächelte tapfer. »Würdest du Marianne bitten, mir ein Gläschen Portwein zu bringen? Und vielleicht kannst du dafür sorgen, daß meine Briefe zur Post kommen...«

Als Clemency mit den Briefen in der Hand aus dem Zimmer ging, dachte sie innerlich jubelnd: Fünf Tage, nur noch fünf Tage, bis die Schule wieder anfängt. Im Gegensatz zu Philip ging sie leidenschaftlich gern zur Schule. Mit Riesensätzen und flatterndem Zopf sprang sie die Treppe hinunter.

Unten fing Iris sie ab. »Wohin willst du?«

»Mutter will ein Glas Wein, und ich muß mit denen hier zur Post.«

Iris riß ihr die Briefe aus der Hand. »Ich mache das schon«, sagte sie, nahm ihre Kappe von der Garderobe und lief hinaus.

Bei ihrem Fahrrad war der Reifen platt, darum nahm sie Clemencys. Einen Vorteil hatte die Abneigung ihrer Mutter gegen das Telefon, dachte sie, als sie die Auffahrt hinunterradelte, sie machte ausgedehnte Korrespondenz und damit viele Fahrten zur Post erforderlich.

Manchmal sah sie sich, wenn sie auf ihrem Fahrrad dem Haus entronnen war, nur Schaufenster an oder andere Frauen, um sich zu neuen Hutgarnierungen inspirieren zu lassen. Hin und wieder traf sie sich gegen die gesellschaftliche Regel, die einem unverheirateten jungen Mädchen ohne Begleitung den Umgang mit jungen Männern verbot, mit den Catherwood-Brüdern im Park zu einem Spaziergang.

In den vier Jahren seit Schulabgang hatte Iris mehr als ein Dutzend Heiratsanträge bekommen, doch sie hatte keinen davon angenommen. Es waren ein, zwei wirklich gute Partien darunter gewesen, die eigentlich genau ihre Erwartungen erfüllten, aber auch da hatte sie abgelehnt. Sie hatte sich keinen dieser Männer als Ehemann vorstellen können. Alle waren ganz nett, aber nichts zum Verlieben – jedenfalls nicht für sie. Seit einiger Zeit allerdings beunruhigte es sie zunehmend, daß sie immer noch ungebunden war. Mittlerweile war sie zweiundzwanzig, und die meisten Frauen ihres Alters waren verheiratet oder zumindest verlobt. Einige hatten sogar schon Kinder. Erste Zweifel quälten sie, ob sie überhaupt fähig war zu lieben. Die anderen Mädchen waren dauernd in irgend jemanden verliebt, bei ihr jedoch hatte sich dieses Gefühl bis heute nicht eingestellt. Manchmal, wenn sie abends vor dem Spiegel saß und ihr Haare bürstete, ertappte sie sich bei dem erschreckenden Gedanken, sie könnte ihre Anziehungskraft verloren haben, aber sie brauchte nur ihr Spiegelbild zu betrachten, nur ihre Locken zu sehen, die in goldblonden Kaskaden beinahe bis zu ihren Hüften herabfielen, um sich zu vergewissern, daß das nicht stimmte. Trotzdem blieb die unterschwellige Beunruhigung und flackerte manchmal mit beängstigender Heftigkeit auf.

Das Fahrrad sauste den Hügel hinunter. Häuser und Bäume flogen vorbei. Iris' Kappe drohte sich aus den Nadeln zu lösen, die sie hielten, ihre Röcke flatterten und zeigten ziemlich viel Bein.

Plötzlich blockierte das Vorderrad, Iris stürzte Hals über Kopf über den Lenker und landete bäuchlings auf der Straße. Das Fahrrad lag über ihr und machte jede Bewegung unmöglich. »Mein Kleid«, jammerte sie. Jemand hob das Fahrrad hoch und fragte besorgt: »Ist Ihnen etwas passiert?«

Sie schaute hoch. Ihr Retter war ein sympathisch aussehender junger Mann. Er trug keinen Hut, sein helles, zerzaustes Haar, von der Sonne in Strähnen gebleicht, war leicht gelockt.

Der Volant, den Iris sich erst am vergangenen Tag ans Kleid genäht hatte, war abgerissen und schlängelte sich quer über die Straße. »Mein Kleid!« rief sie wieder, sehr aufgebracht diesmal. »Es ist ganz neu.«

Er bot ihr die Hand, um ihr aufzuhelfen. »Ich glaube, Ihr Kleid war schuld. Das da« – er wies zu dem abgerissenen Volant – »hat sich in der Kette verfangen. Oh, Sie haben sich verletzt!«

Iris' Handschuhe waren zerrissen und die Hände, mit denen sie sich abzustützen versucht hatte, blutig. »Ach, das ist nicht so schlimm.«

Er griff in seine Tasche und zog ein Taschentuch heraus. »Lassen Sie mich helfen.«

Sie setzte sich auf eine niedrige Mauer, und er streifte ihr die Handschuhe ab und entfernte behutsam die kleinen Steinchen aus den tiefen Schrammen in ihren Händen. Er war sehr vorsichtig, trotzdem mußte sie sich auf die Lippe beißen, um nicht aufzuschreien. Als er ihr schließlich um jede Hand ein Taschentuch wickelte, sagte sie höflich: »Das war sehr nett von Ihnen, Mr. –«

»Ash«, sagte er. »Einfach Ash.«

»Ash?«

»Ashleigh Aurelian Wentworth. Ein ziemlicher Brocken. Mir ist Ash lieber.«

Iris nannte ihm ihren Namen. »Ich wollte eigentlich für meine Mutter ein paar Briefe zur Post bringen«, erklärte sie und sah sich suchend um.

Er fand sie im Rinnstein, zerknittert und voller Schmutzflecken. »Ist wahrscheinlich besser, Sie nehmen sie wieder mit nach Hause. Vielleicht möchte Ihre Mutter sie neu adressieren.«

»Ach, wie dumm.« Iris seufzte. »Das wird was geben.«

»Es war doch ein Unfall. Das wird Ihre Mutter sicher verstehen.«

»Aber Clemency nicht. Es ist ihr Rad.«

Ash hob das Fahrrad auf. Das Vorderrad war verbogen. »Wo wohnen Sie?«

Sie sagte es ihm.

»Gut, dann schiebe ich es Ihnen nach Hause.«

»Ich möchte Ihnen keine Mühe machen. Sie haben bestimmt anderes zu tun.«

»Es ist keine Mühe. Und ich habe im Moment auch nichts anderes vor.«

»Überhaupt nichts? Aber Sie wollten doch gerade irgendwohin?«

»Nein, ich hatte kein Ziel.« Er zupfte ein Fetzchen rosa Stoff aus der Fahrradkette. »Ich strolche gern herum. Sie nicht?« Er sah sie lächelnd an. »Man weiß nie, wer einem unterwegs begegnet.«

Sie gingen den Hügel hinauf. »Ich auch«, bekannte sie. »Ich bin einfach durch die Gegend gefahren. Obwohl ich das natürlich nicht darf.«

»Aber wieso denn nicht?« Er hatte warme hellbraune Augen – soviel ansprechender als die eisblauen Maclise-Augen, fand Iris. Aber er hatte nicht verstanden. Also erklärte sie es ihm.

»Weil eine junge Dame nicht ohne Begleitung ausgeht oder ausfährt. Ich dürfte mich eigentlich nur zusammen mit meiner Mutter, meiner Tante, einer meiner Schwestern oder einem unserer Mädchen auf der Straße zeigen. Wahnsinnig lästig, sag ich Ihnen!« Sie zuckte mit den Schultern. »Aber es macht mir Spaß, die Regeln zu brechen.« Sie sah ihn an. »Haben Sie keine Schwestern?«

»Leider nicht.«

»Und verheiratet sind Sie auch nicht?« Es war immer gut, so etwas gleich von vornherein zu klären.

»Verheiratet? Nein!«

»Kommen Sie aus Sheffield?«

Er schüttelte den Kopf. »Cambridgeshire. Ich habe vor zwei Jahren mein Studium abgeschlossen.«

»Und seitdem?«

»Strolche ich herum. Und Sie, Miss Maclise? Was tun Sie?«

»Ach, das übliche«, sagte sie vage. »Tennis und Bridge, Tanzen ...«

Er schaute sie an, als erwartete er mehr. Sie überlegte krampfhaft, womit sonst noch sie ihren Tag füllte. »Und ich nähe«, fügte sie schwach hinzu.

»Lesen Sie gern?«

»Ab und zu. Meine Schwester Marianne ist eine richtige Leseratte.«

Nach einem kurzen Schweigen sagte er: »Tennis – Tanzen ... Wird das auf die Dauer nicht ziemlich – ziemlich langweilig?«

»Gar nicht. Ich spiele unheimlich gern Tennis. Und ich tanze mit Leidenschaft.« Sie war verwirrt. Einen Lebensstil verteidigen zu müssen, den sie nie in Frage gestellt hatte! »Und was tun Sie, Ash? Wenn Sie nicht herumstrolchen, meine ich.«

»Ach, dies und das. Nach dem Studium war ich eine Zeitlang in London.«

»*London?* Sie Glückspilz!«

»Ich habe bei einem Sozialprojekt der Universität mitgearbeitet, bei dem Studenten mit Leuten aus der Unterschicht zusammengeführt werden. Danach bin ich ungefähr sechs Monate auf dem Kontinent gereist. Und seitdem habe ich alles mögliche gemacht – ein bißchen Journalismus, ein bißchen Fotografie ... und ich war beim Klettern im schottischen Hochland. Ach ja, und dann habe ich noch meinem Vormund bei seinem Buch geholfen.«

»Ihr Vormund schreibt ein Buch? Was denn für eins? Einen Roman?«

Er schüttelte den Kopf. »Es handelt sich um eine Zusammenstellung des gesamten Weltwissens. Geschichte, Naturwissenschaften, Mythologie – einfach alles.«

»Du meine Güte!«

»Er wird natürlich nie damit fertig werden.« Ash lachte. »Dauernd macht irgend jemand eine Entdeckung, und dann muß der arme alte Emlyn eine ganze Passage neu schreiben.«

»Ist das auf die Dauer nicht ziemlich entmutigend?«

»Ich glaube, so sieht Emlyn das nicht. Er sagt immer, auf den Weg kommt es an, nicht auf das Ziel.« Er sah sie an. »Sie sind anderer Meinung?«

»Ich habe noch nie darüber nachgedacht.« Sie dachte an ihre bislang fruchtlosen Bemühungen, einen Ehemann zu finden. Sie liebte das Tanzen, den Flirt, die heimlichen Küsse, aber wozu das alles, wenn sie am Ende – der Himmel möge es verhüten – doch unverheiratet bliebe? »Na ja«, sagte sie schließlich, »ein Weg muß aber doch irgendwann ein Ende haben. Am besten ein schönes!«

»Aber dann müßte man ja wieder ganz von vorn anfangen, wenn man das Ende erreicht hat!«

»Du lieber Gott, das klingt alles wahnsinnig anstrengend.« Als sie ihn ansah, bemerkte sie den Übermut in seinem Blick und rief gekränkt: »Sie machen sich über mich lustig!«

»Nur ein ganz kleines bißchen. Wie geht es Ihren Händen?«

»Gut«, sagte sie. »Bestens.«

»Sie sind sehr tapfer, Miss Maclise.«

Noch nie hatte jemand sie tapfer genannt. Sie wußte nicht, ob sie es als Kompliment auffassen sollte.

Sie bogen um die Ecke. »Hier wohne ich«, sagte sie.

Ash schaute auf. *Summerleigh* stand in verschnörkelten schmiedeeisernen Lettern quer über dem Tor. Als sie die Auffahrt hinaufgingen, wurde die Haustür geöffnet, und Eva schaute heraus. »Iris!« Sie sprang die Treppe hinunter. »Mutter sucht dich schon!« Sie riß die Augen auf. »Dein Kleid! Und deine Hände!«

Iris wandte sich Ash zu. »Sie sollten jetzt lieber gehen. Es wird gleich einen kleinen Tanz geben. Aber Sie waren so nett, ich danke Ihnen. Versprechen Sie mir, uns zu besuchen, damit ich Sie meiner Familie vorstellen kann.«

Eva malte Großtante Hannah. Neben ihr hatte sie die Steingutvase mit den Pfauenfedern aufgestellt, und auf dem Teppich zu ihren Füßen lag Winnie, der Spaniel. Großtante Hannah trug ein Kleid aus glänzendem schwarzem Stoff. Über dem hohen steifen Kragen stauten sich die Falten ihres Halses, und das starre Fischbeinmieder umschloß ihren Oberkörper wie ein Panzer. Eva hatte sich schon oft gefragt, ob Großtante Hannah nur dieses eine glänzende schwarze Kleid besaß oder zwanzig gleiche. Die Großtante schien ihr von Geheimnissen umgeben zu sein: Wie alt war sie? Wie brachte sie die langen Stunden des Alleinseins in ihrem Zimmer zu? Warum roch sie immer nach Kampfer? Löste sie ihr Haar jemals aus dem strengen Nackenknoten – ließ es sich überhaupt noch lösen, oder war es, wie Eva argwöhnte, seit so vielen Jahren zusammengedreht, daß es längst zu einem festen Klumpen verfilzt war?

Das Porträt war fast fertig. Eva setzte einen weißen Glanzpunkt auf die Steingutvase und kleinere weiße Tupfer in Hannahs Pupillen. Dann trat sie von der Staffelei zurück. So, dachte sie, kann ja sein, daß du hundert Jahre alt wirst, aber wenn du morgen stirbst, habe ich eine Erinnerung an dich.

Seit ihrem Schulabschluß im vergangenen Sommer nahm sie Privatunterricht bei ihrer früheren Kunstlehrerin, Miss Garnett, die in der Plumpton Street über dem Laden eines Hefehändlers wohnte. Sie hatte die Mansardenzimmer wegen des Lichts gemietet, wie sie Eva erklärte. Vom Wohnzimmer aus sah man hinunter in den rußgeschwärzten Hinterhof eines Wagenmachers. Auf dem Fensterbrett fing eine Schale mit opalisierender Glasur das korallfarbene Licht der Spätnachmittagssonne ein. Die starken Ausdünstungen von Leinöl und Farbe mischten sich mit dem sauren Hefegeruch. Eva liebte

Miss Garnetts Atelier. Eines Tages, nahm sie sich vor, würde sie auch ihre eigene Wohnung haben.

Ende Mai nahm Miss Garnett Eva zu einer Versammlung der Frauenrechtlerinnen mit, die in einem Haus in Fulwood stattfand, in einem mit Möbeln vollgestopften, überheizten Salon. Die Gastgeberin, eine stattliche Matrone in stahlblauem Kretonne, musterte Eva durch ihr Lorgnon und sagte mit tragender Stimme: »Ein niedliches kleines Ding, aber sie hat etwas Eigensinniges. Sind Sie eigensinnig, Miss Maclise?«

Miss Garnett rettete Eva und machte sie mit zwei jungen Frauen bekannt, von denen eine, Miss Jackson, das rot-grünweiße Band von Mrs. Pankhursts *Women's Social and Political Union* an ihrem losen blau-weiß karierten Baumwollhänger trug. Die andere Frau, Miss Bowen, hatte glänzendes schwarzes Haar, schulterlang und im Nacken zusammengebunden. Ihr Mund war ein blutroter Strich, und ihr viereckig ausgeschnittenes Kleid aus minzgrünem Leinen ließ die Fesseln unbedeckt. Eva beneidete Miss Garnett und ihre Freundinnen aus tiefstem Herzen. Sie selbst war, als sie es kürzlich gewagt hatte, so einfach gekleidet wie Miss Garnett beim Frühstück zu erscheinen, von ihrer Mutter mit dem Befehl auf ihr Zimmer geschickt worden, sich erst wieder blicken zu lassen, wenn sie anständig angezogen sei. Jetzt kam sie fast um vor Hitze in ihrem engsitzenden Kostüm über Bluse, Unterrock, Strümpfen, Hemd und Korsett, fest verschnürt wie ein Paket, so eng eingezwängt in mehrere Lagen Stoff, daß sie kaum Luft bekam.

Miss Bowen betrachtete sie aufmerksam. »Ist sie begabt, Rowena?«

»Sehr.« Miss Garnett lächelte Eva zu.

»Das ist hohes Lob aus Rowenas Mund. Sie ist im allgemeinen nicht großzügig mit Komplimenten, Miss Maclise. Sie sind offenbar wirklich gut.«

Eine Glocke bimmelte zum Zeichen, daß der offizielle Teil der Versammlung begann. Eine grauhaarige Frau stand auf und verlas mit leiser, monotoner Stimme das Protokoll der letzten Versammlung. Miss Bowen gähnte und hielt Eva ihr Zigarettenetui hin. Miss Garnett flüsterte: »Lydia, ich habe Eva nicht mitgenommen, damit du ihr schlechte Angewohnheiten beibringst.« Lydia schmollte.

»Wozu dann? Um sie aufzurütteln? Um durch die Eloquenz unserer Ergüsse ihren revolutionären Eifer zu entfachen?«

Miss Jackson lachte leise.

»Ich habe Eva mitgenommen, um sie zu informieren«, entgegnete Miss Garnett. »Sie soll sich selbst ihre Meinung bilden.«

»Hat sie denn an eurer Schule überhaupt nichts gelernt, Rowena?« Miss Jackson nahm eine von Miss Bowens Zigaretten an. »Wie alt sind Sie, Miss Maclise? Achtzehn? Ich hätte eigentlich erwartet, daß Sie inzwischen eine Meinung zum Frauenstimmrecht haben. Etwas Wichtigeres gibt es doch kaum.«

»Jetzt hör aber auf, May.« Miss Bowen schob eine Zigarette in eine elegante Onyxspitze. Ihre grünen Augen blitzten. »Es gibt tausend Dinge, die ebenso wichtig sind. Was man anziehen soll, zum Beispiel, wie man sich die Haare machen soll, ob man sich wirklich diese öde Abendgesellschaft antun soll, zu der man gerade eingeladen ist.«

Miss Jackson bekam einen roten Kopf. »Also wirklich, Lydia, wenn du das unbedingt ins Lächerliche ziehen willst –«

»Ärgere dich nicht, May«, sagte Miss Garnett tröstend. »Lydia will dich nur ein bißchen aufziehen.«

»Stimmt nicht«, widersprach Miss Bowen. »Ich stehe zu dem, was ich gesagt habe. Mir jedenfalls fällt es oft genauso schwer, ein Kleid auszusuchen, wie durch den Hyde Park zu marschieren. Vielleicht sogar schwerer.« Sie lächelte Eva zu. »Aber ich bin eben leider auch hoffnungslos faul.«

»Lydia, so ein Unsinn! Du arbeitest hart.« Miss Garnett wandte sich erklärend an Eva. »Lydia betreibt in London eine Galerie.«

»Ja, in der Charlotte Street.«

Miss Jackson gestikulierte so heftig mit ihrer Zigarette, daß es Asche auf den Aubussonteppich regnete. »Wir sind selbständige, verantwortungsbewußte Frauen, die Beruf und Familie haben, aber wir dürfen weder bei der Wahl unserer Vertreter im Parlament mitreden noch bei der Abfassung von Gesetzen, die auch für uns gelten. Das ist doch wirklich unerhört!«

»Eine absolute Frechheit ist das«, stimmte Miss Bowen zu. »Wenn ihr mich fragt, ist eine Änderung der Verhältnisse vorläufig nicht in Sicht. Seit mehr als vierzig Jahren kämpfen wir Frauen um das Wahlrecht. Wenn wir brav und gehorsam sind und unseren Abgeordneten höfliche Briefe schreiben, erklärt man uns, wir wären nicht engagiert genug, um das Wahlrecht zu verdienen. Also sind wir losmarschiert und haben den Hyde Park mit Frauen überschwemmt, die das Wahlrecht fordern, haben die Politiker mit Eiern beworfen und sind für unser Engagement ins Gefängnis gewandert. Und wie reagieren unsere Herren und Meister? Sie schütteln die Köpfe und sagen: Na bitte, das ist doch der Beweis dafür, daß wir recht haben, die Frauen sind viel zu närrisch und hysterisch, als daß man ihnen bei der Wahl eine Stimme geben dürfe.« Sie sah Eva an. »Haben Sie vor, auf die Kunstakademie zu gehen? Wenn Sie so begabt sind, wie Rowena sagt, sollten Sie Malerei studieren. Miss Maclise sollte auf die Kunstakademie gehen, was meinst du, Rowena?«

»Hm«, machte Miss Garnett nachdenklich, »da wir gerade beim Thema sind ... Ich wollte sowieso mit dir reden, Eva. Wenn du dich künstlerisch weiterentwickeln willst, mußt du heraus aus der Enge. Du könntest natürlich weiter in Sheffield studieren oder dich an einem College in Manchester bewerben, aber meiner Meinung nach solltest du die Slade-Akademie in London ins Auge fassen. Ich weiß, du würdest dort eine Menge lernen. An der Slade dürfen Frauen nach der Natur zeichnen. An manchen anderen Schulen ist man da viel altmodischer.«

»Die Kunstakademie...« Eva war plötzlich aufgeregt.

»Ja, warum nicht?«

Sie stellte sich vor, sie könnte dem täglichen Einerlei zu Hause entkommen, in dem sie sich, seit sie vor einem Jahr die Schule beendet hatte, gefangen fühlte wie unter einer erstikkenden Decke. Sie stellte sich vor, sie wäre in London, umgeben von wagemutigen, modernen Freunden und Freundinnen.

»Oder glaubst du, dein Vater hätte etwas dagegen?« fragte Miss Garnett.

Evas Traum platzte wie eine Seifenblase. Doch sie schob trotzig das Kinn vor. »Mein Vater wird bestimmt einsehen, daß ein Kunststudium das richtige für mich ist. Ich werde ihm das schon klarmachen.«

»Bravo, Miss Maclise«, rief Miss Bowen. »So ist's richtig.« Sie klatschte in die Hände.

Ein paar Tage später ging Eva zu ihrem Vater.

Er war in seinem Arbeitszimmer. Sein Schreibtisch war voller Papiere, aber er breitete die Arme aus, als sie kam. »Gib mir einen Kuß, Kätzchen.« Er roch nach Tabak und Sandelholzseife, Düfte, die für Eva seit Kindertagen Geborgenheit und Wärme bedeuteten. »Wie geht es meiner Großen?«

»Gut.«

»Das ist schön«, sagte Joshua Maclise und griff zum Federhalter.

Eva sagte schnell: »Welches war dein bestes Fach, Vater?«

Er überlegte. »Mathematik. In Mathematik war ich immer gut. Und ich verstehe natürlich etwas von Maschinenbau. Ich war übrigens auch immer derjenige, der als erster gesehen hat, wo wir investieren und wann es geraten war, einen Artikel einzustellen, weil er nicht ging. Hätte ich nicht diese besondere Begabung besessen, wäre die Firma wohl nicht gewachsen.«

»Und wenn dein Vater von dir verlangt hätte, daß du einen anderen Beruf ergreifst...?« fragte Eva listig. »Wenn er verlangt hätte, daß du – na zum Beispiel Pfarrer wirst oder Lehrer...?«

Joshua lachte. »Einen schönen Lehrer hätte ich abgegeben! Ich habe viel zuwenig Geduld.«

»Aber wenn er es verlangt hätte?« beharrte sie. »Wärst du glücklich geworden? Was meinst du?«

Er sah sie scharf an. »Geht es hier vielleicht um deine Malerei? Das sind doch Flausen!«

Die Geringschätzigkeit, mit der er von dem sprach, was ihr das wichtigste war, ärgerte Eva. »Das sind keine Flausen!« rief sie.

»Na ja, das Malen ist ein netter Zeitvertreib für ein junges Mädchen.« Er sah einen Stapel Briefe durch. Eva merkte, daß er nur halb bei der Sache war. »Es gibt nichts daran auszusetzen, wenn eine gebildete junge Dame ein hübsches Aquarell malt.«

Eva versuchte, sich zu sammeln, um ihre überzeugendsten Argumente ins Feld zu führen, all die Argumente, von denen sie bei der Vorbereitung auf dieses Gespräch sicher gewesen war, daß sie ihren Vater umstimmen würden.

»In der Bibel steht, wir sollen unsere Talente nicht vergeuden. Und du hast deine ja auch nicht verschwendet, nicht wahr, Vater?«

»Bei Mädchen ist das etwas ganz anderes«, entgegnete er. »Wenn du wüßtest, mit was für Leuten ich zum Teil zu tun hatte, Eva, was ich in der Firma jeden Tag an Dreck und Lärm aushalten muß! So etwas wünsche ich dir nicht. Meine Großmutter hat beinerne Messergriffe gefertigt. Sie hatte ein schweres Leben. Ich bin stolz darauf, daß keine meiner Töchter so leben muß. Alles, was ich getan habe, habe ich nur getan, um euch einen besseren Start zu ermöglichen.«

»Du kannst doch Malen nicht mit der Arbeit in einer Werkzeugfabrik vergleichen! Da gibt es weder Krach noch Schmutz.« Eva versteckte die Hände in den Rockfalten, damit ihr Vater die Kohle an ihren Fingern nicht sah. »Man kann ganz gemütlich in einem Atelier malen. Oder auf einer Wiese. Man kann überall malen.«

»Wenn man überall malen kann, warum mußt du dann nach London?«

Sie fühlte sich in die Enge getrieben und entgegnete verzweifelt: »Wie soll ich gut arbeiten, wenn ich nichts lerne?«

»Du brauchst nicht zu arbeiten, Eva. Du hast mich. Ich sorge dafür, daß du immer hübsche Kleider tragen wirst.«

»Kleider interessieren mich nicht.«

»Sie würden dich schnell genug interessieren, wenn du dir deinen Lebensunterhalt selbst verdienen müßtest«, versetzte er scharf. »Du würdest nicht so reden, wenn du gesehen hättest, was ich beinahe täglich sehe – junge Mädchen in deinem Alter, die in Lumpen gehen. Kleine Kinder, die mitten im Winter barfuß laufen müssen – in dieser Stadt! Du solltest dankbar sein für das, was du hast.«

Sie hätte am liebsten gesagt: Ich habe nicht gesehen, was du beinahe täglich siehst, weil du es mich nicht sehen läßt. Ich *sehne* mich danach, das Leben zu sehen, wie es wirklich ist. Doch statt dessen entgegnete sie: »Bitte glaub nicht, ich wäre nicht dankbar für alles, was du für mich getan hast, Vater.«

»Du bist noch sehr jung, Eva. Ein blutjunges Mädchen. Ich kann dich nicht allein nach London gehen lassen. Das wäre ja, als würde ich dich aussetzen. Es könnte dir weiß Gott was zustoßen.«

Eva hatte mit diesem Einwand gerechnet und sich gewappnet. »Miss Garnett hat gesagt, es gibt in London Pensionen für junge Frauen. Junge Damen aus guter Familie.«

Sie merkte, daß er nahe daran war, sich umstimmen zu lassen. Ihr Herz klopfte vor Aufregung. Aber dann sagte er bedächtig: »Es ist nur – ausgerechnet *London*! Ich kann diese Stadt nicht ausstehen.« Sein Gesicht hellte sich auf. »Wir könnten doch einen Kompromiß schließen, Eva. Ich bezahle dir den Unterricht bei einem erstklassigen Lehrer, jemandem, der besser ist als Miss Garnett, und du nimmst die Stunden hier, in Sheffield – oder meinetwegen auch in Manchester.«

»Aber ich muß nach London! Ich muß lernen, nach der Natur zu zeichnen.«

»Natur gibt's in Sheffield genug.«

»Ich muß am menschlichen Körper lernen«, rief sie und hätte sich auf die Zunge beißen können.

Sie sah das Befremden in seinem Blick. »Am menschlichen Körper?« wiederholte er. »Heißt das wirklich das, was ich vermute, Eva?«

Sie geriet ins Stottern. »Es ist überhaupt nichts, es ist nichts Unanständiges daran – Maler haben immer schon den menschlichen Körper gemalt.«

»Das kann ja sein, aber meine Tochter wird das nicht tun.« Joshua war ein Mensch, der zu abrupten Stimmungsumschwüngen neigte, und jetzt schlug Kompromißbereitschaft blitzschnell in zornige Empörung um. »*Nicht unanständig*! Wenn das nicht unanständig ist, was ist es deiner Meinung nach dann?«

»Aber ich muß an die Kunstakademie, Vater!« rief sie. »Ich muß dahin. Andere Frauen studieren auch dort – anständige Frauen –«

»Nein, Eva«, sagte er scharf. »Schluß jetzt mit dem Theater. Ich will nichts mehr davon hören. Hinaus mit dir, ich habe Wichtigeres zu tun.«

»Aber *mir* ist das hier wichtig! Es ist für mich das allerwichtigste.«

»Gewiß«, sagte er. »Allzu wichtig vielleicht.« Seine Augen, so tiefblau wie die ihren, zogen sich zusammen, als er sie musterte. »Was ist das?«

Er starrte das Band an, das sie sich ans Revers geheftet hatte. »Das sind die Farben der Frauenbewegung«, erklärte Eva stolz. »Eine Freundin von Miss Garnett, Miss Jackson –«

»Miss Garnett hier, Miss Garnett dort!« rief Joshua gereizt. »Diese Frau setzt dir nichts als Flausen in den Kopf. Vielleicht sollte ich einmal mit ihr sprechen und ihr klipp und klar sagen, daß du in Zukunft keine Stunden mehr nimmst.«

»Vater! Das darfst du nicht –«

»Ich darf nicht? Was bildest du dir ein? Du tust, was dir gesagt wird, mein Fräulein. Du schlägst dir diesen Unsinn aus dem Kopf, Eva, und tust zu Hause deine Pflicht.«

»Aber ich finde es scheußlich zu Hause!«

Sein Gesicht war hochrot geworden. »Wie kann man nur so halsstarrig sein! So, so – unweiblich!«

»Und wie kannst du so engstirnig sein?« rief sie außer sich. »So altmodisch – so *grausam* –«

Joshua sprang auf und schlug wütend auf den Schreibtisch. Die Tasse klirrte auf der Untertasse, und Eva wich erschrocken einen Schritt zurück. Dann drehte sie sich um und lief aus dem Zimmer.

Nach dem Streit mit ihrem Vater weinte sie lange. Danach war ihr flau und schwindlig. Sie ging zwar zu ihrer Malstunde, aber Miss Garnett, die ihre geröteten Augen und ihre zitternden Hände bemerkte, schickte sie früher nach Hause. Auf dem Rückweg nach Summerleigh schob sie ihr Fahrrad in einen kleinen Park. Am Himmel sammelten sich Wolken, die die Sonne verdunkelten und Schatten auf Rasenflächen und Kieswege warfen. Eva setzte sich auf eine Bank. Sie wußte, daß ihr Traum ausgeträumt war, noch ehe er richtig begonnen hatte. Ihr Vater würde sich nicht erweichen lassen. Wenn es überhaupt einen Weg gegeben hätte, seine Erlaubnis zu erwirken, so hatte sie ihn nicht gefunden. Sie hatte die Beherrschung verloren und ihn angeschrien wie ein Fischweib. Und wie hatte sie nur so dumm sein können, ihm zu sagen, daß sie lernen mußte, nach der Natur zu zeichnen? Das war weiß Gott das beste Mittel gewesen, um ihn gegen ihre Pläne aufzubringen.

Nur ihr Vater konnte solche Ausbrüche von Tränen und Zorn bei ihr hervorrufen, dennoch waren ihre Gefühle für ihn ungetrübt. Mochte sie auch ihre Liebe zu ihm nie in Worte fassen, sie war immer da, ein goldener Faden, der sich durch ihr Leben zog. Sie bewunderte seine Tatkraft, sein Selbstvertrauen, seine Stärke. Im Innern wußte sie, daß sie stritten, weil sie einander in mancher Hinsicht sehr ähnlich waren. Beide waren sie eigensinnig, hatten die gleiche Art, an einem einmal gefaßten Entschluß hartnäckig festzuhalten. Sie ließen sich nicht treiben wie Marianne, noch steuerten sie wie Iris ihre Ziele auf Umwegen an. Sie waren direkt und undiplomatisch, manchmal sogar taktlos.

Aber eine so heftige Auseinandersetzung hatte es zwischen ihnen noch nie gegeben. Noch nie war ihr Vater so böse auf sie gewesen. Bei der Erinnerung an ihre letzten Worte zu ihm wurde ihr heiß vor Scham. *Wie kannst du so engstirnig sein, so altmodisch, so grausam.* Sie hatte gesehen, wie schockiert ihr Vater gewesen war, schockiert und verletzt. Sie wußte, daß sie eine Grenze überschritten hatte, und wollte nichts lieber, als alles wieder in Ordnung zu bringen.

Eine Kirchenglocke schlug. Eva hatte eine Idee. Sie würde zum Werk radeln und ihren Vater um Verzeihung bitten. Und so fuhr sie, anstatt den Weg nach Hause zu nehmen, zur Stadtmitte. Als sie die großen Hotels und Warenhäuser hinter sich gelassen hatte, erreichte sie das Industriegebiet. Flammen aus den Gießereischornsteinen loderten orange vor einem stürmischen Himmel. Sie hörte das Keuchen und Schnaufen der Dampfmaschinen, das Donnern und Krachen der Preßlufthämmer und schmeckte den Ruß in den Regentropfen. Die Lagerhäuser spiegelten sich im trübe verfärbten Wasser des Flusses; Schiffe brachten Kohle und verluden Stahlträger und Maschinenteile. Eva stellte sich die Frachter vor, wie sie auf hohe See hinausfuhren und Ozeane überquerten, um die Küsten ferner Kolonien zu erreichen. Von Lärm und Menschen umgeben, war ihr, als erwachte sie nach langem Schlaf endlich zum Leben, als pulsierte neue Energie in ihren Adern.

Durch Ruß- und Dampfwolken konnte sie den Namen ihres Vaters ausmachen – J. Maclise –, der in riesigen weißen Lettern auf dem geschwärzten Backstein eines Lagerhauses stand. Am Tor blieb sie stehen und schaute sich um. Die Gebäude – Lagerhaus, Gießerei, Werkstätten und Kontore – gruppierten sich im Karree um einen Innenhof, wo Kohle und gebrauchte Schmelztiegel aus den Öfen in Haufen auf dem Kopfsteinpflaster lagen. Arbeiter starrten Eva an, als sie durch das Tor trat, und ein Mädchen in einer braunen Papierschürze kicherte, bis ihre Nachbarin sie mit einem Rippenstoß zum Schweigen brachte.

Mr. Foley sah auf, als Eva ins Kontor kam. Er war der Assistent ihres Vaters. Einmal im Jahr wurde er zu Weihnachten nach Summerleigh eingeladen. Iris machte sich mit Wonne über ihn lustig, indem sie seine ernsthafte Miene und seine kurzen, wohlbedachten Sätze nachahmte. *So stumpfsinnig*, pflegte sie zu sagen, *so spießig. Und dabei ist er noch gar nicht alt!* Aber Eva fand sein Gesicht mit den hervorspringenden Wangenknochen, dem kräftig ausgebildeten Kinn und den schwarzbraunen Augen unter dem gleichfarbenen Haar interessant, beinahe schön.

Er sah sie erstaunt an. »Miss Eva«, sagte er und stand auf. »Suchen Sie Ihren Herrn Vater? Er ist leider nicht mehr hier. Er ist heute etwas früher gegangen, vor ungefähr zehn Minuten.«

Eva war enttäuscht. Die ganze freudige Erregung, die sie hierhergetragen hatte, verpuffte.

»Kann ich vielleicht etwas für Sie tun?« fragte Mr. Foley.

Eva schüttelte den Kopf. »Nein, danke, Mr. Foley.« Sie hatte mit diesem Ausflug alles nur schlimmer gemacht. Sie würde zu spät nach Hause kommen, und ihr Vater würde wieder böse werden.

Als sie sich zum Gehen wandte, fragte Mr. Foley: »Sind Sie allein gekommen?« Eva nickte. »Dann bringe ich Sie nach Hause.«

»Das ist nicht nötig. Ich bin mit dem Fahrrad hier.« Sie lächelte ihn an. »Machen Sie sich keine Sorgen.«

Auf der Heimfahrt begann es zu regnen. Je weiter sie in die Vorstadt hineinkam, desto größer wurden die Villen und die sie umgebenden Gärten hinter den schmiedeeisernen Toren. Eva hatte das Gefühl, ihr zukünftiges Leben liege so eintönig und vorhersehbar vor ihr wie diese Straßen rundherum. Ihr Vater würde sie zwingen, den Unterricht bei Miss Garnett aufzugeben, und ohne künstlerische Anregung würde sie, der eigenen Grenzen gewahr, schließlich aufgeben und den erstbesten halbwegs annehmbaren Mann heiraten, der ihr einen Antrag machte, um dann in Sheffield zu verkümmern.

Es donnerte, aus dem Regen wurde Hagel. Die weißen Körner sammelten sich in Massen in Rinnsteinen und Türnischen. Schulmädchen rannten kreischend durch das Gedränge auf den Straßen, Botenjungen fluchten und traten schneller in die Pedale ihrer Fahrräder. Die Eiskörner schlugen Eva ins Gesicht und trommelten auf ihre Hutkrempe. Mit zusammengekniffenen Augen schlängelte sie sich durch den Verkehr.

Als sie die Ecclesall Road hinunterradelte, entdeckte sie in einem Meer schwarzer Regenschirme ihren Vater und war erleichtert. Groß und kräftig überragte Joshua Maclise die meisten in der Menge um mehr als Haupteslänge. Eva rief ihn, aber ihre Stimme ging unter im Prasseln des Hagels und dem Tosen des Verkehrs.

Von einem Lastkarren hatte sich eine ganze Ladung Steckrüben auf die Fahrbahn ergossen, und sie mußte vom Rad springen, um sich einen Weg durch die Rüben zu suchen. Als sie wieder aufblickte, war er weg. Sie wollte laufen, aber das war auf der glitschigen Straße unmöglich. Erst etwas später, als der Hagel nachließ, entdeckte sie ihren Vater wieder. Er bog gerade in eine Seitenstraße ein.

Sie folgte ihm, und ein Stück straßabwärts fiel ihr sein Regenschirm ins Auge, der dort an einer Hauswand abgestellt war. Das Haus gehörte Mrs. Carver, deren Mann im letzten Jahr gestorben war. Das wußte Eva, weil sie damals Mrs. Carver und ihre beiden Töchter besucht hatte, um zu kondolieren.

Die Mädchen, einige Jahre jünger als Eva, waren stumm und unzugänglich gewesen, und ihre feuerroten Haare hatten irgendwie unpassend zu ihren schwarzen Kleidern gewirkt.

Einen Moment lang starrte sie das Haus mit den geschlossenen Türen und heruntergelassenen Jalousien an, das finster zu ihr zurückzublicken schien. Dann sah sie an sich hinunter. Ihre Bluse hatte schwarze Rußflecken, der Saum ihres Rocks war an einer Stelle aufgerissen. Ihr Vater hatte ihr vorgeworfen, unweiblich zu sein. Wahrscheinlich hatte er recht, sagte sie sich unglücklich.

Sie setzte sich wieder auf ihr Fahrrad und fuhr nach Hause. Niemand merkte, daß sie sich verspätet hatte, und ihr Vater schien den Streit mit ihr vergessen zu haben. Als er eine Stunde später nach Hause kam, war er wie ausgewechselt. Er zauste ihr die Haare, entlockte Marianne ein Lächeln und machte Iris ein Kompliment zu ihrem Kleid. Dann begrüßte er seine Frau mit einem Kuß auf die Wange und entschuldigte sich für seine Verspätung. Er habe im Werk noch zu tun gehabt, sagte er. Sie seien mit einem Auftrag in Verzug.

Eva wollte widersprechen, doch dann ließ sie die Lüge stehen. Sie würde einfach vergessen, was sie gesehen hatte, sich nicht davon aus der Ruhe bringen lassen.

Als Marianne vier Wochen zuvor Arthur Leighton begegnet war, war das wie ein Wunder gewesen, etwas, was einem nur einmal im Leben widerfuhr. Aber seitdem hatte sie Arthur Leighton nicht wiedergesehen. Sie erinnerte sich, daß er ihr erzählt hatte, er wohne bei den Palmers. Als sie sich bei der blassen Alice mit dem Silberblick nach ihm erkundigte, erfuhr sie, daß er schon am Tag nach dem Ball abgereist war. Einen Grund für die plötzliche Abreise hatte er nicht genannt.

»Mr. Leighton hat Mama nach deiner Familie gefragt«, berichtete Alice. »Mama hat euch zusammen tanzen sehen. Sie war neugierig, ob du vielleicht eine Eroberung gemacht hast. Wenn du dir Mr. Leighton in den Kopf gesetzt hast, hast du dir ganz schön was vorgenommen, Marianne. Er ist eine fabelhafte Partie. Er ist mit einem Grafen verwandt.« Alice kaute an einem Fingernagel. »Kann auch sein, daß es ein Vicomte ist.«

Mariannes bis dahin unerschütterliche Überzeugung, etwas Außergewöhnliches sei geschehen, geriet ins Wanken. Vielleicht hatte Mrs. Palmer ihm auf seine Frage nach ihrer – Mariannes – Familie erzählt, daß Joshua Maclise eine Werkzeugfabrik besaß und Mariannes Großmutter in Heimarbeit beinerne Messergriffe gefertigt hatte. Vielleicht hatte sie Arthur Leighton gut genug gefallen, um in ihrer Gesellschaft einen langweiligen Ballabend in der Provinz hinter sich zu bringen, doch dann hatte er sich angesichts der Erkenntnis, daß sie gesellschaftlich weit unter ihm stand, dazu entschlossen, die Bekanntschaft nicht zu vertiefen.

Wenn sie jetzt in den Spiegel schaute, sah sie nichts als das, was sie an sich nicht mochte: die römische Nase, ihre Blässe, den Ernst ihrer Züge. Eine Ahnung von etwas Wunderbarem hatte sie gestreift, das ihr sogleich wieder entrissen worden war. Nichts hatte sich geändert, nur daß sie sich selbst jetzt noch tiefer verachtete. Wie lächerlich, wie erbärmlich, so viel auf die Ereignisse einiger weniger Stunden zu geben! Eine klügere, erfahrenere Frau hätte sofort gewußt, daß er nur flirtete.

Aber eines Abends dann nahm Joshua sie und Iris zu einem Abendessen bei Bekannten in Fulwood mit, und als sie sich aus der lustlosen Betrachtung der Vorspeisen auf ihrem Teller riß und die lange Tafel hinunterschaute, fiel ihr Blick auf ihn. Ihr stockte der Atem. Sie fürchtete, vor den mehr als dreißig Gästen und den Dienstboten ohnmächtig zu werden. Straußenfedern wogten, Diamanten funkelten. Sie atmete tief durch, faßte sich und blickte noch einmal die Tafel hinunter. Ja, er war es wirklich. Als er den Blick in ihre Richtung wandte, sah sie schnell weg. Keinesfalls würde sie ihn und sich in Verlegenheit bringen, indem sie ihn mit schmachtenden Blicken verzehrte wie ein dummer kleiner Backfisch.

Die Speisen wurden von Dienern in weißen Handschuhen aufgetragen. Kristall glänzte im Kerzenlicht. Die einfachsten Dinge überforderten sie. Das Glas zitterte so heftig in ihrer Hand, daß sie fürchtete, es zu zerbrechen. Sie ließ ihre Serviette fallen. Stimmen schwollen an, vermischten sich, versiegten wieder, traumhaft und unwirklich. Sie bemerkte im Blick ihres Nachbarn die Ungeduld über ihre Teilnahmslosigkeit und ärgerte sich über sich selbst. *Du bist eine dumme Gans, Marianne Maclise*, dachte sie. *Dumm und feige!* Ihr Stolz half ihr. Sie richtete sich auf, zwang sich zu einem Lächeln und begann, Konversation zu machen. *Und mit was für Stahl arbeiten Sie, Mr. Hawthorne? – Das ist ja faszinierend. Und Ihre Vorhängeschlösser werden bis nach Amerika versandt! Ich wollte schon immer einmal nach Amerika...* Während sie sprach, wurde sie sich einer Gabe bewußt, von der sie nicht einmal geahnt hatte, daß sie sie besaß: Sie sprühte vor Charme.

Nach dem Essen ließen die Damen die Herren bei Portwein und Zigarren zurück und begaben sich in den Salon. Das Hochgefühl, das sie flüchtig beschwingt hatte, verpuffte, sie fühlte sich niedergedrückt und unsicher. Niemand schien ihre Qual zu bemerken.

Später folgten ihnen die Männer in den Salon. Als Marianne Arthur Leighton auf sich zukommen sah, wäre sie am liebsten davongelaufen.

»Miss Maclise! Ich hatte gehofft, Sie hier zu sehen.«

»Ich dachte, Sie hätten Sheffield den Rücken gekehrt, Mr. Leighton«, murmelte sie.

»An dem Abend, an dem wir uns kennengelernt haben – ich wurde am nächsten Tag unerwartet nach London zurückgerufen. Geschäfte«, fügte er mit einer schnellen, ungeduldigen Geste hinzu.

»Ihre Gastgeber müssen ja an Ihnen verzweifeln, Mr. Leighton«, sagte Marianne mit plötzlicher Schärfe. »Diese Unberechenbarkeit! Die Palmers waren enttäuscht über Ihre Abreise.«

»Nur die Palmers?«

Marianne verspürte eine Aufwallung von Hoffnungslosigkeit – sie würde gehen, ohne daß sie irgend etwas von Bedeutung miteinander gesprochen hätten, und sie würde ihn nie wiedersehen.

Dann sagte er: »Ich bin die nächsten Tage in Sheffield. Darf ich Sie einmal besuchen, Miss Maclise?« Als sie nichts erwiderte, fragte er drängender: »Darf ich?«

Sie wußte, wieviel von ihrer Antwort abhing. »Ja, Mr. Leighton, ich würde mich freuen«, erwiderte sie ruhig.

Aber am folgenden Morgen hatte alles Vertrauen sie schon wieder verlassen. Überzeugt, daß er ja doch nicht kommen würde, machte sie sich weder beim Ankleiden noch beim Frisieren besondere Mühe. Als er gemeldet wurde, steckte sie in ihrem alten dunkelblauen Kleid und hatte den Kopf voll mit Haushaltskram. Alice Palmers scheinheilige Stimme klang ihr im Ohr, abfällig und voll kalter Geringschätzung. *Du hast dir ganz schön was vorgenommen, wenn du dir Mr. Leighton in den Kopf gesetzt hast, Marianne.*

Auf dem Weg in den Salon scheuchte sie ihre Schwestern auf, Iris, Eva, sogar Clemency, die wegen einer Erkältung nicht in der Schule war. »Ich brauche euch«, sagte sie, und sie sprangen auf und folgten ihr.

Immer wenn sie mit ihm in einem Raum war, nahm sie die Dinge viel plastischer wahr. Das Grün des Farns, das Blattgold auf den Tellern. Den betörend süßen Duft des Geißblatts, der durch das offene Fenster wehte.

Die Stimmen ihrer Schwester verwoben sich in der schwülen Luft mit der Stimme Arthur Leightons. Das Gespräch wandte sich dem Wetter zu. *Ein herrlicher Juni… beinahe zu warm…*

Iris gab ihr einen sanften Stoß. Sie zwang sich zu sprechen. »Bei der Hitze wünscht man sich aufs Land. In der Stadt ist es oft so – so…« Ihr fiel das Wort nicht ein. Hilfesuchend schaute sie von einer Schwester zur anderen.

»Drückend?« fragte Eva.

»Stickig?« schlug Clemency vor.

»Anstrengend«, sagte Arthur Leighton, und Marianne stimmte mit einem erleichterten Aufatmen zu. »Genau! Anstrengend. Empfinden Sie das auch so?«

»Ich habe drei Jahre in Indien gelebt. Die Temperaturen hier sind vergleichsweise erfrischend.«

»In Indien!« rief Marianne und sah mit plötzlichem Erschrecken einen ganz anderen Arthur Leighton vor sich, in kühlem Weiß mit einem Tropenhelm auf dem Kopf vor einem Haus mit Veranda, das auf einer Anhöhe stand. Ich weiß nichts über ihn, dachte sie. Vielleicht ist er verheiratet. Oder verwitwet. Vielleicht reist er kreuz und quer durch die Welt und hat in jedem Hafen eine Geliebte – aber als er sie ansah, erwachte wieder dieses besondere Gefühl, das Gefühl, das sie beinahe vergessen hatte – oder zu vergessen versucht hatte. Es war, als öffnete sich etwas in ihrem Inneren, blühte auf wie eine Blume. Sie preßte die Hände zusammen, fassungslos darüber, wie leicht sie, die kühle, ernsthafte Marianne Maclise, offenbar außer sich geriet.

Die obligate Viertelstunde war um, und er ging. Marianne schlug den Vorhang zurück, um ihm nachzusehen. Als er verschwunden war, schien der Tag dunkler geworden zu sein.

»Er ist in dich verliebt«, sagte Iris neben ihr.

Marianne drückte die Hände auf ihr Gesicht und schüttelte den Kopf.

»Doch. Glaub mir.« Iris' Ton war ausnahmsweise nicht spöttisch. »Er liebt dich.«

2

In der Kirche sah sich Eva die Carvers genau an. Die Töchter hatten eine weiße Haut und Sommersprossen und trugen die rotblonden Haare in langen, weich fallenden Zöpfen. Mrs. Carvers Haar, unter einen Hut gezwungen, glänzte – soweit sichtbar – in sattem Fuchsrot. Eva zog einen Bleistiftstummel aus der Jackentasche und begann, auf das letzte Blatt ihres Gebetbuchs zu zeichnen. Sie hatte das komplizierte Arrangement von Bändern und Schleifen auf Mrs. Carvers Hut fast fertig, als der Gottesdienst zu Ende war.

In Zweier- und Dreiergrüppchen begab man sich aus der Kirche ins Freie. Eva blieb zurück, Gebetbuch und Stift in der Hand. Die rotblonden Töchter von Mrs. Carver drängten sich an ihr vorbei. Im Schatten des Portals stehend, blickte Eva zurück. Nur noch zwei Leute waren in der Kirche, Mrs. Carver und ihr Vater. Als Eva den Stift zückte, um den Hut fertig zu zeichnen, ergriff ihr Vater Mrs. Carvers Hand und zog sie an die Lippen. Der Bleistift riß ein Loch ins dünne Papier des Gebetbuchs. Eva sah die Szene in erbarmungsloser Klarheit. Mrs. Carvers schwarze Handschuhe, die hellere Hand ihres Vaters. Sie sah, wie ihr Vater die Augen schloß, als er Mrs. Carver die Hand küßte. Ein, zwei gemurmelte Worte, dann lösten sie sich voneinander. Eva rannte aus der Kirche.

Das Bild wurde sie nicht los. Es spukte ihr ständig im Kopf herum, kam ihr in den Sinn, wenn sie abends beim Essen saß oder wenn sie Großtante Hannah zum Einkaufen begleitete. Die Geschäfte waren nicht weit, aber so ein Ausflug mit Großtante Hannah erforderte die Überlegung und Vorbereitung einer Polarexpedition. Ein Hut mußte festgesteckt, in den Bergen von Schultertüchern und Gebetbüchern in Hannahs Zimmer ein Halsband für Winnie, ihren Spaniel, gefunden werden. Eva brauchte ihre ganze Kraft, den schweren Rollstuhl den Hügel hinaufzuschieben.

Großtante Hannahs Einkäufe waren stets die gleichen: Lavendelseife und Lutschbonbons bei Gimpson, Strümpfe oder Taschentücher im Textilgeschäft, Briefpapier und Kuverts im Schreibwarenladen. Am Schluß drückte Großtante Hannah Eva jedesmal zwei Pence für Makronen vom Bäcker in die Hand. Sie aßen sie im Park, wo zwischen Fliedersträuchern und Lorbeerbüschen Gouvernanten Kinderwagen schoben.

Eva ließ Winnie von der Leine und bot Großtante Hannah die letzte Makrone an.

»Nein, Kind, iß du sie.«

Sie schüttelte den Kopf. »Ich habe keinen Appetit.«

»Das kommt sicher von der Hitze«, sagte Großtante Hannah liebevoll. Sie tätschelte Eva die Hand. »Du siehst ein bißchen spitz aus. Egoistisch von mir, dich bei solchem Wetter hinauszulotsen.«

»Nein, nein, das ist es nicht. Ich gehe gern mit dir einkaufen.«

»Was ist es dann, Schatz?« Krümel hingen an Hannahs glänzendem schwarzem Busen und in den Barthärchen an ihrem Kinn. Sie versuchte erfolglos, sie wegzuwischen. »Machst du dir Sorgen um deine Mutter?«

»Nicht besonders.«

»Vielleicht bist du immer noch enttäuscht, daß dein Vater dir das Studium an der Kunstakademie nicht erlaubt?«

»Ja«, sagte Eva. Es war das einfachste.

»Dein Vater ist ein guter Mensch, Eva. Ein sehr guter sogar. Ich habe großes Glück gehabt. Ich hätte mir keinen großzügigeren Neffen wünschen können.«

Eva hätte gern gesagt: *Gute Menschen lügen nicht. Gute Menschen halten einem nicht den einen Tag Vorträge über*

Schicklichkeit und küssen den nächsten die Hand dieser gräßlichen Person.

»Joshua mag keine Veränderungen«, fügte Hannah hinzu. »Er braucht Zeit, um sich an Neues zu gewöhnen. Du mußt Geduld haben. Vielleicht überlegt er es sich doch noch anders.«

»Niemals!« rief Eva heftig. »Er findet das Kunststudium unschicklich.« Sie verzog verächtlich den Mund.

»Nicht verzweifeln, Eva. Gottes Wege sind unergründlich.« Hannah sah unter der schwarzen Krempe ihres Huts hervor zu Eva hinauf. »Wir sollten jetzt nach Hause gehen. Diese Hitze…«

Eva schob den Rollstuhl die steile Straße hinunter. Die Hände fest an den Griffen, ließ sie ihn schneller rollen. Die Bänder ihres Huts flatterten hinter ihr in der Luft, und Großtante Hannahs Rock bauschte sich wie ein schwarzes Segel. Winnie lief kläffend neben ihnen her, und in Hannah Maclise' faltigem Gesicht breitete sich ein entzücktes Lächeln aus.

Eva fragte sich, ob sie vergessen würde, was sie belastete, wenn sie nur schnell genug rannte. Den Regenschirm vor einer fremden Haustür, die häßliche Lüge. Und das Gesicht ihres Vaters, seine – wie ihr schien – verzückt geschlossenen Augen, als er die Hand im schwarzen Handschuh küßte.

Ash war häufiger Gast in Summerleigh. Er kam, wann er wollte, und blieb stets länger als die Viertelstunde, die der gute Ton erlaubte. Statt sittsam im Salon zu sitzen, wanderten die Schwestern, wenn er da war, mit ihm in den Garten hinaus oder suchten bei schlechtem Wetter andere, weniger steife Räume auf. Es dauerte nicht lange, da duzten sie sich alle und nannten einander bei den Vornamen – viel zu umständlich für ihn, erklärte Ash pragmatisch, jedesmal erst spezifizieren zu müssen, an welche Miss Maclise er nun gerade das Wort richtete. Niemand verhinderte diese Grenzüberschreitungen. Lilian Maclise war immer noch bei schlechter Gesundheit, und

Joshua kam die meisten Tage erst spät von der Arbeit – es gab also reichlich Gelegenheit, Regeln zu brechen. Ash brachte Iris mit seinem Fotoapparat, einem unförmigen Ding aus Mahagoni und Messing, das Fotografieren bei. Eins, zwei, drei, vier, fünf, ein Blitz, und die Schwestern in ihren weißen Musselinkleidern unter den Obstbäumen waren für immer im Bild festgehalten.

Ashs Eltern waren tot. Seit seinem achten Lebensjahr hatte er alle Schulferien bei seinem Vormund in Grantchester, in der Nähe von Cambridge, verbracht. Gegenwärtig wohnte er bei einem ehemaligen Kommilitonen in Sheffield und engagierte sich, wie Iris ohne großes Interesse vermerkte, für irgendwelche sozialen Angelegenheiten. Es wunderte sie immer wieder, daß sie so gern mit Ash zusammen war. Sie waren einander nicht im geringsten ähnlich, teilten weder gemeinsame Interessen noch ähnliche Vorlieben. Und wie er sich kleidete! Einfach schauderhaft! Iris argwöhnte, daß er morgens das Erstbeste überzog, was ihm in die Hände fiel. Er konnte in Sportjacke mit Gürtel zu weißer Krickethose in Summerleigh erscheinen oder im abgetragenen Tweedjackett, das an den Ellbogen fast durchgescheuert war. Wenn Iris, die sehr auf ihr Äußeres achtete, ihn auf seine modischen Fauxpas hinwies, nickte er immer nur zerstreut.

Iris war sich ihrer Wirkung auf Männer seit ihrer Backfischzeit bewußt. Sie zweifelte nie daran, daß sie, wenn sie wollte, beinahe jeden Mann becircen konnte. Nur die langweiligsten Spießer reagierten nicht auf ihre beträchtlichen Reize – und Ash war weder langweilig noch spießig. Trotzdem war die innere Unruhe, die sie in letzter Zeit quälte, weil sie noch immer nicht verlobt war, stärker geworden. Solange sie denken konnte, hatte sie im Mittelpunkt der Aufmerksamkeit gestanden. Als zweitälteste unter den Geschwistern, älteste – und hübscheste – Tochter war es seit langem selbstverständlich für sie, daß Freunde und Verwandte großes Aufhebens um sie machten. Ash jedoch, mit dem sie so gern zusammen war – so gern, daß ihr, wenn sie ehrlich war, die Tage lang wurden, an denen er sich nicht sehen ließ –, machte niemals besonderen Wirbel um sie. Genau besehen, war er sogar zu ihren Schwestern netter als zu ihr. Bei manchen seiner Bemerkungen ihr gegenüber hatte sie den Verdacht, daß er sich über sie lustig machte. Natürlich neckte sie ihn auch mit seinen verschiedenen Manien – Politik und gute Werke –, und es war ja ganz erfrischend, sich mit einem Mann zu unterhalten, der es nicht mit jedem Wort darauf anlegte, ihr zu gefallen. Aber es beunruhigte sie, daß er überhaupt keinen Versuch unternahm, sie für sich zu gewinnen. Er machte ihr selten Komplimente, hatte noch nie versucht, sie zu küssen.

In diesem Sommer spielten sie zusammen Tennis und unternahmen lange Fahrradausflüge. Manchmal streiften sie auch nur umher und entdeckten Teile der Stadt, die Iris nie gesehen hatte. Sie stritten oft miteinander. Er hatte eine Art, sie zu provozieren, langgehegte Überzeugungen in Frage zu stellen, die sie bisher nie in Zweifel gezogen hatte.

Eines Tages, als sie unterwegs waren, überraschte sie ein Wolkenbruch. »Mein Hut!« rief Iris ärgerlich. Die Strohkrempe wurde zusehends schlaffer. »Kannst du mir sagen, wieso ich mir fast jedesmal, wenn wir uns sehen, einen Hut ruiniere, Ash?«

Er lachte. »Emlyn, mein Vormund, hält überhaupt nichts von Hüten. Er behauptet, sie überhitzten den Kopf und täten dem Gehirn nicht gut.«

Iris prustete verächtlich. »Meine Mutter behauptet, Lärm, frische Luft und die Gesellschaft von mehr als einer Person täten ihr nicht gut. Ach, verflixt!« rief sie aufgebracht. »Dieses Wetter!«

Sie hatte keine Jacke mitgenommen und trug nur eine Musselinbluse und einen Baumwollrock. »Hier«, sagte Ash, »damit du nicht ertrinkst.« Er zog sein Jackett aus und legte es um ihre Schultern. »Kränkelt deine Mutter schon lange?« fragte er dann.

»Seit Ewigkeiten«, sagte Iris.

Er warf ihr einen fragenden Blick zu.

»Das hört sich gefühllos an, ich weiß«, sagte sie. »Aber ich bin nicht gefühllos. Trotzdem ist es zermürbend.« Sie fragte sich, wie man jemandem, der keine Familie hatte, die wechselnden Machtverhältnisse zwischen Eltern, Brüdern und Schwestern begreiflich machen sollte. »Früher wollte ich meine Mutter immer aufheitern«, erklärte sie. »Ich bin oft zu ihr hinaufgegangen und habe versucht, mit ihr zu reden, habe ihr erzählt, was ich den Tag über gemacht hatte. Als ich aber habe gemerkt, daß sie das gar nicht interessierte, bin ich nicht mehr zu ihr hinaufgegangen. Meiner Mutter geht es jetzt genau wie immer, aber mir geht es besser, weil ich nicht mehr in einem abgedunkelten Zimmer sitzen und versuchen muß, mit jemandem zu reden, der kaum antwortet.«

Es begann noch stärker zu regnen, die Tropfen klatschten prasselnd auf das Pflaster. Ash zog Iris unter einen schützenden Baum. Unter den Rädern vorbeifahrender Automobile und Pferdewagen spritzte Wasser nach beiden Seiten. Iris spürte, wie ihr der Regen den Nacken hinunterrann, und war sich der Nähe Ashs bewußt, der neben ihr stand, die Hand leicht auf ihrer Schulter. Sie schaute ihn an und sagte: »Du hältst mich vermutlich für egoistisch, weil ich meiner kranken Mutter keine Zeit gönne?«

»Das habe ich nicht gesagt.«

»Ich bin nur realistisch. Meine Mutter ist seit elf Jahren krank. Die Ärzte wissen bis heute nicht, was ihr fehlt – der eine erzählt uns, es wäre eine Entzündung des Rückenmarks, der andere sagt, sie hat ein schwaches Herz, und der dritte ist überzeugt, daß es sich um eine Blutkrankheit handelt. Heute morgen ist meine Mutter aufgestanden und zum Frühstück heruntergekommen, um uns mitzuteilen, daß wir ein Sommerfest geben. Als wäre sie nie krank gewesen. Aber das wird nicht anhalten. Es hält nie an. Ich habe getan, was ich konnte, aber nichts hat ihr geholfen. Und bei Marianne und Clemency ist es genauso, doch sie wollen es nicht wahrhaben.«

»Vielleicht hilft es deiner Mutter, einfach nur ihre Töchter um sich zu haben, auch wenn ihr sie nicht wieder gesund machen könnt.«

»Das kann ja sein. Aber eine von uns erwischt es am Ende, das weiß ich, und die wird dann, statt zu heiraten, den Rest ihres Lebens an Mutters Bett sitzen. Aber nicht ich, darauf kannst du dich verlassen.«

Er sah sie durchdringend an. »Ich hatte keine Ahnung, daß diese Möglichkeit überhaupt besteht.«

»Natürlich nicht. Du bist ja auch ein Mann. Von James, Aidan und Philip erwartet keiner, daß sie auf ein eigenes Leben verzichten, um ihre kranke Mutter zu betreuen. Männer haben alle Freiheiten.«

Der Regen hatte ein wenig nachgelassen. »Komm«, sagte er, »laufen wir.«

»Laufen? Ich kann nicht laufen. Meine Schuhe –«

Aber er nahm sie einfach bei der Hand, und sie rannten die Straße hinauf. Iris flog der Hut davon. Sie ließ ihn fliegen, er war sowieso ruiniert. Als sie Summerleigh erreichten, fiel sie ihm atemlos lachend um den Hals. Und als sie ins Haus gingen, sagte sie: »Ich werde ganz sicher nicht die arme unverheiratete Tochter, die sich von ihrer Mutter tyrannisieren läßt, Ash.« Sie kniff die Augen zusammen. »Alles andere, nur das nicht.«

Während seines Aufenthalts in Sheffield hatte Ash mit zwei Familien nähere Bekanntschaft geschlossen, den Maclises und den Browns. Der Gegensatz zwischen beiden hätte nicht drastischer sein können. Die Browns hausten in einer trostlosen Einzimmerwohnung in der High Street Lane, im Park District, einem ärmlichen Viertel der Stadt. Das gesamte Leben der sechsköpfigen Familie – Vater Mutter, eine zehnjährige Tochter namens Lizzie, drei jüngere Söhne – spielte sich in dem einzigen Wohnraum ab.

Die Arbeit für das soziale Hilfswerk der Universität in

Whitechapel hatte Ash verändert. Er hatte zum erstenmal mit Kindern zu tun gehabt, die noch nie in ihrem Leben satt geworden waren; er hatte entdeckt, daß es viele Menschen gab, die kein Dach über dem Kopf, ja, nicht einmal ausreichend warme Kleidung für den Winter hatten. Er konnte nicht vergessen, was er gesehen hatte. Das Elend, vor allem aber die Ungerechtigkeit empörte ihn. Als er in Whitechapel aufgehört hatte, hatte er gewußt, daß er etwas unternehmen mußte.

Die meisten Menschen, die gezwungen waren, in den Elendsvierteln zu leben, waren zu stolz, um Fremde in ihre Wohnungen zu lassen – sie verklebten sogar ihre Fensterscheiben mit Packpapier, um niemanden die menschenunwürdigen Zustände dahinter sehen zu lassen –, aber die Browns hatten ihn schließlich doch eingelassen. Ihr Elend war vermutlich so groß, daß sie sich nicht einmal mehr ihren Stolz leisten konnten. Im Lauf des Sommers hatte er eine Serie von Fotografien gemacht, die zeigten, wie die Browns lebten, und dabei die Familie recht gut kennengelernt. Seit einiger Zeit machte er sich Sorgen um ihr jüngstes Kind, einen Säugling von wenigen Monaten. Es konnte nicht normal sein, daß das Kleine nie weinte. Es konnte nicht normal sein, daß ein Säugling so bleich war, so teilnahmslos.

Oft suchte er nach Besuchen bei den Browns Iris' Nähe, um der Erinnerung an die Hoffnungslosigkeit und Apathie zu entkommen, die wie eine dunkle Wolke über den Vierteln der Armen hingen. Unter dem Eindruck von Iris' unbeschwerter Lebendigkeit konnte er beinahe vergessen, was er gesehen hatte. Aber nur beinahe. Tatsächlich machten ihm die Gegensätze zwischen den beiden Familien immer stärker zu schaffen, und der Gedanke drängte sich ihm auf, daß der Wohlstand der einen in direkter Beziehung mit der Armut der anderen stand.

Im Juli unternahm er mit den Maclises und ihren Freunden eine Landpartie in den Peak District zu einem Picknick. Nachdem sie Sheffield hinter sich gelassen hatten, kletterten die Automobile und Landauer, in denen man rechts und links auf

Bänken saß, stetig in die klare Luft der Berge hinauf. Gewaltige Findlinge lagen auf den steilen Hängen, und am Ende des Tals ragten finster und vor dem hellen Himmel scharf umrissen die Felsspitzen in die Höhe. In kleinen Gruppen verteilte man sich über das Felsplateau. Die Mittagshitze wärmte das Gestein.

Nach dem Picknick wanderte Ash zu einer Aufhäufung gigantischer Steine, die sich wie ein mächtiger Grabhügel auf der Anhöhe erhob. Als er hinter sich Schritte hörte, drehte er sich um und sah Iris, die ihm nachgelaufen kam.

»Wohin gehst du?«

»Irgendwohin«, sagte er. »Nirgendwohin.«

Er begann, über die Felsbrocken aufwärts zu klettern. Iris folgte ihm, und er reichte ihr die Hand, um ihr beim Anstieg zu helfen. Von der Höhe des Grabhügels gesehen, wirkten die Menschen unter ihnen wie farbenfrohe Insekten und die Sonnenschirme der Frauen wie weiße Blüten.

Iris setzte sich neben ihn auf den höchsten Stein. »Gefällt es dir nicht, Ash?«

»Es ist zu heiß.«

»Du hast gar keine Erdbeeren gegessen.« Sie zog ein zusammengeknüpftes Taschentuch hervor. Wie Rubine leuchteten die Erdbeeren auf dem weißen Stoff. Sie bot sie ihm an und fragte: »Was ist los mit dir?«

Er warf einen Kiesel den Hang hinunter und sah zu, wie er von Stein zu Stein abwärts sprang. »Hast du manchmal Angst, daß du nie dahinterkommen wirst, was du eigentlich mit deinem Leben anfangen willst?«

»Überhaupt nicht.« Sie schob sich eine Erdbeere in den Mund. »Ich weiß genau, was ich anfangen werde. Ich werde einen reichen Mann heiraten, ein großes Haus führen und Schränke voller Kleider und Hüte haben.«

Er streckte sich auf dem flachen Felsen aus, ohne sie aus den Augen zu lassen. »Und du glaubst, daß du damit glücklich wirst?«

»Natürlich. Wunschlos glücklich.«

»Blödsinn«, sagte er. »Du würdest dich nach spätestens einer Woche zu Tode langweilen.«

Sie zog die Augenbrauen hoch. »So ein Quatsch! Weshalb sollte ich mich langweilen?«

»Weil dir das nicht genug wäre. Was würdest du den ganzen Tag tun, hm? Blumen stecken?«

»Warum nicht? Warum muß ich überhaupt etwas tun?«

»Du lebst gern gegen die Regeln«, sagte er ruhig. »Das hast du mir selbst erzählt. So ein Leben würde dich nicht befriedigen.«

Sie warf ihm einen zornigen Blick zu. »Du bist vielleicht ein gescheiter Mensch, Ash, sicher viel gescheiter als ich, aber etwas Grundlegendes verstehst du offensichtlich nicht. Kein Mensch will, daß Mädchen wie ich ihren Verstand gebrauchen oder sich über irgend etwas den Kopf zerbrechen. Wir sollen nur hübsch aussehen und eine gute Partie machen. Dazu sind wir da.«

Manchmal konnte sie ihn fuchsteufelswild machen. Daß sie so gar keinen Blick für die Welt um sie herum hatte, so gar keinen Blick für sich selbst. »Und das akzeptierst du einfach?« fragte er. »Ein nutzloses Leben.«

Sie bekam einen roten Kopf. »Man könnte sagen, ich tue meine Pflicht. Ich bin eine gute Tochter.«

»Du willst im Ernst dein Leben lang das Porzellanpüppchen spielen – obwohl du in Wirklichkeit ein richtig harter Brocken bist.«

»Ein harter Brocken!« rief Iris empört. »Ash! Das stimmt überhaupt nicht – wie kannst du so etwas Fürchterliches sagen!«

»Na, so wie du eben diesen Steinhaufen hier raufgeklettert bist! Und damals, nach deinem Fahrradsturz –«

»Was soll das heißen?«

»Ich habe dir den Dreck und die Steinchen aus den Händen gepickt, und du hast keinen Piep getan. Nicht einen einzigen.

Dabei muß es verteufelt weh getan haben. Das habe ich dir angesehen.«

Sie wandte sich ab. Dann sagte sie: »Das alles ist doch – ich meine, wie ich aussehe, wie ich mich verhalte –, das wird doch von mir erwartet. Verstehst du denn nicht, Ash, so wollen mich alle haben.«

»Aber so bist du nicht!«

»Vielleicht nicht. Es ist nicht sehr – nicht sehr galant von dir, das zu bemerken.«

Sie war aus der Fassung, und er schämte sich, sie soweit gebracht zu haben. Er berührte ihren Arm. »Es tut mir leid, Iris. Komm, wir wollen doch nicht streiten.«

Sie wandte sich ihm wieder zu. »›Ein harter Brocken‹«, wiederholte sie. »So etwas hat noch kein Mann zu mir gesagt.«

»Dann hat kein Mann bisher deine wahren Qualitäten zu würdigen gewußt.« Sie lächelte, wenn auch widerstrebend. Er nahm sich eine Erdbeere. »Außerdem«, fügte er hinzu, »ändern sich die Zeiten. Es gibt inzwischen Ärztinnen, es gibt Juristinnen, Frauen, die an den Universitäten studieren. Und schau dir nur die Suffragetten an –«

»Wenn du glaubst, ich setze mir jemals so einen scheußlichen rot-weiß-grünen Hut auf den Kopf und renne mit einem Banner durch die Straßen, täuschst du dich gewaltig.«

Mit zornfunkelnden Augen starrten sie einander an. »Na bitte, schon streiten wir wieder!« rief sie. »Wieso legst du es immer darauf an, mich wütend zu machen?«

Er stand auf und blickte über das Tal hinweg. »Setz dir auf den Kopf, was du willst, Iris, aber laß uns nicht mehr streiten.« Er seufzte. »Ich bin jetzt seit zwei Jahren mit dem Studium fertig und habe mich immer noch nicht festgelegt. Ich muß mich entscheiden. Ich habe das Gefühl, auf der Stelle zu treten.«

»Und was ist daran so schlimm? Was ist so schlimm daran, wenn du dir einfach ein schönes Leben machst?«

»Ich möchte etwas bewegen. Und das geht nicht, wenn man sich immer nur verzettelt.«

Als sie nichts sagte, drehte er den Kopf, um sie anzusehen. »Kannst du das nicht verstehen, daß ich etwas bewegen will? Nein, du findest das wahrscheinlich arrogant. Oder naiv.«

»Ich glaube, es ist unmöglich, das Leben anderer zu ändern. Jeder kann nur sein eigenes Leben ändern. Und die meisten bringen nicht einmal das fertig.«

»Aber wir müssen es doch wenigstens versuchen!«

Sie stand ebenfalls auf. »Sag mir, was dir vorschwebt, Ash, dann wähle ich für dich.«

»Medizin ... oder Journalismus, oder vielleicht auch Jura.«

Sie hatte schon den Abstieg hinunter zu den anderen begonnen. »Ach, das ist einfach«, sagte sie. »Jura, das liegt doch auf der Hand.«

»Wieso?«

Sie stand ein Stück unterhalb von ihm. Mit einem boshaften kleinen Lächeln schaute sie zu ihm hinauf. »Weil du dann nach Herzenslust streiten kannst.«

Sie verschwand hinter einem Felsbrocken. Er blieb stehen und wartete, bis sie wieder sichtbar wurde, dann sah er ihr nach, als sie mit flatterndem weißem Kleid und fliegenden blonden Haaren zu ihren Freunden zurückrannte.

Marianne hatte sich auf das Picknick gefreut, hatte erwartet, daß sie fern von zu Hause, wo jederzeit ein Besuch von Arthur Leighton drohen konnte, ruhiger sein würde. Statt dessen war sie rastlos und niedergeschlagen. Zu wissen, daß sie ihn nicht sehen würde, nahm dem Tag allen Glanz.

Sie beschloß, einen Spaziergang zu machen, und entfernte sich in Richtung Straße. Das ganze Land um sie herum schien zu glitzern, auf den Felsen funkelte das Sonnenlicht, als wären Diamanten in den Stein eingebettet.

In der Ferne folgte ein Automobil den Windungen des Asphalts. Glas und Metall warfen silberne Blitze. Als sich der Wagen der Brücke näherte, verlangsamte er das Tempo und hielt an. Der Fahrer stieg aus. Mit heftigem Herzklopfen erkannte Marianne Arthur Leighton. Sie beobachtete, wie er innehielt, in ihre Richtung schaute, sie erkannte und ihr entgegenging.

»Ich muß Sie allein sprechen«, sagte er, als er zu ihr trat.

»Mr. Leighton –«

»Mir ist klar, daß Ihre Schwestern wie die Eidechsen in den Felsen herumwimmeln, aber erlauben Sie mir trotzdem, mit Ihnen zu sprechen.«

Er führte sie den schmalen Fußweg zum Bach hinunter, wo Farn wie Smaragd in den dunklen Spalten zwischen den Steinen leuchtete und das Wasser sprudelte und schäumte.

»Als ich Sie damals auf dem Ball das erste Mal sah«, sagte er, »war ich wie gebannt von Ihrer Schönheit. Ich mußte Sie immerzu ansehen. Und als wir dann miteinander sprachen, hatte ich den Eindruck eines tiefen inneren Einverständnisses zwischen uns.« Er hob mit einer Hand sachte ihr Kinn an, so daß sie ihm in die Augen sehen mußte. »Sagen Sie etwas, Marianne.« Seine leise Stimme drängte. »Sagen Sie mir, was Sie denken.«

»Ich weiß nicht«, flüsterte sie.

»Was wissen Sie nicht?«

»Ich weiß nicht, was Sie von mir wollen.«

»Das ist ganz einfach. Ich will *Sie*.« Er drückte seine Lippen auf ihren Handrücken. Sie schloß die Augen und hatte das Gefühl zu schwanken. »Diese wunderschöne weiße Haut«, hörte sie ihn flüstern. »Sie wird hier in der Sonne verbrennen.«

Als er die Mulde in ihrer Armbeuge küßte, zitterte sie. Er zog sie an sich, und durch den dünnen Stoff ihres Sommerkleids spürte sie die Wärme und die Kraft seines Körpers. Sein Mund streifte ihren Hals. Als ihre Lippen einander endlich trafen, war ihr, als ertränke sie, als würde sie, Marianne Maclise, die immer allein zu stehen schien, immer von den anderen abgegrenzt, sich auflösen und mit ihm verschmelzen. Das Plätschern des Bachs wurde zum Tosen, die Sonne brannte, und sie glühte, stand in Flammen.

Etwas veranlaßte sie, die Augen zu öffnen und aufzublicken. Die Welt hatte sie wieder. Sie hörte Schuhe auf Felsgestein klappern und sah einen grün-weiß gestreiften Sonnenschirm vor dem blauen Himmel wippen.

Hastig trat sie von ihm weg. »Da ist Mrs. Catherwood.«

Mrs. Catherwood kam mit erhitztem Gesicht auf dem Fußweg herangeeilt. »Marianne, Kind, wir haben dich überall gesucht. Es gibt jetzt Tee.« Unter halb gesenkten Lidern warf sie einen schnellen Blick auf Arthur Leighton, hielt inne und riß die Augen auf. »Wollen Sie uns Gesellschaft leisten, Sir?«

»Danke, nein.«

Er würde wieder fortgehen. Er würde sie wieder allein lassen. Marianne war verzweifelt. »Bitte ...«, hauchte sie.

»Bitte entschuldigen Sie mich, Marianne. Ich habe dieses Ritual vor Jahren über mich ergehen lassen, als ich noch jünger war, ich möchte es mir nicht mehr antun.« Er ergriff ihre Hände. »Aber, ich muß wissen, Liebste –«

Mrs. Catherwood ließ sie nicht aus den Augen. Es war Marianne unerträglich, sich in ihren geheimsten Gefühlen beobachtet zu wissen. Schnell sagte sie: »Meine Eltern geben demnächst ein Sommerfest, Mr. Leighton. Sie kommen doch auch, ja?«

Sie schaute ihm nach, bis er in seinen Wagen stieg. Auf dem Rückweg zu den anderen bemerkte sie, daß ein Knopf an ihrer Bluse offen war, und schloß ihn mit fliegenden Fingern. Sie erinnerte sich der Hitze seiner Haut, der Berührung seiner Lippen und seiner Hände, die die Konturen ihres Körpers erforscht hatten. Und sie hatte nicht einmal versucht, ihn daran zu hindern. Vor einer Stunde noch hätte sie es für ausgeschlossen gehalten, daß sie einem Mann erlauben würde, sie so zu berühren. Vor einer Stunde noch hätte sie es für ausgeschlossen gehalten, daß sie sich nach Arthur Leightons Berührung sehnen würde.

Iris hatte bei dem Picknick nicht halb soviel Spaß, wie sie erwartet hatte. Die Häppchen waren von der Hitze ausgetrocknet, der Champagner war warm, das Gespräch seicht und sprunghaft, von gelegentlichen Spitzen durchschossen.

Alice Palmer flüsterte ihr zu: »Mrs. Catherwood hat Marianne und Mr. Leighton ertappt, wie sie sich gerade geküßt haben.« Alice mit dem Silberblick versuchte krampfhaft, Iris zu fixieren. »Das wäre eine Überraschung, wenn Marianne vor dir heiraten würde. Ich weiß noch, als du in die Gesellschaft eingeführt wurdest, dachten alle, du würdest gleich in deiner ersten Ballsaison eine tolle Partie machen. Wenn ich mir vorstelle, Louisa könnte vor mir heiraten! Ich müßte bei meiner kleinen Schwester die Brautjungfer spielen! Grauenvoll.« Sie gab Iris' Arm mit ihrem Fächer einen spielerischen Klaps. »Wir dachten alle, du wärst die erste von den Maclise-Mädchen. Laß dir nur nicht zu lange Zeit, Iris.«

Iris brauchte sich nur zu erinnern, wie Mr. Leighton ihre Schwester Marianne angesehen hatte, um sich mit einem Anflug von Hoffnungslosigkeit klarzumachen, wie groß die Wahrscheinlichkeit war, daß eine ihrer Schwestern vor ihr vor den Traualtar treten würde. Früher hatte sie diese Möglichkeit gar nicht erst in Betracht gezogen – Marianne war zu still und zu ernst, Eva zu desinteressiert, Clemency zu jung. Sie dagegen war nicht nur die älteste, sondern auch die hübscheste. Es wäre ja lachhaft – und unglaublich demütigend –, wenn eine ihrer Schwestern vor ihr einen Mann fände. So weit konnte – durfte – es nicht kommen.

Nach dem Tee zog Charlotte Catherwood, ihre beste Freundin, sie mit sich von den anderen fort. »Ich muß mit dir reden, Iris. Ich muß dir was sagen.« Charlotte holte tief Atem. »Ich habe mir überlegt, daß ich Krankenschwester werde.«

Irist starrte sie verblüfft an. Hätte Charlotte gesagt, sie wolle Afrikaforscherin oder Nonne werden – es hätte sie nicht mehr schockiert. »Krankenschwester?« wiederholte sie. »Lottie, sei nicht albern.«

»Ich fange Ende des Jahres mit der Ausbildung an.«

»Das kannst du doch nicht tun, Lottie!« Als sie erkannte, daß es Charlotte ernst war, rief sie: »Aber warum?«

»Weil ich nicht glaube, daß ich noch heiraten werde«, sagte Charlotte ruhig. »Ich bin jetzt zweiundzwanzig, Iris. Es hat sich niemand in mich verliebt, als ich achtzehn war. Warum sollte es jetzt noch geschehen? Noch dazu, wo jedes Jahr jüngere und hübschere Mädchen nachkommen.«

»Aber – *Krankenschwester*! Das ist so anstrengend – ein schrecklicher Beruf!«

»Als Krankenschwester kann ich reisen. Ich kann mir die Welt ansehen. Ich bin unabhängig und habe mein eigenes Geld. Ich brauche nicht hierzubleiben, langsam älter werden und zuzusehen, wie alles gleich bleibt. *Das* wäre schrecklich.« Charlotte schaute sich um. »Meine Mutter ist aufgewacht. Ich geh mal lieber und frage, ob ich ihr mit dem Teegeschirr helfen kann.« Bevor sie ging, sagte sie: »Du könntest doch auch Krankenschwester werden.«

»Ich?«

»Warum nicht? Denk mal, wieviel Spaß wir beide haben könnten.«

Als Charlotte weg war, nahm Iris ihren Sonnenschirm und ging davon. Ein Gefühl, das Panik nahekam, hatte sich ihrer bemächtigt. Um sich zu beruhigen, ging sie die Liste der Männer durch, die sie kannte. Einer von ihnen mußte doch zum Ehemann taugen. Es waren lauter nette Jungen aus guter Familie. Gerald Catherwood machte ihr alle paar Monate einen Heiratsantrag, und sogar Ronnie hatte sie einmal stammelnd gebeten, seine Frau zu werden. Aber dann wurde ihr mit plötzlichem Schrecken bewußt, daß seit Geralds letztem Antrag ein halbes Jahr vergangen war. Vielleicht hatte er aufgegeben. Vielleicht liebte er sie nicht mehr.

Na schön, sagte sie sich, wie wär's dann mit Ellen Hutchinsons Bruder Oswald? Aber die Idee verwarf sie augenblicklich. Oswald war ja ganz nett, aber unglaublich langweilig.

Oder vielleicht Alfred Palmer? Absurd, dachte Iris, entsetzt bei der Vorstellung, mit dem dicken, pomadigen Alfred Palmer vor den Altar zu treten.

Oder Ash, dachte sie plötzlich. Wie wäre es wohl, mit Ash verheiratet zu sein? Unmöglich. Sie würden den ganzen Tag streiten. Aber langweilig wäre es bestimmt nicht. Und auch nicht absurd.

Sie blieb stehen und blickte zurück. Ash kam gerade den Felsenhügel herunter, um sich wieder zu den anderen zu gesellen. Mit zusammengekniffenen Augen beobachtete sie ihn, groß und schlank und von einer natürlichen Anmut. Ash, dachte sie wieder. Warum nicht Ash? Denn irgend jemanden mußte sie heiraten, und das bald. Sonst würde sie noch als alte Jungfer enden.

Sie hatte es immer verstanden, Männer, die ihr gefielen, in ihren Bann zu ziehen. Jetzt lächelte sie und sah dem Sommerfest ihrer Eltern mit einer gewissen prickelnden Vorfreude entgegen.

Eva hatte ihr Fahrrad an die Mauer gelehnt und wartete in der schmalen Gasse gegenüber von J. Maclise & Söhne. Am einen Ende der Straße verkaufte ein Junge Körbe und Reitpeitschen, am anderen Ende stand eine Hansom-Kutsche mit geschlossenen Vorhängen.

Der Regen rann an Evas gewachstem Mantel herunter und bildete glasige Pfützen auf dem Kopfsteinpflaster. In Scharen strömten die Arbeiter ihres Vaters durch das große eiserne Tor. Eva hielt nach einem Zylinder und einem Regenschirm Ausschau. Sie hatte beschlossen, ihrem Vater zu folgen und ihn, sollte er die Richtung zu Mrs. Carvers Haus einschlagen, zu rufen, bevor er den kleinen Vorgarten betreten konnte. Sie würde behaupten, auf der Heimfahrt vom Kunstunterricht irgendwo falsch abgebogen zu sein und sich verfahren zu haben. Sie sei ganz erleichtert gewesen, als sie ihn plötzlich vor sich gesehen habe.

Was sie dann sagen würde, wußte sie noch nicht, doch sie vertraute darauf, daß ihr im entscheidenden Moment schon das Richtige einfallen würde. Am Gesicht ihres Vaters, am Ausdruck seiner Augen würde sie erkennen, ob ihr Verdacht überhaupt begründet war.

Kurz nachdem die letzten Arbeiter gegangen waren, kam ihr Vater. Auf dem Trottoir vor dem Tor blieb er stehen und blickte nach rechts und links. Dann ging er, statt den Weg zur Stadt einzuschlagen, zu dem wartenden Hansom. Das Pferd vor dem Wagen schnaubte, die Vorhänge fielen auseinander. Eva sah flüchtig die Frau, die in der Kutsche saß, sah, wie ihr Vater sich vorbeugte, um sie zu küssen, als er einstieg. Hochgestecktes Haar schimmerte fuchsrot, dann erschien hinter dem Fenster eine Hand im schwarzen Handschuh und zog den Vorhang zu.

Der Wagen fuhr die Straße hinunter und verschwand im Regen zwischen den hohen Backsteinhäusern. Ein paar Minuten lang stand Eva wie angewurzelt da. Dann gab sie sich einen Ruck, als könnte sie damit das Bild von ihrem Vater und Mrs. Carver in der Kutsche aus ihrem Bewußtsein verbannen.

Blind radelte sie los, ohne Richtung, ohne Ziel, und wurde von den Menschenmengen in Richtung Schlachthof gedrängt, wo jeden Morgen stämmige Männer in Lederschürzen die Messer wetzten und die Rinder brüllten, wenn sie durch die engen Straßen zur Schlachtbank getrieben wurden. Eva wurde fast übel von dem durchdringenden Geruch nach Blut und Dung. Bald schlängelte sie sich zum Schnaufen von Lokomotiven, zum Zischen von Dampf und zum Rumpeln der Waggons um die Eisenbahngleise herum. Der Regen hinterließ dunkle Schlieren auf der brüchigen weißen Tünche der Backsteinhäuser und trieb ein Sammelsurium von abgebrannten Streichhölzern und Stroh durch die Rinnsteine.

Die Straßen um sie herum wirkten verwahrlost, die Häuser waren klein und schäbig. Mit Herzklopfen erkannte sie, daß sie in das Elendsviertel geraten war, ein Viertel, das aufzusuchen man ihr streng verboten hatte. Aber sie kehrte nicht um. Sie stieg vom Fahrrad und schob es trotzig hinein in das Gewirr schmaler Gassen und finsterer Hinterhöfe. Sie wollte sehen, sie wollte wissen.

Sie sah, daß sie sich in einer anderen Welt befand. Sogar die Geschäfte waren hier anders. In einer Metzgerei hingen die Fleischstücke an Haken im unverglasten Fenster, und vom Vordach baumelte, von Fliegenschwärmen umschwirrt, ein Tierkadaver herab. Vor einer Pfandleihe, in deren Fenster eine Männerjacke mit geflickten Ellbogen, ein vergilbter Baumwollunterrock und anderer billiger Kram lagen, stand eine Menschenschlange, und auf einem kleinen Platz, um den sich hohe Mietskasernen drängten, saß auf einer Kiste eine alte Frau, die vor sich auf den Kopfsteinen ein paar zerlumpte Kleider zum Verkauf ausgebreitet hatte.

Kleine Kinder spielten in Pfützen. Sie starrten Eva an, als sie an ihnen vorüberging. Auf den Türschwellen saßen hohläugige Frauen und stillten ihre Säuglinge. Von den zwischen den Häusern gespannten Leinen hingen graue fadenscheinige Windeln und Bettlaken voller Flecken herab. Eva war wie gebannt, erschüttert von der Vorstellung, daß so viele Menschen in solcher Enge zusammengepfercht leben mußten, in Schmutz und Düsternis, wo es keine freundlichen Farben gab und selbst das Blau des Himmels von Rauch und Ruß verhüllt blieb.

Plötzlich vernahm sie Musik und folgte den Klängen durch einen schmalen Durchgang, wo räudige Hunde sich um einen abgenagten Knochen balgten und neben einer steinernen Treppe ein altes Sofa stand, aus dessen zerfetztem Bezug das Roßhaar hervorquoll. Der Durchgang mündete in einen kleinen Platz. Dort tanzten Kinder zur Musik einer Drehorgel. Kleine Mädchen in vielgeflickten Kittelschürzen drehten sich mit ernsten, konzentrierten Gesichtern, während der Drehorgelmann kurbelte und sein Äffchen auf dem Instrument herumturnte.

Auch Eva hätte sich gern der Musik hingegeben und zu

ihren Klängen im Kreis gedreht, aber sie ging weiter und verließ langsamen Schritts den kleinen Platz. Ihre Gedanken kehrten beharrlich zu ihrem Vater zurück. Sie hatte ihn immer bewundert, seine Tatkraft und seine Stärke, vor allem seine Vitalität. Die Krankheit ihrer Mutter hingegen hatte stets nur Abwehr in ihr hervorgerufen, und sie ging so wenig wie möglich hinauf in das abgedunkelte, überheizte Zimmer. In diesem Moment aber verachtete sie ihren Vater, der so gedankenlos seine Frau betrog, genau wie sich selbst, Eva Maclise, die so zimperlich war, daß sie ihre kranke Mutter am liebsten gar nicht besucht hätte. Überall trug sie die äußeren Zeichen des Wohlstands, den Joshua Maclise ihr bot, in der Zartheit ihrer weißen Hände, die keine schwere Arbeit kannten, in den Seiden- und Wollstoffen, in die sie sich kleidete. Eine tiefe Bedrücktheit überfiel sie, ein plötzliches Bewußtsein, daß sie selbst mit schuld war an dem Elend dieser Menschen; sie hätte sich sowenig unter die tanzenden Kinder auf dem Platz mischen können, wie sie es ertragen hätte, sich in die zerlumpten Kleider der alten Frau zu hüllen.

Das Bild ihres Vaters, wie er sich in der Pferdedroschke herabbeugte, um Mrs. Carver zu küssen, ließ sie nicht los. Glasklar erkannte sie jetzt, daß sie keinem erzählen durfte, was sie beobachtet hatte. Erführe ihre Mutter von der Geschichte mit Mrs. Carver, so könnte der Schock sie töten. Eva, die das Herz auf der Zunge trug, mußte lernen zu täuschen.

Sie schaute sich um und bekam einen Schrecken. Sie wußte nicht, wo sie war. Die hohen Backsteinmauern schirmten das schwindende Tageslicht ab. Auf den Treppen vor den Häusern saßen Männer und rauchten, manche spielten Karten mit scharfer Spannung im Blick, andere würfelten und spuckten sich vor jedem Wurf abergläubisch in die Hände. Ihre Blicke folgten Eva, als sie vorüberging. Einer rief: »Trinken wir ein Bier zusammen, Mädchen?«, und sie ging schneller. Seine Stimme folgte ihr in die dunkle Gasse, in die sie hineinlief. »He, wieso hast du's so eilig, Süße?«

Ein Mann rannte von hinten an ihr vorbei. Sie mußte sich an die Mauer drücken, um ihn durchzulassen. Ein Verfolger jagte ihm laut schimpfend hinterher. Dort, wo die enge Gasse hinter einer Reihe von Geschäften in einen häßlichen Hinterhof mündete, fielen die beiden Männer schlagend und tretend übereinander her. Eva ließ ihr Fahrrad fallen und rannte Hals über Kopf davon. Das Blut toste ihr in den Ohren, und ihr war, als müßte ihre Lunge bersten.

An der Ecke zu einer breiteren Straße stieß sie mit jemandem zusammen, der den Aufprall warm und weich abfing, und kam atemlos zum Stillstand. »Miss Eva!« sagte der Fremde.

Als sie den Kopf hob, erkannte sie Mr. Foley. Er hielt sie bei den Schultern, um sie zu stützen, und sie umklammerte seine Arme, als wären sie die einzige Sicherheit. Es kostete sie große Willensanstrengung, sich von ihm zu lösen und zurückzutreten.

»Ist alles in Ordnung?« Er sah sie besorgt an.

Sie atmete erleichtert auf. »Ja. Ja, natürlich.« Nie hätte sie geglaubt, daß sie einmal so froh sein würde, den zugeknöpften, recht langweiligen Mr. Foley zu sehen. »Aber mein Rad! Ich habe mein Rad verloren.«

»Wo?«

»Da hinten.« Furchtsam drehte sie sich um und wies die Gasse hinunter.

»Ich hole es. Warten Sie hier.«

Er verschwand im Dämmerlicht. Sie suchte in ihren Taschen nach einem Taschentuch. Als sie keins fand, wischte sie sich das nasse Gesicht mit dem Ärmel.

Nach einigen Minuten kam Mr. Foley mit ihrem Fahrrad zurück. »Ich bringe Sie nach Hause«, sagte er, und diesmal widersprach sie nicht.

Sie spürte seine unausgesprochenen Fragen, als sie durch die Stadt gingen, aber ihr Kopf war leer, wie ausgespült, und ihr fielen weder Erklärungen noch Lügen ein. Nach einer Weile begann er, von seiner Schwester zu erzählen, einer Lehrerin, und versuchte, sie mit Anekdoten aus deren Schulalltag zu unterhalten. Ein-, zweimal brachte sie ein Lächeln zustande.

Summerleigh war in Sicht, als sie sagte: »Ich glaube, das letzte Stück gehe ich besser allein, Mr. Foley.«

»Natürlich«, stimmte er zu und übergab ihr das Fahrrad.

»Und – wenn es Ihnen nichts ausmacht«, begann sie und stockte.

»Wir sind uns nie begegnet«, sagte er. »Wenn das eine Hilfe ist.«

Am Ende der Auffahrt blieb sie stehen und blickte zurück. Er hatte gewartet, um sie sicher zu Hause zu wissen. Jetzt hob er grüßend die Hand, bevor er sich abwandte und den Hügel hinunterging.

Am Abend des Sommerfests, bevor mit den ersten Gästen zu rechnen war, versammelte sich die Familie im Vestibül. Großtante Hannah trug Schwarz wie immer, eine schwarze Achatbrosche war ihr einziges Zugeständnis an den festlichen Anlaß. Lilians Abendkleid war ein Traum aus mauvefarbenem Seidencrêpe de Chine. Die Diamanten an ihrem Hals und ihren Ohren betonten ihre zerbrechliche Schönheit. Marianne, Iris und Clemency trugen Weiß. Unterröcke raschelten bei jedem ihrer Schritte, ein Froufrou von Spitze und zarten Bändern, und die langen Schleppen der Kleider rauschten hinter ihnen. Enggeschnürte Korsetts bescherten schmale Taillen zu üppigen Dekolletés und Hüften. Es duftete nach Veilchen, Nelke und Tuberose.

»Wo ist Eva?« fragte Marianne.

Oben an der Treppe bewegte sich etwas.

James murmelte: »O Gott!«, Joshua brüllte unartikuliert, und Hannah, Iris, Marianne und Lilian rissen sprachlos die Augen auf, als Eva in einem fließenden weißen Kleid und mit abgeschnittenem Haar, das ihr lose auf die Schultern fiel, die Treppe herunterkam.

Das Abendessen dauerte ewig, nichts wollte Marianne so recht schmecken. Hin und wieder ließ sie ihren Blick die Tafel hinunter zu Arthur Leighton schweifen, der neben ihrer Mutter saß. Wenn er ihren Blick erwiderte, war sie gebannt, das Wort, das sie eben noch an ihren Nachbarn hatte richten wollten, blieb ihr im Halse stecken, die Szene an der Tafel gefror, die Gäste verschwanden, am Ende waren nur noch er und sie da. Liebte er sie? War er so besessen von ihr wie sie von ihm? Eine unbändige Freude wallte in ihr auf, eine Mischung aus Erregung und Glück, und sie war plötzlich überzeugt, daß sie auf der Schwelle eines wunderbaren Abenteuers stand.

Iris sah Ash etwas abseits von den anderen an der Terrassentür stehen.

»Ash«, sagte sie. »Willst du nicht tanzen?«

Womit sie eigentlich die übliche Antwort provozieren wollte: *Nur mit dir, Iris.* Aber Ash schüttelte den Kopf. »Im Moment nicht, nein.«

»Das Essen war eine ziemlich unverdauliche Angelegenheit, nicht?«

»Acht Gänge ...«

»Ich weiß. Das muß man erst mal schaffen.«

»Ich wollte eigentlich sagen, daß jemand *acht* Gänge braucht –«

»Es geht doch nicht darum, was einer *braucht*!«

»Nein, offensichtlich nicht.«

»Ach, Ash, sei nicht so ein Miesmacher.«

Aber statt zu lächeln und sich zu entschuldigen, wie sie erwartet hatte, sagte er brüsk: »Bitte, entschuldige mich, Iris« und ging.

Iris ärgerte sich – sie einfach so stehenzulassen! In ihren Ärger mischte sich unversehens ein Anflug von Angst. Sie starrte ihr Spiegelbild im dunklen Fenster an. Hatte ihr Haar den Glanz verloren? Begann ihre Haut zu welken?

Na schön, dachte sie wütend, als sie sich wieder dem Zimmer zuwandte. Das wird ihm noch leid tun. Sie wußte genau, wie man Männer auf Trab brachte.

Auf dem Weg durch das Zimmer zu der Gruppe junger Männer beim Kamin studierte sie demonstrativ ihre Tanzkarte und sagte dann schmollend: »Ach, ich habe für den nächsten Tanz noch gar keinen Partner.«

»Dann tanz doch mit mir, Iris«, schlug Oswald Hutchinson eifrig vor. »Die anderen haben alle zwei linke Füße.«

»Blödsinn«, protestierte Ronnie Catherwood. »Tanz mit mir – ich langweile dich bestimmt nicht mit Gesprächen über den Kohlepreis, wie Oswald das so gern tut.«

»Dafür langweilst du die Leute mit deinem Kricketgequatsche«, entgegnete Gerald Catherwood. »Ein anderes Thema gibt's doch nicht für dich. Tanz mit mir, Iris. Ich bin ein besserer Unterhalter als Ronnie und ein besserer Tänzer als Oswald.«

Ein wenig boshaft machte Iris der Konkurrenz ein Ende, indem sie sagte: »Ich weiß, ich tanze mit Mr. Summerbee.« Tom Summerbee war ein Freund der Catherwoods.

Ronnie stöhnte, Gerald protestierte. »Du kannst doch nicht mit Summerbee tanzen. Der stolpert ja nur herum.«

Gerald hatte recht. Mr. Summerbee stolperte nur herum. Und langweilte sie nicht einmal mit Gesprächen über Kricket oder die Kohlepreise, sondern sprach, verschwitzt und hochrot im Gesicht, überhaupt nicht. Irgendwann bemerkte Iris aus dem Augenwinkel, daß Ash wieder ins Zimmer gekommen war, und neigte sich Tom Summerbee mit einem verführerischen Lächeln zu.

»Ich habe Sie seit einer Ewigkeit nicht mehr gesehen, Tom. Wo haben Sie nur gesteckt?«

»In Oxford.«

»In *Oxford*? Da müssen Sie ja wirklich begabt sein.«

»Eigentlich n-nicht.«

Iris seufzte ein wenig. »Ich habe überhaupt keine Begabung. Ich war so schlecht in der Schule.«

Er schnappte verblüfft nach Luft. »D-das kann ich mir n-nicht vorstellen. Sie sind b-bestimmt in allem gut, Miss M-Maclise.«

»Glauben Sie wirklich, Tom?« Sie wartete darauf, daß er sagen würde, er habe sich unsterblich in ihre blauen Augen verliebt oder würde seine Seele für eine Locke von ihr geben. Als er stumm blieb, obwohl sein Gesicht so rot war wie die Vorhänge, sagte sie bekümmert: »Manchmal habe ich das Gefühl, Sie mögen mich nicht besonders.«

»N-nicht m-mögen?«

»Sie fordern mich fast nie zum Tanzen auf.«

Er stolperte schon wieder, und Iris machte einen hastigen Sprung, um ihre Zehen zu retten. »Ich bin kein g-guter Tänzer«, sagte er entschuldigend.

Danach folgte wieder Schweigen. Er begann Iris auf die Nerven zu gehen. Sie fragte sich, ob es wirklich der Mühe wert war, einen Flirt mit Tom Summerbee zu versuchen, nur um Ash eifersüchtig zu machen, als er unvermittelt sagte: »Das sind solche Esel!«

»Oswald und die Catherwoods? Ja, da haben Sie wahrscheinlich recht. Aber sie können auch ganz lustig sein.«

»Sie werden doch keinen von denen heiraten, oder?«

»Nein, das glaube ich nicht«, sagte sie beruhigend.

Ash hatte an diesem Nachmittag seinen Fotoapparat zu den Browns mitgeschleppt. Lizzie hatte auf ihre kleinen Brüder aufgepaßt, weil die Eltern nicht zu Hause gewesen waren. Plötzlich war Ash aufgefallen, daß der Säugling, der in einem Pappkarton schlief, ungewöhnlich still war. Als er das Gesicht des Kindes berührt hatte, war es kalt gewesen. Der Kleine mußte im Schlaf gestorben sein, und keiner hatte den Moment seines Scheidens bemerkt. Aber er war ja auch immer so still gewesen.

Er hatte Lizzie nach ihren Eltern geschickt und war mit den kleinen Jungen ins Freie gegangen. Als Mr. und Mrs. Brown kamen, hatte er ihnen alles Geld, das er bei sich trug, als Beitrag zu den Kosten für die Beerdigung gegeben. Dann war er ins Haus seines Freundes zurückgekehrt, hatte in dem vergeblichen Bemühen, den schrecklichen Nachmittag zu vergessen, zwei doppelte Whiskys getrunken und sich dann für das Fest bei den Maclises umgezogen.

So scharf war ihm der Gegensatz zwischen diesen beiden Familien, den Browns und den Maclises, nie zuvor zu Bewußtsein gebracht worden. Bilder vom Nachmittag quälten, ihn, während er sein Essen hinunterwürgte und beobachtete, wie die Damen aus Fulwood und Abbeydale sich im Glanz ihrer reichen Ehemänner und ihrer heiratsfähigen Töchter sonnten. Er beobachtete auch Iris, hinreißend in Weiß, die aus den Armen des einen Mannes in die des nächsten wechselte und sich in jede neue Umarmung schmiegte. Sein Blick glitt von ihrem kleinen roten Kirschmund zu dem hübschen Schwung von Hals und Schultern. Er sah, wie sie sich beim Tanzen aufreizend näher an ihren Partner drängte, der sie mit Schafsblick und offenem Mund anschmachtete, der arme Idiot.

Angewidert verließ er schließlich den Raum und ging durch die Terrassentür in den Garten hinaus, wo er sich mit ausgestreckten Armen und zum Himmel emporgewandtem Gesicht in den Regen stellte.

Im Wintergarten war es schwül, Farne warfen gefiederte Schatten auf die Terrakottafliesen, auf das Glasdach trommelte der Regen.

»Sie müssen doch wissen, warum ich Sie sprechen wollte, Marianne«, sagte Arthur Leighton.

Marianne dachte an das Picknick, an den strömenden Bach unter der Brücke, an Arthur Leightons Lippen auf ihrer Haut. Das Ungestüm ihres Begehrens erschreckte sie.

»Ich will Ihnen keine Angst machen«, sagte er liebevoll.

»Nach dem Ball bei den Hutchinsons«, sagte sie, »als ich Sie danach nicht mehr gesehen habe, dachte ich, Sie fänden vielleicht –«

»Was dachten Sie, Marianne?«

»Sie fänden mich vielleicht nicht gut genug. Alice Palmer erzählte mir –«

»Was? Was hat sie Ihnen erzählt?«

»Daß Sie mit einem Vicomte verwandt sind. Oder einem Grafen.«

»Ach ja?« Er wirkte amüsiert. »Na ja, ich habe einen Großonkel, der Baronet ist. Wir reden nicht miteinander – er hat sich vor Jahren mit seinem Bruder, meinem Großvater, überworfen. Lange vor meiner Geburt.« Sein Lächeln verschwand. »Sie glaubten, ich hielte mich für etwas Besseres?«

Sie hob trotzig das Kinn. »Und – stimmt das nicht?«

»Aber nein! Ihr Vater ist Fabrikant, und ich bin im Reedereigeschäft. Ich kann da keinen großen Unterschied erkennen. Wir haben uns beide aus eigener Kraft etwas aufgebaut. Es gibt andere Dinge, die Sie in Betracht ziehen sollten. Beispielsweise den Alterunterschied zwischen uns. Sie sind zwanzig, und ich bin achtunddreißig.«

»Das ist mir egal.«

»Wirklich? Das erleichtert mich. Trotzdem sollten Sie wenigstens einmal darüber nachdenken. Wenn Sie fünfundvierzig sind, in Ihren besten Jahren also, werde ich über sechzig sein, ein alter Mann. Die zweite, schwierigere Frage ist natürlich, ob es überhaupt recht wäre, Sie aus Ihrer Familie herauszureißen. Wenn wir heiraten sollten –«

Wenn wir heiraten sollten... Das Prasseln des Regens wurde zum Trommelwirbel, der ihr Glück ankündigte.

»Wenn wir heiraten sollten, müßte ich Sie bitten, Sheffield zu verlassen. Ich will ehrlich sein, ich verabscheue die Provinz. Ich weiß, es ist eine Zumutung, von einer Frau, die noch so jung ist wie Sie, zu verlangen, daß sie alles aufgibt, was ihr bekannt und vertraut ist. Sie könnten natürlich Ihre Familie jederzeit besuchen, und Ihre Eltern und Geschwister könnten zu uns kommen und bleiben, so lange sie wollen. Aber die tägliche Nähe, die Sie gewöhnt sind, wäre das nicht.«

»Manchmal sehne ich mich danach, allein zu sein«, sagte sie. »Manchmal habe ich das Gefühl, daß ich von dem ganzen Gerede rundherum ganz wirr im Kopf bin.«

»Aber Sie wären nicht allein. Sie wären mit mir zusammen.«

»Sie sind ein Teil von mir.« Es war wunderbar befreiend, es endlich sagen zu können. »Wenn ich mit Ihnen zusammen bin, Arthur, mag ich mich selbst lieber.«

Er öffnete die Glastür, um kühlere Luft hereinzulassen. »Liebste Marianne«, sagte er leise, »ich habe schon an dem ersten Abend auf dem Ball eine tiefe Verbindung zwischen uns gespürt. Aber dann – ich vermute, ich hatte Angst. Ich hatte Angst, die Geschichte könnte sich wiederholen. Denn wissen Sie, ich war vor langer Zeit, als ich noch weit jünger war, schon einmal verlobt. Ich hatte zweimal das ganze Brimborium der Londoner Ballsaison mitgemacht, dann verliebte ich mich in eine Frau, und wir versprachen uns einander. Sie löste die Verlobung vierzehn Tage vor der Hochzeit. Sie hatte einen anderen Mann kennengelernt. Sie haben mir einmal gesagt, es falle Ihnen schwer, sich zu entscheiden, sie sehen von jeder Frage immer beide Seiten. Ich will Sie nicht überreden, mich zu heiraten, wenn Sie Zweifel haben. Ich kann Ihnen alles bieten, was man mit Geld kaufen kann, vielleicht sogar ein Leben, das reicher und erfüllter sein wird als Ihr bisheriges. Ich kann Ihnen ein schönes Haus und interessante Gesellschaft bieten, und wir könnten natürlich auch reisen. Aber vielleicht wollen Sie ja etwas ganz anderes. Wenn es so ist, wäre es mir am liebsten, Sie sagten es mir jetzt. Ich werde Ihre Entscheidung respektieren und Sie nie wieder belästigen.«

»Reisen und Häuser – das bedeutet mir gar nichts«, entgegnete sie heftig. »Haben Sie sie geliebt? Die Frau, die Sie beinahe geheiratet hätten? Haben Sie sie geliebt?«

»Ich glaubte, sie zu lieben.« Er umschloß sein Gesicht mit

beiden Händen. »Aber es war ein Irrtum. Ich liebe *dich*, Marianne. Ich habe nie jemanden so geliebt wie dich.«

Das Glück ließ sie taumeln, und trotzdem verschloß sie sich, plötzlich argwöhnisch, voll Furcht vor den Abgründen der Liebe und den Möglichkeiten des Schmerzes, die sie mit sich brachte. »Du darfst mich nie verlassen«, sagte sie heftig. »Versprich mir, daß du mich niemals verläßt.«

Er zog ein kleines blaues Lederkästchen aus seiner Tasche und klappte es auf. Darin lag ein Diamantring. »Auf immer und ewig«, sagte er, als er ihr den Ring über den Finger streifte. »Ich werde dich immer lieben, Marianne. Über den Tod hinaus, wenn es sein muß.« Und während über ihnen der Regen aufs Dach schlug, küßte er sie.

Sie würde Ash zwingen, mit ihr zu tanzen. Es war gemein von ihm, sie so zu behandeln. Sie gab ihm einen Klaps auf die Schulter. »Du kannst nicht auf unser Fest kommen und uns dann alle links liegenlassen. Das ist ungezogen.«

»Ich habe euch nicht alle links liegengelassen. Ich habe mich mit deiner Mutter unterhalten, mit Marianne und mit deiner Großtante. Ach, und James wollte Geld von mir leihen – ich konnte ihm leider nicht helfen. Wo ist eigentlich Eva? Keiner will es mir verraten.«

»Sie fühlt sich nicht wohl. Das ist jedenfalls die offizielle Version. In Wirklichkeit ist sie in Ungnade gefallen. Sie hat sich die Haare abgeschnitten und sieht aus wie ein geschorenes Lamm. Mein Vater hat sie auf ihr Zimmer geschickt.« Sie sah ihn scharf an. »Soll das heißen, daß du nur mich links liegenläßt?«

»Du warst sehr beschäftigt.«

»Aber jetzt bin ich überhaupt nicht beschäftigt. Ich habe diesen Tanz extra für dich aufgehoben, Ash.«

»Ich bin wirklich nicht in Stimmung zu tanzen«, sagte er.

Sein Haar war feucht und strähnig vom Regen. Er mußte eine ganze Weile im Garten herumgelaufen sein. In seinen Augen lag ein harter Glanz, den sie nie zuvor bemerkt hatte und der sie eigentlich hätte warnen sollen. Aber sie lachte nur und sagte: »Schlechte Laune gilt nicht. Hiermit befehle ich dir, mit mir zu tanzen, Ash.«

Einen Moment lang glaubte sie, er würde sie tatsächlich zurückweisen, was unerträglich gewesen wäre. Aber dann bot er ihr den Arm und führte sie zur Tanzfläche. »Ich hatte so meine Zweifel, daß du überhaupt tanzen kannst«, bemerkte sie.

»Ich habe viele verborgene Talente.«

»Das glaube ich gern.«

»Ich habe zum Beispiel gerade kapiert, was das alles hier eigentlich soll. Ich meine, es ist ja nicht so, als hätten die Leute unbedingt Spaß.«

»Was redest du da? Es ist doch alles wunderbar.«

Er sah zu ihr hinunter. Sein Blick hatte einen taxierenden Ausdruck, der ihr unangenehm war. »Die Männer machen Geschäfte«, sagte er, »und die Frauen schließen Bündnisse. Hier geht's nicht um den Spaß, Iris. Hier geht's um Geld. Und um Macht.«

Er führte gut. Er war ein ausgezeichneter Tänzer, aber sie genoß es nicht, obwohl sie sonst so gern tanzte. Etwas in seinem Ton, ein stählernes Blitzen in seinen Augen verdarb ihr das Vergnügen.

»Ihr eßt ein Diner mit acht Gängen«, fuhr er fort, »weil ihr es euch erlauben könnt. Ihr könnt euch die Delikatessen, den Wein und die Dienstboten leisten. Problemlos. Genau wie die Kleider, die ihr tragt.«

»Gefällt dir mein Kleid nicht, Ash?«

»Keine Ahnung. Ich habe nicht darüber nachgedacht.« Mit einem Blick musterte er sie von Kopf bis Fuß. »Ehrlich gesagt, hast du mir in den Sachen, die du beim Picknick anhattest, besser gefallen.«

»Ich konnte heute abend ja wohl kaum in einem simplen Musselinkleid erscheinen.«

»Also trittst du in Diamanten und Straußenfedern auf. Weil du es dir leisten kannst. Du siehst vielleicht in einem einfachen Kleid hübscher aus, aber deine Kleider werden nicht danach ausgewählt, ob sie dir stehen oder nicht, sondern danach, ob sie auch genug hermachen. Und die Blumen da an deinem Kleid –« Er berührte die weißen Seidenrosen an ihrem Ausschnitt. »Weißt du, was die Frauen, die diese Dinger nähen, dafür bekommen?«

Sie fing an, sich zu ärgern. »Nein, das weiß ich nicht.«

»Sie arbeiten vierzehn Stunden am Tag. Sie bekommen einen Shilling und drei Pence für zwölf Dutzend – das sind hundertvierundvierzig Blumen –«

»Ich weiß, wieviel zwölf Dutzend sind«, unterbrach sie ihn gereizt. »*Ich* entscheide nicht, was den Leuten bezahlt wird. Es ist sicher ein schweres Leben, aber dafür kann ich nichts.«

»Leute wie dein Vater entscheiden«, sagte er mit plötzlicher Erbitterung.

»Dann solltest du nicht mir den Vorwurf machen. Ich habe kein eigenes Geld, Ash. Wir sind keine reichen Erbinnen. Wirklich, ich besitze keinen Penny.«

Wieder dieser taxierende Blick. »Es gibt auch noch andere Formen von Macht.« Sein Blick flog zum offenen Kamin, wo die Catherwood-Brüder, Oswald Hutchinson und Tom Summerbee beieinanderstanden. »Schau sie dir an, deine Hündchen da drüben. Die Zungen hängen ihnen raus, so gierig warten sie auf ein freundliches Wort von dir.«

»Du bist heute abend wirklich nicht sehr nett, Ash.«

»Und du bist nicht sehr freundlich.« Er hielt so plötzlich an, daß sie mit ihm zusammenprallte. »Wenn du nichts für sie übrig hast, solltest du es ihnen sagen.«

»So ein Quatsch!« Sie war wütend. »Die nehmen das doch gar nicht ernst. Sie wissen, daß es nur Spiel ist.«

»Tom Summerbee weiß es nicht.«

Sie wurde rot. »Woher willst du das wissen?«

»Weil er mich vorhin im Flur angehalten und darauf bestanden hat, eine Flasche Champagner mit mir zu trinken. Und als er betrunken genug war, hat er mir erzählt, daß er ganz verrückt nach dir ist.«

Sie merkte, daß auch er zuviel getrunken hatte. Ash hatte zuviel getrunken. Darum dieser harte Glanz in den Augen, dieser mühsam unterdrückte Zorn in seinem Ton. Sie war verwundert, sie hätte ihn nicht für einen Mann gehalten, der auf Alkohol aggressiv wurde.

Die Musik endete, sie hörten auf zu tanzen. »Du irrst dich«, sagte sie kalt, bevor sie sich trennten. »Du kennst dich in diesen Dingen nicht aus. Du hast zu lange in Schulen und Universitäten über staubigen Büchern gesessen. Glaub mir, es ist nur ein Spiel.«

Doch als sie aus dem Tanzsaal ging, trat ihr zu ihrer ärgerlichen Verblüffung Tom Summerbee in den Weg und wollte sie unbedingt allein sprechen. Sie führte ihn in den Wintergarten, und dort kniete er unter Palmen und Ficus benjamini nieder und bat sie, seine Frau zu werden.

Sie antwortete mit der üblichen Floskel, sie fühle sich von seinem Antrag geehrt, könne ihn aber nicht annehmen, und dachte, damit wäre die Sache erledigt, sie könnte wieder in den Tanzsaal gehen und den letzten Walzer tanzen und vielleicht, vielleicht, wenn sie der Versuchung gar nicht widerstehen konnte, Gerald von Tom Summerbees Antrag erzählen. Sie war eine gute Schauspielerin und konnte ihn immer zum Lachen bringen.

Aber Tom sprang auf, umarmte sie heftig und begann, sie zu küssen. Er besaß weit mehr Kraft und Entschlossenheit, als sie ihm nach seinem duckmäuserischen Verhalten zugetraut hätte. Am Ende blieb ihr nichts anderes übrig, als ihm einen so kräftigen Stoß zu versetzen, daß er das Gleichgewicht verlor. Taumelnd riß er einen großen Blumentopf um, der den Boden mit Laub und Erde überschüttete.

»Also wirklich, Mr. Summerbee, das hätte ich nicht von Ihnen gedacht«, sagte sie in vernichtendem Ton.

Anstatt sich zu entschuldigen und den Boden sauberzumachen, setzte er sich auf die Fliesen und schlug schluchzend die Hände vors Gesicht. »Aber ich liebe Sie, Iris«, flüsterte er.

»Nein, das tun Sie nicht«, widersprach sie kurz. »Machen Sie sich nicht lächerlich.«

Mit tränennassen Augen sah er sie an. »Doch, ich liebe Sie. Ich möchte Sie heiraten. Ich dachte, Sie lieben mich auch. Ich dachte, Sie wollten deswegen mit mir tanzen.«

Von ihrem Handschuh war ein Knöpfchen abgesprungen, und am Saum ihres Kleides hafteten Erdkrumen. »Ich werde Sie nie im Leben heiraten«, sagte sie eisig. »Wie konnten Sie auf so einen Gedanken kommen!«

Er zuckte zusammen, dann kam er ungeschickt auf die Füße und rannte hinaus. Iris mußte den umgekippten Topf wiederaufstellen. Was für ein absurder Mensch, dieser Tom Summerbee, einen Flirt als Liebeserklärung aufzufassen! Es war ein Spiel, und mit seinem unmöglichen Verhalten hatte er die Regeln gebrochen.

Es regnete die ganze Nacht, und am Morgen tropfte es träge vom Dach und aus den Bäumen. Über Summerleigh hatte sich nach dem Fest eine dumpfe Mattigkeit gesenkt. Lilian kränkelte wieder und blieb im Bett. Joshua zog sich in sein Arbeitszimmer zurück. Die Schwestern suchten ihre bevorzugten Rückzugsorte auf: eine Fensterbank, ein Gartenhaus und den Wintergarten, wo, so fand Marianne, zwischen den Blüten und Blättern noch eine Energie knisterte, die durch die Ereignisse des vergangenen Abends aufgebaut worden war.

Nach der Kirche bat Großtante Hannah Joshua um ein Gespräch. Hannah Maclise lebte seit dem Tod ihres Bruders, Joshuas Vater, vor fünfzehn Jahren in Summerleigh. Ihre beiden kleinen Zimmer befanden sich im Erdgeschoß, weil ihr das Treppensteigen schwerfiel, und waren mit Erinnerungsstücken mehrerer Generationen der Familie Maclise überladen. Ein Aquarell, das einst Joshuas Vater gehört hatte, hing eingezwängt zwischen einer Daguerreotypie seines Großvaters im Kilt und mit dem strengen Blick des Presbyterianers sowie einer Zeichnung von Winnie als Welpe, die Eva gemacht hatte. Eine Puppe, die einer lang verstorbenen Großtante gehört hatte, bildete zusammen mit einem Kerzenhalter aus Messing und einer koketten kleinen Porzellanschäferin ein etwas seltsames Ensemble.

Hannah bot Joshua ein fingerhutgroßes Gläschen Sherry an und kam ohne Umschweife zur Sache. »Ich wollte mit dir über Eva sprechen, Joshua.«

Joshua knurrte zornig. Unerschütterlich fuhr Hannah fort: »Mein Lieber, Eva ist sehr unglücklich.«

»Sie ist unglücklich? Das will ich hoffen nach ihrem gestrigen Benehmen.«

»Sicher, was Eva getan hat, war nicht richtig. Aber ich finde, wir sollten den Grund ihres Benehmens bedenken.«

»Der Grund liegt auf der Hand«, sagte er langsam. »Lilian ist der Grund. Sie hat die Mädchen vernachlässigt – ja, du hast richtig gehört, Tante Hannah, *vernachlässigt*. Sie hat die letzten elf Jahre entweder im Bett verbracht oder ist auf der Suche nach einer Kur auf dem Kontinent herumgereist. Mädchen brauchen eine Mutter, aber meine haben keine gehabt. Deshalb sind sie so mißraten.«

»Aber sie sind doch nicht mißraten, Joshua«, widersprach Hannah milde.

»Ja, ja, Marianne und Clemency sind ganz brav. Sie machen keine Schwierigkeiten. Aber Eva und Iris –«

»Eva hat nur einen starken eigenen Willen, Joshua. Und Iris –«

»Iris hat nichts als Tändeleien im Kopf«, fiel er ihr schroff ins Wort. »Ich habe sie gestern abend beobachtet, wie sie sie alle nach ihrer Pfeife tanzen ließ. Man zerreißt sich schon das Maul über sie, Hannah – irgend so eine alte Hexe hat mir den Klatsch gestern abend mit Wonne zugetragen. Seit vier Jahren macht sie eine Saison nach der anderen mit, kostet mich ein

Vermögen an Kleidern und Firlefanz und hat immer noch keinen Mann gefunden. Wenn sie nicht aufpaßt, landet sie noch auf dem Abstellgleis oder schlimmer.«

»Iris ist eben ein temperamentvolles junges Mädchen«, sagte Hannah taktvoll.

»Temperamentvoll?« versetzte Joshua spöttisch. »Ja, so kann man es natürlich auch nennen. Und was Eva angeht, die ist einfach verwöhnt. Und undankbar.«

»Eva setzt gern ihren Kopf durch. Wie du übrigens auch, Joshua.«

Er seufzte. »Ich will sie doch nicht unglücklich machen. Ich kann es kaum mit ansehen, wie niedergedrückt sie ist. Sie hat in den letzten Wochen kaum ein Wort mit mir gewechselt. Ich habe nicht gewußt, daß sie so – so unversöhnlich sein kann.« Er leerte das Sherryglas mit einem Zug. »Ich wollte immer nur das Beste für meine Kinder.«

»Das weiß ich, Joshua.«

»Du hast dir mit den Mädchen alle Mühe gegeben, Hannah, und Mrs. Catherwood hat sich rührend um sie gekümmert, trotzdem habe ich das Gefühl, sie sind völlig außer Rand und Band. Weiß der Himmel, was aus ihnen einmal werden wird.« Joshua fuhr sich durch das dichte graue Haar und fügte aufgebracht hinzu: »Und James macht mir auch Sorgen. Der Junge ist ein Verschwender – er kann sich nicht beherrschen. Kein Mann hat etwas gegen einen Schluck Whisky und eine hübsche Frau einzuwenden, aber James kennt keine Grenzen. Er muß lernen, was Geld bedeutet. Das schlimme ist eben, daß er es sich nicht schwer erarbeiten mußte wie ich.«

Hannah tätschelte ihm die Hand. »Laß ihm Zeit. Junge Männer schlagen nun mal gern über die Stränge – du warst nicht anders, Joshua.«

Seine Söhne sollten einmal die Firma übernehmen, die er mit harter Arbeit aufgebaut hatte. Maclise Werkzeuge – Feilen, Sägen, Sicheln, Zubehörteile für landwirtschaftliche Maschinen – wurden in alle Teile der Welt versandt. Seine Söhne sollten Geschäftssinn besitzen und seine Töchter eine gute Partie machen. Am besten mit Männern aus angesehenen Sheffielder Familien, das half Bündnisse schmieden. Manchmal hatte er Angst, daß er in dieser sich verändernden Welt auf der Strecke bleiben würde. Amerika und Deutschland produzierten heute guten Stahl zu niedrigeren Preisen als Großbritannien. Joshuas politische Richtung, ein milde paternalistischer Konservativismus, kam unter dem revolutionären Ansturm von aufwieglerischen Hitzköpfen und Anarchisten immer mehr aus der Mode. Der Aufstieg der Gewerkschaften gefiel ihm nicht; er konnte keinen Sinn darin sehen. Er kannte jeden seiner Arbeiter und Angestellten mit Namen, verlangte nichts Unzumutbares von seinen Leuten, hatte nicht, wie viele andere, wegen der zurückgegangenen Nachfrage die Löhne gekürzt. Aber er gewahrte natürlich den wachsenden Unmut rundherum. Nicht einmal die Frauen schienen mehr mit ihrem Los zufrieden zu sein, sondern hatten sich in geifernde Hyänen verwandelt, die politische Versammlungen störten und sich an Gittern und Geländern anketteten. Alte Feindschaften drohten in Irland und auf dem Kontinent wieder aufzuflammen. Die Arbeiter dachten sich nichts dabei, Streiks anzuzetteln, um ihren Arbeitgebern ihre Forderungen aufzuzwingen. Respekt und Pflichtbewußtsein waren keine Werte mehr. Es lag eine Spannung in der Luft, die Joshua beunruhigte. Seine Überzeugungen und seine Vorstellungen von Ethos und Moral schienen mit dieser neuen Welt immer heftiger in Konflikt zu geraten.

Hannah riß ihn aus seinen Grübeleien. »Ich möchte dir einen Vorschlag machen, Joshua. Ich möchte Eva den Besuch der Kunstakademie finanzieren. Nein – laß mich ausreden, bitte. Ich habe etwas eigenes Geld, und ich wüßte nichts, wofür ich es lieber ausgeben würde.«

»Es geht mir nicht um das Geld. Es ist diese Unvernunft. Warum kann sie nicht einfach heiraten und eine Familie gründen, wie sich das für eine Frau gehört?«

»Weil sie es eben nicht kann«, entgegnete Hannah kurz.

»Wenn du Eva zwingst, ein Leben gegen ihre Natur zu führen, wirst du sie zerstören, Joshua.«

Es blieb einen Moment still. Dann brummte Joshua: »Das will ich natürlich nicht. Das weißt du.«

»Dann schluck deinen Stolz hinunter und sag ihr, daß du unrecht hattest.«

»Warum muß nur alles so kompliziert sein?« beschwerte er sich. »Zu Hause sollte man seine Ruhe haben, aber ich atme auf, wenn ich ins Werk komme.«

»Da ist doch ganz normal, Joshua«, sagte Hannah. »Du liebst deine Arbeit.«

Sie sagte das so betont, daß er innehielt. Sie hatte recht, auch wenn er sich darüber beschwerte, wieviel Zeit und Kraft seine Arbeit ihn kostete, er liebte sie. Er liebte den beißenden Geruch des Koks und die feurige Glut der Hochöfen, die Atmosphäre rastloser Geschäftigkeit und das Gefühl, etwas geleistet zu haben. Mit Stolz sah er die zur Kühlung aufgereihten Stahlblöcke und die Kisten voll Feilen, Sägen und Maschinenteile, jedes Stück einzeln in braunes Papier verpackt. Um aus seiner Arbeit Befriedigung zu schöpfen, mußte er etwas herstellen, die Früchte seiner Anstrengung in Händen halten können.

War es bei Eva auch so? Als Frau konnte sie natürlich nicht in seine Fußstapfen treten und die Firma übernehmen, aber fand sie vielleicht diese Erfüllung in der Malerei?

»Hm.« Er schob sich haltsuchend auf Hannahs unbequem rutschigem braunem Sofa hin und her. Es war zu heiß im Zimmer, es war zu eng und zu überladen. Und für einen anständigen Schluck hätte er seine Seele verkauft. Er sah Hannah an. »Aber *London*, Hannah!« protestierte er. »Und ganz allein. Wer weiß, was ihr da zustößt.«

»Unsinn«, entgegnete Hannah trocken. »Eva wird nichts zustoßen. Ich habe noch einen weiteren Vorschlag. Sie könnte bei Sarah Wilde wohnen. Du erinnerst dich doch an Sarah?«

Joshua erinnerte sich eines weit zurückliegenden Besuchs

bei einer Freundin von Hannah, die damals ins Bloomsbury gelebt hatte. Das Haus war voller Vogelkäfige gewesen und spindelbeiniger Stühlchen, die zum Sitzen ungeeignet waren.

»Sarah ist gern bereit, Eva bei sich aufzunehmen. Sie würde sich über Gesellschaft freuen und könnte ein Auge auf Eva haben.« Hannah fixierte ihn mit wasserblauem Blick. »Was sagst du Joshua? Bist du einverstanden?«

Widerstrebend gab er sein Einverständnis. Als er kurz darauf Eva mitteilte, daß sie nun doch in London studieren dürfe, flog sie ihm zu seiner Betroffenheit nicht etwa wie erwartet stürmisch um den Hals, sondern dankte ihm lediglich mit ein paar höflichen Worten und einem Pflichtküßchen auf die Wange.

Als sie gegangen war, goß sich Joshua, allein in seinem Arbeitszimmer, einen Scotch ein und kippte ihn mit einem Zug hinunter. Dann stellte er das Glas ab, senkte den Kopf in seine Hände und stöhnte laut. Er wußte, daß er in letzter Zeit mit seinen Gedanken und Gefühlen ständig woanders war, daß es ihn Mühe kostete, sich auf das alltägliche Leben zu konzentrieren. Der Grund dafür, den er niemandem anvertrauen konnte, war Katharine Carver.

Katharine war Witwe. Joshua hatte ihren verstorbenen Mann Stanley lange gekannt. Stanley Carver hatte in Attercliffe eine Fabrik besessen, die Wendelbohrer und Zahnräder herstellte. Vor etwas über einem Jahr war er an einem Herzinfarkt gestorben, und Katharine war mit den beiden kleinen Töchtern zurückgeblieben, nicht gerade glänzend versorgt, vermutete Joshua. Als Freund der Familie hatte er seine Hilfe angeboten, doch Katharine Carver war nicht darauf eingegangen. Anfangs hatte Pflichtgefühl ihn getrieben, Katharine Carver und ihre Kinder gelegentlich zu besuchen, aber mit der Zeit war aus dem Pflichtgefühl etwas anderes geworden. Eine schöne Frau war Katharine in seinen Augen immer schon gewesen, aber erst seit Stanleys Tod fühlte er sich zu ihr hingezogen. Das satte Rot ihres Haars, ihr hoher Wuchs und ihre gerade Körperhaltung waren etwas Besonderes, vor allem aber sprühte sie vor Vitalität – ein schroffer Gegensatz zu Lilians matter Blässe.

Er hatte angefangen, Katharine alle vierzehn Tage zu besuchen. Sie hatte ihn zu diesen Besuchen weder ermuntert, noch hatte sie sie sich verbeten. Oft kamen ihm im Lauf des Tages ihre Züge in den Sinn. Er hatte sich seit Jahren nicht mehr so gefühlt, seit der Zeit nicht mehr, als er in Lilian verliebt gewesen war. Es war, als fielen plötzlich alle Sorgen und alles Bedauern über Versäumtes von ihm ab. Er sagte keinem Menschen etwas von diesen Besuchen. Sie gingen nur ihn allein etwas an. Es war schließlich nichts dabei, sich ein wenig um die Witwe eines alten Freundes zu kümmern, denn mehr als Freundschaft bestand nicht zwischen ihnen.

So war es jedenfalls bis vor drei Monaten gewesen, bis er Katharine bei einem seiner abendlichen Besuche in der Spülküche angetroffen hatte. Der Boden stand zentimeterhoch unter Wasser. Ein Rohrbruch, hatte sie erklärt. Sie hatte das Mädchen schon zum Spengler geschickt; die Köchin war auf den nassen Fliesen ausgerutscht, hatte sich den Rücken gezerrt und sich oben hingelegt.

Joshua tauchte unter das Spülbecken, fand zwischen Waschpulver und Lysol den Haupthahn und drehte ihn zu. Als er aufstand, sagte sie: »Joshua, Ihr Jackett« und wollte den Staub abwischen. Doch bevor sie das tun konnte, nahm er sie in die Arme und küßte sie. Es war eigenartig und wunderbar, nach so langer Zeit wieder eine Frau zu küssen, und sie stieß ihn nicht zurück, wie er fast erwartet hatte, sondern erwiderte seine Küsse mit weichen, begierigen Lippen.

Gleich dort, in der Küche, hatten sie sich geliebt – ein Wahnsinn, wo oben die Köchin lag und das Mädchen jeden Moment mit dem Spengler zurückkommen konnte. Aber es war schnell gegangen – er war viel zu ausgehungert gewesen, um Zeit an Feinheiten zu verschwenden. Nachdem der Spengler seine Arbeit getan hatte und die Dienstboten fortgeschickt worden waren, waren sie nach oben gegangen. In dem breiten Eichenbett, das Katharine früher mit ihrem Mann geteilt hatte, hatten sie sich noch einmal geliebt, und diesmal hatte Joshua sich Zeit gelassen und seinen ganzen Stolz darangesetzt, sie glücklich zu machen.

Die Geschehnisse dieses Tages hatten ihn verändert. Er fühlte sich wieder jung, jung und stark. Aber natürlich hatte das Glück einen Beigeschmack von Schuld. Er liebte Lilian immer noch, hatte nie aufgehört, sie zu lieben. Sie war Ende Vierzig, sie hatte sieben Kinder geboren, doch für Joshua war sie immer noch das blonde, schlanke Mädchen, in das er sich damals verliebt hatte. Aber sie hatte seit der Zeit vor Philips Geburt das Bett nicht mehr mit ihm geteilt, und Philip war mittlerweile elf. Joshua konnte sich nicht mehr erinnern, wann genau ihm klargeworden war, daß er nie wieder mit seiner Frau schlafen würde. Es war kein einzelner Moment der Erkenntnis gewesen, eher ein allmähliches Gewahrwerden eines Verlusts, das die Seele zerstörte. Mehr als alles andere, mehr als die grauen Haare auf seinem Kopf oder seine fülliger werdende Mitte hatte ihm das Ende dieses Teils seines Lebens das Gefühl gegeben, alt zu sein. Der Gedanke, daß er mit seinen dreiundfünfzig vielleicht noch zehn oder zwanzig Jahre leben würde, ohne je wieder eine Frau zu berühren, machte ihm angst.

Er hätte sich Frauen kaufen können, es gab Straßen in Sheffield, wo täglich solche Transaktionen stattfanden. Manchmal hatte er abends, wenn er zu Fuß nach Hause gegangen war, tatsächlich daran gedacht, eines dieser grellgekleideten, geschminkten Geschöpfe anzusprechen, die sich da in den Türnischen der Geschäfte herumdrückten, aber er hatte es nie getan. Die jungen unter ihnen erinnerten ihn an seine Töchter, und die älteren hatten so etwas Müdes, Erloschenes im Blick. Er besaß Phantasie genug, um sich vorzustellen, wie schmutzig er sich nach so einer Begegnung fühlen würde. Außerdem ging es ihm gar nicht um Sex allein. Er brauchte auch Zuneigung oder wenigstens das Gefühl, erwählt worden zu sein.

Daß Katharine ihn erwählt hatte, erschien ihm wie ein Wunder. Er brauchte nur die Augen zu schließen, um sie vor sich zu sehen, die runden Konturen ihres Gesichts, den weichen Schwung ihrer Schultern, die sanfte Krümmung ihres Bauchs. Manchmal meinte er, auf der Straße oder in der Eisenbahn ihr Parfum zu riechen, und suchte dann mit Blicken in der Menge nach ihr.

Er wußte natürlich, daß er unrecht tat, daß er an Lilian Verrat beging, durch den Ehebruch gegen Gottes Gebot verstieß. Immer wieder nahm er sich vor, die Beziehung zu beenden, doch es blieb beim Vorsatz. War Katharines Nähe daran schuld? Oder Lilians Distanziertheit, ihre Unberührbarkeit, die ihn täglich daran erinnerte, wie einsam er in seinem eigenen Haus war?

Ehe er sich noch einmal einschenken konnte, klopfte es. »Mr. Leighton läßt fragen, ob er Sie sprechen kann, Sir«, meldete das Mädchen, und Joshua schüttelte kurz den Kopf, wie um sich von den Gedanken an Katharine Carver zu befreien. Dann bat er das Mädchen, Arthur Leighton hereinzuführen.

Nachdem ihr Vater der versammelten Familie mitgeteilt hatte, daß er Arthur Leighton die Erlaubnis erteilt hatte, Marianne zu heiraten, nach ebenso ausgedehnter wie hitziger Diskussion über Daten, Brautjungfern, Gästelisten und dergleichen mehr, und als sie sicher war, daß ihre Abwesenheit nicht auffallen würde, schlich sich Iris in den Garten hinaus.

Es hatte aufgehört zu regnen, aber der Rasen war noch naß. Iris setzte sich auf die Schaukel. Sie hatte Kopfschmerzen, seit dem Morgen schon, ihr war elend und bang. Marianne würde heiraten, Eva würde an die Kunstakademie gehen. Während sie auf der Schaukel saß und die Wassertropfen, die aus den Ästen über ihr fielen, blutige Flecken auf ihrem rosaroten Kleid hinterließen, wurde ihr klar, wie verzweifelt ihre Situation war. Sie hatte zu lange gewartet. Ihre Schönheit hatte schon begonnen zu welken. Sie würde als alte Jungfer enden, die daheim bei den Eltern herumsaß und die ewig kränkelnde Mutter pflegte.

Niemals! dachte sie trotzig. Sie würde heiraten, und zwar schon bald. Sie hatte ihre Ansprüche zu hoch geschraubt.

Sie hörte das Schnappschloß des Tors, dann Schritte im Gras. Als sie den Kopf hob, sah sie Ash. Erinnerungen an den vergangenen Abend brannten wie Schürfwunden auf der Haut, aber sie reckte das Kinn in die Höhe und rief ihm zu: »Bist du gekommen, um dich zu entschuldigen?«

Er kam auf sie zu. »Ich bin gekommen, um mich zu verabschieden.«

»Verabschieden?«

»Ich gehe zurück nach Cambridge.«

Als sie noch Kinder gewesen waren, hatten sie einmal in Scarborough im Meer gebadet, und sie war zu weit hinausgewatet und von einer Welle unter Wasser gerissen worden. Sie war zu Tode erschrocken gewesen, atemlos und völlig ohne Orientierung – genau wie jetzt.

»Ich nehme morgen früh den ersten Zug«, fuhr er fort. »Ich wollte nicht abreisen, ohne auf Wiedersehen gesagt zu haben.«

»Du kannst nicht einfach abfahren!« rief sie.

»Ich muß.«

Sie spürte eine eiserne Entschlossenheit, die ihr vom vergangenen Abend noch in Erinnerung war. »Aber du *darfst* nicht fahren, Ash. Wie soll ich denn ohne dich zurechtkommen?«

»Ach was, du kommst schon zurecht. Du gehörst zu den Menschen, die mit jeder Situation fertigwerden.«

»Was soll das heißen?«

Er zuckte mit den Schultern. »Nichts.«

»Du hältst mich für egoistisch, stimmt's? Du meinst, bei mir dreht sich alles nur um mich selbst.« Als sie von der Schaukel sprang, fiel der Seidenschal, der auf ihrem Schoß lag, zu Boden, und in der Zeit, die sie brauchte, um sich zu bücken und ihn aufzuheben, erkannte sie, was sie tun mußte. Diesmal durfte sie die Gelegenheit nicht verstreichen lassen. Hier war ihre Chance. Vielleicht die letzte.

»Aber das stimmt nicht. Andere Menschen sind mir wichtig. Du zum Beispiel, Ash, du bist mir wichtig.«

»Nett, daß du das sagst.«

»Es ist mir ernst. Du hältst mich für herzlos. Ich kann mich ändern.«

»Ich weiß, daß wir nicht immer einer Meinung sind –«

»Vielleicht wird mir gerade das fehlen.«

Er schaute zum Haus zurück. Sein Blick verweilte. »Die Zeit mit euch – sie war ... so ganz anders. Ganz anders als alles, was ich vorher erlebt habe.«

»Anders im guten Sinn?«

»Meistens, ja.«

»Obwohl wir immer streiten?«

»Na ja, wir sind eben verschieden. Das hast du selbst gesagt. Du gehst den unangenehmen Dingen im Leben lieber aus dem Weg. Ich hingegen –« Er brach ab und holte einmal tief Atem. »Wie dem auch sei, morgen reise ich ab.«

»Du täuschst dich«, widersprach sie energisch. »Wir haben doch vieles gemeinsam. Uns bringen die gleichen Dinge zum Lachen. Und alles hochgestochene Getue geht uns auf die Nerven.« Zum erstenmal bemerkte sie im schwindenden Licht die bläulichen Schatten unter seinen Augen. »Du siehst müde aus, Ash.«

»Schlechte Nacht.« Er lächelte schief.

»Armer Ash«, sagte sie leise. Dann zog sie ihn an sich und drückte seinen Kopf an ihre Schulter. Er ließ es widerstandslos geschehen. Sie strich ihm durch das dichte, helle Haar, küßte die Stelle im Nacken zwischen Haar und Kragen und spürte, wie er ruhig wurde. Er hob den Kopf. Seine Lippen streiften die ihren. Dann richtete er sich unvermittelt auf und trat zurück.

»Iris –«

»Es ist doch nichts dabei«, sagte sie rasch.

»Doch.« Er schüttelte heftig den Kopf. »Ich habe mich gestern abend schlecht genug benommen. Ich bin nicht hergekommen, um es noch schlimmer zu machen.«

»Ich meine –« Ihr Mund war trocken, sie hatte plötzlich Furcht, aber sie war nicht der Mensch, der sich scheute zu tun, was getan werden mußte. Darum sagte sie schnell: »Ich meine, es wäre nichts dabei, wenn wir verlobt wären.«

»Verlobt?« Er starrte sie verständnislos an.

»Findest du die Vorstellung so grauenvoll?«

»Iris, ich habe überhaupt nicht daran gedacht –«

»Was –«, sie starrte ihn an, *»niemals*? Komm schon, Ash.«

»Niemals.« Es klang endgültig.

Ihr wurde kalt. »Aber – das verstehe ich nicht«, flüsterte sie. »Du hast mich so oft besucht. Du bist immer so lang geblieben – und gestern abend haben wir zusammen getanzt.«

»Du hast mich aufgefordert.«

»Ja, das ist wahr.« Sie geriet ins Stocken. In ihrem Inneren schien sich ein gähnender Abgrund aufzutun. Sie hörte sich ungläubig sagen: »Aber du mußt doch etwas für mich empfunden haben.«

»Ja, natürlich empfinde ich etwas für dich. Ich mag dich gern.«

»Aber nicht so?«

Er warf die Hände hoch. »Ach, Iris, was hätten wir beide denn miteinander zu reden? Ich möchte die Zustände auf der Welt verbessern. Ich möchte Bücher lesen, mich mit den wichtigen Dingen im Leben auseinandersetzen, begreifen, was auf der Welt los ist.«

»Und ich nicht?« fragte sie mit schwacher Stimme.

»Du bist einfach nicht dafür geschaffen.« Er schüttelte einmal kurz den Kopf und sagte dann sanfter: »Es ist doch nichts Schlimmes, wenn man sich gern bewundern läßt. Und du verdienst Bewunderung, Iris, du bist schön. Viele Männer wären wunschlos glücklich mit einer Frau, die sich nur dafür interessiert – na ja, welche Farbe ihr neues Kleid hat.«

»Aber du nicht?«

Er wandte sich ab. »Tut mir leid.«

Ihr Kopf schmerzte zum Zerspringen. Aber sie richtete sich kerzengerade auf und sagte stolz: »Dir braucht nichts leid zu tun. Niemand muß mich bemitleiden.«

Er wollte etwas entgegnen, aber sie ließ ihn nicht zu Wort kommen. »Ich wäre dir dankbar, wenn du jetzt gehen würdest, Ash.«

»Iris –«

»Geh. Bitte.«

Sie schaute ihm nicht nach, als er ging, sondern starrte in den dunkler werdenden Garten hinaus, die Fingernägel in die Handballen gepreßt, um nicht aufzuschreien vor Demütigung. Als sie gewiß sein konnte, daß er fort war, öffnete sie die Hände und sah zu ihnen hinunter. Die Ballen waren von kleinen roten Sicheln gezeichnet, die Haut fleckig weiß.

Vor Panik bekam sie kaum Luft. Was sollte sie jetzt tun? Wohin sollte sie gehen? Ash wollte sie nicht haben, niemand wollte sie haben. Marianne und Eva würden von zu Hause fortgehen, und sie würde als einzige erwachsene Tochter in Summerleigh zurückbleiben. Sie würde den Rest ihrer Jugend damit vertun, sich um den Haushalt und ihre Mutter zu kümmern.

Plötzlich fiel ihr ein, was Charlotte zu ihr gesagt hatte: *Du könntest doch auch Krankenschwester werden, Iris...*

Eines Morgens, als Clemency bei ihrer Mutter die Briefe abholte, die zur Post sollten, sagte Lilian: »Ach, wie wird das werden, wenn plötzlich drei meiner Töchter aus dem Haus sind?«

»Aber du hast doch noch mich, Mutter«, sagte Clemency schüchtern.

»Wirklich, Liebling?« Lilian sah ihre Tochter lächelnd an. »Du bist so ein liebes Kind, Clem. Und mir so eine Hilfe.«

Clemency errötete. »Ich?«

»Aber ja. Du bist so – so *beruhigend.*«

Clemency, die immer den Verdacht gehabt hatte, daß sie in den Augen ihrer Mutter Marianne nicht das Wasser reichen konnte, war geschmeichelt und gerührt. »Ich würde alles für dich tun, Mutter«, sagte sie impulsiv.

»Wahrhaftig, Kind? Dann wirst du mich also nicht im Stich lassen?«

»Niemals!«

»Ich würde es dir aber nicht übelnehmen, weißt du.« Lilian seufzte. »Ich bin ja so eine lästige alte Person.«

»Du bist überhaupt nicht lästig, Mutter«, protestierte Clemency.

»Lieb, daß du das sagst, Kind, aber welches junge Mädchen möchte schon in einem Krankenzimmer eingesperrt sein, wenn es sich draußen amüsieren kann.« Lilian machte sich an den Töpfchen und Fläschchen auf ihrem Toilettentisch zu schaffen. Dann sagte sie: »Außerdem weiß ich, wie gern du zur Schule gehst.«

Clemency war verwirrt. »Zur Schule?«

Lilian umfaßte mit ihrer zarten Hand Clemencys Arm. »Ich weiß, daß ich das eigentlich nicht von dir verlangen kann, darum habe ich auch bisher nicht den Mut gefunden, mit dir darüber zu sprechen. Aber was soll ich den ganzen Tag zu Hause anfangen, wenn keine meiner Töchter da ist, um mir ein bißchen Gesellschaft zu leisten?« Die Hand an Clemencys Arm faßte fester zu, zeigte erstaunliche Kraft. »Ich möchte dich zu nichts zwingen, Kind. Ich könnte es absolut verstehen, wenn du nicht mit der Schule aufhören willst, nur um bei deiner kranken alten Mutter zu sein.«

»Mit der Schule aufhören?« flüsterte Clemency.

Lilian sprach weiter, als hätte sie nichts gehört. »Irgendwie käme ich sicher zurecht. Auf keinen Fall möchte ich jemandem zur Last fallen. Und vielleicht kann ja Hannah …« Lilian krauste die Stirn. »Nein. Das kann man von Hannah in ihrem Alter nicht verlangen. Ach Gott, ich schäme mich. Daß ich meine Tochter bitten muß, die Schule zu beenden, damit sie sich um mich kümmern kann! Manchmal denke ich –« Mit Tränen in den Augen brach sie ab.

Clemency war erschrocken. »Was ist, Mutter?«

»Ich denke manchmal«, sagte Lilian leise, »es wäre für alle das beste, ich wäre tot.«

Voll Abscheu über ihr Entsetzen in dem Moment, als sie begriffen hatte, daß ihre Mutter wünschte, sie würde die Schule aufgeben, warf sich Clemency Lilian zu Füßen. »So etwas darfst du nicht sagen, Mutter!« Sie umklammerte Lilians Hand, die sich klein und zart, mit flatterndem Puls in ihre eigenen kräftigen Hände schmiegte. »Es ist doch selbstverständlich, daß ich zu Hause bleibe«, versicherte sie. »Ich werde tun, was ich kann, damit es dir besser geht, das verspreche ich. Du weißt gar nicht, wie gern ich bei dir bleibe.«

Lilian streichelte ihr Gesicht. »Wir werden es wunderschön miteinander haben, Liebling, nicht wahr? Ja, es wird eine wunderschöne, ganz besondere Zeit werden.«

Noch als Clemency am Abend im Garten saß, schämte sie sich ihres anfänglichen Zögerns. Ihre Mutter hatte ja nun, da ihre anderen Töchter aus dem Haus waren, gar keine andere Möglichkeit, als sie zu bitten, in die Bresche zu springen.

So schlimm würde es schon nicht werden, versuchte sie sich zu trösten. Am Nachmittag würden ihre Freundinnen sie besuchen, und Mittwoch nachmittags würde sie vielleicht zur Schule hinaufgehen und sich ein Hockeyspiel ansehen können.

Jemand rief ihren Namen. Über den Rasen kam James mit langen Schritten auf sie zu. Er wirkte aufgeregt. »Clem, hast du's schon gehört? Da ist einer mit einem Aeroplan über den Ärmelkanal geflogen. Ein Franzose. Kannst du dir das vorstellen? Denk doch mal, du bist ganz allein da oben in der Luft, keiner kann dir dreinreden, du kannst fliegen, wohin du willst.«

Clemency ließ sich rückwärts ins hohe Gras sinken und schaute zum Himmel hinauf. Sie dachte an den Flieger, der über den Ärmelkanal flog. Sie hatte den Ärmelkanal nie gesehen, sie war nie in Frankreich gewesen. *Denk doch mal, du bist ganz allein da oben.*

Ganz allein. Mit neuer Deutlichkeit erkannte sie, was die Veränderungen, die in den letzten Wochen die Familie Maclise durcheinandergewirbelt hatten wie ein Hurrikan, für sie bedeuteten. Am Ende dieses Jahres würde Marianne verheiratet sein, Eva in London studieren, Iris ihre Ausbildung zur Krankenschwester begonnen haben. Aidan und Phil würden im Internat sein, außer es waren gerade Ferien; tagsüber, wenn James zur Arbeit ging, würde sie – Clemency – allein sein. Sie spürte eine schreckliche Enge, spürte, wie Mauern zusammenrückten, Horizonte sich verschlossen, und wäre am liebsten aufgesprungen und davongelaufen, immer weiter, aus dem Garten hinaus und aus der Stadt, fort und fort, bis sie niemand mehr zurückrufen konnte.

3

Liebe, das war Arthurs Hand, die ihr das Haar aus dem Gesicht strich, weil er sich an ihr nicht satt sehen konnte. Begehren, das war nächtliches Erwachen und ineinander Versinken, wortlos, weil Worte nicht notwendig waren. Die seidenen Laken lagen schlüpfrig unter ihren Gliedern, und ihre fieberheiße Haut brannte unter seiner Berührung. Sie fühlte seinen Herzschlag, jeden seiner Atemzüge.

In ihrem Zimmer im Gritti-Palasthotel in Venedig, wo sie einen Teil ihrer Flitterwochen verbrachten, hing noch ein Schimmer der späten Wintersonne, eingefangen von den ziselierten Spiegeln und den Leuchtern aus Muranoglas.

»Annie«, sagte er. »Ich glaube, ich nenne dich von jetzt an Annie. Das soll mein Name für dich sein. Und niemand sonst soll ihn gebrauchen.«

Marianne – quengelnd, gereizt, im Befehlston, mit Vorwurf auf der vorletzten Silbe – wurde langsam zu einem Gespenst der Vergangenheit. *Ich bin jetzt Mrs. Leighton*, sagte sie sich. *Ich bin seit drei Wochen Mrs. Leighton*. Der neue Nachname war noch ungewohnt, besaß einen besonderen Reiz.

Von Venedig aus reisten sie nach Paris, wo Arthur bei Paul Poiret für sie einkaufte: lange, taillenlose, schmale Kleider und enggeschnittene, pelzverbrämte Mäntel, die den Boden streiften, einen Kimono mit bestickten Ärmeln und ein Abendkleid in Silber und Veilchenblau, passend zur Farbe ihrer Augen.

Von Stäbchen und Korsett befreit, streckte sich ihr Körper wie eine Gerte, schlank und biegsam, und hochgewachsen wie sie war, konnte sie die langen, fließenden Linien gut tragen. Als sie sich im Spiegel betrachtete, bemerkte sie wie immer mit Geringschätzung ihre kleinen Brüste und die knabenhaften Hüften, doch Rundungen hätten die Wirkung des Poiret-Kleids zunichte gemacht. Ihr Gesicht, das mit den spitz hervortretenden Wangenknochen und der langen, schmalen Maclise-Nase einen strengen Zug hatte, schien durch die Ehe auf wunderbare Weise weicher geworden, alle Spuren von Unzufriedenheit und Ängstlichkeit gelöscht zu sein.

Bis tief in die Nacht hinein redeten Arthur und sie miteinander, als könnte die Zeit ablaufen, bevor sie alles gesagt hatten, was sie einander sagen wollten. Jede gesellschaftliche Veranstaltung erschien ihnen nur als Störung auf der gemeinsamen Entdeckungsreise. Manches von ihm wußte sie natürlich schon. Sie kannte seinen Geburtsort (Surrey), wußte, welche Schule und Universität er besucht hatte (Winchester und Oxford), wußte einiges über seine Familiengeschichte (die Leightons hatten ihr Vermögen mit Zucker gemacht, bevor sie ins Reedereigeschäft übergewechselt waren). Er war Teilhaber eines Reedereikonzerns; eines Nachmittags fuhr er mit ihr nach London und zeigte ihr eines seiner Schiffe, die *Louise*, die dort im Hafen lag.

Sie entdeckte, daß er die Musik liebte, die Malerei und das Theater und daß er moderne Gemälde sammelte; sie hingen in seinem Haus am Norfolk Square, ein Augustus John in der Eingangshalle, ein Sickert über dem Kamin in seinem Arbeitszimmer und ein Whistler, dunkle Wirbel und Strömungen in Schwarz, Blau und Grau, im Salon. Sie entdeckte, daß er ein weiches Herz hatte, niemals ohne Kleingeld für Bettler in der Tasche das Haus verließ. Er liebte Tiere, vor allem Hunde und Pferde – nur ein einziges Mal sah sie ihn die Beherrschung verlieren, als er Zeuge wurde, wie ein Kutscher sein ausgemergeltes altes Pferd schlug.

Er erzählte ihr von seinen Reisen. Nachdem ihn seine Verlobte verlassen hatte, hatte er eine lange Schiffsreise in den Fernen Osten angetreten. Er erzählte ihr von Ägypten, wo er sich einen Monat aufgehalten hatten, bevor er durch den Sueskanal nach Indien weitergereist war. Zwei Jahre lang hatte er Indien und Ceylon erkundet und war erst nach dem Tod seines Vaters nach England zurückgekehrt, wo er einen großen Teil seines Erbes in einen Reedereikonzern investiert hatte.

Mitte Februar waren sie wieder in London. Die Straßen waren matschig und an manchen Stellen gefährlich eisig. Ständig ging das Telefon, Arthurs Freunde sprachen vor und hinterließen ihre Karten. Einladungen, die während ihrer Abwesenheit eingegangen waren, stapelten sich auf dem silbernen Tablett in der Eingangshalle: Abendessen und Tanzveranstaltungen, Empfänge und Vortragsabende. Marianne schwamm der Kopf, als da so plötzlich die Außenwelt hereindrängte und sie daran erinnerte, daß sie als Frau von Arthur Leighton noch andere Verpflichtungen hatte, als Tisch und Bett mit ihm zu teilen.

Er besaß ein besonderes Talent zu erraten, was sie empfand, noch ehe sie sprach, denn er empfand genauso. Er klopfte auf den Stapel Karten. »Das geht viel zu schnell, nicht wahr?« sagte er. »Wohin wollen wir uns verkriechen? Nicht wieder in ein Hotel – ich muß dich für mich allein haben.« Er runzelte die Stirn. »Ich habe ein Haus in Surrey. Es steht seit Jahren leer. Ich bin so selten dort. Annie, Liebste, hättest du etwas gegen ein paar Wochen einfaches Leben?«

Natürlich hatte sie nichts dagegen. Am selben Abend noch fuhren sie nach Surrey und kamen gegen Mitternacht dort an, Marianne durchgefroren trotz ihrer Pelze. Im hellen Mondschein zeigte sich ihnen das reifbedeckte Haus in einem überirdisch weißen Licht. Der Name stand auf dem schmiedeeisernen Tor: Leighton Hall.

Die Haushälterin erwartete sie. Marianne ging türenöffnend von Zimmer zu Zimmer. Ein großer Teil der Möbel war mit Tüchern verhängt. Schattenhafte Formen hoben sich aus der Dunkelheit, erschreckend in ihrer Unkenntlichkeit. Gaslampen zischten auf Konsolen. An den Zimmerdecken prangten

Stuckgirlanden, und aus hohen Flügelfenstern sah man in einen Garten hinaus, der im Mondlicht lauter Geheimnisse zu bergen schien.

Tagsüber kümmerten die Haushälterin und ein Mann aus dem nächsten Dorf, eine Art Hausmeister, sich um ihr Wohl. Nachts waren sie allein. Es blieb kalt, Rauhreif lag grau auf den Rasenflächen, und an den kahlen schwarzen Ästen der Bäume glitzerten Eiskristalle. Morgens ritt Arthur aus, während Marianne auf Erkundung ging.

Fadenscheinige Teppiche und wellige Tapeten störten sie nicht, nicht einmal die Kälte machte ihr etwas aus. Sie sah Kinder durch diese Korridore laufen und meinte, den Widerhall ihres Gelächters zwischen den Wänden zu hören.

Nach einem Monat kehrten sie nach London zurück. Arthurs Stadtvilla war in Bayswater. Er stand meistens früh auf und unternahm einen Ausritt auf der Rotten Row. Oft ging Marianne zu Fuß zum Hyde Park und erwartete ihn am Ende seines Ausflugs. Sie hatte keine Mühe, ihn in der Menge zu erkennen, wenn er sein Pferd hochkonzentriert die breite Avenue hinunterlenkte: Er war der bestaussehende Mann weit und breit.

Das elegante Haus am Norfolk Square hatte große, helle Räume, elektrisches Licht, Telefon und in der Küche einen modernen Gasherd. Das Telefon, das wie eine dicke, schwarze Kröte im Flur lauerte und jederzeit in schrilles Gebimmel ausbrechen konnte, brachte Marianne anfangs aus der Fassung. Aber sie erkannte bald seinen Nutzen; es war so einfach, bei Harrods oder Fortnum anzuläuten, wenn einem etwas ausgegangen war.

Die Dienstboten am Norfolk Square schienen doppelt so tüchtig zu sein wie die in Summerleigh. Marianne brauchte keinen Finger zu rühren. Wenn sie morgens mit der Köchin den Speiseplan besprochen und geprüft hatte, ob die Vorräte bestellt und die Rechnungen bezahlt waren, gab es für sie nicht mehr viel zu tun. Ihre Kleider wanderten wie von selbst frisch gereinigt und gebügelt in den Schrank, fehlende Knöpfe oder abgerissene Spitzen wurden wie von Zauberhand ersetzt.

Arthur machte sie mit seinen Freunden bekannt, alle älter als Marianne und mit jener undefinierbaren Ausstrahlung eleganter städtischer Gewandtheit. Sie begegnete ihnen im Theater und bei Ballettaufführungen, oder sie wurde von ihnen zu Empfängen und großen Abendessen eingeladen. Zuerst waren sie für sie nur eine amorphe Masse, diese Londoner Freunde – unteilbar, verwechselbar mit ihrem geschliffenen Auftreten, ihrem Selbstbewußtsein und ihrer städtischen Eleganz –, aber sie erkannte bald, daß sie zwei verschiedenen Lagern angehörten. Arthurs Theaterfreunde, nannte sie die eine Gruppe für sich, Arthurs Geschäftsfreunde die andere.

Patricia Letherby, eine der Theaterfreundinnen, nahm Marianne unter ihre Fittiche. Sie war eine liebenswürdige, warmherzige Person, wenn auch manchmal freimütig bis zur Taktlosigkeit. Als sie entdeckte, daß Marianne Klavier spielte, drängte sie Marianne, dem Musikkreis beizutreten, der sich einmal alle vierzehn Tage in ihrem Salon versammelte. Es gab außerdem literarische Nachmittage, wo man bei Tee und Schnittchen, die so dünn geschnitten waren, daß man beinahe durch sie hindurchsehen konnte, einem Romancier lauschte, der aus seinem neuesten Werk vorlas. Manche dieser Stücke waren ziemlich gewagt und behandelten Themen, die in Summerleigh absolut tabu gewesen waren.

Die Merediths waren Geschäftsfreunde. Edwin Meredith gehörte dem Reedereikonzern an, seine Frau Laura, weit jünger als er, war ständig von Anbetern umgeben. Sie hatte graue Augen und kastanienbraunes Haar, und ihre Brauen und Wimpern, zart gefiederte Pinselstriche, hatten einen goldenen Glanz. Sie trug bevorzugt Rosé und Apricot, Töne, die der ungewöhnlichen Kombination ihrer Haar- und Augenfarbe schmeichelten, und behandelte ihre Begleiter gern wie ihr persönliches Eigentum. Sie hatte eine ganz besondere Art, einem Mann die zarte Hand in weißem Glacé auf den Arm zu legen, als erhöbe sie den alleinigen Anspruch auf ihn – ein kurzer Blick oder ein Schnippen ihres Fächers reichte, um ihn zurückzuholen, wenn er auf Abwege zu geraten drohte. Patricia Letherby sagte: »Es ist natürlich eine *mariage blanc*«, worauf Marianne sie verdutzt anstarrte und sie sogleich erläuterte: »Laura und Edwin haben kein gemeinsames Schlafzimmer. Laura brauchte Edwins Geld und Edwin ihr gesellschaftliches Ansehen. Aber er ist eben ein trockner alter Stockfisch, darum sucht sich Laura ihr Vergnügen woanders. Machen Sie nicht so ein entsetztes Gesicht, Kind, so geht es in der feinen Gesellschaft nun leider mal zu.« Patricia seufzte. »Manchmal beneide ich Laura. Sie braucht die Kerle nur anzusehen.«

Es war, als wäre Marianne in ein fremdes Land gekommen, wo andere Regeln und Gebräuche herrschten. Verhaltensweisen, die in den wohlhabenden bürgerlichen Kreisen Sheffields einen Skandal ausgelöst hätten, wurden in London als völlig normal betrachtet. Patricia Letherby schien überhaupt nichts dabei zu finden, daß Laura Meredith sich mit Liebhabern vergnügte. Sie fand es amüsant und vielleicht ziemlich freizügig, aber nicht schlecht oder unmoralisch.

Im Frühjahr gab Marianne eine Dinnerparty. Als Arthur am Abend nach Hause kam, brachte er ihr Arme voll Veilchen mit, ihre Lieblingsblumen. Sie trug das Abendkleid in Blau und Silber, das er ihr in Paris gekauft hatte. Als er ihr ein Sträußchen Veilchen ans Mieder ihres Kleides heftete, stach er sich mit der kleinen Nadel in den Daumen. Marianne schloß die Augen und küßte den winzigen Blutstropfen weg, der sich wie eine scharlachrote Perle auf seiner Haut gebildet hatte.

Das Abendessen verlief ohne Panne, die Gäste waren voller Komplimente. Und trotzdem schoß Marianne – irgendwann zwischen dem Hauptgang und dem Käse – plötzlich der Gedanke durch den Kopf, daß sie viel lieber mit Arthur allein wäre, in seinem Haus in Surrey, im Bett, als in Gesellschaft dieser vielen Leute, die sie kaum kannte. Allein die Vorstellung seiner Hände auf ihrer Haut ließ ihre Begierde aufflammen. Sie mußte sich innerlich einen Ruck geben, um in die Realität des Abends zurückzufinden. Ihre Gedanken erschreckten sie, erschienen ihr ungehörig und unpassend, und flüchtig ergriff sie die alte Furcht, anders zu sein, eine Außenseiterin. Sie wußte nicht, ob andere Frauen die gleichen Wünsche hatten, von den gleichen unerwünschten Gedanken geplagt wurden.

Während sie die Tischgesellschaft musterte, fragte sie sich unwillkürlich, ob die höflichen Gespräche und die geschliffenen Manieren nur Fassade waren, hinter der sich etwas weit Primitiveres verbarg, ob unter den Hüllen aus Samt und Seide die gleichen Begierden brannten. Um sich zu beruhigen, schaute sie zum anderen Ende der Tafel hinunter, wo Arthur saß. Ihre Blicke trafen sich, und unter dem Tisch streckte sie die Hand nach ihm aus, als könnte sie ihn so erreichen und berühren.

Das Mandeville-Krankenhaus lag im Osten von London. Es war ein privates, durch Spenden finanziertes Krankenhaus, das vor allem Notfälle aufnahm, Unfallopfer oder plötzlich schwer Erkrankte, von denen viele aus eigener Tasche zu ihrer Pflege dazuzahlten. Im Lauf der Jahrhunderte hatte das Krankenhaus verschiedene Anbauten bekommen, von wohltätigen Einrichtungen oder Stiftungen gespendet, so daß das im achtzehnten Jahrhundert errichtete Backsteingebäude zu einem weitverzweigten Komplex mit Ausläufern in die engen Straßen und Gassen der Umgebung gewachsen war.

Als Iris am Tag ihrer Ankunft im Schwesternheim ihren fein säuberlich geschriebenen Namen auf dem Schild neben ihrer Zimmertür gesehen hatte, war ihr mit einem Schlag die Endgültigkeit ihrer Entscheidung bewußt geworden, und es hatte sie ein solches Entsetzen gepackt, daß sie im Zimmer direkt zum Fenster lief und so tat, als schaute sie hinaus, um ihren Vater, der sie begleitete, ihr Gesicht nicht sehen zu lassen. Sie brauchte einen Moment, um sich so weit zu fassen, daß sie sich umdrehen und das Zimmer betrachten konnte. Es war klein, aber sauber und geschickt eingerichtet mit Bett, Schrank, Waschtisch, Schreibsekretär und Stuhl. Wenigstens hatte sie es für sich allein. Wenigstens brauchte sie es nicht mit Marianne zu teilen.

Im Schwesternheim gab es einen Speisesaal, einen Aufenthaltsraum und einen Vortragssaal. Es war vom Krankenhaus durch einen Garten getrennt, in dem sich die Schwestern bei schönem Wetter aufhalten konnten. In der Eingangshalle und den Warteräumen der Ambulanz des Krankenhauses herrschte ein lebhaftes Durcheinander von Sprachen und Dialekten, vom Cockney einer hübschen kleinen Korsettmacherin, die wie ein Vögelchen zwitscherte, bis zum Polnisch eines brummigen Schauermanns. Auf Station rief ein sterbender Schotte nach Wasser, und ein verschrumpelter alter Italiener, Eigentümer eines Ladens, der Aalpastete verkaufte, sang Iris zum Zeichen seiner Liebe zu ihr ein Ständchen und hörte erst auf, als Schwester Grant ihn ausschimpfte.

Iris hatte das Gefühl, in eine andere Welt geraten zu sein. Die alten Selbstverständlichkeiten galten nicht mehr. Ihr früheres Leben, in dem sie nichts andres zu tun gehabt hatte, als zwischen einem Fahrradausflug und einer Partie Tennis zu wählen, erschien jetzt so unwirklich, als hätte eine andere es geführt. Vom Morgen, wenn sie sich um sechs aus dem Bett quälte, bis zum Abend, wenn sie um zehn todmüde wieder hineinfiel, hatte sie kaum einen Moment für sich. Sie hatte immer zu tun und war immer müde.

Ihr Leben wurde von der Uhr bestimmt, von den Anweisungen der Stationsschwestern und, natürlich, der Oberschwester, Caroline Stanley. Miss Stanley trug schwarzseidene Kleider mit gebauschten Ärmeln und Rüschenkragen. Im Gegensatz zu ihren Krankenschwestern, die keinen Schmuck tragen durften, schmückten eine große Kamee Miss Stanleys Hals und Ringe ihre Finger. Einmal im Monat wurden die Lernschwestern von Miss Stanley zum Tee geladen. Iris absolvierte diese Viertelstunde höflicher Konversation, indem sie darauf achtete, stillzusitzen und nicht auf die Uhr zu sehen. Andere, gesellschaftlich weniger geschulte Mädchen liefen, in Tränen aufgelöst, aus Miss Stanleys Zimmer, nachdem sie ihren Tee verschüttet oder irgendeinen ähnlichen Fauxpas begangen hatten.

In den ersten sechs Wochen der zweijährigen Ausbildungszeit wurden Kurse in Anatomie, Hygiene, Physiologie und praktischer Krankenpflege abgehalten. Es war alles nicht so schlimm, wie Iris gefürchtet hatte – sie war in Rechtschreibung und Mathematik weit besser als viele der anderen Mädchen und hatte geschickte Hände, was ihr beim Anlegen von Verbänden und Schienen zugute kam. Nach diesen sechs Wochen kam sie auf die allgemeine Männerstation. Wenn sie noch Illusionen über ihre Arbeit gehabt hatte, wurden sie ihr dort im Handumdrehen genommen. Am Ende des ersten Vormittags war ihr klar, daß Schwester Grant eine Tyrannin war, die die Station mit eiserner Hand regierte, und daß die Arbeit als Krankenschwester so fürchterlich war, wie sie gefürchtet hatte.

Als Tochter eines wohlhabenden Fabrikanten hatte Iris ein behütetes Leben geführt. Männerkörper waren früher etwas Geheimnisvolles gewesen; seit sie auf der Männerstation arbeitete, war nichts an ihnen ihr mehr fremd. Täglich mußte sie die Patienten waschen, ihnen bei den intimsten Verrichtungen helfen. Vielen von den Männern war das so peinlich wie ihr, andere aber machten sich einen Spaß daraus, sie zu hänseln.

In Summerleigh hatten Dienstboten alle unangenehmen und schmutzigen Arbeiten im Haus verrichtet. Jetzt mußte Iris Bettpfannen leeren, schmuddelige Verbände erneuern und beschmutzte Laken wechseln. Sie war insgeheim immer stolz darauf gewesen, frei von weiblicher Schwäche zu sein, aber beim Anblick der schweren Verletzungen und entstellenden Krankheiten, denen sie auf der Station begegnete, hatte sie Mühe, gegen Ekel und Übelkeit anzukämpfen.

Viel schlimmer war es für sie jedoch, entdecken zu müssen, daß sie, Iris Maclise, nicht die patente Person war, für die sie sich gehalten hatte. Sie hatte zwar immer gewußt, daß sie bequem war, aber sie hatte sich nie zuvor als unfähig empfunden. Was sie angefangen hatte, das hatte sie stets gut gemacht. Nur hatte sie eben nichts allzu Anspruchsvolles angefangen. Tennisspielen, Tanzen und Flirten – das waren ihre Domänen gewesen. Die öde Hausarbeit hatte sie Marianne überlassen. Und jetzt lebte ihre Schwester im Luxus, während sie Fußböden wischte und eiserne Bettstellen schrubbte. Marianne ging in Seide und Diamanten, während sie in einem blauen Baumwollkleid mit weißer Schürze und einem weißen Häubchen auf dem Kopf herumlief und nicht einmal ihre kleinsten Perlenohrringe anstecken durfte.

Oft hatte sie das Gefühl, eine fremde Hand hätte alles, was sie für selbstverständlich gehalten hatte, wie ein Kaleidoskop geschüttelt und neu geordnet. Eine Mahlzeit zubereiten, Wäschewaschen, ein Zimmer sauberhalten, das war alles viel anspruchsvoller, als sie geglaubt hatte. Sie konnte tun, was sie wollte, Schwester Grant hatte immer etwas auszusetzen. »Sauberkeit«, sagte sie, auf Iris' verschmierte Fensterbretter hinweisend, »ist so wichtig wie Gottesfurcht, Schwester Iris. Durch Schmutz werden Krankheiten verbreitet. Hat man Ihnen das auf Ihren vornehmen Schulen nicht beigebracht?« Iris ging beim Wischen nicht richtig in die Ecken und konnte kein Fenster putzen, ohne auf dem Glas Streifen zu hinterlassen. Vom Bettenmachen hatte sie keine Ahnung, niemals saß bei ihr das Laken stramm. Wenn Schwester Grant auf ihren Gängen durch die Station mit Adlerauge Iris' faltige Laken erspähte, kanzelte sie sie mit hohntriefender Stimme ab.

Iris mußte sich jeden Morgen um sieben auf der Station einfinden, um zusammen mit der Nachtschwester den Patienten bei der Morgentoilette zu helfen. Irgendwie wurde ihr immer die Zeit knapp, und sie war um fünf vor sieben noch damit beschäftigt, ihr Häubchen festzustecken. Wenn eine

Schwester mehr als fünfmal im Monat zu spät kam, wurde ihr der freie Tag gestrichen. Um acht nahm Iris am Gottesdienst teil, dann kehrte sie auf die Station zurück und machte Ordnung, wischte Staub und putzte die Böden, spülte Gläser und Krüge und reinigte die Decken der Schränke mit Bleichsoda. Um Viertel nach neun half sie beim Zubereiten und Servieren des Frühstücks, das aus Milch und Brot bestand. Danach machte sie die Badezimmer sauber und sortierte die Wäsche, bevor sie zum Tee ins Schwesternheim hinüberging. Manchmal folgte dann ein Vortrag oder eine Demonstration für die Lernschwestern; manchmal blieb Zeit, um Einkäufe zu erledigen oder sich mit Eva oder Charlotte zum Kaffee zu treffen. Dann gab es Mittagessen, und um halb zwei kehrte Iris auf die Station zurück, wo es wiederum aufzuräumen und zu putzen gab, bevor Dr. Hennessy, der adrette Stationsarzt mit dem gepflegten Bärtchen, Visite machte. Während er und seine Kollegen die Patienten untersuchten, warteten die Schwestern, nach Rang geordnet, hinter Schwester Grant, die ausgebildeten Schwestern vorn und Iris, die kleine Lernschwester, ganz hinten.

Nach der Visite mußten die Patienten, die im Fieber lagen oder nicht bei Bewußtsein waren, gewaschen werden, und wenn am Spätnachmittag Butterbrote und Tee verteilt waren, verschwand Iris für eine halbe Stunde ins Schwesternheim, um sich ebenfalls eine Tasse Tee zu gönnen. Gegen Abend wurde es noch einmal hektisch, wenn Flaschen und Gläser gespült, den Patienten ihr Abendessen serviert und die Betten gerichtet werden mußten, bevor um acht die Schicht wechselte. Um Viertel vor neun gingen die Tagschwestern zum Abendgottesdienst, dann wurde zu Abend gegessen, und danach fiel man ins Bett.

Das einzig Gute daran war, dachte Iris oft, daß man vor lauter Rennerei kaum zum Nachdenken kam. Und es gab eine Menge Dinge, über die sie nicht nachdenken wollte. Mariannes Hochzeit zum Beispiel, den kaum erträglichen Neid, der sie ergriffen hatte, als sie Marianne am Arm ihres Vaters zum Altar hatte schreiten sehen. Ash. An Ash wollte sie am allerwenigsten denken. Sie hatte seit jenem schrecklichen Abend nichts mehr von ihm gehört. Keiner aus der Familie hatte von ihm gehört. Man konnte nur hoffen, daß es auch dabei bleiben würde. Aber seine Zurückweisung nagte an ihr, und aus irgendeinem Grund gelang es ihr seit diesem Abend nicht mehr, sich so unbefangen zu sehen wie zuvor. Nicht nur zweifelte sie an der Macht ihrer Schönheit, sie stellte auch immer wieder ihren eigenen Wert in Frage.

Oft kam es ihr vor, als wäre sie durch ein Mißverständnis in das falsche Leben hineingeraten. Zwar wußte sie, daß eine Folge bestimmter Ereignisse – Mariannes Verlobung, Charlottes Entschluß, Krankenschwester zu werden, Ashs Zurückweisung – sie veranlaßt hatte, einen so drastischen Schritt zu tun, gleichzeitig aber konnte sie sich des Gefühls nicht erwehren, keine andere Wahl gehabt zu haben. Von Furcht und Stolz getrieben, war sie unbesonnen in die Falle hineingestolpert, die sie selbst sich gestellt hatte, und hatte sich mit jedem Schritt mehr verfangen. Natürlich hatte es Momente gegeben, wo sie umkehren, sich hätte eingestehen können, daß sie einen Fehler gemacht hatte. Bei dem Vorgespräch mit Miss Stanley zum Beispiel, als diese endlos auf der Frage herumgeritten war, ob sie sich wahrhaft zur Krankenpflege berufen fühle. Bei Gesprächen mit ihrem Vater, der immer wieder versucht hatte, ihr dieses Vorhaben auszureden. »Ich habe keine Ahnung, was du damit eigentlich bezweckst, aber du mußt nach Hause kommen, wenn du genug davon hast, Kind. Das hier ist nichts für dich«, waren seine letzten Worte gewesen, als er sie mit ihrem Riesenkoffer und ihren Hutschachteln im Schwesternheim abgesetzt hatte. Er hatte ihr sogar noch Geld für die Zugfahrt zurück nach Sheffield in die Hand gedrückt, bevor er sie, mit den Tränen kämpfend und dem Impuls, ihn zurückzurufen, in dem fremden Zimmer zurückgelassen hatte.

Ihre Freunde hatten auf ihren Entschluß, Krankenschwester

zu werden, mit einer Mischung aus Bestürzung und Ungläubigkeit reagiert. Sie versuchte gar nicht, mit ihnen zu argumentieren; sie kannte diese Emotionen inzwischen ja selbst zur Genüge. Bestürzung und Ungläubigkeit darüber, daß Marianne und nicht sie die glänzende Partie machte. Bestürzung und Ungläubigkeit sowie ein Gefühl tiefer, nicht nachlassender Demütigung darüber, daß Ash sie abgewiesen hatte. Zwar hatte sie Ash nicht *geliebt*, aber sie hatte ihn gemocht und geglaubt, er wäre ihr Freund. Zum erstenmal hatte sie den Schmerz der Zurückweisung erfahren, und zu wissen, daß dieser Schmerz etwas ganz Alltägliches war, das sie selbst oft genug anderen zugefügt hatte, half gar nichts.

Sie hatte nicht erwartet, daß sie Heimweh haben würde, aber ihr Zuhause fehlte ihr. Sie vermißte die zwanglose, anspruchslose Gemütlichkeit von Summerleigh, sie vermißte die Familie und die Freunde. Aber das bitterste war das Gefühl, nirgendwohin zu gehören, niemandem wichtig zu sein. Im Krankenhaus wurde sie an der Qualität ihrer Arbeit gemessen, und ihr war klar, daß sie vermutlich die untüchtigste Lernschwester auf Schwester Grants Station war. Das Mandeville-Krankenhaus würde es ohne ein Wimpernzucken verschmerzen, wenn Iris Maclise beschließen sollte zu gehen, Schwester Grant wahrscheinlich erleichtert aufatmen. Trotzdem, oder vielleicht gerade deswegen, blieb Iris.

Vor ihren Schwestern verheimlichte sie, wie unglücklich sie war. Marianne etwas vorzumachen war leicht. Gerade erst aus den Flitterwochen zurückgekehrt und strahlend vor Glück, hatte sie einzig Arthur im Kopf.

Clemency schrieb sie zweimal in der Woche. Immer mit schlechtem Gewissen. Wenn sie selbst zu Hause geblieben wäre, hätte die jüngere Schwester weiter zur Schule gehen können. Aber dann wäre sie – Iris – zur Gesellschafterin ihrer Mutter geworden. Nein, da war selbst die Arbeit im Krankenhaus besser.

Sie beschloß, ein Jahr lang durchzuhalten. Alles andere

wäre beschämend. Alles andere, und Freunde und Verwandte, die wie ihr Vater prophezeit hatten, sie werde keine Woche durchhalten, würden triumphieren. In einem Jahr würde Charlotte, die sich über ihren Entschluß, ebenfalls ans Mandeville zu gehen, so sehr gefreut hatte, neue Freunde gefunden haben und sie nicht vermissen. In dem einen Jahr würde ihr vielleicht eine andere Möglichkeit einfallen, ihr Leben zu gestalten.

Aber manchmal schien so ein Jahr elend lang zu sein. Sie erinnerte sich daran, wie Ash zu ihr gesagt hatte: *Du gehst den unangenehmen Dingen im Leben lieber aus dem Weg, Iris.* Manchmal, wenn sie Bettpfannen ausspülte oder von einem Leben schwerster körperlicher Arbeit verkrüppelte Männerkörper wusch, lächelte sie mit bitterer Ironie und dachte: *Du solltest mich jetzt mal sehen, Ash!*

Aidan und Philip kamen über die Osterferien nach Hause. Dann trafen Eva, Marianne und Arthur ein, und Clemency atmete erleichtert auf. Die ganze Familie war versammelt, es war beinahe wieder so wie früher.

Aber Marianne und Arthur fuhren am Tag nach Ostern nach London zurück und nahmen Eva mit. Mutter kränkelte wieder und mußte das Bett hüten, und Großtante Hannah zog sich mit einer Erkältung in ihre Zimmer zurück. Nur Vater und die drei Jungen waren noch da.

Nach der Abreise von Marianne und Eva war Vater übellaunig und gereizt. Die Atmosphäre in Summerleigh, stets abhängig von seinen Stimmungen und Mutters jeweiligem Befinden, war gespannt. Clemency versuchte auszugleichen, aber es war, als wäre die Familie ohne die älteren Schwestern aus der Balance.

Gegen Ende der Woche kam es zur Krise. Mutter hatte eine schlechte Nacht, und Clemency mußte Dr. Hazeldene holen. Am folgenden Morgen, gerade als Mutter endlich Schlaf gefunden hatte, stolperte Philip auf der Treppe. Die Metalldose mit Zinnsoldaten, die er bei sich hatte, schlug scheppernd auf die Fliesen, Mutter fuhr erschrocken und mit hämmerndem Herzen aus dem Schlaf. Alle schimpften Philip, nur Clemency nicht. Sie vermutete, daß er gestolpert war, weil er schlecht sah. Sie brachte ihrer Mutter ein Glas Wein mit ein paar Tropfen Laudanum und blieb an ihrem Bett sitzen, bis sie wieder eingeschlafen war.

Als Vater am Abend von der Arbeit kam, hatte sich seine Stimmung weiter verdüstert. Clemency kannte die Warnzeichen – die mißmutig herabgezogenen Mundwinkel, den scharfen Ton, den unzufriedenen Blick. Seine Stimmungen waren so leicht erfaßbar wie die eines Kindes, die Umschwünge von der ansteckenden Heiterkeit zur finsteren Verstimmtheit stets von deutlichen Signalen begleitet. Es wunderte Clemency immer wieder, daß James offenbar überhaupt kein Gefühl für Vaters Stimmungen hatte und mit seltenem Talent immer genau die Dinge aufs Tapet brachte, die ihn unweigerlich in Rage brachten. Vater allerdings besaß ein ähnliches Talent, jede Bemerkung von James falsch aufzufassen und als Angriff auf seine Person zu werten.

Joshua musterte den gedeckten Tisch. »Lohnt sich gar nicht, den großen Tisch zu decken, ist ja kaum einer da«, nörgelte er. »Und in der Kirche genauso – früher brauchten die Maclises zwei Bänke, jetzt ist es nur noch eine Bank, und am Sonntag werden wir nicht mal die vollkriegen.«

»Ich bin am Sonntag nicht hier«, sagte James. »Ich fahre nach London.«

Joshua runzelte die Brauen. »Nach *London*?«

Clemency wurde es unbehaglich. Nach Ansicht ihres Vaters war London viel zu laut, viel zu voll und von Verbrechern bevölkert und konnte Sheffield nicht das Wasser reichen.

»Ich verstehe nicht, warum ihr alle unbedingt nach London müßt. Drei meiner Töchter sind bereits dort, und jetzt eröffnest du mir auch noch, daß du dorthin willst.«

»Doch nur für ein, zwei Tage, Vater.«

»Ist dir dein Zuhause nicht gut genug? Was gibt es schon in London, das es hier nicht gibt!«

»Na ja, die Restaurants zum Beispiel –«

»Die Restaurants!« wiederholte Joshua mit beißender Geringschätzung. »Wieso sind alle so scharf darauf, im Restaurant zu essen, wo man zu Hause viel besseres Essen bekommt?«

»Und die Theater – die Kinos –«

»Theater?« Joshua war wütend. »Wenn deine Schwester nicht hier wäre, würde ich mich jetzt mal mit dir unterhalten, mein Lieber. Über die Leute, die solche Etablissements besuchen. Das sind doch lauter Taugenichtse und Wüstlinge.«

James lief rot an. Hastig sagte Clemency: »Noch Kartoffeln, Vater?«

Joshua dozierte mit erhobenem Zeigefinger. »Als ich in deinem Alter war, mein Lieber, habe ich sechs Tage die Woche von sieben Uhr morgens bis sieben Uhr abends gearbeitet. Ich hatte keine Zeit für solche Herumtreibereien.«

Er schwieg und machte sich mit finsterer Miene über sein Essen her. Clemency begann wieder zu atmen. Dann sagte Aidan in aller Unschuld: »Theater und Restaurants, kosten doch auch eine Menge Geld, stimmt's, Vater? In der Schule hat mir einer erzählt, seine Eltern hätten ihn mal in London ins Restaurant eingeladen – für fünf Shilling pro Person.«

»Fünf Shilling pro Person!« rief Joshua. »Du solltest dein Geld wirklich nicht für solchen Firlefanz verschwenden, James.«

James blickte auf seinen Teller und murmelte etwas.

Joshua kniff die Augen zusammen. »Was hast du gesagt?«

Clemency warf ihrem Bruder einen warnenden Blick zu.

»Nichts, Vater«, nuschelte James.

Aufgebracht warf Joshua seine Serviette auf den Tisch. »Wenn du etwas zu sagen hast, kannst du es gefälligst laut aussprechen.«

Mit einem Ruck hob James den Kopf. »Gut, Vater. Ich habe

gesagt, daß das Geld, das du mir zahlst, zu Verschwendung sowieso nicht reicht.«

»Richtig. Und das ist in deinem eigenen Interesse. Der Himmel weiß, was du für Dummheiten machen würdest, wenn du Geld übrig hättest. Du wirfst ja schon das bißchen, das ich dir gebe, zum Fenster hinaus.«

»Es ist mein Geld. Das kann ich ja wohl ausgeben wie ich will.«

Joshua schlug mit der Faust auf den Tisch. »Es ist *mein* Geld! Wenn ich nicht wäre, würdet ihr alle in der Gosse leben und verhungern. Jeder Penny, den ihr ausgebt, kommt von mir.«

James sprang auf, seine Serviette fiel zu Boden. Er rannte hinaus und schlug krachend die Tür hinter sich zu.

Einen Moment war es still, dann sagte Philip: »Ich kann nicht mehr. Der Kohl schmeckt so komisch.«

Clemency erstarrte. Die Explosion ließ nicht auf sich warten. »Es wird gegessen, was auf den Tisch kommt, junger Mann«, donnerte Joshua. »Du bleibst hier sitzen, bis dein Teller leer ist. Ich werde doch nicht noch so einen verwöhnten Fratz großziehen.« Dann fiel er gleich noch über Aidan her. »Und du brauchst gar nicht so selbstgefällig zu grinsen, mein Lieber. Du bist auch nicht besser als die anderen.« Aidan wurde blaß, und Philip begann zu weinen.

Nach dem Essen, als Philip schniefend und unter Tränen endlich seinen Kohl aufgegessen hatte, nahm Clemency ihren ganzen Mut zusammen und klopfte bei ihrem Vater an die Arbeitszimmertür.

»Ich wollte nur fragen, ob du noch etwas brauchst, Vater. Möchtest du vielleicht eine Tasse Tee?«

Joshua saß rauchend an seinem Schreibtisch. »Nein, nichts, Kind.«

Als sie die Tür wieder schließen wollte, sagte er unvermittelt: »Du bist ein gutes Kind, Clemency. Dir fehlen deine Schwestern auch, nicht?«

»Ja, Vater.«

Sie ging nach oben und klopfte bei Aidan und Philip. Aidan lag bäuchlings auf dem Boden, vor sich eine Reihe Türme aus Münzen.

»Was machst du da?« fragte Clemency.

»Ich zähle mein Geld.«

»Du lieber Himmel, Aidan, du mußt ja eisern gespart haben. Soviel Geld!«

»Die meisten verschwenden ihr Geld für Süßigkeiten und Spielsachen und so dummes Zeug«, erklärte er. »Ich verschwende mein Geld *nie*.«

»Ich weiß nie, wo mein Taschengeld hingeht«, sagte sie ein wenig schuldbewußt.

»Du solltest Buch führen«, riet er. »Ich tu das.« Er stand auf, nahm ein Heft aus einer Schublade und zeigte ihr die Aufstellungen. *Schreibfeder*, las sie, *2d. Radiergummi, 6d.*

»Meine Güte!« Sie sah ihn an und fügte hinzu. »Vater hat das doch nicht so gemeint.«

»Nein?« In der Dunkelheit waren Aidans Augen, von blasserem Blau als die seiner Geschwister, hart wie Granit. »Ich gebe mir immer Mühe, es ihm recht zu machen«, murmelte er. »Ich mache es anders als James, ich widerspreche ihm nie.«

Sie fand James im Gartenhaus. Als er sie bemerkte, stach er mit der Zigarette zornig in die Luft. »Warum muß er es immer an uns auslassen?«

»So ist er nun mal.« Sie setzte sich neben ihn. Es war kalt im Gartenhaus, sie fröstelte, und er gab ihr seine Jacke, die anheimelnd nach James roch, nach Tabak und Pears' Seife und nach dem Rauch aus der Fabrik. Sie fühlte sich getröstet, als sie sich hineinkuschelte. »Es ist alles anders, seit Marianne, Iris und Eva weg sind, nicht wahr? Die Familie wird immer kleiner. Was passiert, wenn alle gehen? Wenn dann nur noch ich hier bin?«

James nahm sie in den Arm. »Das passiert bestimmt nicht,

du Verrückte. Du wirst heiraten und deine eigene Familie gründen.«

Sie erinnerte sich an den Tag von Philips Geburt, dieses winzige Händchen, in das sie ihre Fingerspitze hineingeschoben hatte. »Ich hätte gern Kinder«, sagte sie langsam, »aber ich kann mir nicht vorstellen, daß ich einmal heirate.«

»Na ja, das eine ohne das andere dürfte etwas schwierig sein.«

»Ich habe nicht gemeint –« Sie errötete. »Ich kann mir nicht vorstellen, daß jemand ausgerechnet mich heiraten will.«

»Na, aber ganz sicher wird dich jemand heiraten wollen. Warte noch zwei Jahre, dann stehen sie hier draußen Schlange.«

Was für ein netter Mensch James doch war, so stark und liebevoll und immer heiter. »Wen besuchst du eigentlich in London?« fragte sie.

»Nur ein paar alte Freunde«, antwortete er vage. »Was ist mit dir, Clem? Siehst du deine Schulfreundinnen noch?«

Clemency machte sich an ihrem Schuhband zu schaffen. »Selten. Und wenn ich sie sehe, habe ich nie etwas zu erzählen. Sie unternehmen soviel, und ich hocke eigentlich immer nur zu Hause. Ich glaube, ich bin ziemlich langweilig für andere.«

»Unsinn. Du bist ein feiner Kerl, Clem. Ohne dich wären wir aufgeschmissen.«

»James!«

»Es stimmt doch«, sagte er.

Eva war hingerissen von London, von der Geschäftigkeit seiner Straßen, von der Vielfalt der Sprachen und Kulturen, die sich hier mischten. Sie stellte sich die Stadt als ein lebendiges Wesen vor, mit einem starken, kraftvoll schlagenden Herzen, dessen Pulsschlag in Kirchen, Fabriken und Palästen widerhallte. Sie wollte *alles* sehen. Sie ging vom Embankment bis zu den Docks die Themse entlang und betrachtete die Lastschiffe und Fähren, die im grünen Wasser vor Anker lagen. Die dunklen kleinen Pubs und die Lagerhäuser am Fluß bewahrten ihre Geheimnisse hinter Fenstern voll Staub und Spinnweben. Sie besuchte die Nationalgalerie, die großen Warenhäuser und die Parks im Westend. Abends beobachtete sie die Leute, die am Leicester Square in die Theater strömten, sah die glänzenden Satincapes der Frauen und die Diademe, die im Licht der Straßenlampen funkelten.

Die Stadt hatte sie in ihren Bann geschlagen, aber an der Slade-Akademie hatte sie zur Mitte des zweiten Semesters noch immer nicht recht Fuß gefaßt, auch wenn es ihr schwerfiel, sich das einzugestehen. Zum erstenmal war sie, ehemals Miss Garnetts Vorzeigeschülerin, unter Studenten, die ebenso begabt waren wie sie. Manche waren sogar talentierter, und neben deren Arbeiten wirkten ihre eigenen Versuche leblos und plump. Immer stärker wurde das Gefühl, daß ein Stück Grund, auf das sie gebaut hatte, unter ihren Füßen wegbröckelte. Sie war künstlerisch begabt, das war immer so gewesen. In einer Familie, in der niemand ein besonders ausgeprägtes Talent besaß, war sie stolz darauf gewesen. Jetzt aber wurde ihre Arbeit gnadenlos seziert, jede ihrer Schwächen ohne Erbarmen ans Licht gezerrt, auch der kleinste Mangel kritisch kommentiert.

Die Aktklasse war ein Schock. Sie hatte das damals so leicht dahingesagt: *Aber ich muß lernen, nach der Natur zu zeichnen, Vater!*, doch gleich die erste Stunde stürzte sie in Verwirrung. Sie hatte vorher noch nie eine erwachsene Frau nackt gesehen. Die Damen ihrer Kreise versteckten ihre Körper unter Röcken und Unterröcken und entledigten sich ihrer Hüllen nicht vor anderen. Nackte Frauen hatte Eva bisher nur auf Gemälden oder als Skulpturen zu Gesicht bekommen, und die Frauen, die in der Slade Modell standen, hatten kaum Ähnlichkeit mit diesen Abbildern klassischer Vollkommenheit. Sie kamen aus der Unterschicht, hatten die Jugend hinter sich, die Morgenröcke, die sie ablegten, bevor sie auf dem Podium Platz nahmen, waren an vielen Stellen ausgebessert und geflickt, mitgenommen von den Jahren wie die Frauen selbst. Schlaffes Fleisch wellte sich ungehemmt um Brüste und Bäuche, faltig hing die Haut von den Oberarmen, Haare sprießten aus jeder Öffnung. War dies der weibliche Körper, wie er war oder schließlich wurde? fragte sich Eva. Es fiel ihr seltsam schwer, diese Frauen zu zeichnen, es war beinahe so, als verletzte sie ihre Würde, indem sie ihre Unvollkommenheiten auf Papier festhielt.

Sie wohnte bei Sarah Wilde, einer ehemaligen Schulfreundin von Großtante Hannah. Die alte Dame war klein und zierlich, mit Handgelenken wie ein Kind und schmalem, vom Alter gekrümmtem Rücken. Zum Haushalt gehörte ein Papagei, der ständig verlorenging und passenderweise auf den Namen Perdita hörte. Da Sarah selbst zu gebrechlich war, um ihrer Perdita hinterherzujagen, gehörte es zu Evas Pflichten, den unwirsch schnarrenden Vogel in seinem jeweiligen Versteck – bald ein staubiger Lorbeerbusch, bald ein fremdes Treppengeländer – aufzustöbern. Mrs. Wildes etwas exzentrische Art der Beaufsichtigung hing vermutlich damit zusammen, daß sie selbst keine Töchter hatte. Fraglos akzeptierte sie Evas Erklärungen, sie besuche Freunde oder müsse zu Abendkursen. Eva hatte manchmal ein schlechtes Gewissen, daß sie Sarah Wildes Gutgläubigkeit so schamlos ausnützte.

Tatsächlich nahm sie nämlich an Versammlungen der *Women's Social and Political Union,* kurz WSPU, und anderer Frauenvereine teil, die für das Frauenstimmrecht und die Gleichberechtigung kämpften, und trat, weil sie sich nicht für eine Organisation entscheiden konnte, allen bei. Sie marschierte bei Umzügen mit und stellte sich, in Mütze, Mantel und Handschuhe eingepackt, an Straßenecken, wo sie versuchte, die Passanten zu überreden, ihre Petition zu unterschreiben oder ihr wenigstens ein Exemplar der Zeitung *Votes for Women* abzukaufen, die die WSPU herausgab. Sie feuerte Frauenrechtlerinnen bei öffentlichen Reden an und schrieb Briefe an Abgeordnete.

Vor ihrer Abreise aus Sheffield hatte Miss Garnett ihr Lydia Bowens Adresse gegeben. Bei Lydia begegnete Eva Malern, Schauspielern, Schriftstellern und den ungewöhnlichen Existenzen, für die Lydia ein Faible hatte: einem Medium, einer russischen Prinzessin, die behauptete, die Vertraute der Zarin gewesen zu sein, sowie einer Frau, die zu Fuß *(»Zu Fuß, meine Liebe!«)* nach Nizza gegangen war. Sie hatte in Heuschobern übernachtet und sich ihre Mahlzeiten mit Singen in Cafés und Bars verdient.

Eines Abends hatte Lydia Eva zu einer Vernissage in ihrer Galerie in der Charlotte Street eingeladen. Es war schon voll, als Eva eintraf. Unauffällig musterte sie die Gäste. Die Frauen waren gepflegt und elegant in langen, schmalen Kleidern, die Männer alle im dunklen Anzug. Eva trug ein grün-rot kariertes Wollkleid, das sie selbst geschneidert hatte. Sie war durch den Regen gelaufen, und ihre Strümpfe waren schmutzbespritzt; ihr Haar, das ordentlich frisiert gewesen war, hatte sich durch die Feuchtigkeit zu einer wilden Lockenpracht gekraust.

Bei den ausgestellten Gemälden handelte es sich teils um Porträts, teils um Landschaftsdarstellungen. Eva sah sich gerade das Gemälde eines Kindes mit einem jungen Hund an, als neben ihr jemand sagte: »Aus diesem Bild springt einem doch förmlich die Abneigung des Malers gegen Hunde und Kinder entgegen, finden Sie nicht?«

Eva schaute hoch. Der Mann an ihrer Seite trug einen langen schwarzen Mantel über einem marineblauen Arbeitshemd und dazu einen smaragdgrünen Schal, der mehrmals um seinen Hals geschlungen war.

Sie betrachtete wieder das Bild. »Na ja, das Gesicht des kleinen Mädchens hat einen Stich ins Grünliche.«

»Die reine Bosheit. Und der Hund hat einen tollwütigen Blick. Darf ich Ihnen mein Lieblingsbild zeigen?«

Er führte sie zu einem großen Gemälde auf der anderen Seite des Raums. Auf dem dezenten Schildchen daneben stand: »*Felder bei Avesbury*, von Gabriel Bellamy.«

»Gefällt es Ihnen?« fragte er.

Die Landschaft war ein Wogen ockerfarbener, grüner, gelber und weißer Streifen. »Ja, ich glaube schon«, erwiderte sie langsam. »Es ist so – *unberührt.*«

»Unberührt – das ist eine interessante Beschreibung. Kennen Sie Wiltshire?«

»Nein, leider nicht.«

»Es ist eine Gegend, die ich besonders liebe. Man spürt die Geschichte. Und wie die Kreide durch das Gras schimmert! Wie Gebeine, wunderbar.« Er wandte sich von dem Bild ab. »Und woher kommen Sie?«

»Aus Sheffield.«

»Der Fabrikstadt?«

»Stahlwerke.«

»Wie lange leben Sie schon in London?«

»Seit einem halben Jahr. Ich studiere an der Slade-Kunstakademie«, fügte sie stolz hinzu.

Sein Blick umfaßte sie. »Ich hätte Sie für eine Zigeunerin gehalten. Oder eine Tänzerin vielleicht. Ihr Teint, Ihre Haarfarbe – und wie Sie sich bewegen.«

Sie merkte, daß sie rot wurde.

»Woher kennen Sie Lydia?« fragte er.

»Meine Kunstlehrerin in Sheffield hat mich mit ihr bekannt gemacht. Die beiden sind Freundinnen.«

»Und Kampfgenossinnen?« Mit einer Fingerspitze berührte er leicht das rot-weiß-grüne Band, das Eva am Revers trug. Wieder errötete sie; die Nähe, vermutete sie. Er war sehr groß, mehr als einen Kopf größer als sie, und breitschultrig. Sie fühlte sich überwältigt neben ihm, vielleicht wie ein kleiner Satellit, der in die Umlaufbahn eines großen Planeten geraten war.

»Miss Bowen und ich gehen gemeinsam zu WSPU-Versammlungen«, erklärte sie. »Es ist doch unerhört, daß Frauen selbst heute noch, zu Anfang des zwanzigsten Jahrhunderts, das Wahlrecht verweigert wird! Es ist eine Schande, daß es möglich ist, Gesetze zu erlassen, die unser Schicksal entscheidend beeinflussen, ohne daß wir dabei mitreden können. Meiner Meinung nach –«

»Natürlich«, sagte er. »Sie haben vollkommen recht. Es ist absurd.«

»Finden Sie wirklich?« Verblüfft folgte sie ihm, als er langsam weiterging und hin und wieder einen kurzen Blick auf ein Bild warf.

»Aber ja. Frauen sind viel vernünftiger als Männer. Männer lassen sich zu sehr von ihren Begierden und Wünschen treiben. Frauen haben sich besser in der Hand und würden zweifellos auch das Land besser führen.«

Er war vor einem Porträt stehengeblieben, dem Bild einer sehr sinnlich wirkenden Frau mit dunklem Haar und vollen Lippen. Ihr Kleid, um den Oberkörper sehr eng, war aus einem dunkelroten, schimmernden Material. »Die Männer«, sagte er, »wollen den Frauen das Wahlrecht natürlich nicht geben, weil sie Angst vor den Konsequenzen haben. Angeblich fürchten sie, daß die Frauen in der Politik ihren Charme verlieren, in Wirklichkeit aber haben sie Angst, daß die Frauen sich nicht mehr unterordnen und moralische Anforderungen an sie stellen, die ihnen viel zu hoch sind.« Er sah Eva lachend an. »Mit anderen Worten: Die Männer fürchten, daß von ihnen die gleiche Tugendhaftigkeit verlangt wird, die sie von den Frauen verlangen.« Er schaute sich kurz um. »Ah, da ist Lydia. Bist du hergekommen, um mich auszuschimpfen, Lydia?«

Lydia gab ihm einen Kuß auf die Wange. »Du solltest dich doch unter die Leute mischen, Schätzchen.«

»Lydia, bitte. Du verlangst zuviel von mir.«

»Sei nicht albern.« Sie nahm ihn beim Arm. »Bitte entschuldige uns, Eva.«

Eva zog gerade draußen im Vestibül ihren Mantel an, um nach Hause zu gehen, als Lydia wiederkam. »Ich habe Gabriel mit den Stockburys bekannt gemacht«, sagte sie. »Wenn er sie gut behandelt, verkauft er vielleicht ein, zwei Bilder.«

»Bilder?« Eva war verwirrt. Sie erinnerte sich an den Namen neben dem großen Gemälde. »Gabriel«, wiederholte sie fragend. »*Er* ist Gabriel Bellamy?«

»Ja.« Lydia runzelte die Stirn. »Wußtest du das nicht?«

Betreten schüttelte Eva den Kopf.

»Die Landschaften sind von ihm. Er ist eigentlich mehr Porträtmaler, aber diese Landschaften sind doch sehr beeindruckend. Die konnte ich mir nicht entgehen lassen.« Lydia zündete sich eine Zigarette an. »Gabriel ist groß im Kommen. Wer weiß, ob meine kleine Galerie ihm noch lange gut genug sein wird.« Sie stieß einen dünnen Strom blauen Rauchs aus, während sie Eva aufmerksam betrachtete. »Ich dachte, es wäre besser, dich vor ihm zu retten. Wie findest du ihn denn?«

»Ich fand ihn sehr nett.«

»Er ist auch nett. Ein ausgesprochen netter Mensch. Und unheimlich interessant und attraktiv dazu. Er wechselt außerdem die Geliebten wie die Hemden und hat, wenn man dem Klatsch glauben will, ein oder zwei uneheliche Kinder. Er ist leider ein absolutes *enfant terrible*.« Sie tätschelte Evas Schulter. »Gabriel ist ein Schatz, aber man kann ihm nicht trauen, Eva.«

Ein paar Tage später bemerkte sie ihn, als sie nachmittags aus der Slade kam. In seinem schwarzen Mantel und dem smaragdgrünen Schal, der im Wind flatterte, stand er unter einer Straßenlaterne. Bei dem Gedanken an ihr Gespräch mit ihm wäre sie am liebsten davongelaufen, aber sie war mit dem Fahrrad unterwegs, und als sie es hastig zur Fahrbahn schob, fiel ihr der Packen Zeichnungen herunter, den sie zusammengerollt an die Brust gedrückt hielt. Noch während sie dabei war, die Blätter wieder einzusammeln, sah sie ihn auf sich zukommen.

»Das ist aber eine nette Überraschung«, sagte er und zog eine ihrer Skizzen aus einer Pfütze. »Ich habe gerade alte Freunde hier besucht. Wie schön, Sie wiederzusehen.« Er strahlte sie an. »Ich weiß leider nicht, wie Sie heißen.«

»Dafür weiß ich von Lydia Bowen, wie *Sie* heißen, Mr. Bellamy«, versetzte Eva spitz.

»Sie sind mir doch nicht böse?«

»Sie hätten mir sagen können, mit wem ich es zu tun habe.«

»Aber das hätte ja den Spaß verdorben.« Er lachte. »Sie hätten sich verpflichtet gefühlt, mir nur Schmeichelhaftes über meine Bilder zu sagen. Oder Sie hätten es vielleicht sogar abgelehnt, überhaupt mit mir zu sprechen. Ich kenne das von einigen Leuten. Mein schlechter Ruf.«

Zu ihrem Schrecken begann er, ihre Zeichnung auszubreiten. »Bitte nicht!« rief sie.

Aber da hatte er die Skizze schon vor sich. »*Antiken*!« sagte er und seufzte. »Stunden haben wir damit zugebracht, diese Statuen und Basreliefs abzuzeichnen!« Er reichte ihr das Blatt zurück. »Und die anderen wollen Sie mir nicht zeigen?«

»Nein.«

»Warum nicht?«

»Weil sie nicht gut sind.« Sie stopfte die Zeichnungen in ihren Fahrradkorb.

»Wo müssen Sie hin?«

Sie sagte es ihm.

»Dann begleite ich Sie«, sagte er. »Ich muß zum Russell Square. Kommen Sie.«

Er nahm ihr das Fahrrad ab und ging los. Sie wollte protestieren, aber er war schon ein ganzes Stück entfernt.

»Ich finde, Sie sollten sich endlich vorstellen«, sagte er, als sie ihn eingeholt hatte. »Sonst muß ich Sie noch für schlecht erzogen halten.«

Gerade wollte sie ihm eine wütende Antwort geben, als sie seinen lachenden Blick bemerkte. »Ich heiße Eva Maclise«, sagte sie steif.

»Eva Maclise«, wiederholte er. »Eva Maclise aus – Moment, gleich fällt es mir wieder ein. Richtig, aus Sheffield.« Er bot ihr die Hand. »Es freut mich sehr, Ihre Bekanntschaft zu machen, Miss Maclise.«

Ihre Hand verschwand fast in seiner großen, gebräunten. »Was hat Sie nach London gelockt, Eva Maclise? Sie hätten doch sicher auch in Sheffield Kunst studieren können.«

»Aber London ist viel aufregender.«

»Finden Sie?«

»Aber ja. Ich liebe diese Stadt! Sie nicht?«

»Manchmal liebe ich sie, und manchmal hasse ich sie. Ich bin vor zwei Monaten wieder nach London gekommen, und im Augenblick möchte ich nur weg. Ich werde also vermutlich reumütig aufs Land zurückkehren, anfangs überglücklich sein und fest entschlossen, für immer zu bleiben. Aber nach einer Weile wird mich die Ruhelosigkeit packen, und nach spätestens sechs Wochen oder vielleicht zwei Monaten sehne ich mich nach London, und das ganze Procedere beginnt von neuem.« Er sah sie mit einem selbstironischen Lächeln an. »Oft denke ich, diese zwei unterschiedlichen Orte entsprechen zwei unterschiedlichen Seiten meines Charakters, der guten und der bösen. Auf dem Land baue ich mein eigenes Gemüse an und kümmere mich um meine Tiere, während ich hier in der Stadt –« Er brach ab, als er ihren Blick bemerkte. »Was ist denn?«

»Bauen Sie wirklich Gemüse an?« Es fiel ihr schwer, sich den skandalumwitterten Gabriel Bellamy mit Spaten und Hacke auf der heimatlichen Scholle vorzustellen.

»Aber sicher. Sie hätten die Erbsen sehen sollen, die ich letztes Jahr geerntet habe! Ich habe Wicken zwischen den Erbsen gesät, es sollte ja nicht nur ein Fest für den Gaumen werden, sondern auch ein Augenschmaus. Haben Sie nie selbst Gemüse gezogen, Miss Maclise?«

Sie schüttelte den Kopf. »Aber ich nähe. Ich mache alle meine Kleider selbst.«

»Sie haben ein gutes Farbgefühl.« Er musterte sie aufmerksam von Kopf bis Fuß, bis sie, plötzlich unsicher, wegsehen mußte.

»Sadie, meine Frau, näht auch alles selbst, sogar die Sachen für die Kinder. Und mit der Wolle von unseren Schafen spinnt sie Garn und webt Stoffe.«

Sadie, meine Frau. Eva mußte ihr Bild von Gabriel Bellamy aufs neue zurechtrücken, den Lebemann durch den Familienvater ersetzen.

»Sadie und ich wollten, daß unsere Kinder auf dem Land groß werden. Ich halte überhaupt nichts davon, daß Kinder den ganzen Tag irgendwo eingesperrt sind, wo sie stillsitzen müssen und nur sprechen dürfen, wenn sie gefragt werden. Das ist absoluter Blödsinn. Kinder brauchen Freiheit.«

»Wie viele Kinder haben Sie, Mr.Bellamy?«

»Vier, und das fünfte ist unterwegs.« Vier, dachte sie und mußte sich schon wieder neu orientieren. »Orlando ist acht«, erzählte er, »Lysander sechs und Ptolemäus ist fünf. Und Hero, das Nesthäkchen, ist gerade drei geworden.«

»Lauter Jungen?«

»Hero ist ein Mädchen. Den Namen haben wir aus *Viel Lärm um nichts*. Am liebsten hätten wir noch ein Mädchen. Zum Ausgleich.« Seine Hand schnitt durch die Luft. »Ich werde fuchsteufelswild, wenn ich daran denke, was manche Leute ihren Kindern antun. Sie behaupten, sie zu lieben, aber sie quälen sie nur. Als ich klein war, mußte ich jeden Abend um punkt sieben ins Bett. Ich habe mich stundenlang hin und her gewälzt. Ich bin überzeugt, daß ich nur deswegen heute unter Schlaflosigkeit leide. Und darum dürfen meine Kinder zu Bett gehen und aufstehen, wann sie wollen.«

»Aber – was ist mit der Schule?«

Er lachte verächtlich. »Es fällt mir nicht ein, sie so einer Institution anzuvertrauen, wo sie tyrannisiert und geschlagen werden. Ich weiß gar nicht mehr, wie oft ich in der Schule Prügel bekommen habe. Wir lassen uns Gewalt viel zu schnell gefallen, hier in diesem Land. Wir erziehen unsere Kinder dazu, sich an sie zu gewöhnen. Aber das will ich für meine vier nicht. Fürs erste unterrichtet Sadie die Kinder und läßt sich dabei, wenn nötig, von ein paar Freunden unterstützen. Ich halte nichts davon, sie Zeittafeln auswendig lernen zu lassen und ganze Listen von Königen und Königinnen – das ist doch völliger Quatsch. Es ist viel hilfreicher für sie, wenn sie wissen, wie man eine Kuh melkt oder mit einem Segelschiff umgeht.« Er sah sie an. »Oder finden Sie, ich rede Unsinn, Eva Maclise?«

»Nein, gar nicht. Aber die Menschen sind unterschiedlich, die einen gehen gern zur Schule, die anderen nicht. Mein Bruder Philip weint jedesmal die ganze Nacht durch, wenn er aufs Internat zurück muß. Meine Schwester Clemency dagegen ist leidenschaftlich gern zur Schule gegangen.« Erklärend fügte sie hinzu: »Ich habe einen Haufen Geschwister, wissen Sie. Früher dachte ich manchmal, daß es meiner Mutter wahrscheinlich gar nicht auffallen würde, wenn einer von uns verlorenginge. Besonders ich, die mittlere.«

»Oh, das kann ich mir nun gar nicht vorstellen. Beim besten Willen nicht.« Wieder betrachtete er sie mit diesem eigenartigen Blick, der sie ganz unsicher machte. »Sie haben etwas Besonderes. Das habe ich auf den ersten Blick gesehen. Sie scheinen mir eine Frau zu sein, die weiß, was sie will. Schulen – all diese Erfindungen der bürgerlichen Gesellschaft – sind doch nur dazu da, den Eigensinn von Menschen wie uns zu brechen. Wir sollen gefälligst kuschen, den Mund halten und die allgemeine Heuchelei akzeptieren.« Er hielt plötzlich inne und wandte sich ihr zu, bevor er heftig sagte: »Die Leute regen sich über mich auf, aber ich tue nur das, was sie selbst gern tun würden – was manche von ihnen tatsächlich tun, aber eben heimlich. Ihrer Meinung nach ist alles erlaubt, Hauptsache, der Schein bleibt gewahrt. Man kann die schlimmsten Dinge tun – solange man sie hinter einer frommen Fassade versteckt, kümmert sich keiner darum. Aber wenn man kein Blatt vor den Mund nimmt, wenn man die eigenen Schwächen offen eingesteht, wird man als der Teufel persönlich hingestellt. Mir ist das alles ein Greuel.«

Eva mußte an ihren Vater denken, der in eine geschlossene Droschke gestiegen war und Mrs. Carver die Hand geküßt hatte, während er zu Hause den aufrechten Familienvater gab, den ehrbaren Fabrikherrn, eine Stütze der Sheffielder Gesellschaft. Sie biß sich auf die Unterlippe.

»Verzeihen Sie«, sagte Gabriel Bellamy sanft. »Ich wollte Sie nicht erschrecken. Sadie hält mir auch immer vor, daß ich zu laut bin. Sie sagt, ich mache den Kindern angst.«

»Ich habe keine Angst. Und ich finde, Sie haben recht. Ich hasse diese Heuchelei genauso.«

Es war sechs Uhr. Das Heer der Büroangestellten eilte heimwärts, die schwarzen Schirme zusammengerollt, die gestärkten weißen Kragen leicht erschlafft nach einem langen Arbeitstag. Gabriel schlug mit der flachen Hand auf den Fahrradlenker. »Auch ich habe früher brav getan, was mir gesagt wurde, genau wie alle anderen, genau wie diese armen Drohnen hier, die ihr Leben lang an irgendeinem Schreibtisch hocken. Bis ich mich dann eines Tages fragte: Warum soll ich mein Leben nicht so leben, wie ich es will? Zum Teufel mit der Meinung der anderen. Man hat schließlich nur ein Leben.« Er warf ihr einen Blick zu. »Oh, jetzt habe ich Sie schockiert, nicht wahr? Mit meiner Ausdrucksweise oder weil ich nicht an ein Leben im Jenseits glaube?«

»Weder noch.«

»Sie sollten mal nach Greenstones kommen, mein Haus in Wiltshire. Ah, nun sind Sie doch schockiert. Da kenne ich Sie kaum eine halbe Stunde und lade Sie schon zu mir nach Hause ein.«

4

Am 6. Mai starb König Edward VII. Die Theater blieben geschlossen, und an der Börse wurde der Handel eingestellt. Am Tag des Begräbnisses sammelten sich schon vor Tagesanbruch Menschenmengen auf den Straßen, die den Sarg auf seinem Weg nach Windsor sehen wollten. Im Mandeville-Krankenhaus verweilte Iris in Gedanken nur kurz beim Tod des Königs (so lange warten zu müssen und dann nur neun Jahre regieren zu dürfen!), ehe sie sich wieder den üblichen Kümmernissen ihrer Stationsarbeit zuwandte.

In Summerleigh las Clemency ihrer Mutter laut aus der Zeitung vor. *»Präsident Taft hat Königin Alexandra ein Kondolenzkabel geschickt. Das Rep – Repräsanten –«* Clemency brachte das Wort nicht heraus, und Lilian sagte ungeduldig: »Das Repräsentantenhaus, Clemency.«

Von Gabriel Bellamy kam ein Brief, mit dem er Eva nach Wiltshire einlud. Während Sarah Wilde ihrer Bekümmerung über den Tod des Königs Ausdruck gab, dachte Eva mit kribbelnder Erregung, *Er hat es nicht vergessen. Es war nicht nur Höflichkeit, wie ich glaubte. Er hat wirklich daran gedacht.*

Marianne, noch Neuling in der Londoner Gesellschaft, hörte besorgtes Getuschel. »Die tonangebenden Leute der guten Gesellschaft übernehmen die Haltung des Königs«, erklärte ihr einer von Arthurs Freunden. »Edward war der Inbegriff von Gutmütigkeit und Großzügigkeit. George ist aus anderem Holz geschnitzt; da wird bald ein anderer Wind wehen.«

Iris' Füße waren voller Blasen vom ständigen Hin-und Herlaufen auf der Station und ihre Hände rot und rauh von Bleichsoda und Lysol. Ihr Haar, das immer ihr ganzer Stolz gewesen war, drehte sie nicht mehr auf, weil sie abends so erledigt war. Sie schaffte es mit knapper Not, es morgens halbwegs ordentlich unter ihrer Haube hochzustecken. Sie war Tag und Nacht so müde, daß sie kaum klar denken konnte. Ohne die Patienten, ihre Verbündeten, hätte sie noch mehr Ärger bekommen als ohnehin schon. Wenn Schwester Grant gerade nicht schaute, winkten die Männer Iris heran und erinnerten sie, daß es Zeit war, das Wasser für ihr Bovril aufzusetzen, oder wiesen sie auf die Schale mit dem gebrauchten Verbandszeug hin, die sie auf einem Fensterbrett stehengelassen hatte. Die Zeit schien immer zu kurz zu sein, um alles zu tun, was getan werden mußte. Sie wäre gerannt, wäre Rennen nicht verboten gewesen. Schwester Grants bissige Bemerkungen trieben ihr manches Mal die Tränen in die Augen; nur dank ihrem Stolz, ihrem vermaledeiten Stolz, der sie überhaupt erst dazu verleitet hatte, diesen Weg einzuschlagen, schaffte sie es, den Kopf hochzuhalten.

Hätte nicht Charlotte jeden Morgen getreulich an ihre Tür geklopft, um sie zu wecken, sie wäre jeden Tag zu spät zum Dienst gekommen. Unzählige Male beschloß sie, alles hinzuwerfen, und hätte es auch getan – hätte der Oberschwester ihre Kündigung in die Hand gedrückt oder wäre vielleicht auch mitten im Dienst gegangen und nie wiedergekommen –, wenn sie nur die Zeit und die Kraft dazu gefunden hätte. Ihre freien Tage konnte sie kaum erwarten. Einmal fuhr sie ins Westend und bummelte durch die Geschäfte. Manchmal besuchte sie Marianne in ihrem hellen, luftigen Londoner Haus. Sogar ihr Neid auf Marianne hatte sich in den letzten Monaten gelegt. Ihr fehlte die Energie zum Neid. Außerdem tat es gut, sich zur Abwechslung einen Tag lang in einer kultivierten Umgebung aufzuhalten, wo es nicht nach Krankenhaus roch.

Aber mit der Zeit, beinahe unmerklich, wurde ihr die Arbeit leichter. Sie wurde tüchtiger und war weniger müde – weil sie nicht mehr jeden Griff zweimal machen mußte, vermutete sie. Neues ging ihr leichter von der Hand, Arbeiten, mit denen sie anfangs Mühe gehabt hatte, erledigte sie fast automatisch. Jetzt war es ihr peinlich, sich ihrer ersten ungeschickten Bemühungen beim Bettenmachen oder Zubereiten kleiner Mahlzeiten zu erinnern.

Im Mandeville gab es eine Isolierstation für Kranke mit Scharlach, Diphtherie, Pocken und Geschlechtskrankheiten sowie eine Sonderstation, wo an Knochenmarkentzündung oder Kindbettfieber Erkrankte behandelt wurden. Es gab eine Kinderstation, eine psychiatrische Abteilung und die Abteilung für Augenerkrankungen. In der Station, der Schwester Grant vorstand, wurden Männer mit den unterschiedlichsten Beschwerden aufgenommen. Septische Entzündungen, Atemwegsinfektionen und akute Magen- und Darmbeschwerden kamen am häufigsten vor. Arbeiter im besten Alter starben innerhalb eines Tages an Lobärpneumonie; junge Männer auf der Schwelle zum Erwachsenenalter wurden von Herzkrankheiten dahingerafft, die Folge eines rheumatischen Fiebers in der Kindheit waren.

Samstag abends und an Feiertagen gab es immer einen starken Zustrom von Verletzungen durch körperliche Gewalt. Iris versorgte Männer, denen in einer der dunklen Gassen Whitechapels die Kehle aufgeschlitzt worden war, und solche, die nach Wirtshausprügeleien weiß und still, mit dicken Verbänden um den Kopf auf den Tragen lagen. Und schließlich wurden fast regelmäßig Opfer von Arbeitsunfällen eingeliefert, Arbeiter, denen ein herabstürzender Balken die Glieder zertrümmert hatte oder beim Sturz von einem wackligen Gerüst das Rückgrat gebrochen war.

Alfred Turner war einer von ihnen. Ihm waren bei einem Unfall am Hafen die Beine eingequetscht worden. Er war ein zwanzigjähriger Junge mit dicken braunen Locken und einem offenen, stupsnasigen Gesicht, der Iris bat, ihn Alfie zu nennen, und kräftig mit ihr schäkerte.

Im Aufenthaltsraum für die Lernschwestern waren sie an dem Abend eine weniger als sonst. Elsie Steele lag mit eitriger Angina im Krankenzimmer. Charlotte, die mit Elsie auf einer Station arbeitete, berichtete ihnen. »Es geht ihr gar nicht gut. Schwester Matthews sagt, sie hat hohes Fieber.«

Alfie Turner schien sich derweilen ernstlich in Iris verliebt zu haben. Seine Stimme folgte ihr am nächsten Tag ständig mit Bitten um etwas zu trinken oder eine Zigarette.

»Mr. Turner«, zischte sie ihn eines Nachmittags an, »Sie werden langsam zur Plage.«

»Nur noch mein Kissen aufschütteln. Es fühlt sich an, als hätte jemand Steine reingetan.«

»Aber das ist das letzte Mal!« Iris zog sein Kopfkissen heraus. »Dann müssen Sie mich endlich arbeiten lassen.«

»Ich wollte ja nur –«

»Was?«

»Ihr Gesicht sehen.«

»Mr. Turner!«

»Seien Sie doch nicht so streng mit mir. Wenn ich hier raus bin, lad ich Sie ins Palais zum Tanzen ein.«

In einem anderen Leben hatte sie weiße Seide getragen und unter funkelnden Lüstern Walzer getanzt. Es schien jetzt substanzlos zu sein; wenn sie zu genau hinsah, würde es sich in Luft auflösen, als wäre es nie gewesen.

An diesem Abend saß Iris bei Charlotte im Zimmer, und sie aßen die Plätzchen, die Charlottes Mutter geschickt hatte. Elsie Steele war immer noch krank; das Fieber fiel nicht so schnell, wie die Ärzte gehofft hatten.

Am folgenden Nachmittag öffnete Dr. Hennessy die Wunde an Alfie Turners Bein. Iris, die in der Küche war, hörte Alfie aufschreien, aber als das Abendessen verteilt wurde, versuchte er schon wieder, mit ihr anzubändeln.

Elsie Steeles Zustand verschlechterte sich im Lauf des Tages.

Die Ärzte fürchteten, die Infektion habe sich bis in ihre Lunge ausgebreitet, die Oberschwester hatte Elsies Eltern benachrichtigt. Im Aufenthaltsraum der Lernschwestern ging es an diesem Abend stiller zu, das Gelächter war gedämpft. Beim Gottesdienst am folgenden Morgen beteten alle gemeinsam für Elsie Steele. Iris konnte es nicht glauben. Sicher, Patienten starben jeden Tag, aber doch nicht Elsie, immer lustig, ein bißchen leichtsinnig, zweiundzwanzig Jahre alt, knapp einen Meter fünfzig groß, mit strähnigem blondem Haar und einem mittelenglischen Akzent.

Der Vorhang um Alfies Bett war zugezogen, als Iris an diesem Morgen auf die Station kam. Er hatte Fieber, teilte ihr die Schwester mit. Als sie den Instrumentenwagen hinter den Vorhang schob, war er hellwach und unruhig. »Ich hoffe, Sie haben's nicht vergessen«, sagte er mit rauher Stimme.

»Was denn?«

»Unsere Verabredung. Zum Tanzen, Rose.«

»Rose?«

»Die Nachtschwester hat mir gesagt, daß Sie einen Blumennamen haben.« Nervös schaute er zum Wagen. »Was ist das?«

»Das ist ein heißer Umschlag. Durch die Hitze wird das Gift aus der Wunde gezogen, und dann geht die Schwellung zurück.«

»Ich hab's satt, daß die Ärzte an mir rumschneiden wie die Metzger«, flüsterte er und zuckte zusammen, als sie die Bettdecke zurückschlug. »Nach dem Tanzen gehen wir was essen«, sagte er mit schmerzverzerrter Stimme. »Ich lad Sie ein zu Fisch und Fritten.«

Iris sah die dunklen Blutergüsse an jenen Stellen seiner Beine, die nicht verbunden war. »Die Trosse am Kran ist gerissen«, murmelte er. »Dann sind mir die ganzen Weizensäcke draufgefallen. Würde man gar nicht glauben, daß ein bißchen Weizen so eine Schweinerei anrichten kann, was?«

An ihrem freien Tag ging sie einkaufen. Um fünf Uhr traf sie sich, mit Tüten und Päckchen beladen, mit James, der über das

Wochenende in London war, im Lyons Corner House in der Coventry Street.

Er gab ihr einen Kuß. »Ich lade dich ein«, sagte er, als die Kellnerin sie zu einem Tisch führte. »Ich habe ein bißchen was beim Rennen gewonnen.«

Er bestellte für sie beide und erzählte Iris das Neueste von daheim. Wieder befiel sie dieses merkwürdige Gefühl der Distanziertheit von all dem, was früher einmal ihr Leben ausgemacht hatte, den Bällen und Picknicks, dem Alltag in der Familie, und sie war sich bewußt, daß sie ihm nur mit halbem Ohr zuhörte.

»Kopf hoch«, sagte er nach einer Weile. »Du wirkst ein bißchen bedrückt.«

»Nein, nein, mir geht es gut«, versicherte sie. »Ich bin nur ein bißchen müde.« Sie erzählte ihm von Elsie und fügte hinzu: »Charlotte sagt, daß sie bei der Arbeit nachlässig war. Sie war beim Putzen flüchtig und hat sich nach dem Verbinden nicht immer die Hände gewaschen.« Schwester Grants ewige Predigt dröhnte ihr in den Ohren: *Peinliche Sauberkeit ist unser einziger Schutz vor Infektion.* »Vielleicht muß Elsie sterben«, sagte sie leise. »Ein hoher Preis für ein bißchen Leichtsinn, findest du nicht?«

»Bist du mit ihr befreundet?«

»Nein, eigentlich nicht.«

»Trotzdem – schlimm. Das arme Ding.«

Iris war plötzlich ärgerlich. »Und dabei hatte ich mir fest vorgenommen, nicht über das fürchterliche Krankenhaus zu sprechen. Ich wollte mal einen ganzen Tag nicht daran denken.« Sie starrte zu ihrem Käsetoast hinunter. »Ich möchte mal wissen, welcher Teufel mich geritten hat, als ich mich für diesen Beruf entschieden habe …«

»Ich beneide dich manchmal«, sagte er.

»Ach, James. Du hast ja keine Ahnung!«

»Immerhin bist du weg von zu Hause. Du bist *frei*!«

Beinahe hätte Iris gelacht. Sie dachte daran, wie schwer es

ihr fiel, sich morgens aus dem Bett zu quälen, sie dachte an ihre roten, aufgesprungenen Hände und die Füße voller Blasen. Wie absurd, zu sagen, sie sei frei, wo jede Minute ihres Tages von Arbeit besetzt war.

»Wie geht es zu Hause?« fragte sie. »Wie geht es Mutter? Ist es wieder schlimmer geworden?«

»Mutter geht's wie immer.«

»Und Vater? Streitet ihr beiden immer noch soviel?«

Er zuckte mit den Schultern. »Na ja. Es ist nie meine Absicht, ihn zu ärgern. Es passiert einfach.«

»Du könntest ja mal versuchen, nicht immer gerade das zu tun, was er nicht mag. Du weißt doch, wie er mit Geld ist –«

»Er ist so wahnsinnig knickrig!«

»Ich hab das Spielen gemeint, James!« rief sie gereizt. »Wenn Vater davon wüßte!«

Seine Augen blitzten auf. »Aber ich habe gewonnen.«

»Und wie oft hast du schon verloren?«

»Ein- oder zweimal«, bekannte er. Dann sagte er langsam: »Es ist so aufregend, Iris. Es bringt ein bißchen Spannung ins Leben. Darum spiele ich. Um dem ewigen Einerlei zu entkommen. Manchmal packt mich die Angst, daß alles bis in alle Ewigkeit den gleichen Trott geht. Daß ich in fünfzig Jahren immer noch in Sheffield lebe und Tag für Tag in die Fabrik fahre.«

»Wäre das denn so schlimm?«

»Ich möchte etwas Großes leisten. Etwas Heldenhaftes.« Seine Augen leuchteten. »Etwas, woran sich die Leute später erinnern. Zum Beispiel zu Fuß zum Südpol gehen. Oder über den Atlantik fliegen. Aber bis jetzt bin ich nicht mal über England hinausgekommen.«

»Ich habe noch nie verstanden, warum Männern Ruhm so wichtig ist«, sagte Iris mit Verachtung. »Oder Heldentum. Ich stelle mir beides ziemlich ungemütlich vor. Ähnlich wie die Krankenpflege.«

James lächelte. »Ich könnte natürlich heiraten. Dann wäre

ich weg von zu Hause. Aber das ist auch so was, wo Vater und ich völlig unterschiedlicher Meinung sind. Er erwartet von mir, daß ich jede Schreckschraube nehme, die ein bißchen Geld hat und aus guter Familie kommt. Aber ich möchte eine Frau, die weich und lieb ist«, sagte er sehnsüchtig. »Mit einem Pfirsichteint und einer hübschen Figur.«

»James!« sagte sie.

Am nächsten Tag wurde Alfie Turner am Bein operiert, die Knochensplitter entnommen und die Wunde mit Gaze gepolstert. Als Iris nach ihm sah, war er sehr schwach und bleich.

»Fühlt sich an, als hätten sie mich mit Hämmern verdroschen.« Er schaute zum Fenster hinaus, zu den grauen Wolken, die über einen stürmischen Himmel jagten. »Kann noch ein, zwei Wochen dauern, ehe ich mit Ihnen tanzen gehen kann, Rose.«

Von Elsie wurde Hoffnungsvolles berichtet, als Iris am Abend ins Schwesternheim kam. Sie sei auf dem Weg der Besserung, erzählte Charlotte, die sie am Nachmittag ein paar Minuten hatte besuchen dürfen. Wegen des Fiebers hatte man Elsie das Haar geschnitten. »Sie sieht aus wie ein Junge«, sagte Charlotte. »Wie ein magerer kleiner Junge.« Dann fügte sie hinzu: »Elsie hat gesagt, wenn es ihr wieder gutgeht, hört sie hier auf. Ihr ist klargeworden, daß Krankenschwester nicht der richtige Beruf für sie ist. Tja, dann sind wir eine weniger.«

Als erstes sah Iris, als sie am nächsten Morgen auf die Station kam, daß die Wandschirme um Alfie Turners Bett entfernt worden waren. Fast im selben Moment erfaßte sie, daß das Bett leer und die Wäsche abgezogen war.

Die Nachtschwester kniete vor dem Spind. »Ist heute nacht gestorben, der arme Junge«, murmelte sie, während sie Alfies wenige Habseligkeiten auf braunes Packpapier häufte. »Aber für ihn war's das Beste – ich halt es nicht aus, wenn sie sich so mühsam weiterschleppen. Machen Sie doch gleich das Bett für den nächsten Patienten, Schwester.«

Aber er kann nicht tot sein! wollte Iris protestieren. Ich

habe doch gestern abend noch mit ihm gesprochen. Statt dessen ging sie in den Wäscheraum. Wie absurd, plötzlich so außer sich zu geraten, dachte sie, während sie blicklos auf die Wäschestapel starrte. Jeden Tag starben auf der Station Männer, junge, kräftige Männer wie Alfie. Sie müßte sich doch inzwischen daran gewöhnt haben, und doch hatte sie Mühe, die Tränen zu unterdrücken.

Nach einer Weile holte sie tief Atem und ging mit der frischen Bettwäsche in den Armen in den Saal zurück.

Am Bahnhof des kleinen Orts, den Eva erreichte, nachdem sie in Salisbury umgestiegen war, wartete ein Einspänner mit einem Pony. »Gabriel ist unterwegs«, erklärte der junge Mann, der die Zügel hielt, nachdem er Eva ihre Reisetasche abgenommen und ihr auf den Sitz neben seinem geholfen hatte. »Und Sadie ist – na, Sie wissen schon, *enceinte*, und wo Nerissa ist, weiß der Himmel. Max und Bobbin schlafen wahrscheinlich noch, die beiden Faulpelze. Also müssen Sie mit mir vorliebnehmen.« Er bot ihr die Hand. »Val Crozier. Die meisten Leute glauben, Val wär die Abkürzung für Valentine, aber ich verrate Ihnen die Wahrheit, weil Sie nett aussehen. Meine Eltern haben mich gemeinerweise Percival getauft.«

»Eva Maclise.« Sie nahm die dargebotene Hand.

Er schnalzte kurz mit der Zunge, und das Pony zog an. »Maclise?«, sagte er. »Sie sind doch nicht etwa Schottin?«

»Nein. Mein Urgroßvater –«

»Gut. Schottland ist grauenvoll. Noch schlimmer als Wiltshire.«

Sie fuhren auf schmalen Straßen mit hohen Böschungen, wo Geißblatt in den Hecken wuchs und der Weißdorn voll weißer und zartrosa Blüten war. »Ich finde es sehr schön hier«, sagte Eva.

»Ich lebe jetzt seit drei Monaten bei Gabriel und Sadie, Sie können mir glauben, es ist tödlich. Ich hasse das Land.« Er nieste. »Ständig bin ich erkältet.«

»Woher kennen Sie Mr. Bellamy?«, fragte sie.

»Ich hab ihn in einem Pub kennengelernt. In so einer Spelunke in Paddington.«

»Sind Sie Maler?«

»Großer Gott, nein! Ehrlich gesagt, mach ich schon eine ganze Weile gar nichts. Ich hab die Aufnahmeprüfung für den Staatsdienst in Indien versucht und bin mit Pauken und Trompeten durchgefallen. Kurz danach hab ich Gabriel getroffen, und er hat mich hierhergeholt. Ich bin so eine Art Mädchen für alles, hol das Wasser, füttere die Tiere und so.«

»Tiere?«

»Gabriel hat Schweine. Gräßliche Biester.« Ein Bauer mit seinem Fuhrwerk kam ihnen entgegen. Val lenkte Pony und Einspänner in einen Feldweg, um ihn vorbeizulassen. »Die Schweine sind mir beinahe genauso unsympathisch wie die Kinder. Ich soll den Bälgern Altgriechisch beibringen«, erklärte er finster. »Den Kindern, mein ich, nicht den Schweinen. Gabriel bildet sich ein, daß Kinder alles lernen können, wenn man nur früh genug damit anfängt. Daß sie es dann einfach irgendwie aufsaugen wie die Schwämme.«

»Und ist es so?«

»Keine Spur. Ich glaube, ich bin nicht zum Lehrer geschaffen. Schon wieder eine Laufbahn, die Val Crozier versperrt ist.« Er wies zu den Hügeln. »Da ist Greenstones.«

In der Ferne war eine Gruppe Gebäude zu erkennen. Die Landschaft mit den sanft gewellten Hügeln, den Bächen und Wäldern hatte etwas Erhabenes in ihrer Einsamkeit.

Sie bogen von der Straße auf einen Fahrweg ab, der durch Wiesen voll gelber Butterblumen führte. Als sie dem Hof näher kamen, konnte Eva erkennen, daß das von mehreren Nebengebäuden umgebene Haus aus zweierlei Stein gebaut war, Flint- und Backstein. Val lenkte das Pony in den Hof. Ein kleines Kind mit zerzaustem schwarzem Haar und, wie Eva schien, in ein Ensemble farbenprächtiger Lumpen gekleidet, kam aus einem Stallgebäude geschossen.

»Rat mal, was ich hier hab«, sagte es zu Eva.

»Ich habe keine Ahnung.«

»Schau.« Der Kleine hielt Eva die geschlossene Faust hin.

»Trau dich ja nicht«, warnte Val. »Zisch ab, Lysander. Wo ist übrigens Sadie?«

Lysander öffnete seine Hand und zeigte einen dicken schwarzen Käfer.

»Toll«, sagte Eva höflich.

Mit einem verschmitzten Blick zu Val erklärte er dann: »Ich habe ihn Percival getauft. Der Käfer Percival.«

Val nahm Evas Tasche und ging zum Haus. »So ein kleines Monster«, murmelte er.

Das Haus war so vollgestopft, daß man sich kaum drehen und wenden konnte. Jedes Regal quoll über, jede halbwegs glatte Fläche war mit irgendwelchen Dingen bedeckt. Ein ganzes Sortiment Flintsteine, von denen einige offenbar gerade zu Axtköpfen gehauen wurden, lag vor einem offenen Kamin. Kinderspielsachen, Bauklötze und Miniaturfahrzeuge waren über die Teppiche verstreut. Die Zimmer hatten unregelmäßige Grundrisse, die Decken waren niedrig, die Möbel wirkten etwas schäbig, aber gemütlich, und überall hingen Bilder – Studien in Kreide und Rötel, Bleistiftzeichnungen, Stiche und, über einem der Kamine, ein großes Ölgemälde von einer Frau, deren ruhiges, apartes Gesicht von einer Wolke dunklen Haars umrahmt war.

Val führte Eva in die Küche, wo es nach Kaffee und frisch gebackenem Brot duftete. Ein weiterer schwarzhaariger kleiner Junge hockte auf dem Abtropfbrett und aß ein Brötchen, eine Katze leckte Milch aus einer Untertasse auf dem Boden. Auf dem Herd stand ein leise blubbernder gußeiserner Topf, und im Spülstein stapelten sich schmutzige Backformen und Töpfe.

Die Frau, die an dem großen rohen Holztisch stand, war die von dem Bild über dem Kamin. Sie backte. Die Schürze spannte über ihrem runden Leib. Ein kleines Mädchen, Hero vermutlich, so schwarzhaarig und dunkeläugig wie ihre Brüder, hing an ihrem Bein. Sie hatte einen Kittel an, der aus rot und grün gestreifter Sackleinwand gemacht zu sein schien.

»Hallo, Sadie«, sagte Val.

Die Frau hob den Kopf. »Val! Gott sei Dank! Ist Orlando bei dir?«

»Nein, tut mir leid.«

Sadie machte ein besorgtes Gesicht. »Ich war sicher, er ist bei dir. Ich habe ihn den ganzen Vormittag nicht gesehen.«

»Vielleicht ist er mit Gabriel unterwegs.«

»Würdest du mal schauen, ob du ihn irgendwo findest? Du kennst ihn ja.«

»Natürlich. Das ist übrigens Eva.« Val wandte sich schon wieder zum Korridor.

Sadie wischte sich die mehlbestäubte Hand an der Schürze ab, bevor sie Eva begrüßte. »Schön, Sie kennenzulernen, Eva. Hier schaut's leider ziemlich...« Sie fuhr nicht fort, ließ nur den Blick rund um die Küche schweifen.

»Ich danke Ihnen für die Einladung, Mrs. Bellamy.«

»Oh, nennen Sie mich bitte Sadie. Hier ist jeder Freund von Gabriel... Aber Sie sind sicher müde und hungrig nach der Fahrt. Möchten Sie eine Tasse Kaffee?«

»Gern, danke.«

»Setzen Sie sich doch, wenn Sie irgendwo einen freien Platz finden.«

Sadie goß den Kaffee aus einem Aluminiumkrug in einen Henkelbecher, den sie Eva reichte. »Wenn ich ein Kind erwarte, schmeckt mir der Kaffee nicht«, bemerkte sie leicht bekümmert. »Schrecklich, um wie viele Vergnügen im Leben Kinder einen bringen. Aber Hunger habe ich. Eigentlich ständig.« Sie schnitt zwei Scheiben Brot ab. »Bitte, bedienen Sie sich, Eva. Hier ist ein Glas mit Gabriels Honig.« Sie nahm es von einem Bord. Hero klammerte sich bei jedem Schritt an ihr Bein, so daß sie die doppelte Last zu schleppen hatte – das kleine Mädchen und das ungeborene Kind.

»Hält Mr. Bellamy Bienen?« fragte Eva, während sie Honig auf ihr Brot strich.

»Ja, leider. Letztes Jahr sind sie ausgeschwärmt und kamen durch die Kamine ins Haus. Rabenschwarz vom Ruß. Sie hingen in den Kinderzimmern wie brummende Kohleklumpen. Nehmen Sie noch.«

»Das Brot schmeckt köstlich«, sagte Eva.

»Das freut mich. Aber jetzt muß ich wirklich weitermachen.« Sadie stand auf.

Sie hatte nach Evas Schätzung keine fünf Minuten gesessen. Die Frau, die am Tisch stand und Pastetenteig ausrollte, hatte mit der dunkelhaarigen Frau auf dem großen Gemälde nur begrenzte Ähnlichkeit. Die lebende Sadie war blasser und hatte einen müden Zug um die Augen.

»Kann ich etwas helfen?« fragte Eva. »Im Kochen bin ich zwar keine Größe, aber ich könnte abspülen.«

»Das wäre nett. Eigentlich wollte Nerissa das übernehmen, aber sie hat Kopfschmerzen und sich hingelegt. Unsere übrigen Gäste sind leider Männer, und die bilden sich ja bekanntlich ein, Geschirrspülen wäre unter ihrer Würde«, sagte Sadie giftig.

Eva verfrachtete einen Teil des gestapelten Geschirrs aufs Abtropfbrett. Der kleine Junge, der dort auf der Kante hockte, streckte ihr die Zunge heraus.

»Ptolemäus!« sagte Sadie scharf.

»Mama!« Er streckte die Arme nach seiner Mutter aus.

»Ich kann dich nicht nehmen, du bist zu schwer.«

»Aber Mama –«

»Iß dein Brötchen, Tolly. Heißes Wasser steht auf dem Herd, Eva. Am besten setzen Sie gleich frisches auf, sonst kommen Sie nicht aus. Wenn Ihnen das kalte ausgeht, muß einer von den Männern zum Brunnen gehen. Und reden Sie beim Abspülen mit mir, ja? Sind Sie aus London gekommen? Sie müssen mir unbedingt von London erzählen. Es fehlt mir ganz schrecklich. Sie müssen mir erzählen, was los ist – alles.

Und die letzte Mode beschreiben – was trägt man denn heute so?«

Eva beschrieb Sadie die Stoffe bei Selfridge's und Mariannes Aussteuer. Dann erzählte sie von dem Theaterstück, das sie am Haymarket gesehen hatte, und von dem Ballett, das sie sich im Empire angeschaut hatte.

Sadies Blick war sehnsüchtig. »Ich liebe das Ballett. Als kleines Mädchen wollte ich Primaballerina werden.« Sie zog die Klappe des Backrohrs auf. »Hero, bitte! Häng dich doch nicht so an mich.« Sie schob die Kleine weg, die zu weinen begann. Ohne sie zu beachten, beugte Sadie sich mit einiger Mühe zum Rohr hinunter und holte die Pasteten heraus. »Und jetzt erzählen Sie mir etwas von sich, Eva. Was machen Sie?«

»Ich studiere an der Slade-Akademie.«

»Ach, ich war auch auf der Slade«, sagte Sadie. Sie richtete sich auf und rieb sich mit einer Hand den Rücken, während ihr Blick von dem weinenden Kind zu den Stapeln schmutzigen Geschirrs flog. »Vor Jahren«, fügte sie leise hinzu. »In einem anderen Leben. Da war ich auch auf der Slade.«

Die anderen lernte Eva erst beim Abendessen kennen. Nachdem sie abgespült hatte, zeigte Sadie ihr ihr Zimmer. Sie packte aus, wusch sich und zog sich für den Abend um. Um sechs ging sie nach unten. Stimmengewirr führte sie in die Küche, wo der Tisch zum Essen gedeckt war. Eine junge Frau in einem enganliegenden tiefroten Kleid saß schon da. Sie hatte glänzendes dunkles Haar, das lockig ihr langes, ovales Gesicht umgab. Ein sehr gut aussehender junger Mann – hellbraunes gewelltes Haar, Tweedjackett mit Flicken auf den Ellbogen – lehnte dekorativ am Spülstein. In einer Ecke stritten sich Lysander und Ptolemäus beim Quartett.

Sadie stand am Herd und rührte den Eintopf. Sie machte Eva mit den anderen Gästen bekannt. Der junge Mann im Tweedjackett hieß Max Potter, und die Frau im roten Kleid war Nerissa Jellicoe. Max schenkte Eva ein Glas Rotwein ein.

Nerissa sagte: »Früher hat Gabriel Wein aus Erbsenschoten und Brennesseln gemacht, das hat er Gott sei Dank aufgegeben. Jetzt kauft er seinen Wein in Frankreich. Viel besser.« Sie hatte eine tiefe, träge klingende Stimme.

Nach und nach füllte sich die Küche. Val trug Hero hoch auf seinen Schultern. Ihm folgte ein ziemlich kleiner Mann mit rundem Gesicht, den Max Eva als Bobbin vorstellte. Dann kam ein langgliedriger Junge von neun oder zehn, der mit seinem schwarzen Haar und den dunklen Mandelaugen unschwer als Sadies Sohn zu erkennen war.

»Orlando!« rief Sadie. »Geh rauf, und wasch dich erst mal. Und wo ist Gabriel?« Sie wirkte gereizt. »Das Gemüse wird kalt.«

»Du schaust aus, als hättest du dich in einem Heuhaufen gewälzt«, sagte Max zu Orlando, der Stroh im Haar und Schmutzstreifen im Gesicht hatte.

»Ich hab Ratten gejagt.« Orlando hielt eine Steinschleuder hoch.

»Hast du welche erwischt?« fragte Lysander.

»Nein, aber ich hab einen Frosch gefangen. Mit meinem Kescher. Er ist ein prima Springer. Ich hab ihn in einem Karton in meinem Zimmer.«

»Du sollst dir die Hände waschen, Orlando«, wiederholte Sadie.

Draußen flog die Hintertür auf. Gabriel Bellamy stand im Hof, eine Flinte im Arm, ein halbes Dutzend Kaninchen über der Schulter.

»Ich habe dir etwas mitgebracht, Sadie.« Mit großen Schritten trat er in die Küche und warf die Kaninchen auf die Arbeitsplatte.

»Gabriel, nicht so dicht neben die Pasteten –«

»Das war ein herrlicher Tag.« Er nahm Sadie in den Arm und küßte sie.

»Das Essen ist fertig. Bring die armen Kaninchen in die Speisekammer.«

»Interessiert es dich nicht, was an diesem Tag so herrlich war?«

»Das Gemüse –«

»Ich bin los, als es gerade hell wurde, der Tau lag noch auf den Wiesen.«

»Gabriel!« Sadies Stimme zitterte ein wenig. Als sie fortfuhr, war ihr Ton völlig beherrscht »Bitte bring die Kaninchen in die Speisekammer, und setz dich an den Tisch. Und du, Orlando, geh jetzt endlich Händewaschen.«

Gabriel nahm die Kaninchen, und Orlando trottete hinaus. Nerissa sagte: »Kann ich irgendwas tun, Schatz?«

»Wenn du mir die Teller runterholen würdest? Ich komm da nicht mehr rauf.« Sie drückte eine Hand auf ihren Bauch.

»Ich hole sie schon«, sagte Val und griff zum Bord hinauf.

»Und ich kümmere mich mal um Hero, unseren kleinen Schatz«, sagte Nerissa. Sie hob das widerstrebende Kind auf ihren Schoß.

Sadie teilte den Eintopf aus. Gabriel bemerkte Eva, als er aus dem Speisekammer kam, umarmte sie mit einem Freudenruf und gab ihr einen Kuß auf die Wange.

»Laß das arme Mädchen aus den Klauen«, sagte Nerissa. »Du zerzaust ihr ja die Haare.«

»Meine Haare sind immer zerzaust«, erklärte Eva. »Das ist leider ihre Art.«

»Dann sollten Sie sie jeden Tag hundertmal bürsten«, riet Nerissa. »Ich tu das auch.« Sie strich sich sachte über ihre seidigen Locken.

Hero tauchte ihren Finger in Nerissas Weinglas und lutschte ihn ab.

»Laß das, Schatz!« sagte Nerissa scharf. »Das tut man nicht.«

Heros Gesicht verzog sich; sie begann zu weinen. Gabriel packte seine Tochter und schwang sie hoch in die Luft. Die Tränen versiegten, Hero jauchzte vor Vergnügen.

Eva hatte den Eindruck, daß beim Abendessen ständig herumgelaufen wurde. Wenn einer aus der Familie Bellamy noch Kartoffeln haben wollte und die Schüssel nicht erreichen konnte, stand er einfach auf, lief um den Tisch herum und holte sich, was er brauchte. Sadies leises: »Bittet doch einfach um das, was ihr braucht. Sprecht nicht mit vollem Mund« blieb völlig unbeachtet. Als sie noch beim ersten Gang waren, sprang Gabriel plötzlich auf, um die Blumen zu holen, die er am Morgen gepflückt hatte, dann verschwand Bobbin und kam mit einem dicken Buch zurück, mit dessen Hilfe er die halb verwelkten Blumen zu identifizieren versuchte. Darauf rannte Orlando hinaus und brachte bei der Rückkehr seinen Frosch mit, der prompt aus seinem Karton entwischte und unter dem lauten Geschrei der Bellamys und ihrer Gäste in der Küche herumsprang. Als er schließlich durch die Hintertür in die Freiheit floh, brach Hero in Tränen aus und mußte getröstet werden, bis sie auf Sadies Schoß einschlief und Val sie in ihr Bett hinauftragen konnte. Und inmitten des ganzen Getöses besprachen Gabriel und Max Pläne für einen Segeltörn nach Bilbao, und Nerissa erzählte von ihrem Vorhaben, sich einen Zigeunerwagen zuzulegen und kreuz und quer durch England zu fahren. »Ich kaufe mir ein grünes Kleid und einen Strohhut mit einer Schleife unter dem Kinn, wie eine Porzellanschäferin.«

Sadie hatte gerade den Apfelkuchen auf den Tisch gestellt, als Gabriel Eva ansah und sagte: »Na, Eva Maclise? Gefällt es Ihnen? Hat Sie schon jemand auf meinem Hof herumgeführt? Nein? Dann werde ich das morgen höchstpersönlich tun.« Sadie reichte ihm ein Stück Kuchen. »Ich mache Sie mit den Schweinen bekannt. Sie sind was ganz Besonderes, stimmt's, Val? Mögen Sie Schweine, Eva? Prächtige Tiere. Ich habe übrigens vor, den Bach zu stauen, dann können wir einen Teich anlegen. Wir könnten Karpfen reinsetzen.« Er lächelte Eva zu. »Sie können mir helfen, den Teich auszuheben, wenn Sie Lust haben, Eva. Bleiben Sie eine Weile – auch einen Monat, wenn Sie wollen –, solange es Ihnen Spaß macht.«

»Gabriel, Eva muß doch nach London zurück. Auf die Akademie.«

»Ach ja, natürlich.« Gabriel wirkte plötzlich niedergeschlagen. »Schade. Ich habe gern Menschen um mich.«

»Du hast genug Menschen um dich, Gabriel.«

»Ja, aber je mehr, desto lustiger.«

»Sahne oder Vanillesoße?« Sadie reichte Gabriel zwei Krüge.

Gabriels Gesicht hellte sich auf. »Also, Eva, was denken Sie von uns? Ich hoffe, wir sind Ihnen nicht zu laut. Es hat schon Gäste gegeben, die sind nach zwei Stunden mit der Familie Bellamy laut schreiend zum Bahnhof geflohen.«

»Gabriel, nur eine einzige –«

»Und sie war verrückt.«

»Völlig übergeschnappt.«

»Eva ist aus härterem Holz geschnitzt, stimmt's, Eva?« Gabriel goß Sahne und Vanillesoße über seinen Apfelkuchen. »Sie kommt schließlich aus einer großen Familie, nicht wahr?«

»Ich habe sechs Geschwister, ja.«

»Da hast du noch was vor dir, Sadie«, bemerkte Nerissa mit einem kleinen Lächeln. »Nach dem kleinen Neuankömmling noch zwei.«

»Um Gottes willen, bloß nicht«, murmelte Sadie. »Ich glaube, ich würde mich umbringen.«

»Sadie!« sagte Gabriel.

Sadie stand mit der leeren Kuchenform in der Hand am Spülstein. »Ich bin einfach so müde.« Ihr Gesicht war weiß, beinahe durchsichtig. »Und wir haben keine sauberen Löffel mehr.«

»Herrgott noch mal, setz dich hin, Sadie.« Gabriel führte seine Frau zu einem Stuhl. »Du machst auch aus jeder Mücke einen Elefanten. Dann nehmen wir eben Teelöffel.« Er nahm ein halbes Dutzend aus einer Schublade. »Weißt du was, morgen machst du mal gar nichts. Du ruhst dich aus und bleibst den ganzen Tag im Bett. Das Essen mache ich. Ich brate die

Kaninchen draußen über einem offenen Feuer, und wir essen wie die Zigeuner unter freiem Himmel.« Gabriel setzte sich neben Sadie. Als er ihre Hand ergriff und diese küßte, lächelte sie ihn an.

Am folgenden Morgen zeigte Gabriel Eva den ganzen Hof, den Gemüsegarten und die Heuwiese, das Bienenhaus und den Schweinestall. »Ich habe die Schweine erst letztes Jahr gekauft«, erklärte er. »Es ist erst mal ein Versuch. Sie fressen die Kartoffelschalen, und bis zum Herbst haben sie bestimmt richtig Speck angesetzt. Ich habe mir schon überlegt, ob ich mir nicht auch noch zwei Kühe anschaffe.«

Sie gingen über den Hof. »Braucht das nicht alles viel Zeit?« fragte Eva. »Zeit, in der Sie malen könnten, meine ich.«

»Ich flüchte nach London, wenn ich Zeit für mich brauche. Ich habe in Paddington ein Atelier. Und außerdem –«

Er brach ab. Sie sah ihn an. Er verzog das Gesicht. »Ich habe gerade eine etwas unfruchtbare Periode, könnte man sagen. Seit den Landschaften habe ich nichts mehr gemacht.« Er warf ihr einen Blick zu. »Ihnen ist so etwas wahrscheinlich noch nicht passiert.«

»Nein.«

»Wie alt sind Sie, Eva?«

»Neunzehn.«

»Neunzehn!« Sie waren auf dem Weg zu der grasbewachsenen Mulde, in der Gabriel den Fischweiher anlegen wollte. Er sagte: »Als ich neunzehn wahr, reichte mir die Zeit nicht, um all die Bilder zu malen, die ich malen wollte. Ich dachte, es würde immer so bleiben. Aber jetzt, wo ich dreißig bin – tja, so bleibt es leider nicht.«

Er hob einen abgebrochenen Ast auf und begann, Schneisen in das hohe Gras und die Brennesseln zu schlagen. Am Rand der Mulde angekommen, blieb er stehen. »Sie kennen das Gefühl, das man bekommt, wenn man zu malen anfängt, Eva. Wenn man so sicher ist, daß es das Beste wird, was man je gemacht hat. Es ist so etwas wie – ein geistiges Prickeln. Eine starke Erregung, die in einem brodelt und auf die man reagieren, die man umsetzen muß. So war es, als ich den Hof gekauft hatte – ich habe im ersten Winter hier ein halbes Dutzend Landschaften gemalt. Und als ich Sadie kennenlernte – ich habe nie wieder etwas gemacht, was so gut ist wie diese Porträts von Sadie. Mit Nerissa war es das gleiche. Die Bilder vom ›Mädchen im roten Kleid‹. Offenbar brauche ich immer etwas – oder jemanden –, was mich entzündet.« Er tippte sich an die Stirn. »Dann wird's da oben lebendig.« Er lachte. »Kommen Sie, ich will Ihnen zeigen, warum ich den Hof gekauft habe. Warum ich ihn so sehr liebe.«

Sie gingen weiter in die Hügel hinein. Lerchen stiegen aus den Wiesen zu beiden Seiten auf, immer höher, bis sich ihr jubelnder Gesang unter dem Himmel verlor. Unter ihnen glitzerten die Dächer des Hauses und der Stallungen in der Sonne.

Auf der Höhe des Hügels erhob sich unter dem Gras ein langer ovaler Buckel, ein uralter Grabhügel, der von knorrigen Weißdornbüschen gekrönt war. »Da liegen leider keine Gebeine oder Geschmeide eines Königs«, bemerkte Gabriel. »Ich vermute, das Grab ist schon vor langer Zeit geplündert worden.« Er stieg auf den Hügel hinauf. »Und trotzdem ist mir hier immer so, als beträte ich verbotenes Terrain. Merkwürdig, nicht? Als gehörte dieses Stück Land jemand anderem. Schauen Sie. Wie finden Sie das?«

Rundherum breitete sich das Land aus, Hügel, Wälder, Wiesen, von funkelnden Bächen durchzogen. Ein leichter Wind blies Eva das Haar ins Gesicht und bewegte die Blätter des Weißdorns.

»Wunderschön«, sagte sie. »Es ist wunderschön.«

Er rannte den Hang hinunter. Unten auf der Wiese blieb er stehen und blickte stirnrunzelnd zu ihr hinauf. Sie fragte sich, ob sie etwas Falsches gesagt hatte. *Wunderschön!* Du lieber Gott, dachte Eva voll Ärger auf sich selbst. Weniger originell geht's ja kaum.

Aber er sagte: »Kommen Sie, es ist sicher Zeit zum Mittagessen.« Er bot ihr die Hand, um ihr den Hang hinunterzuhelfen.

Am Nachmittag schlief Hero in einem Sessel ein, die Männer verschwanden, um das Feuer vorzubereiten, und Eva und Sadie tranken in dem Zimmer mit den Flintsteinen und den Kinderspielsachen Tee.

»Das ist eigentlich mein Zimmer«, sagte Sadie, »aber irgendwie findet hier immer die große Invasion statt.« Sie schob ein Puzzle und einen Malkasten weg, damit Eva das Tablett abstellen konnte. »Trotzdem komme ich mir richtig kultiviert vor, hier nachmittags mit einer Freundin Tee zu trinken.«

Mit einer Freundin. Eva war geschmeichelt. Vielleicht würden die Bellamys ihre Freunde werden. Vielleicht würde es wieder ein Wochenende wie dieses geben, andere Freitage, an denen ihre Kommilitonen sie nach ihren Plänen fragen und sie sagen würde: *Ich fahre übers Wochenende zu den Bellamys – du weißt schon, Gabriel Bellamy, dem Maler, und seiner Frau.* Vielleicht würde sie bald zum Kreis der interessanten und unkonventionellen Leute gehören, die bei den Bellamys ein und aus gingen. Vielleicht wäre Greenstones, dieser faszinierende Ort, ihr eines Tages so vertraut wie das alte, langweilige Summerleigh.

Sadie ließ sich schwerfällig in einen Sessel fallen. »Erzählen Sie mir etwas von sich, Eva. Macht Ihnen das Studium an der Slade Spaß? Ist Henry Tonks noch dort? Und diese ausgemergelten Frauen, die Modell sitzen – wo sie die bloß immer aufstöbern? In einem Bordell, hat Gabriel mal behauptet, aber ich glaube, er wollte uns nur schockieren.«

Eva erzählte Sadie von den Studentinnen, die unter Tränen aus Henry Tonks' Kursen geflohen waren, und von den langen Nachmittagen mit griechischen Skulpturen und etruskischen Basreliefs.

»Ach, durch Sie wird mir wieder einmal bewußt, wie sehr

mir die Gesellschaft von Frauen fehlt«, sagte Sadie seufzend. »Es sind immer nur Männer in Greenstones. Eines Tages wird mir wahrscheinlich Hero Gesellschaft leisten können, aber im Augenblick ist sie leider noch zu klein.«

»Nerissa ist doch da«, meinte Eva.

»Nerissa kennt nur ein Thema – Nerissa. Das wird auf die Dauer etwas eintönig. Mir bleiben eigentlich nur Selbstgespräche. Wenn wenigstens ein Hausmädchen aufzutreiben wäre, mit dem ich ab und zu mal reden könnte. Aber hier raus in die Wildnis will natürlich kein Mensch. Da bleiben nur die Dummerchen und die Trantüten. Während der Woche kommt jeden Tag ein Mädchen aus dem Dorf, aber die bringt kaum zwei zusammenhängende Worte heraus. Da heißt es immer nur ›Ja, Frau‹ und ›Nein, Frau‹, und wenn ich über was anderes als Bleichsoda und Stärke rede, macht sie nur große Augen. Ich weiß nicht, wie viele Mädchen wir schon hatten. Die einen gehen, weil sie vor Gabriel Angst haben – er ist ja auch wirklich ziemlich laut und gebärdet sich wie ein Seeräuber –, die anderen, weil sie über Nerissa schockiert sind.« Sadie reichte Eva eine Tasse Tee und fügte erklärend hinzu: »Nerissa glaubt an eine natürliche Lebensweise. Sie läuft manchmal etwas spärlich bekleidet herum. Eines unserer Mädchen ist kreischend davongerannt, als sie im Obstgarten auf Gabriel stieß, der gerade Nerissa malte.«

Eva lachte.

»Ja, ich weiß«, sagte Sadie lächelnd. »Es war ziemlich komisch. Und einige von Gabriels Freunden sind – na ja, recht unkonventionell.« Sie rührte ihren Tee um. »Nicht zu vergessen die Kinder, die sind auch nicht ohne.«

»Sie sind doch hinreißend.«

»Finden Sie?« Sadies Gesicht drückte Zweifel aus. »Ja, vielleicht. Oder sie wären es, wenn sie sich ab und zu mal die Haare kämmen und die Gesichter waschen würden. Wenn ich eine bessere Mutter wäre, würde ich wohl dafür sorgen.« Sie bemühte sich zu lächeln. »Tut mir leid, ich bin schon wieder so negativ. Achten Sie nicht darauf, es ist nicht ernst gemeint. Es kommt nur daher.« Sie tätschelte ihren runden Bauch. »Gegen Ende der Schwangerschaft bin ich leicht mal ein bißchen niedergeschlagen.«

»Es ist sicher sehr anstrengend.«

»Richtig anstrengend wird's erst, wenn sie auf der Welt sind. Beim fünften Kind weiß man, was man zu erwarten hat. Die Entbindung ist natürlich auch nicht lustig, aber dann, wenn das Kind da ist, kommen erst mal die Nächte ohne Schlaf. Mir wird schon jetzt ganz anders, wenn ich dran denke, daß ich die nächsten sechs Monate ständig halbtot herumlaufen werde und von Glück reden kann, wenn ich mal eine halbe Stunde für mich habe.« Sie biß sich auf die Lippe und schüttelte den Kopf. »Entschuldigen Sie, Eva, ich verleide Ihnen noch die Ehe und das Muttersein, wenn ich so weitermache.«

Aus einem der anderen Zimmer hörten sie Weinen. »Hero«, sagte Sadie und stand auf. An der Tür drehte sie sich zu Eva um und sagte gelassener: »Sie dürfen nicht glauben, daß ich nicht gern hier bin. Im Gegenteil. Ich möchte es nicht missen. Gabriel ist glücklich hier, und das ist alles, was für mich zählt.«

Sie machten das Feuer auf der Wiese hinter dem Haus. Als es dunkel wurde, standen sie im Kreis darum herum und sahen zu, wie die Flammen welkes Laub und dürre Äste verschlangen. Ihre Gesichter waren schwarz und golden im Widerschein des Lichts, wie aztekische Masken. Ein Lüftchen fachte die Flammen an, so daß sie höher sprangen und feurige Funken zum lavendelgrauen Himmel sprühten. Der alte Grabhügel, den Eva und Gabriel am Morgen bestiegen hatten, war eine kompakte tintenschwarze Masse vor jagenden Wolken.

Als das Feuer heruntergebrannt war, legte Gabriel die Kaninchen, die er am Vortag geschossen hatte, in die Glut. Eva mußte an die steifen Picknicks ihrer Mädchenzeit denken, die gesitteten Ausflüge in Pferdewagen und Automobilen mit Dienstboten, vollgepackten Körben und Klappstühlen. Hier saßen sie im Gras und ließen sich von der Hitze des Feuers wärmen; hier aßen sie statt Gurkenschnittchen und Schinkenröllchen gebratenes Kaninchen mit jungen Karotten und frischem Blattgemüse aus dem Garten.

Max schenkte Wein ein, und als sie mit dem Essen fertig waren, holte Bobbin seine Gitarre und begann zu spielen. Nerissa tanzte, drehte sich in ihrem roten Kleid zur Musik. In einer Hand hielt sie einen weißen Papierfächer, mit dem sie Muster in die Luft zeichnete.

»Sie ist ein Biest«, flüsterte Max Eva ins Ohr, »aber man kann verstehen, was Gabriel an ihr findet.«

Nerissas fließende Bewegungen hatten etwas Hypnotisches. Eva sagte: »Nerissa sitzt Gabriel Modell, nicht wahr?«

Max warf ihr einen Blick zu. »Stimmt. Sie sitzt ihm Modell.« Er verschwand in der Dunkelheit.

Alle klatschten, als der Tanz zu Ende war. Eva hörte ein Schniefen hinter sich. Als sie sich umschaute, entdeckte sie Ptolemäus.

»Was ist denn, Tolly?«

»Ich will auch einen Fächer.« Sein Gesicht war tränenverschmiert. Er hielt ihr ein zerknittertes Blatt Papier hin. »Ich will auch so einen Fächer wie Nerissa.«

Eva nahm ihm das Blatt ab und faltete es zu einem Fächer. Den Fächer fest in der Hand, kroch der Kleine zu ihr auf den Schoß. Eva ging der Gedanke durch den Kopf, daß er ein mittleres Kind war wie sie selbst. Nicht das älteste und nicht das jüngste, unwichtig. Sie legte ihre Arme um ihn, und er drückte sich mit seinem ganzen warmen, kleinen Körper an sie.

Bobbin sang. Es war jetzt ganz dunkel, und alles war still. Nur seine Stimme war da, eindringlich in der Dunkelheit mit den Worten von Liebe und Abschied.

»Now I'll go off to some far-off country
Where I'll know no one and no one knows me.«

Eva dachte: Selbst wenn ich nie wieder hierherkomme, selbst wenn ich die Bellamys nie wiedersehe, werde ich nie vergessen, was für ein wunderbares Wochenende das war. Ich werde mich immer an diesen Abend erinnern, an das Feuer, den Gesang, die Wärme und das Gewicht des Kindes auf meinem Schoß.

Eine Gestalt in der Dunkelheit. Gabriel. Er setzte sich neben ihr nieder, leicht und anmutig in seinen Bewegungen trotz seiner Größe. »Bobbin sammelt Lieder«, bemerkte er. »Er hat ein Gesicht wie ein Steuereintreiber, aber die Seele eines Poeten. Was ist das nur mit der Musik? Wie kommt es, daß ein so einfaches, banales Lied einen so sehr ergreifen kann?« Er berührte Evas Arm. »Sogar Kirchenmusik – besonders Kirchenmusik… Wie ist es möglich, daß mich, einen Atheisten, der das ganze fromme Getue nur abstoßend findet, manche Kirchenmusik – Weihnachtslieder! Man stelle sich das vor! – zu Tränen rühren kann?«

»Sind Sie denn Atheist?«

»Mit dem Verstand, ja.« Er schlug sich mit der Faust auf die Brust. »Aber vielleicht nicht mit dem Herzen. Und Sie?«

»Ich weiß nicht. In meiner Familie gehen wir alle zur Messe. Es gäbe einen Aufstand, wenn einer von uns das nicht täte. Aber wir tun nicht alles, was uns in der Kirche gesagt wird.« Sie war sich bewußt, daß ihre Stimme bitter klang. »Wir legen nur Lippenbekenntnisse ab.«

»Es klafft eine große Lücke zwischen dem, was man sich zu tun vornimmt, und dem, was man tatsächlich tut.«

»Aber doch nicht bei Ihnen!« rief sie und erwiderte lächelnd seinen Blick. »Dieses wunderbare Haus – *Sie* schaffen es, nach Ihren Vorstellungen zu leben. Warum schaffen es andere nicht?«

»Ach. Eva«, sagte er leise. »Unverbesserlich, hm?« Sein Ton änderte sich. »Ich bringe den Knaben jetzt besser ins Bett, sonst ist er morgen früh ungenießbar.« Er hob Tolly von ihrem Schoß und ging davon.

Irgendwann nach Mitternacht gingen sie alle gähnend ins Haus. In ihrem Zimmer zog Eva ihren Mantel aus und bürstete ihr Haar. Dann setzte sie sich ans Fenster und schaute hinaus.

Es klopfte. Sie öffnete die Tür. Gabriel stand im Flur. »Ich kann nicht schlafen«, murmelte er.

Er hatte erwähnt, daß er an Schlaflosigkeit litt. Sie fühlte sich geschmeichelt, daß er, von seinem Leiden geplagt, bei ihr Abhilfe suchte.

»Sollen wir ein Stück spazierengehen?« schlug sie vor.

Sein Blick war leicht erstaunt. »Wenn Sie wollen.«

Sie gingen ins Freie hinaus. Auf der Wiese verglühten die Reste des Feuers. Die Nacht war klar, der Himmel voller Sterne. Eva fröstelte.

»Ihnen ist kalt.« Er legte seinen Arm um ihre Schultern. Im ersten Moment hielt sie es für eine freundschaftliche Geste, dann wurde ihr mit Schrecken klar, daß es das nicht war. Er drückte sie an sich und schob seine Finger in ihr Haar.

»Mr. Bellamy –«

»Ach was! *Gabriel*!«

Er hob ihren Kopf an und küßte sie auf die Stirn. Dann auf die Lippen. Mitten in ihrem Entsetzen kam ihr absurderweise der einzige Rat in den Sinn, den, soweit sie sich erinnern konnte, Lilian ihren Töchtern in bezug auf den Umgang mit Männern mit auf den Weg gegeben hatte: *Wenn ein Mann versucht, zudringlich zu werden, müßt ihr ihm mit aller Kraft mit dem Stiefelabsatz auf den Fuß treten.*

Was bei Gabriel etwa so wirkungsvoll gewesen wäre wie der Fußtritt einer Ameise bei einem Elefanten. Statt dessen versetzte sie ihm mit beiden Händen einen kräftigen Stoß und sagte klar und kalt: »Mr. Bellamy, ich glaube, Sie vergessen sich.«

Er senkte die Hände. »Eva –«

»Was denken Sie sich eigentlich? Ich gehe jetzt in mein Zimmer.«

Er sagte verblüfft: »Aber du mußt doch gewußt haben …«

»Was?«

»Was ich für dich empfinde.«

Wütend fauchte sie: »Wenn ich geahnt hätte – wenn mir auch nur der Gedanke gekommen wäre, daß Sie so etwas tun, wäre ich nie hierhergekommen.« Damit machte sie kehrt und rannte zum Haus zurück.

Sie sperrte ihr Zimmer ab und schob einen Stuhl unter die Klinke. Dann stopfte sie ihre Sachen in ihre Reisetasche und setzte sich voll bekleidet und mit hämmerndem Herzen aufs Bett, die Tür im Auge.

Aber er kam nicht noch einmal. Um fünf Uhr morgens schlich sie sich aus dem Haus, nachdem sie auf dem Küchentisch für Sadie einen Brief hinterlassen hatte, in dem sie erklärte, ihr sei eingefallen, daß sie heute in aller Frühe an einem Seminar an der Slade teilnehmen müsse. Dem Weg folgend, den Val sie erst vor zwei Tagen gefahren hatte, ging sie über die Felder zum Bahnhof.

Im Zug zurück nach London fühlte sie sich beinahe überwältigt vom tobenden Durcheinander ihrer Gefühle. Scham, Ernüchterung und Entsetzen erschienen am stärksten. Doch als sie die Augen schloß und, den Kopf an die Scheibe gelehnt, einnickte, erinnerte sie sich an seinen Kuß. An die Kraft und die Wärme seiner Umarmung und an seinen Kuß.

In der folgenden Woche sah Eva eines Abends, als sie aus der Akademie kam, Gabriel Bellamy drüben auf der anderen Straßenseite. Er stand an einen Lampenpfosten gelehnt und rauchte. Die schwache Hoffnung, daß er auf jemand anderen wartete oder sie unbemerkt davonradeln könnte, zerplatzte, als er seine Zigarette wegwarf und über die Straße kam.

»Eva«, sagte er, »ich muß mit dir sprechen.«

»Ich glaube nicht, daß wir etwas miteinander zu besprechen hätten, Mr. Bellamy.«

»An dem Abend in Greenstones –«

»Ich will nicht darüber reden.«

»Eva –«

»Wir haben einander nichts zu sagen, Mr. Bellamy.«

»Herrgott noch mal! Ich war betrunken. Ich bin hergekommen, um mich zu entschuldigen.«

»Dann nehme ich Ihre Entschuldigung an.« Sie stieg auf ihr Fahrrad und fuhr los.

Zu ihrem Ärger lief er neben ihr her, wobei er mit seinen langen Beinen mühelos mit ihr Schritt hielt. »Wann sehe ich dich wieder?«

»Am besten gar nicht.«

»Eva!« Er packte den Lenker und hielt das Fahrrad an. »Ich sagte doch – ich hatte zuviel getrunken. Ich wußte nicht, was ich tat. Wie lange willst du mich noch bestrafen?« fragte er heftig.

»Ich will Sie gar nicht bestrafen, Mr. Bellamy.«

»Dann komm nach Greenstones.« Sein Ton wurde weich und beredsam, und Eva hatte plötzlich Sehnsucht nach Kreidehügeln und Freiheit.

Dann sagte er: »Und das alles nur wegen eines Kusses! Eines einzigen törichten Kusses, der überhaupt nichts zu bedeuten hatte.«

Aber sie hatte diesen Kuß nicht vergessen – der erste Kuß, den sie bekommen hatte, der einzige. Es beunruhigte sie, daß er, so unrecht er auch gewesen war, ihr sehr wohl etwas bedeutet hatte.

»Komm am Samstag nach Greenstones«, drängte er. »Der Karpfenteich ist fast fertig.«

»Ich kann leider nicht«, sagte sie förmlich. »Ich habe im Moment sehr viel zu tun. Und ich habe eine Verabredung. Wenn Sie also jetzt bitte mein Fahrrad loslassen würden…«

Er ließ los. Plötzlich wirkte er wie verloren. Als sie davonradelte, rief er ihr nach: »Ich wollte dich doch nur malen!«

Überrascht schaute sie sich nach ihm um. »Mich malen?«

»Ja. Tut mir leid, daß ich es falsch angefangen habe. An dem ersten Abend bei Lydia in der Galerie hast du so – irgendwie so ungezähmt ausgesehen. Eva, es war seit Monaten das erste Mal, daß ich wieder malen wollte.« Er zog seine Trumpfkarte. »Und Sadie vermißt dich. Sie fragt mich dauernd, warum du nicht wieder einmal kommst.«

Sie sagte eisig: »Das sollten Sie ihr lieber nicht verraten, finden Sie nicht auch, Mr. Bellamy? Außerdem muß ich nach Hause zu meiner Familie, es sind bald Ferien.«

Seine Stimme wurde schwächer, als sie sich von ihm entfernte. »Ich wollte dich nur malen. Weiter nichts, Eva.«

Dieser Sommer schien Marianne in ein Meer von Farben aller Schattierungen getaucht zu sein, hell oder dunkel, grell oder gedämpft. Da war die aufregende Farbsymphonie der Kostüme des russischen Balletts, das in einem Theater in Paris zur Musik von Strawinskys *Der Feuervogel* und Rimski-Korsakows *Scheherazade* tanzte. Da waren die dunklen Töne in Ascot, wo alle Trauernden aus Ehrerbietung für den verstorbenen König schwarze Hüte trugen. Da waren die Abstufungen von Weiß und Grau und verblaßtem Rosé in Arthurs Landhaus in Surrey und das langsame Vordringen von Farbe, als sie es zu renovieren begannen.

Im August luden die Merediths sie auf ihren Landsitz Rawdon Hall ein. Marianne machte Listen. Sie mußte Tageskleider, Nachmittagsensembles und Abendroben mitnehmen; sie brauchte die richtige Kleidung zum Wandern, zum Reiten und zum Tennis. Und sie mußte ein Mädchen mitnehmen; man würde es seltsam finden, erklärte Arthur, wenn sie ohne ihr Mädchen anreiste.

Rawdon Hall war in Yorkshire. Die steinerne graue Fassade des Hauses blickte auf einen runden See; jenseits des Sees lagen weite Rasenflächen, auf denen vereinzelte Baumgruppen standen, vor allem Eichen und Kastanien. Parkland umgab das Anwesen auf allen Seiten, soweit der Blick reichte. Ein Chauffeur brachte Arthurs Wagen in die Remise, und ein Butler empfing sie. Ihre Stimmen hallten in der Eingangshalle mit der breiten Freitreppe und dem Marmorboden wider. Üppige bunte Blumenarrangements schmückten große Vasen auf Beistelltischen, und in Nischen blitzten Ritterrüstungen auf. Als wäre das Haus dazu geschaffen, dachte Marianne, seine Gäste einzuschüchtern und sich klein fühlen zu lassen.

Zum Frühstück gab es Treibhauspfirsiche und importierte Ananas, Himbeeren und Erdbeeren, obwohl die Saison eigentlich schon vorbei war. Zierlich geformte Butterröllchen lagen in Eis gebettet, während Schalen mit Porridge und Sahne, Platten mit pochierten Eiern, mit Schellfisch und gebratenem Schinkenspeck auf einer Kredenz warm gehalten wurden. Gebratene Nierchen und Würstchen warteten in prallem Glanz, als wollten sie gleich ihre Haut sprengen, kalter Braten, Wild, Fleisch in Aspik, Fasan, Zunge und Schneehuhn waren in spektakulären Spiralmustern auf riesigen silbernen Platten angerichtet.

Um halb zwei setzten sie sich im Park unter Markisen zu einem Acht-Gänge-Lunch. Um vier versammelten sie sich im Salon zum Nachmittagstee mit Canapés und Brioches, Scones und englischem Kuchen. Laura Meredith zelebrierte den Tee mit viel theatralischem Getue um die kleinen Spirituslämpchen, die Kessel und das silberne Service. Jede Minute des Tages zwischen den Mahlzeiten war geplant und festgelegt. Marianne mußte im Park spazierengehen, mußte Tennis spielen, mußte sich an den Bridgetisch setzen. Sie mußte sich drei- oder viermal umziehen, ihr Mädchen mußte ihr im Verlauf des Tages das Haar zu immer kunstvolleren Frisuren legen und sie mit Ohrringen, Halsketten und Armbändern behängen. Sie durfte nicht schweigsam sein, sondern mußte sich an dem munteren leeren Geplauder beteiligen, mußte reden, ohne etwa zu sagen.

Aber da sie eine gute Beobachterin war, fiel ihr auf, daß manches Ehepaar auseinanderstrebte und sich neue Paarungen bildeten. Sie beobachtete, welcher Ehemann die Frau eines anderen umwarb und welche Ehefrau mit einem Junggesellen flirtete. Sie vermerkte, welche Eheleute nicht mehr miteinander sprachen und welche, um den Schein zu wahren, einander mit höflichen Floskeln und einer Art eisiger Abneigung begegneten. Hände fanden sich in dunklen Ecken des Zimmers, Köpfe neigten sich zu juwelengeschmückten Ohren hinunter. Als Marianne in ihr Zimmer ging, um ein vergessenes Paar Handschuhe zu holen, hörte sie hinter einer geschlossenen Tür eine Frau lachen.

Einen großen Teil des Tages war sie von Arthur getrennt. In einem grünen Tunnel aus dicht verwachsenen Hainbuchen setzte sie sich auf eine Bank. Ein Mann blieb vor ihr stehen.

»Mrs. Leighton, richtig?« Er lächelte. »Mein Name ist Fiske, Edward Fiske. Kann ich Ihnen irgendwie behilflich sein?«

Von den Schatten des Laubs gesprenkeltes Licht spielte auf seinem gutgeschnittenen Gesicht. Marianne, die einen ihrer Schuhe ausgezogen hatte, bemerkte, daß er zu ihrem unbeschuhten Fuß hinunterblickte.

»Danke, Mr. Fiske«, sagte sie, »aber ich komme zurecht. Ich hatte nur einen Stein im Schuh.«

»Teddy. Nennen Sie mich doch Teddy.«

Sie schlüpfte wieder in den Schuh. Er bot ihr die Hand, um ihr beim Aufstehen zu helfen, und hielt ihre Finger eine Spur zu lang. Als sie sich eilig auf den Weg machte, um die anderen einzuholen, hörte sie hinter sich seine Stimme. »Frisch verheiratet, wie? Wirklich ein Glückspilz, der gute alte Leighton. Pech für mich. Aber na ja, ich kann warten.«

Mit dem Fortschreiten des Tages schien sich Langeweile unter der Gesellschaft auszubreiten. Da wurde hinter vorgehaltener Hand gegähnt; da wurden beim Tee Kekse zu kleinen Krümelpyramiden zerbröselt. Marianne hatte den Eindruck, daß sie Spiele machten, zu denen sie eigentlich gar keine Lust hatten, und Speisen aßen, auf die sie eigentlich gar keinen Appetit hatten. Draußen hatte es zu regnen angefangen; der

Regen durchtränkte die Haufen geschossenen Wilds, fiel auf gebrochene Augen und blutige Federn.

Am Abend, nach einem Diner mit zehn Gängen, blieben die Männer mit Zigarren und Portwein im Speisezimmer, während den Frauen im Salon Kaffee serviert wurde. Als die Männer sich später zu den Damen gesellten, suchte Marianne vergeblich nach Arthur und verspürte einen Stich sehnsüchtigen Verlangens.

»Schon wieder allein, meine liebe Mrs. Leighton«, sagte jemand neben ihr, und sie drehte den Kopf. Teddy Fiske lächelte sie an. »Ihr Mann sollte wirklich ein bißchen besser auf Sie aufpassen.«

Marianne entschuldigte sich und ging nach oben. Im Zimmer zog sie den Vorhang auf, machte aber kein Licht. Der Mondschein glitzerte auf den silbernen Besätzen ihres veilchenblauen Abendkleids. Während sie aus dem Fenster sah, erschien ihr die Landschaft rundherum, der See und die Bäume, schwarz und starr und leblos, wie die Lackarbeiten auf einer alten chinesischen Dose. Zum erstenmal wurde sie unsicher in der Zuversicht und dem Glücksgefühl, die sie seit ihrer Hochzeit beflügelt hatten. Würden sie und Arthur sich mit der Zeit ebenso auseinanderleben wie diese anderen Paare? Würde sie vielleicht niemals das Kind haben, nach dem sie sich sehnte? Würde die Enttäuschung, die sie Monat für Monat hinnehmen mußte, fortdauern, gnadenlos, einen Monat um den anderen, ein Jahr um das andere?

Hinter ihr wurde die Tür geöffnet. Sie drehte sich um. Arthur kam herein. Sie stieß einen kleinen Aufschrei der Erleichterung aus.

»Es tut mir wirklich leid«, sagte er. »Das war ja ein endloser Abend.« Er kam auf sie zu. »Du Arme. Du siehst todmüde aus.«

»Es war so ein langer Tag.« Sie umfaßte seine Hand und drückte sie an ihre Schulter. »Du hast mir gefehlt.«

»Du mir auch, Liebes.«

»Ich wußte gar nicht, daß Spaß haben so harte Arbeit ist.«

»Ja, sie machen die reinste Ideologie daraus, nicht?« Arthur nahm seine Krawatte ab. »Außer Edwin. Der redet zu jeder Tages- und Nachtzeit vom Geschäft. Es ist zwei Uhr morgens, alle fühlen sich nach diesem fürchterlichen Essen, als hätten sie den Magen voller Wackersteine, und er will übers Geschäft sprechen.« Er streichelte mit Fingerspitzen ihr Gesicht. »Du machst so ein trauriges Gesicht, Annie. Was ist?«

»Ach, es ist wahrscheinlich dieses Haus. Es ist alles zuviel. Schon dieses Frühstück –«

»Ja, das war eher überwältigend.«

»Ich habe mich nur noch gefragt, was ich als nächstes finden würde.«

»Du meinst, nach dem Motto, Deckel hoch, und was ist drunter? Spanferkel vielleicht oder Singvogel?« Als sie lächelte, küßte er sie. »Das ist schon besser.«

»Wie furchtbar, wenn wir einmal so werden sollten wie diese Leute!«

»Schwerreich und unersättlich?«

»Liebling!« Sie streichelte sein Gesicht. »Ich meinte, daß wir uns so weit voneinander entfernen.«

»Das wird uns nie passieren. Keine Chance.«

»Aber sie müssen doch einmal gewesen sein wie wir. Als sie geheiratet haben, müssen sie sich doch geliebt haben.«

Marianne nahm ihre Ohrringe ab und steckte sie in das kleine, mit Samt ausgeschlagene Kästchen. »Soviel Leere. Alles so lieblos. Und von den Ehemännern hat bestimmt jeder zweite eine Geliebte.«

Er zog eine Augenbraue hoch.

»Ich habe es doch gesehen, Arthur. Ich bin nicht blind.«

»Das ist das nun mal der Lauf der Welt, Schatz. Leider.«

»Nicht meiner Welt«, entgegnete sie heftig. »Was ist denn das für eine Welt, wo ein Mann mit der Frau eines anderen ein Verhältnis haben kann, ohne daß es irgend jemanden stört?«

»Man drückt eben ein Auge zu. Vielleicht ist auch nicht

einmal das nötig. Laura verteilt ja die Zimmer immer mit viel Takt. Die Casanovas unter uns wären vermutlich ziemlich ungehalten, wenn sie sich in einem Zimmer mitten unter Zimmern mit glücklichen Ehepaaren wiederfänden. Und die, von denen bekannt ist, daß sie eine Beziehung unterhalten, bringt Laura immer in gut erreichbarer Nähe voneinander unter. Es geht ja nicht, daß in der Nacht die Korridore mit Leuten bevölkert sind, die an fremde Zimmertüren klopfen.«

Er öffnete Marianne die Perlenkette und reichte sie ihr. Kühl fließend glitt sie in ihre Hand.

»Ist das schlimm für dich, Liebes?« fragte er. »Macht es dir sehr viel aus?«

Sie dachte an Teddy Fiske: kleines Bärtchen, taxierender Blick, routinierter Charme. »Ich glaube, es würde mir nicht soviel ausmachen, wenn sie sich wenigstens gern hätten«, sagte sie. »Wenn sie sich liebten.«

»Im Sinn von ›Die Liebe ist stärker‹?« Arthur begann, die Haken im Rücken ihres Kleids zu öffnen. »Oder ›Liebe entschuldigt alles‹? Sogar Untreue?«

Sie überlegte. »Dann wäre es vielleicht leichter zu verzeihen.«

»Ich weiß nicht, ob die betrogenen Ehepartner dir da zustimmen würden. Eine große Leidenschaft kann für eine Ehe weit bedrohlicher sein als ein kleines Techtelmechtel zur Abwechslung, wie das die meisten dieser Affären sind.«

»Das macht es – trivial«, sagte sie erregt. »Aber Liebe ist nicht trivial.«

»Natürlich nicht.« Er streichelte ihren Hals. »Vielleicht sollten sie uns einfach nur leid tun. Wir sind schließlich die Glücklichen, wir haben einander gefunden. Und in einem irrst du dich, Liebes – diese Leute waren nicht wie du und ich. Ich glaube nicht, daß viele hier aus Liebe geheiratet haben. Manche haben wahrscheinlich aus Standesgründen geheiratet und andere – wie Laura auch – wegen des Geldes.«

Er zog sie auf seine Knie.

»Es ist wahrscheinlich gar nicht schick, seinen eigenen Mann zu lieben«, meinte sie.

»Ja, ich kann mir gut vorstellen, daß wir beide als äußerst geschmacklos gelten«, sagte er und küßte die Mulde ihres Halses.

Später beobachtete sie vom Bett aus das Spiel des Mondlichts, das durch das halb von Efeu verhangene Fenster ins Zimmer fiel, und dachte an die langen Jahre zwischen Arthurs erster Verlobung und seiner Heirat mit ihr. Was hatte er in dieser Zeit getrieben? Wie hatte er seine Tage verbracht?

In der Dunkelheit fragte sie: »Könntest du mit einer Frau das Bett teilen, die du nicht liebst?«

»Es gibt nur eine Frau, mit der ich das Bett teilen möchte.«

»Aber wie war es, bevor du mich kennengelernt hast?«

Er strich mit der flachen Hand zärtlich über ihren Bauch. »Ich war achtunddreißig, als ich dich geheiratet habe. Ich habe kein Mönchsleben geführt, Annie.«

Sie spürte eine Aufwallung von Eifersucht, schwarz und giftig. »Wer war es?« flüsterte sie. Bilder schossen ihr durch den Kopf, die Gesichter seiner Freunde, der Frauen seiner Freunde.

»Niemand von Bedeutung.«

»Patricia Letherby? Laura Meredith?«

Er lachte. »Ganz bestimmt nicht. Patricia ist sehr glücklich verheiratet. Und Laura ist besitzergreifend. Das muß dir doch aufgefallen sein. Ich mag keine besitzergreifenden Leute.«

Sie drehte sich auf die Seite, um ihn ansehen zu können, und schob ihre Hand unter den steifen Stoff seines Hemds auf seine warme Haut. Aber wenn nicht Laura Meredith, dachte sie, dann waren es eben andere.

»Ich liebe nicht leicht, Annie«, sagte er. »Manche Leute würden das als einen Defekt betrachten. Und das ist eines der Dinge, die mir an dir so sehr gefallen – du kannst so viele Menschen lieben. Allein die vielen Geschwister.«

Als er sie in die Arme nahm, fühlte sie sich geborgen, warm

und geborgen. Doch sie sagte: »Und wenn ich dir jetzt erzählte, daß ich vor unserer Ehe andere Männer gekannt habe?«

»Ist das wahr?«

»Nein. Aber wenn es so wäre, würde dir das etwas ausmachen?«

Sie hörte in der Stille seinen Atem. »Ja«, sagte er. »Ja, es würde mir etwas ausmachen. Natürlich. Bei Frauen ist es einfach etwas anderes. Wir erwarten mehr von euch. Männer sind viel haltloser. Wir wollen, daß ihr Frauen uns ein Beispiel gebt.«

Wieder mußte sie an Teddy Fiske denken, ständig auf der Suche nach Beute, ständig auf der Jagd. Was war mit den Frauen, die ihm erlagen? Waren sie zu verurteilen? War ihr Vergehen strenger zu bewerten als seines?

Seine Finger strichen, dem Schwung ihrer Hüfte folgend, leicht über ihre Haut, und ihre Müdigkeit wich einem ersten Drängen der Erregung. Als er sie an sich zog, ging es ihr durch den Sinn, daß sie ihm vielleicht nie begegnet wäre, wenn sie nicht vor mehr als einem Jahr den Ball bei den Hutchinsons besucht hätte. Was wäre dann geworden? Hätte sie ihr Leben geführt, ohne je von Leidenschaft und Liebe zu wissen? Oder hätte sie gespürt, daß ihr etwas fehlte, und unaufhörlich danach gesucht, wie es vielleicht die Menschen in diesem Haus taten?

5

Einige Tage nach Beginn des Wintersemesters verschwand Perdita, Mrs. Wildes Papagei. Eva, die von Straße zu Straße rannte und ihn suchte, sah endlich hoch oben in einem Fliederstrauch etwas Grünes leuchten. Sie kletterte auf das schmiedeeiserne Gitter, das einen Vorgarten umzäunte, reckte sich gefährlich weit in die Höhe und packte zu. Mit einem wütenden Schnarren und einem Schnabelhieb nach ihrer Hand hüpfte der Vogel ein Stück weiter den Ast hinauf.

»Laß mich mal«, sagte jemand, und Eva erstarrte, als sie Gabriel Bellamys Stimme erkannte.

»Du spießt dich hier höchstens noch auf«, sagte er, legte ihr beide Hände um die Taille und hob sie herunter. Zu überrascht, um zu protestieren, sah sie zu, wie er den Arm hob und die Finger unter Perditas Bauch schob. Der Papagei sprang willig auf seine Hand.

»Sie hackt«, warnte Eva.

»Du wirst mir doch nicht weh tun, oder?« Gabriel kraulte Perdita im Nacken, worauf der Vogel zu Evas Ärger einen beinahe verklärten Blick bekam und unterwürfig den Kopf senkte.

»Wie schön, dich hier zu treffen«, sagte Gabriel zu Eva, nachdem er den Papagei unter seinen Mantel geschoben hatte. »Gehört er dir?«

»Meiner Zimmerwirtin.«

Sie machten sich auf den Weg zu Evas Wohnung. »Wie war der Sommer?« fragte er. »In deiner Familie alles in Ordnung?«

Sie hatte nur zwei Wochen in Summerleigh verbracht, zwei

endlose Wochen, die ihr bestätigt hatten, was sie schon wußte: Sie gehörte nicht mehr dorthin. Sie hatte sich gefangen gefühlt, abgeschnitten von der neuen Welt, die sie entdeckt hatte, und war so bald wie möglich nach London zurückgekehrt.

»Ja, danke«, antwortete sie. »Ich war nicht lange zu Hause.«

»War es so schlimm? Streitereien oder nur verbissenes Schweigen? Das war die Spezialität meiner Eltern, Schweigen. Max und ich waren in Spanien. Mit dem Boot. Herrlich.«

»Du Glücklicher«, sagte sie neidisch, nun auch zu Du überwechselnd.

»Du hättest mitkommen sollen. Bist du seefest?«

Eva stellte sich blaugrünes Meer und weiße Schaumkronen vor. »Ich weiß nicht. Ich bin noch nie mit einem Schiff gefahren.«

Er erzählte eine Zeitlang von Spanien. Eva hatte den Eindruck, er hatte den Kuß vergessen – er war ja auch betrunken gewesen an dem Abend und hatte seither keinen Zweifel daran gelassen, daß ihm dieses Intermezzo nichts bedeutete. Wie albern, hatte sie in den langen Sommerwochen immer wieder einmal gedacht, wie spießig und provinziell, so ein Theater um eine solche Lappalie zu machen.

»Wie geht es Sadie?« fragte sie.

»Phantastisch. Und dem Baby auch.«

Sie sah ihn erstaunt an. »Das Baby –«

»Es ist leider wieder ein Junge geworden. Wir haben ihn Rowan getauft. Er hat bei der Geburt fast fünf Kilo gewogen – sieht aus wie ein kleiner Preisboxer. Du mußt kommen und ihn dir ansehen. Sadie fragt oft nach dir. Du kommst doch mal, ja?«

»Na ja, ich –«

»Gut, abgemacht.«

Sie hatte Sarah Wildes Haus erreicht. Gabriel übergab Eva den Papagei. Als sie den Schlüssel ins Schloß schob, rief er von der anderen Straßenseite: »Und du mußt mir erlauben, dich zu malen. Ich mache dich unsterblich.«

»Ich will gar nicht unsterblich werden«, rief sie zurück, aber sie lächelte, als sie ins Haus trat.

Das Baby war ein komisches kleines Ding mit schwarzen Augen wie Rosinen und feinem schwarzem Haar, das nach allen Richtungen vom Kopf abstand. Sadies Gesichtszüge wirkten verwischt, schienen nach der Geburt an Klarheit verloren zu haben. Die Scharfzüngigkeit, die Eva bei ihrem ersten Besuch bemerkt hatte, war verschwunden. Sie sprach weniger, lächelte selten und schenkte den anderen Kindern kaum Aufmerksamkeit.

Eva fand mühelos wieder in das Leben in Greenstones. Sie gehörte hierher, sagte sie sich, wie sie nach Summerleigh schon lange nicht mehr gehörte. Sie spülte Berge von Geschirr, um Sadie zu helfen; sie schob den Kleinen im Kinderwagen im Garten herum, wenn er nicht aufhören wollte zu weinen. Tolly heftete sich an ihre Fersen wie ein schmuddeliges kleines Hündchen, und Max nahm sie zu einer Spritztour auf seinem Motorrad mit. Abends, wenn sie alle um den großen Küchentisch aus Fichtenholz saßen, dachte sie: So möchte ich leben. So werde ich eines Tages leben.

Du mußt mir erlauben, dich zu malen, hatte Gabriel gesagt. Abgeschreckt von der Vorstellung, sich wie eines der Modelle an der Akademie auf einem Podium präsentieren und dem Urteil des männlichen Blicks aussetzen zu müssen, lehnte Eva ab. Er mißverstand ihre Weigerung. »Mußt du denn so grauenhaft bürgerlich sein?« rief er eines Tages. »Was für ein Theater um die sogenannte Schicklichkeit!« Da gab sie nach. Weil sie nicht als prüde gelten wollte und weil sie neugierig war.

Gabriels Atelier war hinten im Haus. Die Backsteinmauern waren weiß getüncht, der Fußboden aus Steinplatten. Eva saß auf einem hohen Hocker. Das Licht fiel durch das Fenster auf das rot-grüne Kleid, das sie trug, weil Gabriel sie darum gebeten hatte – das Kleid, in dem er sie zum erstenmal gesehen hatte, damals in Lydia Bowens Galerie.

Wenn Eva ihm in seinem Atelier saß, kam es ihr vor, als befände sie sich an einem verzauberten Ort. Bald kannte sie den Raum so gut, daß sie ihn mit geschlossenen Augen hätte beschreiben können: Mantel und Hut, die an einem Haken hinter der Tür hingen, das Durcheinander von Staffeleien und Leinwänden, Gliederpuppen und halbfertigen Skizzen sowie die Farben seiner Palette, unter denen Scharlachrot und Smaragdgrün vorherrschten.

Auch er selbst schien ihrem Auge eingebrannt wie der Nachglanz der Sonne. Bis ins letzte konzentriert, ließ er alle Geräusche im Haus unbeachtet – Hundegebell, Kindergezänk und Babygeschrei. Sie vermutete, daß diese Zielgerichtetheit für seine Arbeit lebensnotwendig war. Stundenlang existierte nichts als sie und Gabriel und das leise Geräusch der Pinselstriche auf der Leinwand. Viel später kam ihr der Gedanke, daß sie sich vielleicht nie in ihn verliebt hätte, wäre sie nicht ein »mittleres« Kind gewesen. Niemand hatte sie je so lange und so intensiv angesehen. Seinem Blick war eine Intimität zu eigen, die sie im Innersten anrührte und lebendig machte. Als er ihr das fertige Bild zeigte und sie sich mit seinen Augen sah, war sie erschüttert. Es war, als hätte er ihr eine Seite ihres Wesens offenbart, von deren Vorhandensein sie nichts gewußt hatte, und sie so auf immer verändert.

Clemencys Freundin Vera kam eines Tages nach der Schule vorbei und sagte: »Ich muß unbedingt mit dir reden, Clem. Ich habe einen unglaublich aufregenden Mann kennengelernt. Er heißt Ivor Godwin, und ich wollte dir schon die ganze Zeit von ihm erzählen.« Sie wurde rot. »Nein, nein, so was ist es nicht. Wir sind nur wirklich gute Freunde. Ivor ist verheiratet. Seine Frau heiß Rosalie. Sie ist krank. Er kann einem leid tun.«

Clemency fiel auf, daß Vera Ivor leid tat und nicht Rosalie. »Wo hast du ihn kennengelernt, Vera?«

»Bei einem Musikabend. Er spielt Cembalo. Er ist einfach

fabelhaft, so begabt. Vorher hat er in London gelebt, aber dann mußten sie wegen Rosalies Gesundheit hierherziehen. Wegen der Luft, weißt du – sie wohnen draußen in den Peaks. London fehlt ihm ganz schrecklich.« Sie strahlte. »Er ist so nett – bei seinem letzten Konzert durfte ich die Programme auslegen. Du mußt ihn unbedingt kennenlernen.«

Vera lud Clemency zu Ivors nächstem Konzert ein. Als Clemency ihrer Mutter von der Einladung erzählte, sah diese sie zerstreut an und sagte:»Ja, natürlich, Kind, du brauchst ein bißchen Abwechslung. Ich komme sehr gut allein zurecht.« Clemency überfielen heftige Schuldgefühle bei dem Gedanken, daß ihre arme Mutter ganz allein in ihrem Zimmer sitzen würde.

Der Tag des Konzerts kam. Nach dem Mittagessen zog Clemency ihr bestes Kleid an und ging zu ihrer Mutter, um sich zu verabschieden. Lilian saß an ihrem Toilettentisch. »Oh, Clemency, du siehst aber hübsch aus«, sagte sie. »So schick. Da wird Dr. Roberts sich sicher geschmeichelt fühlen.«

»Dr. Roberts?«

»Der Spezialist aus London. Du kannst doch nicht vergessen haben, daß heute Dr. Roberts zu mir kommt.«

»Davon hast du mir nichts gesagt, Mutter.«

»Doch, doch, ich weiß es genau.« Lilian musterte sich im Spiegel und strich ihr Haar glatt. »Wenn du Dr. Roberts' Besuch vergessen hast, warum hast du dich dann so herausgeputzt?«

»Vera und ich gehen ins Konzert.«

»Das ist leider ganz ausgeschlossen.« Lilian zog den Stöpsel aus einem Parfumflakon. »Ich kann Dr. Roberts nicht allein empfangen!«

»Edith ist doch –«

»Edith! Unmöglich, das weißt du ganz genau. Sie ist viel zu schluderig. Wenn du es nicht schaffst, ein zuverlässiges Hausmädchen aufzutreiben …«

»Aber ich habe dir doch von dem Konzert erzählt, Mutter«, sagte Clemency verzweifelt.

Lilian sah tief getroffen aus. »Bitte, Clemency. Du weißt, wie traurig es mich macht, wenn du mir Vorwürfe machst. Außerdem glaube ich wirklich nicht, daß du das Konzert erwähnt hast.«

»Aber Vera wartet auf mich.«

»Vera wird sicher verstehen, daß du hier gebraucht wirst. Du kannst doch ein andermal mit deinen Freunden ausgehen, Kind, nicht?«

Clemency wurde von einer so ungeheuren Wut gepackt, daß sie am liebsten mit einem Schwung sämtliche Parfumflakons und Medizinfläschchen ihrer Mutter vom Toilettentisch gefegt hätte.

Doch Lilian schien von ihrem Zorn nichts zu merken. »Ach Gott«, murmelte sie, »ich bin richtig nervös.« Mit zarter Hand zupfte sie an ihrem Spitzenkragen. »Aber ich darf mich nicht aufregen. Auf keinen Fall. Vielleicht ist es das beste, du liest mir etwas vor, Clemency. Tennyson wäre schön –«

Die Wut verpuffte so plötzlich, wie sie aufgewallt war, Clemency empfand nur noch eine tiefe Müdigkeit und Scham. Mit zitternden Beinen setzte sie sich. Aus dem Augenwinkel konnte sie die Uhr auf dem Kaminsims sehen, und während die Zeiger unaufhaltsam vorrückten, überfiel sie eine Panik, deren sie kaum Herr werden konnte. »Der Mann aufs Feld und die Frau an den Herd«, begann sie mit schwankender Stimme zu lesen. »Dem Manne das Schwert und ihr die Nadel. Der Mann mit dem Kopf und die Frau mit dem Herzen: Der Mann soll befehlen und die Frau gehorchen.« Lilian ließ ein gedämpftes Prusten hören.

Evas Herz tat einen merkwürdigen kleinen Sprung, als sie drüben auf der anderen Straßenseite Gabriel stehen sah.

Er wirkte düster und niedergeschlagen. »Ich mußte weg«, sagte er. »Ich konnte nicht arbeiten. Zu viele Kinder, die ständig brüllen oder streiten. Sadie ist ungenießbar, kaum daß sie mit mir redet, und es ist so verdammt öde da draußen.« Er schob die Hände in die Taschen seines Mantels, als sie losgingen. »Seit Monaten hat uns kein Mensch besucht. Glaub mir, Eva – im Sommer mag die ländliche Idylle ja wunderbar sein, aber wenn der Winter kommt, bin ich manchmal soweit, daß ich mich am liebsten aufhängen würde. Ich brauche mal ein paar Monate Kultur. Du kannst mir also wieder sitzen.«

»Gabriel –«, begann sie, und er unterbrach sie sofort mit einem spöttischen »Was denn? Fürchtest du noch immer um deine Tugend?«.

Sie spürte, wie sie rot wurde. »Nein, natürlich nicht.«

»Das solltest du auch nicht. Ich weiß, was für Folgen so etwas für mich hätte. Ich muß für eine sechsköpfige Familie sorgen, ich muß etwas Akzeptables produzieren, damit ich die verdammte Miete bezahlen kann.« Er ging sehr schnell, sie mußte fast laufen, um mit ihm Schritt zu halten. »Oder bist du zu beschäftigt, um dich um einen alten Freund zu kümmern? Ist es so großartig an der Slade, daß du nicht mal ein, zwei Stunden für mich Zeit hast?«

»Bestimmt nicht. Es ist überhaupt nicht großartig.«

Er sah sie kurz an. »Als wir uns kennenlernten, hast du mir erzählt, wie begeistert du von London bist. Ist der Glanz verblaßt?«

»Es ist nicht London –«

»Was dann?«

»Es ist die Akademie«, sagte sie. Wirbel welken Laubs erhoben sich bei jedem ihrer Schritte vor ihren Stiefeln. »Ich hatte es mir ganz anders vorgestellt. Ich habe nicht gedacht, daß es so schwer sein würde. Ich habe immer geglaubt, ich wäre gut im Malen. Jetzt komme ich mir so – so mittelmäßig vor.«

»Komm morgen abend mit deiner Mappe zu mir ins Atelier«, sagte er freundlicher gestimmt. »Dann schaue ich mir deine Sachen mal an. Vielleicht sind sie gar nicht so schlecht, wie du glaubst.« Plötzlich wieder unwirsch, fügte er hinzu:

»Aber vielleicht ist dir ja die Schicklichkeit wichtiger als die Malerei.«

Gabriels Atelier war in Paddington, eingezwängt zwischen einer Uhrmacherwerkstatt und dem Betrieb eines Kartonagenherstellers. Ihm ihre Mappe zu zeigen war für Eva so sehr ein Akt der Selbstenthüllung wie ihm Modell zu sitzen. Er sah sich ihre Skizzen und Gemälde sehr gründlich an, und erst als er schließlich nach einer, wie ihr schien, endlos langen Zeit »Das ist besser« sagte, atmete sie auf.

»Die Farben sind gut«, sagte er. »Ich habe dir ja schon einmal gesagt, daß du ein Auge für Farben hast. Und das hier«, er hielt eine Zeichnung hoch, »ist sehr vielversprechend.«

Sie hatte aus dem Gedächtnis die Kinder gezeichnet, die damals auf der Straße zur Musik eines Leierkastens getanzt hatten, und den Ausdruck ernster Vertieftheit in ihren Gesichtern so eindringlich wiedergegeben wie den temperamentvollen Schwung ihrer geflickten Röcke und Kittelschürzen.

»Du malst besser, wenn du etwas malst, was dich berührt«, stellte er fest. »Aber ich denke, das ist bei uns allen so.«

Später zeichnete er sie, während sie, die Hände leicht übereinandergelegt, am Fenster stand. Vor sich sah sie den Bahnhof und die gewaltigen Dampf- und Rauchwolken, die über ihm hingen, und hinter sich hörte sie das leise Kratzen der Kohle, die über das Papier glitt. Während er arbeitete, erzählte er ihr von seiner Familie. Er war der Sohn eines baptistischen Geistlichen und in Christchurch, an der Südküste Englands, groß geworden. Aus seiner Kindheit hatte er sich die Liebe zum Meer und eine heftige Abneigung gegen die Religion bewahrt. »Meine Eltern wollten allem im Leben die Farbe nehmen«, sagte er. »Abenteuer, Reisen, Feste feiern – das war alles verpönt. Wahrscheinlich machte es ihnen angst. Sogar die Zimmer in unserem Haus waren in den tristesten Farben tapeziert – braun und ocker und schlamm.« Sein Blick flog kurz zu Eva und kehrte zur Staffelei zurück. »Als ich sechzehn war, habe ich eines Tages meine Sachen gepackt und bin gegangen. Ich bin nie zurückgekehrt.«

»Aber wovon hast du gelebt?« fragte sie. »Wo bist du untergekommen?«

»Ach, ich habe mir mit allem möglichen Geld verdient. Ich war immer schon gut im Porträtieren – ich habe einfach irgendwo auf einem Marktplatz meine Staffelei aufgestellt und sechs Pence pro Zeichnung verlangt. Ich habe auf Baustellen gearbeitet und in der Erntezeit auf Bauernhöfen ausgeholfen. Und wenn ich keine Unterkunft hatte, habe ich in Scheunen übernachtet oder im Straßengraben. Kälte hat mir nie etwas ausgemacht.«

Ihr war schon aufgefallen, daß er bei jeder Witterung dieselben Sachen trug – Kordhose, ein blaues Arbeitshemd aus grobem Stoff und seinen Mantel. Während sie in dem ungeheizten Atelier fröstelte, zog er seinen Mantel aus und krempelte die Ärmel hoch, bevor er mit der Arbeit begann.

»Ich habe keinen Penny von meinen Eltern genommen, seit ich von zu Hause weg bin«, sagte er. »Von Leuten, deren Lebensstil einem nicht gefällt, sollte man kein Geld nehmen. Das ist jedenfalls meine Überzeugung.«

»Marianne, meine verheiratete Schwester, hat mich gebeten, die Kaminschirme und die Kopfbretter der Betten in ihrem Landhaus zu bemalen«, erzählte sie ihm. »Und ich versuche gerade, sie zu überreden, mich auch noch ein Wandgemälde machen zu lassen.« Sie lächelte. »Du solltest dieses Haus sehen, Gabriel. Es ist wirklich schön. Wie verzaubert. Wenn man dort ist, hat man das Gefühl, man braucht nur um die Ecke zu biegen, um auf etwas – ach, ich weiß auch nicht – auf irgend etwas Unerwartetes zustoßen. Etwas Wunderbares.«

»Bleib so!« rief er. »Rühr dich nicht. Genau das wollte ich. Diesen Blick in deinen Augen. Diese *Leidenschaft.*«

Manchmal fühlte sich Clemency, als wäre sie in eine Pfütze geraten und Eis hätte sich um sie gebildet, so sehr war ihr Leben ins Stocken gekommen. Sie merkte, wie ihre Freunde sich von ihr entfernten. Sie gingen weiter, während sie selbst feststeckte.

Eines Nachmittags kam Mrs. Catherwood zu Besuch. Nachdem sie eine gute Stunde bei Lilian Maclise verbracht hatte, begleitete Clemency sie hinaus.

»Ich hatte den Eindruck, daß deine Mutter heute etwas besserer Stimmung war, Clemency«, sagte Mrs. Catherwood an der Haustür. »Vielleicht schlägt die neue Behandlung an.« Sie musterte Clemency einen Augenblick. »Aber du siehst ein bißchen spitz aus, Kind. Ja, der Herbst ist eine unangenehme Jahreszeit. Ronnie und Gerald sind beide erkältet. Ich hoffe, du brütest nicht auch etwas aus, Clemency.«

»Nein, nein, mir geht's gut«, versicherte Clemency. »Ich habe nur Kopfschmerzen.«

»Mach einen Spaziergang«, riet Mrs. Catherwood. »Ich habe immer wieder festgestellt, daß bei Kopfschmerzen ein strammer Spaziergang Wunder wirkt. Bei diesem Regen allerdings ...« Sie kämpfte mit ihrem Schirm. »Es ist sicher nicht leicht für dich, Clemency, jetzt, wo deine Schwestern alle außer Haus sind«, sagte sie teilnahmsvoll. »Ich gebe am Donnerstag nachmittag eine kleine Einladung. Nur ein paar Freunde. Möchtest du nicht kommen, Kind?«

»Ich glaube nicht, daß das geht. Mutter wird mich brauchen.«

Mrs. Catherwood legte eine Pause im Kampf mit dem Regenschirm ein. »Aber sie wird dich doch mal einen Nachmittag entbehren können.«

Clemency antwortete nicht. Mrs. Catherwood machte eine besorgte Miene. »Du siehst wirklich nicht wohl aus. Und dabei warst du immer so ein lustiges Ding. Hast du diese Kopfschmerzen oft?«

»Ziemlich oft, ja«, murmelte sie.

»Machst du dir vielleicht wegen irgend etwas Sorgen? Um deine Mutter zum Beispiel?«

Clemency antwortete hastig, beinahe atemlos, als gälte es,

die Worte auszusprechen, bevor sie es sich anders überlegen konnte. »Ich glaube, ich bin krank. Ich glaube, ich habe mich bei Mutter angesteckt.«

Mrs. Catherwood lachte nicht, wie Clemency halb gefürchtet hatte, sondern sagte: »Komm, zieh deinen Mantel über und begleite mich ein Stück, ja? Ich würde mich über Gesellschaft freuen. Und wenn du mir mit diesem widerspenstigen Schirm helfen könntest...«

Clemency holte ihren Mantel, spannte Mrs. Catherwoods Schirm auf, und dann gingen sie.

»Warum glaubst du, daß du krank bist, Clemency?« fragte Mrs. Catherwood.

»Ich habe immer solches Herzklopfen. Und die Kopfschmerzen. Früher hatte ich nie Kopfweh.«

Eine Zeitlang gingen sie schweigend nebeneinander her. Ein Sturm in der vergangenen Woche hatte das Laub von den Bäumen gerissen, und nun lag es schmutzig und zertrampelt in den Rinnsteinen.

»Gehst du denn ab und zu aus?« fragte Mrs. Catherwood schließlich.

Clemency schüttelte den Kopf. »Eigentlich nicht. Vera hat mich vor ein paar Wochen zu einem Konzert eingeladen, aber ich konnte nicht mitgehen.«

»Wegen deiner Mutter?«

»Ja.«

»Ich glaube nicht, daß die Krankheit deiner Mutter ansteckend ist«, sagte Mrs. Catherwood. »Jedenfalls nicht in dem Sinn, wie Scharlach und Grippe ansteckend sind. Ich habe immer schon viel von frischer Luft und Bewegung gehalten. Ich bin überzeugt, sie bewirken mehr als alle Medikamente. Und bei der Bettruhe habe ich ohnehin meine Zweifel. Zwar raten uns die Ärzte dauernd dazu, aber ich finde, man kann des Guten auch zuviel tun.« Mrs. Catherwood tätschelte Clemency den Arm. »Ich habe deine Mutter in letzter Zeit viel zu selten gesehen. Wie wäre es, wenn ich zweimal die Woche nachmittags zu euch komme und ihr Gesellschaft leiste? Mittwochs und freitags vielleicht, wenn dir das paßt. Dann könntest du deine Freunde sehen, und deine Mutter wäre nicht allein. Was sagst du dazu, Clemency?«

Mrs. Catherwood war bei Lilian, als sich Clemency an einem Mittwoch nachmittag im November mit Vera und Erica traf. Ivor Godwin gab im Salon eines Hauses in der Oakholme Road ein Solokonzert. Stühle waren im Halbkreis um ein Instrument gruppiert, das wie ein sehr kleiner Flügel aussah und einen Klang hatte wie Regentropfen, die in einen See fielen. Die Musik war leicht und spielerisch, und alle Frauen im Raum – es waren nur Frauen da, wie Clemency feststellte, die meisten beträchtlich älter als sie – saßen ganz still und lauschten andächtig. Jedesmal wenn der Cembalist zum Ende eines Stücks kam, ging ein kollektives Seufzen durch die Reihen.

Ivor Godwin war ein dunkler, schmächtiger Mann. Mit gekrümmten Schultern und schräg geneigtem Kopf saß er über die Tastatur seines Instruments gebeugt. Er hatte ein ausdrucksstarkes Gesicht mit lebhaften Zügen, und Clemency fiel auf, daß er manchmal beim Spielen die Augen schloß und am Ende eines Stücks oft mit einem schwachen Lächeln die Finger von den Tasten hob.

Nach dem Konzert gab es dünnen Applaus. »War er nicht *fabelhaft*?« flüsterte Vera Clemency zu.

Die Musik hatte Clemency in eine andere Welt versetzt. Im Geist war sie durch eine Landschaft mit Wäldern und Hügeln und silbernen Flüssen gewandert. Es war ein Schock, in diesen überladenen Salon mit den pompösen Polstersesseln und den schweren dunkelgrünen Vorhängen zurückzukehren.

»Ja, fabelhaft«, stimmte sie zu.

Ivor Godwin wurde von einer Schar Damen entführt, die ihn mit Tee und Kuchen verwöhnten und großes Getue um ihn machten, als er über seine schmerzenden Hände klagte.

»Und er sieht natürlich phantastisch aus, nicht wahr?« bemerkte Erica verschmitzt.

»Pscht, Erica!« Vera war blutrot geworden. »Sonst hört er dich noch.«

Nach dem Tee, als sich die anderen Verehrerinnen allmählich verabschiedeten und in den Nieselregen hinausgingen, kehrten sie in den Salon zurück, wo Mr. Godwin gerade seine Noten zusammenpackte. Vera machte ihn mit Erica und Clemency bekannt, und er sagte: »Das ist so anstrengend. Und dann muß man auch noch essen, obwohl man nicht im geringsten hungrig ist.«

»Armer Ivor«, sagte Vera. »Mrs. Hurstborne kann schon erdrückend sein.«

»Unsere Gastgeberin?« Ivor warf einen Blick zum Nachbarzimmer. »Du hast mich ihr schnöde ausgeliefert, Vera.«

Vera lachte. Ivor nahm sein Zigarettenetui heraus. »Ich bin immer wie aufgedreht nach einem Konzert. Es stört Sie doch nicht, wenn ich rauche, meine Damen?« Er hielt ihnen das Etui hin.

Vera erbot sich, seine Noten zu ordnen, und während sie umherschwirrte und die Blätter einsammelte, fragte Ivor Godwin, der rauchend, an den Kaminsims gelehnt, stand: »Sind Sie musikalisch, Miss Maclise?«

»Gar nicht, leider.«

»Sie sollten sich nicht dafür entschuldigen. Talent kann ein Fluch sein.«

»Ich stelle es mir herrlich vor, eine bestimmte Begabung zu haben.«

»Sie ist manchmal auch eine Last. Man hat neben allen anderen Verpflichtungen auch noch die Verantwortung dem eigenen Talent gegenüber.«

»Vera hat mir erzählt, daß Ihre Frau leidend ist, Mr. Godwin.«

»Ja, Rosalie ist seit vielen Jahren krank. Das zwingt mich, hier draußen in der Wildnis zu leben.« Er rauchte mit kleinen hastigen Zügen. »Grüne Täler und felsige Berge – ich weiß, daß Dichter sich davon inspirieren lassen, aber *mich* inspirieren sie nicht.«

Dabei, fand sie, sah er mit seiner Patriziernase und dem wirren braunen Haar eigentlich wie ein Dichter aus.

»Ich lebe lieber in London«, fuhr er fort. »Ich hatte dort einen wunderbaren Freundeskreis. Und die Musik, diese Konzerte, so unglaublich anregend.«

»Es war sicher schwer für Sie, das alles aufzugeben.«

»Das Talent muß manchmal hinter der Pflicht zurücktreten«, sagte er bitter.

»Geben Sie viele Konzerte?«

»Ungefähr einmal im Monat. Nur kleine Solovorträge. Rosalie ist nicht gern allein, da muß ich mich beschränken. Ich unterrichte – Klavier vor allem. Ehrgeizige Mütter schleppen mir ihre armen Kinder ins Haus – ich wohne draußen in Hathersage – und hoffen, daß einmal Konzertpianisten aus ihnen werden. Nicht eines von ihnen hat auch nur einen Funken Talent, aber ich bringe es nicht übers Herz, ihnen das zu sagen. Man darf ihnen die Hoffnung nicht nehmen. Das schlimme am Unterrichten ist, daß es einen völlig entleert. Meine Schüler saugen mir das letzte bißchen Inspiration aus der Seele. Statt zu üben oder zu komponieren, sitze ich da und höre mir an, wie sich die Armen durch die Tonleitern quälen.«

»Das muß ja deprimierend für Sie sein.«

Er sah sie an und lächelte. Der Blick seiner Augen, von einem dunklen Braun, war warm und aufmerksam. »Es tut gut, mit jemandem zu sprechen, der ein wenig Verständnis zeigt«, sagte er. »Rosalie hat überhaupt kein Verständnis. Sie begreift einfach nicht, wie schwer es manchmal ist. Aber Sie können das verstehen, nicht wahr?«

Ihr schien, daß Leidende ganz allgemein kaum etwas anderes wahrnahmen als die eigenen Belange. Als Ivor hinzufügte: »Ich könnte halb tot sein vor Erschöpfung, und Rosalie würde es nicht merken«, wurde ihr bewußt, wie nahe seine Worte ihren eigenen Gedanken kamen.

Dann trat Vera mit den Noten unter dem Arm zu ihnen und sagte strahlend: »Fertig, Ivor! Ich habe auch gleich noch deinen Schal und deine Handschuhe zusammengelegt.«

»Wie lieb von dir«, murmelte er und sah sie dankbar an. »Du bist mir so eine Hilfe, Vera. Ich frage mich, wie ich ohne dich zurechtkäme.«

Meistens fuhr Eva abends nach der Akademie zu Gabriel ins Atelier, um ihm zu sitzen. Manchmal unterhielten sie sich miteinander, an anderen Tagen war er wortkarg, auf seine Arbeit konzentriert. Seit jenem ersten, einzigen Kuß hatte er ihr keinen Anlaß gegeben zu glauben, er wünsche mehr als Freundschaft von ihr. *Ich wollte dich nur malen*, hatte er gesagt, und er schien es genau so gemeint zu haben. Wenn er sie berührte, dann nur, um irgend etwas an ihrer Pose zu verändern, die Stellung eines Arms oder Beins, die Neigung des Kopfes.

Sie redete sich ein, es sei ihr nur recht so. Sie mißtraute der Liebe, die Menschen dazu trieb, sich auf eine Weise zu verhalten, wie sie es unter anderen Umständen nie täten. Aber bisweilen, wenn sie den Eindruck hatte, daß Gabriel sie nicht als Frau sah, sondern als einen Klumpen Ton, den man um der künstlerischen Wirkung willen nach Bedarf in Form bringen konnte, merkte sie erstaunt, daß sie enttäuscht war. Sie war neunzehn Jahre alt und hatte bisher nur einen einzigen Kuß von einem Mann bekommen. Vielleicht war sie zu klein, zu mollig, zu dunkel. Sie hatte sich nie viel um ihr Aussehen gekümmert, aber jetzt begann sie, länger in den Spiegel zu blicken, ärgerte sich plötzlich über ihr widerborstiges Haar, zog hier an ihrer Bluse, zerrte dort an ihrem Rock.

Gabriel erzählte ihr von seiner ersten Begegnung mit Sadie. »Ich war schon von der Slade abgegangen«, sagte er. »Sadie hatte gerade dort angefangen. Ich war nur dort, weil ich Tonks oder Wilson Steer oder sonstwen besuchen wollte, und sie ging im Korridor an mir vorbei. Sie war in Begleitung ihrer Freundinnen und lachte. Sie war damals immer mit ihren Freundinnen zusammen, und sie lachte immer. Sie waren zu viert – zwei dunkel, eine blond und eine rothaarig. Sie waren unzertrennlich.« Seine Augen verengten sich. »Ich wußte auf den ersten Blick, daß ich sie haben mußte.«

Eva fragte sich, wie es wäre, jemanden so zu lieben, ohne Überlegung oder Skrupel. Sie fragte sich, ob sie zu solcher Liebe fähig war.

»Sie hat mich ein Jahr lang zappeln lassen«, erzählte Gabriel weiter. »Sie hat es mir nicht leicht gemacht. Einmal ist sie nach Edinburgh gefahren. Ich habe eine Weile gebraucht, um sie zu finden. Sie und ihre Freundinnen wohnten in einer Pension in der Nähe des Schlosses.« Er lachte. »Ich habe mir auf dem Flohmarkt eine Mandoline gekauft, mich am Abend vors Haus gestellt und ihr ein Ständchen gebracht. Da mußte sie herauskommen und mit mir reden.« Seine Stimmung schlug plötzlich um, finster zog er die Brauen zusammen. »Drei Monate später haben wir geheiratet. Ich halte nichts von der Ehe, habe noch nie etwas davon gehalten. Aber Sadies Mutter war unerbittlich. Sie ist ein fürchterlicher alter Drache. Sie wohnt in St. Johns Wood in einem dieser scheußlichen Häuser, die aussehen wie Mausoleen, mit schwarz-roten Fliesen im Flur und völlig sinnlosen Buntglasscheiben in den Fenstern.«

»Summerleigh ist auch so.«

»Dann ist mir klar, warum du da wegmußtest.« Er schüttelte den Kopf. »Als ich Sadies Mutter das erste Mal besuchte, mußte ich eine grauenvolle halbe Stunde lang dasitzen und mit ihr Tee trinken. Sie fand es genauso gräßlich wie ich – das weiß ich –, aber keiner von uns beiden sagte ein Wort, wir vollzogen brav das Ritual. Ich habe ihr angesehen, wie erleichtert sie war, als ich endlich ging. Ich wußte, sobald ich aus dem Haus war, würde sie die Kissen aufschütteln und die Spitzendeckchen auf der Sofalehne glattstreichen, um jede Spur von mir zu tilgen. Leute dieser Art legen soviel Wert auf Besitz. Sogar

Sadie«, sagte er aufgebracht, »sogar Sadie macht ständig Tamtam um die Dienstboten und den Haushalt und dergleichen Unsinn. Daran ist nur die Ehe schuld, Eva. Die wirkt so auf die Frauen. Vor unserer Heirat war Sadie überhaupt nicht so.« Er drückte Farbe aus einer Tube auf seine Palette. »Die Ehe verändert die Frauen«, erklärte er düster. »Und leider nicht zum Guten.«

Marianne und Arthur holten das Haus in Surrey aus dem Dornröschenschlaf. Ein Heer von Malern und Tapezierern hatte begonnen, die alten Tapeten zu entfernen und die beschädigten Wände neu zu verputzen. Marianne sah das fertige Haus schon vor sich: der Salon ganz in Creme und Gold, das Musikzimmer in blassem Seegrün. Vestibül und Treppe würden sie mit karminrotem Teppich auslegen und das Treppengeländer mit den wie Zuckerstangen gedrehten Gitterstäben weiß lackieren lassen. Für ihr gemeinsames Schlafzimmer hatte sie eine pflaumenfarbene Tapete ausgewählt und Wandleuchten aus farbigem Glas, das sie an die Lüster im Gritti Palasthotel in Venedig erinnerte.

»Und das hier?« fragte Arthur.

Sie waren in einem hellen, luftigen Zimmer in der zweiten Etage. Aus hohen Fenstern blickte man zum verwilderten Garten hinunter. Staubkörnchen schwebten, von einem Strahl der schwachen Herbstsonne eingefangen, über dem gewachsten Holzfußboden.

»Das Kinderzimmer?« fragte sie.

Er legte den Arm um sie. »Bist du …?« Sie hörte die Hoffnung in seiner Stimme.

Sie schüttelte den Kopf. »Ich dachte es, aber dann war es doch nichts. Aber es ist bestimmt bald soweit. Ganz bestimmt, nicht wahr, Arthur?«

Er drückte sie an sich. »Wir haben viel Zeit. Geht es dir nicht gut?«

»Nicht besonders.« Ihre monatliche Regel war immer von

schmerzhaften Krämpfen begleitet. Der Arzt hatte ihr erklärt, das werde sich nach dem ersten Kind bessern.

»Du Arme.« Er sah den Ausdruck in ihrem Gesicht und sagte wieder: »Wir haben viel Zeit, Annie. Und außerdem habe ich dich so noch ein wenig länger für mich allein.«

»Ich wünsche mir zwei Jungen und ein Mädchen«, sagte sie.

»Zwei und zwei wäre vielleicht besser. Jungen können so ungebärdig sein. Sie brauchen Schwestern, die sie zähmen.«

Sie küßte ihn. »Du hast doch auch keine Schwestern gehabt.«

»Meine Zahmheit ist nur Tünche. Im Herzen bin ich ein Neandertaler.« Affenlaute ausstoßend, schwang er sie in seine Arme. Sie protestierte lachend und ohne große Überzeugung, als er sie ins Schlafzimmer hinübertrug und sachte auf das Bett hinunterließ.

»Dieses Haus braucht Kinder«, sagte sie. »Ich kann sie vor mir sehen.« Sie legte beide Hände auf den Bauch. Nächsten Monat, nahm sie sich im stillen vor. Nächsten Monat.

Sie schlief schlecht in dieser Nacht. In den frühen Morgenstunden ging sie in die Küche hinunter, um sich eine Wärmflasche zu machen und eine Tasse Tee. Als sie endlich tief einschlief, hatte sie wirre, bedrängende Träume und wachte nicht auf, als Arthur aufstand, um reiten zu gehen.

Der Klang seiner Stimme und seine Hand, die sie sachte schüttelte, weckten sie schließlich. »Annie, wach auf. Es tut mir leid, daß ich dich wecken muß, aber auf der Werft, wo die *Caroline* gebaut wird, ist Feuer ausgebrochen. Edwin Meredith hat mir gekabelt.« Arthur hielt ein zerdrücktes Blatt Papier in der Hand. »Ich muß sofort nach London fahren und nachsehen, wie groß der Schaden ist.«

Sie setzte sich auf. »Ich muß mich anziehen.«

»Annie, vielleicht ist es viel Lärm um nichts. Ein paar Brandflecken, ein paar Tage verlorene Arbeit. Du kannst ruhig hierbleiben, wenn dir das lieber ist. Es sollte auch jemand ein Auge auf die Handwerker haben.«

Sie müsse Mrs. Sheldon, die Haushälterin, bitten, über Nacht zu bleiben, sagte er. Er wäre in ein, zwei Tagen zurück. Er ging zum Schrank. Den Blick auf die Reihen von Hemden und Jacketts gerichtet, schlug er mit der Faust ärgerlich in seine offene Hand. »Mit diesem Schiff haben wir nichts als Pech. Wir liegen beim Arbeitsablauf schon Wochen zurück.«

»Arthur!« rief sie. »Was hast du am Fuß?«

Er war barfuß und hatte blutige Abdrücke auf dem weißen Vorleger zwischen Bett und Schrank hinterlassen. Mit einem Blick nach unten sagte er: »Ich bin vorhin in der Stiefelkammer auf einen Nagel getreten, als ich mich nach dem Ausritt umgezogen habe. Da stehen überall die Nägel aus dem Boden.«

»Laß mich das saubermachen und verbinden.«

»Es ist nichts, Annie. Nur ein kleiner Einstich.«

»Schatz –«

»Es ist wirklich nichts. Und ich muß mich beeilen.«

Als Arthur weg war, ging Marianne in die Stiefelkammer. Sie sah den Nagel, der aus der Holzdiele hervorstand, dick, mit einer scharfen Spitze und überzogen mit Rost. Sie gebot dem Hausmeister, die Dielen zu prüfen und alle hervorstehenden Nägel zu beseitigen. Während sie im Salon saß und Briefe schrieb, hallte das Klopfen des Hammers durch das Haus.

Am Freitag, dem achtzehnten November, marschierten dreihundert Frauen von der Caxton Hall zum Unterhaus, um gegen die Ablehnung der sogenannten *Conciliation Bill* zu protestieren, die den Frauen ein Wahlrecht in beschränktem Rahmen garantiert hätte. Als sich die Frauen dem Unterhaus näherten, wurden sie von der Polizei angegriffen. Eva hielt sich aus dem gewalttätigen Handgemenge heraus und zeichnete: Polizisten, die Frauen mit Fäusten ins Gesicht schlugen, Polizisten, die auf dem Boden liegende Frauen mit Füßen traten, einen Polizisten, der einer am Kopf verletzten Frau ein ganzes Büschel Haare ausriß. Sie zeichnete, bis ihr das Skizzenbuch aus der Hand geschlagen und weggeschleudert und sie selbst zu Boden geworfen wurde. Danach suchte sie ihre Sachen zusammen und fuhr nach Paddington.

Als sie ins Atelier trat, sagte Gabriel nur: »Du bist spät dran.«

Er stand an der Staffelei, sein Ton war verärgert. Sie blieb an der Tür stehen, ihre Sachen an die Brust gedrückt, und überlegte, ob sie wieder gehen sollte. Seinen Ärger konnte sie jetzt nicht ertragen.

»Du weißt doch, daß es sinnlos ist, wenn das Licht weg ist«, sagte er gereizt. Dann schaute er hinter der Staffelei hervor. »Um Gottes willen, was ist dir denn passiert?« rief er in völlig anderem Ton und eilte schon zu ihr. »Eva, du zitterst – und du bist verletzt.«

Er legte ihr seinen Mantel um die Schultern und führte sie zum Sofa. Dann zündete er mit altem Papier ein Feuer an, lief zum Kohlenhändler ein paar Häuser weiter und besorgte einen Sack Kohle, den er die drei Treppen hinaufschleppte. Er goß einen großzügigen Schuß Brandy in einen Becher und drückte ihn ihr in die Hand.

»Eva, was ist passiert? Wer hat dich so zugerichtet? Sag mir, wer das war, und ich bring ihn um«, erklärte er grimmig.

»Das war die Polizei.« Der Brandy floß brennend durch ihre Kehle, aber er beruhigte sie ein wenig.

»Die Polizei?«

»Wir sind zum Unterhaus marschiert. Ich war mit Lydia zusammen –« Sie packte ihn am Ärmel. »Lydia! Ich habe keine Ahnung, was mit Lydia ist!

»Lydia gibt schon auf sich acht«, sagte er beschwichtigend. »Sie läßt sich nicht so leicht unterkriegen.«

»Sie haben auf jeden eingeschlagen, der ihnen in den Weg kam. Alte Frauen. Junge Mädchen.« Sie hob die zerschrammten Hände zum Gesicht und bedeckte ihre Augen. »Sie haben uns überhaupt keine Chance gegeben, Gabriel. Wir sind doch nur marschiert!« Sie holte tief Atem, um wieder ruhig zu werden, und sagte dann gefaßter: »Ich dachte, ich würde ohnmächtig werden, und bin weggelaufen. Dann fiel mir ein, daß ich mein Skizzenbuch mithatte, und ich dachte, wenn ich schon zu feige bin, um zu kämpfen, kann ich wenigstens aufzeichnen, was sich da abspielt, damit alle erfahren, wie brutal die Polizei vorgeht. Aber dann hat ein Polizist mich entdeckt. Jetzt habe ich nicht einmal mehr die Zeichnungen.«

Er nahm sie in den Arm, und sie drückte ihr Gesicht an seine Brust. »Diese Schweine«, hörte sie ihn murmeln. »Was für Schweine!«

Sie trocknete sich das Gesicht mit dem Ärmel. »Sie wollten uns demütigen«, sagte sie. »Und es ist ihnen gelungen. Sie waren stärker als wir. Sie konnten uns zwingen zu tun, was sie wollten, nur weil sie stärker waren.« Sie sah zu ihren zitternden Händen hinunter. »Sie haben uns genauso behandelt, wie sie die Frauen im East End immer behandeln, ohne daß ein Hahn danach kräht.«

Als sie zum Fenster hinausschaute, war der Himmel schwarz geworden. Es war spät. Sie mußte nach Hause, Mrs. Wilde würde sich Sorgen machen.

Auf dem Kaminsims stand ein Spiegel. In seinem gesprungenen, von Staub bedeckten Glas sah sie, daß ihr Gesicht schmutzig und voll blauer Flecke war. Das Haar hing ihr wirr auf die Schultern herab. Sie wusch sich, so gut es ging, doch das Haar hochzustecken gelang ihr nicht, so sehr zitterten ihre Hände. Gabriel nahm ihr die Nadeln ab und drehte ihr Haar zu einem Knoten zusammen. Sie war froh um das schwache Licht, froh, daß er ihre geschlossenen Augen nicht sehen konnte.

Sie gingen zur Straße hinunter. In der Praed Street trat er an den Bordstein und hob den Arm, um einem Taxi zu winken. Sie beobachtete ihn heimlich, prägte sich seine Züge ein und erinnerte sich der gefährlich verlockenden Berührung seiner Finger in ihrem Nacken.

Arthur war am Donnerstag morgen aus Leighton Hall weggefahren. Am Montag nachmittag hörte Marianne sein Automobil in der Einfahrt. Sie schaute hinaus, sah ihn anhalten und aus dem Wagen steigen. Regen verdunkelte die Ärmel seines Trenchcoats. Ihr fiel auf, daß er leicht hinkte.

»Dieser verflixte Nagel«, sagte er, nachdem er sie geküßt hatte. »Man sollte nicht meinen, daß ein kleiner Einstich so lästig sein kann.«

Beim Mittagessen erzählte er von dem Brand, der schlimm gewesen war. Das Feuer war in einem benachbarten Holzlager ausgebrochen und schnell außer Kontrolle geraten.

»Und das Schiff?« fragte sie. »Die *Caroline*?«

»Schwer beschädigt.« Er drückte die Fingerspitzen an seine Stirn. »Ich bin froh, daß ich wieder hier bin. Bei dir, Annie.«

»Du solltest dir ein bißchen Ruhe gönnen nach der langen Autofahrt.«

»Ja. Ja, ich glaube, ich lege mich ein bißchen hin.«

»Und dann verarzten wir deinen Fuß. Ich hole das Jod.«

Am folgenden Tag fuhren sie nach London zurück. Arthur verbrachte den Nachmittag und den ganzen Mittwoch auf der Werft. Als Marianne am Donnerstag morgen erwachte, lag er neben ihr. Sie streichelte zart sein Gesicht, und er öffnete mit flatternden Lidern die Augen.

»Du bist gar nicht ausgeritten?«

»Ich war zu müde.« Regen prasselte an die Fensterscheiben. »Und das Wetter ist abscheulich.« Er zog sie in seine Arme. Ich würde mich am liebsten nicht von der Stelle rühren. Bleiben wir doch einfach den ganzen Tag im Bett.«

»Wir könnten ja so tun, als wären wir krank.«

Er lachte. »Was würden denn da die Dienstboten sagen!«

Sie legte ihren Kopf auf seine Brust. »Der Haken ist nur«, sagte sie, »daß ich Patricia versprochen habe, Anstecker zu verkaufen.«

»Anstecker?«

»Ja, für eine ihrer wohltätigen Einrichtungen. Die Snowdrop-Vereinigung. Ich glaube, sie kümmert sich um arme Witwen.«

»Und was ist mit armen Ehemännern?«

»Ach, Ehemänner werden immer gehätschelt. Sie sind ein ganz verwöhntes Gesindel.« Sie gab ihm einen Kuß. »Ich habe zwar überhaupt keine Lust, aber Pat hat soviel für mich getan, da kann ich sie nicht im Stich lassen. Ich bin ja bald wieder da.« Sie streichelte sein Gesicht mit dem Handrücken. »Du bist ziemlich heiß, Schatz. Geht es dir auch wirklich gut?«

»Ach, ich habe mich wahrscheinlich erkältet. Da draußen im Regen auf der Werft.«

»Ich rufe Patricia an und sage ab.«

»Unsinn. Mir fehlt nichts als ein paar Stunden Ruhe. Geh schon.« Er gab ihr einen Klaps auf den Po, als sie aus dem Bett stieg. »Und viel Erfolg mit den Ansteckern«, rief er ihr nach.

Marianne stellte sich mit einem Körbchen Papierblumen und einer Karte Nadeln in die Türnische eines Ladens in der Oxford Street, wo sie vor dem Regen geschützt war. Sie war zu schüchtern, um die Leute einfach anzusprechen, darum verkaufte sie nur etwas, wenn Passanten sie bemerkten und sich ihrer erbarmten. Bis Mittag hatte sie nur zwei Dutzend verkauft. Kurzerhand kippte sie den Inhalt ihres Portemonnaies in die Sammelbüchse und warf die restlichen Anstecker heimlich in einen Mülleimer. Dann aß sie mit Patricia bei Fortnum zu Mittag.

Als sie nach Hause kam, saß Arthur in der Bibliothek am Feuer. Sie fühlte mit der Hand seine Stirn; seine Haut glühte. Zum erstenmal wurde sie unruhig. »Du hast Fieber, Schatz.«

»So was Dummes«, sagte er ärgerlich. »Ausgerechnet jetzt, wo wir soviel zu tun haben.«

Er fröstelte trotz des Feuers.

»Ich rufe Dr. Fleming an«, sagte Marianne.

Er griff nach ihrer Hand und hielt sie auf. »Das ist wirklich nicht nötig, Annie. Du weißt, ich mag kein Getue. Ich brauche keinen Arzt. Morgen geht es mir bestimmt wieder gut.«

Sie hatte schon bemerkt, daß er von Ärzten, Krankenhäusern, allem, was mit Krankheit zu tun hatte, nichts wissen wollte. Wenn Iris zu Besuch kam, verließ er das Zimmer, sobald sie anfing, von ihrer Arbeit zu erzählen. Auch er, der soviel Vertrauen in seinen Körper besaß und kaum etwas fürchtete, hatte seine Ängste und Abneigungen.

»Aber wenn es morgen nicht besser ist«, sagte sie zweifelnd.

Er hob beide Hände. »Ich verspreche es. Dann kannst du den Medizinmann mobilisieren.«

In dieser Nacht schlief sie unruhig, wachte immer wieder auf, voll Sorge um ihn. Aber am Morgen war das Fieber tatsächlich gefallen.

Um zehn hatte sie eine Anprobe bei ihrer Schneiderin. Als sie aus dem Haus ging, sah sie den Nebel, der sich über die Stadt senkte und die Konturen der Gebäude verwischte. Auf Geländern und den Blättern der Bäume setzte sich perlende Feuchtigkeit ab.

Während die Schneiderin mit dem Nadelkissen um sie herumhuschte und steckte und heftete, sah sie an dem karminroten Stoff des Abendkleids hinunter. Die Farbe gefiel ihr nicht mehr, sie war zu satt, zu dunkel, zu aufdringlich. Irgendwie widerwärtig. Rot wie Blut. Sie wünschte, sie hätte sie nicht gewählt. Das Unbehagen machte es ihr schwer stillzustehen. Sie dachte an Arthur, wie er sich im Schlaf gewälzt hatte, wie heiß und trocken seine Haut unter ihrer Hand gewesen war. Jedesmal wenn die Schneiderin eine Stecknadel in den Stoff stieß, zuckte sie innerlich zusammen. Es ist nur eine Erkältung, versuchte sie sich zu beruhigen. Wenn ich nach Hause komme, geht es ihm wieder gut. Aber nach der Anprobe machte sie keinen Stadtbummel wie sonst, sondern fuhr sofort nach Hause.

Der Nebel war dichter geworden, Marianne konnte kaum zur anderen Straßenseite hinübersehen. Draußen waren alle Geräusche gedämpft, vom Nebel umhüllt; drinnen hallten ihre Schritte in leeren Korridoren.

Arthur war nicht in der Bibliothek und nicht im Salon.

Marianne ging nach oben. Er war im Schlafzimmer. Den Kopf abgewandt, lag er im Bett.

»Arthur?« sagte sie. »Schatz?«

Beim Klang ihrer Stimme drehte er den Kopf. Seine Augen glänzten, und sie sah sofort, daß sich etwas – etwas, was sie nicht genau definieren konnte – seit dem Morgen verändert hatte.

»Arthur?« Als sie sein Gesicht berührte, zuckte er vor ihrer Hand zurück. »Arthur, Liebster?«

»Annie! Wo warst du? Du warst so lange weg.«

»Ich war bei der Schneiderin. Das habe ich dir doch gesagt, Schatz.«

»Ich habe auf dich gewartet. Stundenlang.« Er zuckte zusammen. »Ich habe so Kopfweh.«

Neben dem Bett stand eine Schüssel Wasser mit einem Waschlappen. Sie tauchte den Lappen ins Wasser, drückte ihn aus und legte ihn Arthur auf die Stirn. »Besser so?«

Er schloß die Augen. »Durst«, murmelte er. »Solchen Durst.«

Er konnte nicht ohne Hilfe aus dem Glas trinken. Mariannes Beunruhigung wurde zu Angst. Arthur, der hoch zu Roß durch den Hyde Park trabte, der so mühelos mit den Gondolieri in Venedig und den Droschkenfahrern in Paris umgegangen war, konnte nicht ohne ihre Hilfe trinken.

»Ich rufe den Arzt an«, entschied sie. »Es geht dir gar nicht gut.«

Als sie gehen wollte, faßte er ihre Hand. »Laß mich nicht allein, Annie. Bitte, laß mich nicht allein.«

»Ich komme ja gleich wieder«, sagte sie beschwichtigend. »Ich will nur Dr. Fleming anrufen. In einer Minute bin ich wieder da. Ich verspreche es. Ich lasse dich doch nicht allein. Auf immer und ewig, Liebster, das weißt du doch. Auf immer und ewig.«

Sie lief nach unten. In der Eingangshalle war das Mädchen dabei, die Mittagspost zu sortieren. Marianne hatte immer ein wenig Angst vor dem Personal gehabt, die sie von Anfang an als Arthurs Dienstboten gesehen hatte, nicht als ihre.

Jetzt aber fauchte sie das Mädchen an. »Warum haben Sie mir nicht Bescheid gegeben? Warum hat niemand den Arzt geholt?« Und als das Mädchen sie verständnislos anstarrte, schrie sie: »Mr. Leighton ist krank! Ist Ihnen das nicht aufgefallen? Mr. Leighton ist krank.«

Mit zitternden Händen hob sie den Hörer ab. Sie hörte die Vermittlung nach der gewünschten Nummer fragen, dann, fern und körperlos die Stimme der Sprechstundenhilfe des Arztes. Sie hörte sich Arthurs Symptome aufzählen und Dr. Fleming beruhigend sagen: »Nun machen Sie sich mal keine Sorgen, Mrs. Leighton. Es ist wahrscheinlich nur eine böse Erkältung. Bei diesem Wetter kein Wunder.«

Die innere Spannung ließ ein wenig nach. Dr. Fleming würde wissen, was zu tun war. Er würde Arthur helfen. Sie ging wieder ins Schlafzimmer hinauf und rückte sich einen Sessel ans Bett. Arthur flüsterte ihr etwas zu; sie verstand die Worte nicht und neigte sich zu ihm hinunter.

»Ich habe Schmerzen. Furchtbare Schmerzen.«

Wieder stieg Furcht auf. Sie konnte sie auf ihrer Zunge schmecken. »Wo?«

»Überall.« Sie sah die Angst in seinem Gesicht. »Was ist mit mir, Annie?«

»Du bist krank, Schatz. Aber es wird dir bald wieder besser gehen. Es ist nur das Fieber.«

»Mein Fuß«, sagte er. »Dieser verdammte Fuß! Er tut so weh!«

Marianne fiel der rostige Nagel ein und die kleinen blutigen Abdrücke auf dem Vorleger. Sie schlug die Bettdecke zurück. Was sie sah, erschreckte sie zu Tode. Das Gebiet rund um die Verletzung an der Fußsohle war schwarz angelaufen und stark geschwollen. Dunkle Verfärbungen bildeten an Knöchel und Wade, wo Blutgefäße unter der Haut geplatzt waren, große, blau-violette Flecken.

Sie tat, was sie konnte, und wußte doch, daß es nicht genug war. Sie wusch den Fuß mit Karbolseife, tupfte ihn mit Jod ab und legte ihn hoch, um den Schmerz zu lindern. Sie wußte, daß sie versuchen mußte, das Fieber zu senken, und wusch Arthur mit lauwarmem Wasser ab, gab ihm immer wieder Wasser zu trinken. Sie verstand nicht, warum der Arzt so lange brauchte. Seit ihrem Anruf mußten Stunden vergangen sein. Und die ganze Zeit raubte ihr die Angst beinahe die Luft.

Als sie das nächste Mal aus dem Fenster schaute, hatte der Nebel alles eingehüllt. Die Bewegung des Verkehrs unten auf der Straße war kaum noch zu verfolgen, nur flüchtig am Aufleuchten von Scheinwerfern und Wagenlaternen zu erkennen. Zwei Stimmen stritten in ihrem Kopf, die eine ungeduldig und zornig: *Beeil dich! Warum brauchst du so lange? Daran ist bestimmt nur dieser fürchterliche Nebel schuld. Laß mich nicht allein! Beeil dich!*

Die andere Stimme war ein furchtsames Flehen. *Bitte, bitte laß es nichts Schlimmes sein. Bitte, lieber Gott, laß Arthur nichts geschehen. Bitte. Bitte.*

Dr. Fleming war ein vierschrötiger, rotgesichtiger Mann, der stets etwas Gönnerhaftes an sich hatte.

»Blutvergiftung«, klärte er Marianne auf. »Ihr Gatte hat eine Blutvergiftung. Septikämie«, fügte er mit einem Hüsteln hinzu. »Aber Sie brauchen sich nicht mit langen wissenschaftlichen Fachausdrücken zu belasten, Mrs. Leighton.«

Der Einstich, den der rostige Nagel in Arthurs Fleisch hinterlassen hatte, war zwar klein, aber er war tief gegangen, und das Blut war dabei von einem Schwall Bakterien überschwemmt worden. Dr. Fleming war dafür, die Wunde zu öffnen. Arthur sei jung und kräftig, und sie müßten hoffen und beten, daß er die Infektion besiegen werde. Marianne vermerkte das Wort *beten*: ein Mangel an Gewißheit. Sie umklammerte den Arm des Arztes. »Sie müssen ihn wieder gesund machen«, beschwor sie ihn.

Sie stand am Bett und hielt Arthurs Hand, als Dr. Fleming die Wunde aufschnitt. Arthur hatte sie gebeten, ihn nicht allein zu lassen, und so blieb sie bei ihm, auch als der Arzt sie wegschicken wollte. Beim ersten Einschnitt stellte sie sich vor, wie das Gift ablief, aus all den kleinen Blutgefäßen herausströmte. Als die Klinge tiefer schnitt und Arthur aufschrie, biß sie sich so fest auf die Lippe, daß sie Blut schmeckte, und wandte sich nicht ab, als Dr. Fleming die Wunde mit Peroxyd reinigte. Nachdem er einen dicken Gazeverband aufgelegt hatte, blieb sie bei Arthur sitzen und wartete. In ihrem Kopf stritten immer noch die beiden Stimmen miteinander, die eine beschwörend, die andere wild vor sich hin redend. *Bestimmt wird es ihm gleich bessergehen. Das Fieber müßte doch fallen – wieso fällt es nicht? Warum macht er die Augen nicht auf? Warum redet er nicht mit mir? Bitte, lieber Gott, gib, daß er wieder gesund wird. Ich tue alles, was du willst. Ich werde es auch ertragen, wenn ich kein Kind bekomme, wenn ich niemals ein Kind bekomme.*

Draußen wurde der Nebel noch dichter, fast als würde er gegen die Scheiben drücken. Das allmähliche Ergrauen der ockerfarbenen Luft war das einzige Anzeichen für den Einfall der Nacht.

Dr. Fleming nahm Marianne beiseite. »Ich habe eine Pflegerin angefordert, um Sie abzulösen, Mrs. Leighton.«

»Ich bleibe bei meinem Mann«, entgegnete sie eigensinnig.

»Wir schaffen das schon, junge Frau. Sie sollten sich ausruhen.«

»Ich lasse ihn nicht allein.« Sie hörte, wie ihre Stimme laut wurde, obwohl sie das nicht wollte. »Ich lasse ihn nicht allein.«

»Ruhig, meine Liebe, ruhig.« Er legte ihr die Hand auf die Schultern. »Das müssen Sie ja auch nicht, wenn Sie nicht wollen.«

Vor mehr als einem Jahr, im Wintergarten von Summerleigh, hatte Arthur ihr versprochen, sie niemals zu verlassen. Sie brauchte jetzt nur die Augen zu schließen, um sich des prasselnden Regens auf dem Glasdach zu erinnern und des starken, erdigen Geruchs der Palmen und Farne. Arthur war ein Mensch, der seine Versprechen hielt. Und sie mußte die ihren halten.

»Ich bin hier«, flüsterte sie dicht an Arthurs Ohr. »Ich bin immer bei dir. Du mußt wieder gesund werden, Schatz. Für mich.«

Er drehte den Kopf auf dem Kissen und sagte: »Die Kanone. Hörst du nicht die Kanone?«

Sie erschrak. »Es ist nichts, Arthur. Hier ist keine Kanone. Das sind nur die Autohupen im Nebel. Oder vielleicht hat auch eines der Mädchen etwas fallen lassen.« Sein Blick war wie der eines Schlafwandlers, fern und abwesend, und sie wußte nicht, ob er sie überhaupt sah oder hörte. Sie streichelte sein Gesicht. »Schlaf jetzt. Mach dir keine Gedanken, ich bin ja hier.«

Er schloß die Augen. Die Pflegerin traf ein. Ihre gestärkte Schürze knisterte; mit routiniertem Griff zu der Uhr auf ihrer Brust prüfte sie Arthurs Puls. Da war sie wieder, diese aufflackernde Erleichterung, diese flüchtige Zuversicht, daß Schwester Saunders mit dem schwammigen Gesicht und den feisten roten Fingern schon wissen würde, wie Arthur zu helfen war.

In den frühen Morgenstunden nickte Marianne am Bett ein. Als sie mit einem Ruck in die Höhe fuhr, wußte sie nicht, ob sie eine Minute oder eine Stunde geschlafen hatte. Einmal träumte sie von dem Haus in Surrey. Arthur stand im Flur, und sie ging ihm entgegen. Es war Sommer, und Sonnenlicht flutete durch die hohen Fenster. Sie bewegte sich so langsam, als hielten unsichtbare Fesseln sie zurück. Er schien immer kleiner zu werden, als wiche er zurück, anstatt näher zu kommen. Als sie erwachte, traf sie schockartig die Fremdheit, die das Schlafzimmer in den letzten zwölf Stunden angenommen hatte: die Pflegerin, die in einem Sessel unter der Stehlampe saß; das Tablett mit Flaschen und Verbandzeug; der Geruch nach Desinfektionsmittel, der einen anderen Geruch, den nach Schalheit und Fäulnis, überlagerte. In einem Moment überwältigender Panik kam ihr zum erstenmal der Gedanke, Iris oder Eva zu holen. Damit sie nicht so allein wäre.

Aber sie tat es nicht. Hartnäckig hielt sich noch immer der Glaube, sie brauche nur mit den Augen zu zwinkern oder sich einen kräftigen Ruck zu geben, dann würde dieser grauenvolle Spuk verschwinden und die Welt wieder in Ordnung kommen. Wenn sie ihre Schwestern holte, käme das einem Eingeständnis gleich, daß etwas Schreckliches vor sich ging; einem Eingeständnis, daß Arthur –

Sie dachte nicht weiter. Den Blick unverwandt auf ihren Mann gerichtet, saß sie da und versuchte mit aller Konzentration, ihm Kraft zu geben. Er mußte sich erholen. Sein Befinden mußte sich bessern. Sie wußte nicht, wie sie eine zweite solche Nacht ertragen sollte. In der Kirche sagten sie einem immer, Gott verlange nur das von einem Menschen, was er ertragen könne. Und dies war nicht zu ertragen.

Kurz vor Morgengrauen erwachte er mit einem Aufschrei. »Ich sehe –« Er hatte sich aufgesetzt, sein Blick irrte durch das Zimmer.

»Was ist, Liebster?«

»Da. Da drüben.« Er starrte wie gebannt in den Schatten. Sie konnte das Entsetzen in seinem Blick erkennen. »So viele!« flüsterte er.

»So viele was, Arthur?«

»Die indischen Götter. Massen. Hunderte. Tausende.«

»Beruhige dich, Liebster, es ist nur ein Traum.«

»Der Elefantengott. Wie heißt er gleich wieder? Ich habe einmal eine Prozession gesehen. Unglaubliche Menschenmengen. Und dieser Lärm! Die Musik. Sie war so merkwürdig. Ich weiß nicht mehr – Ganesch! Richtig. Und der blauhäutige Gott Krischna.« Er sprach sehr schnell. Als er ihren Arm umfaßte, bohrten sich seine Finger in ihr Fleisch. »Was, wenn sie recht haben und wir nicht?«

Die Pflegerin war aus ihrem Sessel aufgestanden. Arthur

starrte Marianne mit flackerndem Blick an. »Wir bilden uns immer ein, wir hätten recht. Unser Weg wäre der einzige, der richtige. Unser Gott wäre der echte, nicht ihrer. Aber was ist, wenn *sie* recht haben und wir nicht? Was ist, wenn ihre Götter im Himmel herrschen und nicht unsere?« Er rieb sich heftig die Stirn. »Oder in der Hölle«, murmelte er.

Dann verstummte er, entfernte sich von ihr, zog sich irgendwohin zurück, wohin sie ihm nicht folgen konnte. Sie wollte ihn anschreien, schütteln, zur Rückkehr zwingen.

Die Pflegerin zählte irgendwelche Tropfen in einen Löffel. Nachdem Arthur sie eingenommen hatte, sank er wieder auf das Kissen. Die Pflegerin schlug die Decke zurück, um nach seinem Fuß zu sehen. Marianne nahm wieder seine Hand. Seine Lider flatterten, sein Gesicht war eingefallen.

Die Pflegerin begann, den Verband zu entfernen. Arthur stöhnte. *Sag, daß es besser aussieht, betete Marianne. Sag, daß die Schwellung zurückgegangen ist und die Blutergüsse nicht mehr so schlimm sind.*

Aber die Pflegerin sagte: »Ich rufe besser Dr. Fleming an, Mrs. Leighton.« Damit ging sie hinaus.

Die Zeit verrann. Dr. Fleming kam. Nachdem er Arthur untersucht hatte, winkte er Marianne ins Nebenzimmer. Es gebe kein Anzeichen für ein Nachlassen des Fiebers, sagte er. Arthurs Herz zeige Erschöpfung und werde der starken Beanspruchung nicht mehr lange gewachsen sein. »Sein *Herz*«, wiederholte sie wie betäubt und spürte, wie sich ihr eigenes Herz schmerzhaft zusammenzog.

Dr. Fleming sah sie stirnrunzelnd an. Es sei nicht gelungen, sagte er, die Infektion durch das Öffnen der Wunde aufzuhalten, es gebe erste Anzeichen dafür, daß Wundbrand eingesetzt habe. Ein kleines Hüsteln. Sein Blick wich dem Mariannes aus. Er bedaure, ihr sagen zu müssen, daß er beschlossen habe, zu radikaleren Maßnahmen zu greifen.

Aufgebracht sagte sie: »Ich verstehe nicht, worauf Sie warten – wenn Sie ein Medikament wissen, das ihm hilft –«

»Ein Medikament gibt es nicht«, unterbrach er sie schroff. »Wenn die Infektion nicht eingedämmt wird, schädigt das den Kreislauf, und die lebenswichtigen Organe wie Herz und Gehirn – Sie verstehen, Mrs. Leighton – werden nicht mehr ausreichend mit Sauerstoff versorgt.«

Dann erklärte er ihr den Eingriff, den er vorzunehmen gedachte. Sie erwiderte nichts, auch nicht, als er ihr kurz die Hand tätschelte und wieder ins Schlafzimmer hinüberging.

Als sie allein war, trat sie ans Fenster. Draußen war nichts als die wogenden graugelben Massen des Nebels, die alles Vertraute verschluckten. Sie drückte die Hand auf die Scheibe und sah zu, wie sich die Wassertröpfchen sammelten und das Glas hinunterrannen. Doch draußen blieb der Nebel. Zu sehen war nur ihr Spiegelbild im Fenster, ihr blasses Gesicht, ihr wirres Haar, ihr zerdrücktes Kleid. Sie begann, ihr Haar zu ordnen, ließ aber die Hände gleich wieder sinken. Wozu, wenn *er* es nicht sehen konnte? Wozu sich umziehen oder sich das Gesicht waschen, wenn ihm *das* angetan wurde?

Eine Schwester hielt Iris auf, als sie aus der Stationsküche kam. »Die Oberschwester möchte Sie sprechen, Maclise. Sofort. In ihrem Büro.« Sie zog ein Gesicht. »Sie müssen ja einiges angerichtet haben.«

Im Geist ging Iris, als sie sich auf den Weg machte, alle Fehler und Mißgeschicke durch, die ihr in letzter Zeit unterlaufen waren. Viele waren es nicht – weit weniger als noch vor einigen Monaten. Sie zerbrach sich den Kopf: Gestern war ihr eine Schale mit schmutzigem Verbandzeug heruntergefallen, aber deswegen würde man sie doch nicht hinauswerfen. Obwohl – Schwester Grant sähe es ähnlich, sie wegen so einer Lappalie vor die Tür zu setzen. Nun, das würde sie sich bestimmt nicht gefallen lassen. Wann sie hier aufhörte, würde sie selbst bestimmen. Keiner würde sie einfach mit Schimpf und Schade davonjagen.

Vor dem Büro der Oberschwester nahm sie sich einen Moment Zeit, um ihr Haar zu richten und ihr Häubchen geradezurücken. Dann klopfte sie.

Miss Stanley bat sie einzutreten. »Bitte setzen Sie sich, Schwester Maclise.«

Das verblüffte sie. Normalerweise nahm man eine Strafpredigt im Stehen in Empfang.

Dann sagte Miss Stanley: »Ich habe leider schlechte Nachricht für Sie, Schwester. Ich habe eben einen Anruf von Ihrer Schwester erhalten.«

Schwester, dachte Iris, zu plötzlichem Umdenken gezwungen. Dann: *Clemency. Mutter.*

Aber da sagte Miss Stanley: »Ihr Mann, Mr. Leighton, ist schwer erkrankt. Sie hat uns gebeten, Sie zu beurlauben, weil sie Sie gern bei sich hätte. Es ist mir ja eigentlich nicht recht, wenn das Pflegepersonal sich außer der Reihe freinimmt, aber unter diesen Umständen ist das natürlich etwas anderes. Sie können die versäumten Stunden an Ihrem freien Tag nachholen.«

Auf der Fahrt durch London sagte sich Iris immer wieder, die Oberschwester müsse da etwas mißverstanden haben. Arthur konnte nicht krank sein. Arthur war ein Mann im besten Alter, kräftig und kerngesund. Andererseits starben im Krankenhaus jeden Tag Männer im besten Alter. Sie hatte sie gepflegt und manchem die Hand gehalten, als er den letzten Atemzug getan hatte.

Am Paddington-Bahnhof rannte sie die Treppe hinauf und drängte sich durch die Menschenmengen. Der Dampf aus den Lokomotiven mischte sich mit dem Nebel. Schemenhafte Gestalten tauchten aus dem graubraunen Ungewissen auf. Ein Mädchen mit einem Korb voll Stechpalmenzweige, Arbeiter dichtgedrängt um rote Glut in einer Kohlenpfanne. Alle Geräusche waren gedämpft, das Klappern der Pferdehufe, die Rufe des Blumenmädchens. Wie leicht konnte man hier die Orientierung verlieren. Dort, wo der Nebel am dichtesten war, mußte sie sich an den Eisengeländern vor den Häusern entlangtasten.

Die Furcht, sich im Nebel zu verlaufen, begleitete sie, aber als sie sich Mariannes Haus näherte, meldete sich eine viel schrecklichere Angst. Sie war Marianne immer mit Geringschätzung begegnet, hatte sie mit ihrer Schüchternheit, ihrer Vorliebe für romantische Liebesromane und ihrer Unfähigkeit zur Koketterie vor allem albern gefunden. Bis zu Mariannes Heirat, da hatte sich das Blatt gewendet, und aus Geringschätzung war Neid geworden. Zum erstenmal dachte sie jetzt mit einer gewissen Objektivität an Marianne. Sie sagte sich sachlich, daß sie selbst nicht fähig war, so tief zu lieben, wie Marianne es tat. Vielleicht liebte Marianne zu rückhaltlos. Und wenn Arthur starb – sie wollte nicht daran denken, was aus Marianne werden würde, wenn dies geschehen sollte.

Ein Mädchen öffnete auf ihr Läuten. Sie wurde in ein Zimmer in der oberen Etage geführt. Marianne stand am Fenster, den Rücken zur Tür. Als das Mädchen Iris meldete, drehte sie sich um.

Ihr Gesicht war wie versteinert. Ihr Kleid war zerdrückt und hatte Flecken. Strähnig hing ihr das Haar aus dem Knoten im Nacken, und Iris schoß der Gedanke durch den Kopf, daß Marianne, schön seit dem Tag, an dem sie Arthur Leighton begegnet war, wieder das unscheinbare Mauerblümchen geworden war.

Vom Haus der Leightons am Norfolk Square zu Gabriel Bellamys Atelier in Paddington war es nicht weit. Ein paarmal um die Ecke gebogen, ein, zwei Straßen überquert, von einer breiten Straße in eine schmalere, schäbigere hinein, und schon lief Eva die Gasse mit der Kohlenhandlung, dem Uhrengeschäft und der kleinen Kartonagenfabrik hinunter. Dann sah sie ihn.

Sie war gar nicht auf den Gedanken gekommen, daß er nicht allein sein könnte. Aber es war natürlich spät – neun Uhr –, viel später als sonst, wenn sie ihn besuchte. Nur wenige Meter von ihr entfernt, kam er in Gesellschaft von einem halben Dutzend Freunden gerade aus dem Mietshaus, in dem er sein Atelier hatte.

»Eva!« rief er, als er sie bemerkte. »Meine hübsche kleine Eva.«

Beim Anblick seines erhitzten Gesichts und der wissenden Mienen seiner Freunde fragte sie sich, ob es ein Fehler gewesen war hierherzukommen. Vielleicht gab es hier gar keinen Trost. Vielleicht gab es nirgends welchen.

Aber er ging ein paar Schritte auf sie zu, und noch während er sie aufmerksam ansah, rief er seinen Freunden über die Schulter zu: »Ich glaube, ihr geht jetzt besser.«

»Gabriel!« beschwerten sie sich, setzten sich aber gehorsam in Bewegung.

»Es ist etwas passiert«, sagte er zu Eva. »Was ist los? Sag es mir!«

Aber sie konnte nicht sprechen, konnte es noch nicht in Worte fassen.

»Komm mit ins Atelier«, schlug er stirnrunzelnd vor. »Da wird es dir gleich bessergehen.«

Aber sie schüttelte den Kopf. »Nein. Ich möchte woandershin. Ich möchte was anderes *sehen*.«

Er hielt ein Taxi an und fuhr mit ihr ins Café Royal. In einem großen Raum saßen vor allem Männer und nur vereinzelt Frauen an den Tischen. Dekorative Säulen reichten vom Boden bis zur getäfelten, goldverzierten Decke hinauf, manche mit goldenem, von Trauben schwerem Weinlaub umkränzt, andere von gemeißelten Figuren gekrönt. Eva fiel auf, daß die Figuren lauter Frauen waren, bleich und nackt, mit vollen Brüsten.

Gabriel bestellte zu trinken. Dann zündete er zwei Zigaretten an und klemmte eine davon Eva zwischen die Finger. Die Getränke wurden gebracht: Wein für Eva und irgendeine klare, gelblichgrüne Flüssigkeit für Gabriel.

»Was ist das?« fragte sie.

»Absinth.«

»Darf ich probieren?«

»Er wird dir wahrscheinlich nicht schmecken.«

»Ich will *alles* mal probieren«, entgegnete sie heftig.

»Eva –« Er brach ab. »Du lieber Gott, ich höre mich schon an wie mein Vater.« Er schob ihr das Glas hin.

Sie nahm einen Schluck. Das Getränk schmeckte bitter. Sie verzog das Gesicht, und er lächelte. »Gemein, nicht? Es ist das Getränk der Dichter und Neurotiker.«

»Und was bist du, Gabriel?«

»Manchmal seh ich mich gern als das eine, aber manchmal fürchte ich, ich bin das andere.« Er sah sich im Saal um. »Und wie findest du den *Domino Room*?« fragte er. »Hier trifft sich Gott und die Welt. William Orpen, William Nicholson, Augustus John ...«

»Wie eine große Höhle.« Ihr Blick wanderte über die bemalte Decke. »Man könnte sich hier gut verstecken.«

»Eva, mein Herz«, sagte er behutsam, »warum erzählst du mir nicht, wovor du dich verstecken möchtest?«

Ihr tat der Kopf weh, und die Augen brannten ihr vom Weinen. Sie trank die Hälfte ihres Weins, dann stellte sie das Glas nieder und drückte die Hände auf ihr Gesicht. »Mein Schwager, Arthur, ist tot«, flüsterte sie.

»Der Mann deiner älteren Schwester?«

Sie nickte. »Mariannes Mann. Sie waren nur ein Jahr verheiratet, Gabriel. Nicht einmal ein Jahr – elf Monate!«

»Ach Gott«, sagte er. »Die Armen.«

»Ich war« – Sie kniff die Augen zusammen, während sie zurückdachte – »nur ungefähr einen Tag bei Marianne, aber es kommt mir vor, als wären es Monate gewesen. In diesem Haus – und Arthur ging es so schlecht, jämmerlich, wie er dalag!« Sie leerte den Rest ihres Weins in einem Zug. Gabriel bedeutete dem Kellner, ihnen noch einmal ds gleiche zu bringen. »Die arme Marianne, ich weiß nicht, wie sie damit fertig werden soll. Sie hat ihn so sehr geliebt. Aber ich mußte einfach weg. Es war, als läge in dem Haus alles im Sterben. Außerdem sind ja mein Vater da und James und Iris, da ist Marianne nicht allein... Ich habe gesagt, ich ginge nach Hause. Sie waren alle sehr verständnisvoll, sie wußten, daß ich müde war und völlig durcheinander, aber –« Sie hielt inne. »Aber ich wollte nicht nur weg, ich mußte irgendwohin, wo ich mich lebendig fühle – mit jemandem zusammensein, der mir das Gefühl gibt zu leben.«

Er umschloß ihre Hand mit der seinen, und ein feiner Schauder durchrann sie, als er mit dem Daumen leicht ihre Handfläche rieb. »Und dieses Gefühl gebe ich dir?« fragte er.

»Ja.« Es war wie ein Seufzen. Sie zwang sich, ihm in die Augen zu sehen. »Auch wenn es unrecht ist.«

»Es ist nicht unrecht. Liebe ist niemals etwas Unrechtes.«

Das Wort Liebe erzeugte einen neuen Schauder. Dennoch sagte sie herausfordernd: »Nein? Was ist dann mit Sadie? Und mit den Kindern?«

»Ich liebe Sadie, und ich werde nie aufhören, sie zu lieben. Das gleiche gilt natürlich für die Kinder. Ich würde für jedes von ihnen mein Leben geben.«

Sie dachte an ihren Vater, wie er in die geschlossene Droschke gestiegen war. »Ich hasse Heuchelei!« rief sie. »Ich hasse Unehrlichkeit.«

»So zu tun, als liebte man nicht, ist das *nicht* unehrlich?« Mit gerunzelter Stirn sammelte er seine Gedanken. »Für mich ist es ganz einfach so, Eva: Ich gebe nicht vor, anders zu sein, als ich bin. Ich habe einen schlechten Ruf, und in den Augen der Leute *bin* ich natürlich schlecht. Ich halte mich nicht an die Regeln, aber ich gebe auch nicht vor, mich an die Regeln zu halten. Ich habe meine eigenen Regeln. Ich glaube daran, daß Liebe gut ist. Und ich glaube nicht daran, daß Liebe ausschließlich ist. Ich gebe nicht vor, in meinem Leben nur eine Frau geliebt zu haben. Ich bin ehrlich und gebe zu, daß ich bereits zwei, drei und mehr geliebt habe.« Er hob ihre Hand an seine Lippen und küßte die Innenseite ihres Handgelenks.

Dann sagte er: »Ich habe dir ja schon gesagt, daß ich von der Ehe nichts halte. Ich habe Sadie nur geheiratet, weil sie – und ihre Mutter – darauf bestanden haben. Wenn du einen Mann zum Heiraten suchst, Eva, solltest du jetzt gehen, und ich verspreche dir, daß ich dich nicht weiter behelligen werde.«

»Ich will nicht heiraten. Die Ehe schränkt Frauen ein.«

»Dann sind wir uns da ja einig.«

Leise sagte sie: »Trotzdem sollte ich gehen und dich nie wiedersehen. Aber –«

»Aber was?«

»Ich muß immer an Arthur denken. Was hätte er davon gehabt, wenn Marianne gewartet hätte? Die beiden hatten sich erst fünf- oder sechsmal getroffen, bevor sie sich verlobten, und die Verlobungszeit war kurz. Angenommen, sie hätte auf einer längeren bestanden? Dann hätten sie *nichts* gehabt. Sie glaubten, sie hätten Jahre vor sich. Aber so war es nicht. Und wer weiß, was mir – oder dir – morgen zustoßen wird oder in einer Woche, in einem Jahr.«

»Du meinst, du bist für *carpe diem*?«

»Ja. Man muß die Tage nutzen. Nicht vergeuden.«

»Das war immer schon meine Philosophie. Du hast eben gesagt, du willst alles probieren, Eva. Was denn zum Beispiel?«

»Ich will malen. Ich will Bilder malen, bei denen den Leuten der Atem stockt. Die sie zum Weinen bringen. Oder zum Lachen. Und –« Sie hielt kurz inne und sah ihn an. Dann sagte sie trotzig: »Und die Liebe ist ja auch noch da.«

»Das stimmt, ja.«

Auf dem Tisch war eine kleine Lache vergossenen Weins. Sie zeichnete mit dem Finger Formen hinein, während sie sprach. »Sie haben Arthur den Fuß abgenommen. Sie dachten, die Operation würde ihm das Leben retten. Aber der Schock war zu groß, und er ist daran gestorben.« Die schlimmste Erinnerung, eine Erinnerung, von der sie wußte, daß sie sie ihr Leben lang nicht loslassen würde. »Marianne weigerte sich, ihn allein zu lassen. Als er schon tot war, meine ich. Sie saß Stunden bei ihm. Mein Vater, Iris und ich mußten sie am Ende praktisch mit Gewalt hinausbringen.« Eva starrte zu den weinroten Zeichen auf dem Tisch hinunter. »Ich weiß jetzt, daß man auf die Liebe nicht warten kann. Das ist zu unsicher.«

»Ich muß Tag und Nacht an dich denken«, sagte er. »Ich träume von dir.«

Sie dachte an Sadie, wie sie in Greenstones am Küchentisch gestanden und Kuchenteig ausgerollt hatte. Sie dachte an Marianne, deren Augen wie dunkle Abdrücke in einem Gesicht ohne Farbe ausgesehen hatten.

Eine Welle der Erschöpfung überspülte sie und trug die letzten Skrupel mit sich fort, und als er ihre Hand zum Mund führte und die Weintropfen von ihren Fingern sog, wehrte sie sich nicht.

6

In den Wochen und Monaten nach Arthurs Tod ging Marianne immer wieder die Ereignisse der letzten Tage seines Lebens durch. Manchmal laut vor Freunden und Geschwistern, häufiger lautlos im Geist. Der Unfall, die Krankheit, die Operation, der Tod. *Wenn nur*, dachte sie. *Wenn* sie nur darauf bestanden hätte, den verletzten Fuß zu verbinden, bevor Arthur nach London gefahren war. *Wenn* sie nur nicht eine Blutvergiftung für eine harmlose Erkältung gehalten hätte. *Wenn* sie nur Dr. Fleming früher geholt hätte. *Wenn* sie nur die Anprobe abgesagt hätte. *Wenn* es nur nicht so neblig gewesen wäre. Ihre Zuhörer beschwichtigten sie, aber das Schuldgefühl blieb, ein schwerer, schwarzer Stein auf ihrem Herzen.

In der Nacht träumte sie von dem hervorstehenden Nagel auf dem Fußboden des Hauses in Surrey. In ihrem Traum wuchs er und durchbohrte die Holzdielen wie ein Dolch. Als sie mit der Hand über ihn hinwegfuhr, sprang Blut aus der Wunde.

Manchmal träumte sie von kleinen blutigen Fußabdrücken auf einem weißen Teppich. Einmal träumte sie, sie befände sich in einem fremden Haus und folgte einem Pfad roter Abdrücke durch einen langen Korridor. Unter den vielen Türen, an denen sie vorüberkam, wählte sie blindlings eine aus. Das Zimmer dahinter war leer bis auf das Bett, auf dem Arthur lag, krank, blutig, in Verbände gepackt. Sie erkannte, daß sie alle einem schrecklichen Irrtum erlegen waren, daß er gar nicht tot war, sondern überlebt hatte und nun allein und vergessen an irgendeinem gottverlassenen Ort lag und unverminderte Qualen litt. Als sie keuchend erwachte, war sie eiskalt vor Entsetzen und suchte mit den Händen in der Finsternis.

Sie ließ ihre Kleider schwarz färben und stellte sich vor, wie sich das Dunkel über die leuchtenden Farben legte gleich einem finsteren Nebel. In dieser Düsternis schien sie zu leben, als hätte sich der Nebel, der während Arthurs letzter Lebenstage das Haus eingehüllt hatte, nie gelichtet.

Beim Begräbnis streute sie Veilchen in sein Grab. Die Veilchen war trocken und spröde, Geister der Blumen, die er ihr vor jenem ersten Fest damals mitgebracht hatte. Sie hatte sie in ihrem Tagebuch gepreßt und aufbewahrt. Jetzt zerfielen sie unter ihren Fingern, und sie atmete ihren Duft ein. Dann erfaßte sie der scharfe Wind und wirbelte sie herum, bevor sie von der Erde verschluckt wurden.

Arthurs Anwalt, Mr. Marshall, rief an. Ihr Vater saß neben ihr in Arthurs Arbeitszimmer, als der Anwalt das Testament verlas. Sie versuchte, sich auf seine Worte zu konzentrieren, aber es gelang ihr nicht. Es schien ihr in letzter Zeit unmöglich zu sein, einen Gedanken länger als ein, zwei Augenblicke festzuhalten oder neue Gedanken zuzulassen. Während der Anwalt seine Ausführungen machte, dachte Marianne an die Öfen im Werk ihres Vaters, die riesige Mengen Kohle verzehrten und sie zu Feuer und Asche verbrannten. Sie hatte das Gefühl, daß alle ihre Erinnerungen und Gedanken zu Schuld und Entsetzen, Feuer und Asche geworden waren. Ihre erste Begegnung mit Arthur, ihre Verlobungszeit, ihre Hochzeit, alles, was sie miteinander geteilt hatten, hatte einzig dazu geführt.

Da das Haus in Surrey Familienerbe und Arthurs Ehe mit Marianne kinderlos geblieben sei, erklärte Mr. Marshall, werde es an Arthurs nächsten männlichen Blutsverwandten übergehen, einen entfernten Vetter, den sie nie kennengelernt hatte. Das Haus am Norfolk Square jedoch sei nun ihr Eigentum. Der Verlust des Hauses in Surrey war ihr beinahe eine Erleichterung. Sie hatte es einmal geliebt, aber jetzt war es von Arthurs Tod belastet.

Mr. Marshall sprach von Treuhandvermögen und Wertpapieren. Er nannte eine Summe. Als er weg war, nahm ihr Vater sie in die Arme und sagte: »Du bist gut versorgt, mein Kind, und das ist doch auch ein kleiner Trost, nicht?« Marianne antwortete irgend etwas, das den Erwartungen entsprach. Seit Arthurs Tod hatte sie gelernt, erwartungsgemäße Antworten zu geben. Sie wußte, daß ihre Familie sie nicht in Ruhe lassen würde, wenn sie auch nur ahnte, wie innerlich ausgehöhlt sie war, dürr wie ein abgebranntes Feld. Aber Ruhe war jetzt das einzige, wonach es sie verlangte.

Eines Morgens sah sie seine Sachen durch. Sie drückte seine Jacken und Hemden an ihr Gesicht und atmete seinen Duft, der noch in dem kratzigen Tweed und dem weichen weißen Kambrik hing. Sie schob die Hände in seine Handschuhe und wiegte sich in dem Glauben, seine Finger wären mit ihren verschränkt. Sie legte sein Jackett um ihre Schultern und zog es fest um ihren Körper, eingehüllt in die Erinnerung an ihn.

Unter seinen Taschentüchern und Halsbinden fand sie ein weißes Haarband von sich, das sie auf dem Ball bei den Hutchinsons getragen und verloren geglaubt hatte. Er mußte es behalten und wie einen Schatz gehütet haben. Sie fand die Briefe, die sie ihm während ihrer Verlobungszeit geschrieben hatte; sie brachte es nicht über sich, sie zu lesen. An den Rändern hatte das Papier schon zu vergilben begonnen. Sie fand eine Quittung des Hotels in Venedig, ein Programm der Pariser Oper und ein zerknittertes Bootsbillet von einem Ausflug auf der Themse, den sie gemeinsam unternommen hatten. Sie breitete das Billet vorsichtig aus, und nachdem sie die Knicke mit dem Daumen glatt gestrichen hatte, legte sie es auf das kleine Häufchen seiner Besitztümer, die sie aufheben wollte.

Andere Funde beschäftigten vorübergehend ihre Gedanke. Eine schwere goldene Repetieruhr, die sie noch nie gesehen hatte. Hatte sie vielleicht seinem Vater gehört oder seinem Großvater? Sie fand einen grauen Kaschmirschal. Er war weich und leicht wie eine Wolke, als sie ihn über ihren Handrücken gleiten ließ. Sie fragte sich, warum er ihn nie getragen, wer ihn ihm geschenkt hatte.

Ganz hinten in der untersten Schublade seines Schreibtischs entdeckte sie eine Handvoll Ansichtskarten. Sie waren französischer Herkunft und zeigten Abbildungen von nackten Frauen, Lockenköpfchen mit kokettem Blick und drallen, wohlgeformten Körpern. Ihre Brüste, Schultern und Gesäßbacken sahen aus wie weiche weiße Kissen, fand Marianne.

Sie saß auf der Kante des Betts, das sie und Arthur geteilt hatten, betrachtete die Frauen auf den Postkarten und verspürte so etwas wie Neid. Sie sahen so – so glücklich und zufrieden aus. Ihr Blick war leer und ungetrübt von Sorgen. Wenn nur ihr Kopf so leer wäre wie die Augen dieser Frauen! Wenn sie nur von ihnen lernen könnte, nicht zu denken!

Sie war froh, daß die Konvention der Trauer ihr erlaubte, sich im Haus hinter geschlossenen Vorhängen zu verkriechen. Im Bett drückte sie Arthurs alte Tweedjacke an sich. Ihre Nächte waren kurz und unruhig, und wenn sie morgens vor Tagesanbruch erwachte, gewahrte sie, daß sie immer noch die Jacke umklammert hielt und ihre Wimpern tränennaß waren. Der Arzt schlug ihr Laudanum vor für einen ruhigeren Schlaf, aber sie dachte an ihre Mutter, fürchtete, daß das Mittel den Nebel nur verdichten würde, und lehnte ab.

Einige Dienstboten gingen. Sie hörte sie tuscheln, über dem Haus stehe ein Unglücksstern. Als sie weg waren, atmete sie erleichtert auf. Sie zog Leere und Stille vor. Sie ersetzte sie nicht, und die, die geblieben waren und sich unbeaufsichtigt wußten, wurden träge. Die Tage vergingen, und das Haus am Norfolk Square drohte zu verwahrlosen. In den Ecken sammelte sich Staub, die Böden blieben ungebohnert.

Ihr Leben schien sich zu leeren. Bald, dachte sie, würde es

nur noch Hülle sein. Sie machte sich nicht mehr die Mühe, ihr Haar aufzustecken, und sie vergaß, die Kleider zu wechseln. Freunde blieben aus, verunsichert oder abgeschreckt von ihrer In-sich-Gekehrtheit, ihrer Kälte. Ihre Schwestern harrten aus; ihnen gegenüber eine Fassade aufzubauen fiel ihr schwerer. Sie dachte beiläufig, aber immer häufiger daran, sich das Leben zu nehmen, und überlegte, wie sie es tun würde: aufgeschlitzte Pulsadern vielleicht oder ein Sturz von einem hochgelegenen Balkon. Sie war es müde, die Tage zu bewältigen.

Iris kam zu Besuch. Sie strich mit der Fingerspitze über ein Fensterbrett und rümpfte die Nase über den Staub, der daran hängenblieb. Dann las sie den Dienstboten so empört die Leviten, daß die halb wütend, halb beschämt augenblicklich mit Besen und Schrubber loszogen. Iris bürstete Marianne das Haar, daß es ziepte. Sie ließ ihr ein Bad einlaufen, legte ihr frische Sachen raus und sagte, sie würden jetzt einen Spaziergang im Hyde Park machen. Im Falle einer Weigerung würde sie ihrem Vater kabeln, damit dieser sie zwänge, mit ihm nach Summerleigh zurückzukehren. Fern von diesem Haus mit all seinen Erinnerungen an Arthur, würde der unerbittliche Prozeß des Verlusts, der mit seiner Krankheit begonnen hatte, seinen Abschluß finden.

Marianne machte eine weitere Liste.

All die Dinge, die sie mit Arthurs Tod verloren hatte.

Sie hatte das Vertrauen in das Leben verloren. Sie wußte jetzt, daß gute Menschen auf schreckliche Weise sterben konnten. Daß es keine Gerechtigkeit gab, nur Glück oder Unglück.

Gemeinschaft, Freundschaft, die Möglichkeit des gemeinsamen Altwerdens waren ihr genommen, ebenso die Freude an der Musik, weil gerade die Musik das feine Häutchen wieder aufriß, das kaum die Wunde bedeckte. Zukünftige Möglichkeiten waren ihr genommen: gemeinsame Erlebnisse, die Gründung einer Familie, das Kind, nach dem sie sich sehnte.

Sie hatte sich selbst verloren. Wenn sie dazu verdammt war

weiterzuleben, würde sie sich neu erfinden müssen. Aber mit welchen Mitteln! Ohne Hoffnung, ohne Vertrauen. Ohne den Wunsch zu gefallen, ohne den Wunsch dazuzugehören. Nur mit Feuer und Asche, und was sollte sie daraus gestalten?

Sie hatte die Liebe verloren. Sechs Monate nach Arthurs Tod wandelten sich ihre Träume. Er war wieder gesund und unversehrt und nahm sie in die Arme. Sie fühlte seinen Körper mit ihrem verschmelzen, ihre Wärme sich mit seiner vereinigen. Als sie aufwachte, glühte sie. Sie schloß die Augen, und während sie sich selbst berührte, stellte sie sich vor, ihre Hand wäre seine.

Seit Anfang des Jahres arbeitete Eva samstags in Lydia Bowens Galerie. Sie half Lydia bei der Planung von Ausstellungen, verschickte Einladungen zu Vernissagen und vertrat Lydia in der Galerie, wenn diese anderweitig beschäftigt war. Lydia bestand darauf, daß sie Maschineschreiben und Buchführung lernte. »Man weiß nie, wann man solche Fertigkeiten gebrauchen kann«, erklärte Lydia. »Künstler haben es nicht leicht, schon gar nicht die Frauen unter ihnen.«

Eva arbeitete gern in der Galerie. Wenn sie dann und wann ein Bild verkaufte, machte sie das beinahe so stolz, als wäre es eines ihrer eigenen. Vor allem aber sorgte die Arbeit in Verbindung mit dem Studium an der Akademie dafür, daß sie mit den Füßen auf der Erde blieb. Wären nicht diese Tätigkeiten, dachte sie manchmal, sie wäre vielleicht einfach davongeflogen vor Glück und Erregung.

In den sechs Monaten ihrer Beziehung mit Gabriel hatte sie die Lust am eigenen Körper entdeckt. Vorher hatte sie nur das Geistige, das Kreative interessiert. Weder hatte sie gern Sport betrieben wie Clemency, noch hatte sie gern getanzt wie Iris. Sie war immer die etwas klein geratene, etwas unordentliche Eva gewesen, die ihre Tolpatschigkeit nur dann verlor, wenn sie einen Stift in die Hand bekam. Es war eine überraschende Entdeckung für sie, daß ihr Körper instinktiv wußte, was er zu tun hatte; daß sie sich durch die körperliche Vereinigung mit einem anderen Menschen so verwandelt fühlen konnte.

Trotzdem hatte sie ihre Grundsätze. In Greenstones hielt sie stets Abstand von Gabriel. Sie wußte, daß sie Sadie, wenn auch auf eine ganz andere Art, ebensosehr liebte wie Gabriel. Ganz gleich, wie oft Gabriel ihr versicherte, seine Ehe sei etwas Besonderes, Sadie wisse und begreife, daß er ein eigenes Leben führen müsse und sich nicht in Fesseln legen lasse – ganz überzeugen konnte er sie nicht. Ihre Freundschaft mit Sadie konnte jetzt nicht mehr leicht und unkompliziert, sondern würde immer von Schuld und Heimlichkeit belastet sein. Sie redete sich ein, solange sich die Beziehung zwischen ihr und Gabriel nicht auf seine Ehe mit Sadie auswirke, sei nichts Unrechtes daran. Sie spaltete ihr Leben. In London war sie Gabriels Geliebte, in Greenstones waren sie Freunde, nicht mehr. In Greenstones kümmerte sie sich besonders um Tolly und schob das Baby mit den schwarzen Augen in seinem Kinderwagen durch die Felder. Ihre Liebe zu Greenstones schien ihr Teil ihrer Liebe zu Gabriel zu sein. Sie liebte es zu jeder Jahreszeit: im Winter, wenn rauhe Winde über die Kreidehügel fegten, und jetzt, im Sommer, wenn die Hecken von Blüten überquollen.

In einem schöpferischen Gewaltakt hatte Gabriel drei große Ölgemälde von ihr geschaffen. Auf dem ersten, das in Greenstones entstanden war, trug Eva das grün-rot karierte Kleid, in dem Gabriel sie in Lydias Galerie zum erstenmal gesehen hatte. Auf dem zweiten war sie in Hut und Mantel und schaute, die Hände auf dem Sims übereinandergelegt, zum Atelierfenster hinaus. Auf dem dritten hatte sie einen zerlumpten Rock an, mit Zickzacklitze besetzt, und ein breitkrempiger Hut mit üppigem Federschmuck beschattete ihr Gesicht. Manchmal schienen ihr die drei Gemälde drei verschiedene Frauen zu zeigen: die brave kleine Studentin, die junge Frau voll Neugier auf das Leben jenseits des Fensters und das Kind von der Straße.

Bei der Arbeit war Gabriel konzentriert und in sich gekehrt. Alle Energie und alle Gedanken waren auf das Malen gerichtet. Er sprach selten und bewegte sich nur von der Stelle, wenn er eine Falte ihres Kleides, eine Strähne ihres Haars anders legen wollte. Wenn sie verstohlen einen steif gewordenen Arm oder ein verkrampftes Bein zu lockern versuchte, wurde er ärgerlich. »Wie soll ich arbeiten, wenn du nicht stillsitzt?« rief er. »Das ist unmöglich.« Viel später, wenn sie sich zurückerinnerte, dachte sie manchmal, daß sie damals, in diesen langen, stummen Stunden in Gabriels Atelier, Geduld und Ausdauer gelernt hatte, Eigenschaften, die ihr vorher nicht zu eigen gewesen waren. Sie, die immer auf dem Sprung gewesen war, immer unterwegs, mußte jetzt stundenlang reglos verharren, als einzige Ablenkung die Geräusche des Pinsels auf der Leinwand und der Verkehrslärm auf der Straße.

Sie ertrug es gern, schließlich war Gabriel bei ihr. Nur in diesen stillen Stunden im Atelier konnte sie seiner sicher sein. Er war immer aufregend, überraschend, impulsiv. Sie zehrte davon und fühlte sich lebendiger als je zuvor. Sein Lebensstil war die Antithese zu der Gleichförmigkeit und der Angepaßtheit, die sie aus ihrem Elternhaus kannte. Einem Impuls folgend, reiste Gabriel mit Max nach Holland, um flaches Land und weite Himmel zu zeichnen. Er blieb einen Monat weg, war eines Morgens unerwartet wieder da und verlangte von Eva, daß sie alles stehen- und liegen-, die Akademie sausenlasse und den Tag mit ihm verbringe. Sie tat es. Er ging mit ihr zu Simpson's-in-the-Strand, wo sie Champagner tranken und Steak aßen, und danach liebten sie sich in seinem Atelier, durch dessen Fenster das Licht wie Honig in den kahlen, weißgetünchten Raum floß.

An einem warmen Nachmittag im Juni nickte sie, schläfrig von der Hitze, die sich im Raum gestaut hatte, in seinem Atelier ein. Als sie erwachte, sah sie ihn auf dem Fensterbrett sitzen. Er zeichnete sie. Hastig fuhr sie in ihre Kleider.

»Eva! Warum darf ich dich nicht malen, wie Gott dich geschaffen hat?« Er warf die Kreide aus der Hand. »Immer noch so prüde! Du hast einen wunderschönen Körper. Du solltest stolz auf ihn sein. Es gibt nichts Schöneres in diesem Raum – ach was, in ganz London, verdammt noch mal. Warum also willst du dich nicht von mir zeichnen lassen?«

»Ich lasse mich ja von dir zeichnen. Nur nicht *so*.«

Er setzte sich zu ihr. »Du bist ein komisches kleines Mädchen«, sagte er nachsichtig. »Wie würdest du reagieren, wenn ich dir nicht erlaubte, deine häßlichen alten Weiber und Mädchen aus dem Volk zu malen?«

»Sie sind nicht häßlich«, protestierte sie aufgebracht. »Für *mich* sind sie schön. Oder soll ich vielleicht lieber die Damen der sogenannten guten Gesellschaft malen, Gabriel?«

»Nein, natürlich nicht. Du hast schon recht, Eva. Bleib bei deinen alten Scharteken, und laß dich nicht dazu verleiten, deine Seele zu verkaufen.«

Sie hatte eine ganze Serie Skizzen gemacht, von kleinen Leuten bei der Arbeit oder abends unterwegs. Sie hatte sie Gabriel gezeigt, und er hatte ihr Mut gemacht. Schneiderinnen, Hafenarbeiter und Blumenmädchen hatten ihr als Modelle gedient. Die ebenmäßige Schönheit der Klassik fand sie meistens langweilig. Die abgebildeten Frauen strahlten oftmals eine Passivität aus, als verbrächten sie ihr ganzes Leben mit Warten.

Genau wie Gabriel liebte sie das nächtliche London: das Flackern der Gaslaternen in der Dunkelheit, die lichtschimmernden Spiegelungen auf nassem Kopfsteinpflaster. Eines Abends, als sie die Menschenmengen zeichnete, die ins Empire-Theater in Hackney strömten, entdeckte sie ein vertrautes Gesicht. Sie mußte zweimal hinsehen, um sicher zu sein, aber es war tatsächlich James. Gerade wollte sie ihren Bruder rufen, da bemerkte sie, daß er mit einer Frau da war. Er hatte den Arm um sie gelegt, um sie vor dem Gedränge zu schützen. Sie war jung und zart, trug eine marineblaue Jacke über ihrem schmalen cremefarbenen Kleid und einen schwarzen Strohhut, unter dem blonde Locken hervorsahen. Als sie James ihr Gesicht zum Kuß entgegenhob, sah Eva, daß sie bildhübsch war. Tja, dachte sie, Vater hast du sie bestimmt nicht vorgestellt, oder, James?

Auch sie hatte Geheimnisse: die Affäre ihres Vaters mit Mrs. Carver; ihre eigene Beziehung zu Gabriel. Sie hatte niemandem von Gabriel erzählt, auch wenn sie manchmal das unangenehme Gefühl hatte, daß Iris etwas ahnte. Sie wußte, daß James ihr so wenig von seiner kleinen Näherin im schwarzen Strohhut erzählen würde wie sie ihm von Gabriel. Geheimnisse, dachte sie, als sie auf ihrem Rad davonfuhr. Mit zunehmendem Alter schienen sie alle immer mehr Geheimnisse zu sammeln und zu bewahren.

Joshua Maclise hatte ein Automobil gekauft, und James lernte, damit zu fahren. Er nahm Clemency zu einer Spritztour durch die Stadt mit. Das Fahrzeug war schwer und unförmig. Die rostrote Lackierung glänzte wie Satin, und James hatte das Messing poliert, bis Clemency ihr Gesicht darin erkennen konnte. Sie beobachtete ihn aufmerksam beim Fahren, vermerkte jeden Handgriff, jede Drehung des Lenkrads und stellte viele Fragen.

»Wozu ist der Hebel da?«

»Damit wechselt man die Gänge.«

»Die Gänge?«

James erklärte ihr die Gangschaltung. Dann sagte er: »Möchtest du es mal versuchen?«

»Kann ich das denn?«

»Wieso nicht? Du hast bestimmt Talent dafür, Clem. So wie ich dich kenne.«

Sie befanden sich in einer stillen Seitenstraße. Clemency setzte sich ans Steuer, und James kurbelte den Motor an. Dann zeigte er ihr, wie sie die Kupplung durchtreten mußte, um den Gang einzulegen. Als sich das Fahrzeug langsam in Bewegung setzte, empfand sie jubelnde Erregung.

Sie zuckelten die Straße hinunter. James war geduldig und hilfreich. »Du bist ein Naturtalent«, stellte er fest, nachdem Clemency langsam, aber ohne anzuecken eine Kurve gemeistert hatte. »Noch ein oder zwei Stunden, und du fährst wie der Teufel durch Sheffield.«

Clemency erzählte Ivor Godwin von dem Automobil. »Es war fabelhaft«, berichtete sie. »Es war so ähnlich wie früher beim Hockey, dieses Gefühl, wenn man weiß, daß man gleich ein tolles Tor macht. Als würde alles genauso ablaufen, wie man es sich wünscht.«

Sie waren im Botanischen Garten. Ivor hatte an diesem Nachmittag ein Konzert in einem Haus in Rutland Park gegeben. In den vergangenen sechs Monaten hatte Clemency mehrere seiner Konzerte besucht. Bei schönem Wetter ging er gern ein Stück spazieren – das entspanne ihn, erklärte er. Vera und Clemency begleiteten ihn oft.

Heute war Clemency ausnahmsweise allein mit ihm, da Vera ihrer Mutter im Laden helfen mußte. Sie saßen auf einer Bank und rauchten Ivors dunkle, beißende Zigaretten.

»Ich wollte, ich könnte mir ein Automobil leisten«, sagte Ivor. »Diese endlosen Fahrten von draußen in die Stadt hinein sind eine einzige Strapaze.« Sein Gesicht verfinsterte sich. »Manchmal frage ich mich, ob die ganze Mühe sich lohnt. Ob es irgend jemandem auffallen würde, wenn ich mir das Ganze einfach sparte.«

»Mir auf jeden Fall.«

»Sie sind lieb, Clemency.« Als er sie ansah – so dankbar, so liebevoll –, wurde sie rot.

»Menschen wie Sie«, sagte er, »geben mir die Kraft weiterzumachen.«

»Wie geht es Ihrer Frau?«

»Wie immer. Ihre Mutter ist ja auch leidend, nicht wahr? Vera hat es mir erzählt.«

»Deswegen mußte ich mit der Schule aufhören. Um bei der Betreuung meiner Mutter zu helfen.«

»Wir haben eine ganze Menge gemeinsam. Darum können Sie mich auch verstehen. Bei Rosalie hat man immer das Gefühl, sie ist nicht richtig krank und nicht richtig gesund. Wir sind ihrer Gesundheit wegen hierhergezogen, aber so wie es aussieht, hat sich nicht das geringste geändert.« Er warf den Stummel seiner Zigarette auf den Kiesweg. »Das schlimmste ist, daß sie mir kein eigenes Leben gönnen kann. Sie regt sich schon auf, wenn ich nur eine halbe Stunde zu spät nach Hause komme. Wahrscheinlich ist sie einsam, aber es ist wirklich schwierig für mich. Manchmal möchte ich nur weg und mal eine Woche ganz für mich haben.« Die dunklen Augen richteten sich wieder auf Clemency. »Finden Sie das schlecht von mir?«

»Aber nein. Mir geht es oft genauso. Darum komme ich so gern zu Ihren Konzerten, Ivor. Das ist immer ein kleiner Urlaub für mich.«

»Ach, Clemency, Sie Liebe«, sagte er, und warmes Glücksgefühl durchströmte sie.

»Haben Sie denn keine Verwandten, die einmal für Sie einspringen könnten?«

Ivor schüttelte den Kopf. »Ich habe einen Bruder, der in Winchester lebt, aber ich sehe ihn kaum. Ich habe ihn mehrmals zu uns eingeladen, aber er hat immer irgendeine Entschuldigung – die Familie oder das Geschäft. Und Rosalie hat nur einen Onkel und eine Cousine. Mit der Cousine kommt sie nicht aus, und der Onkel ist alt und gebrechlich. Er lebt in Hertfordshire, und wir besuchen ihn einmal im Jahr. Eine Tortur, sage ich Ihnen – irgendwie fühlt sich Rosalie immer gerade im ungünstigsten Moment schlecht. Und nie erwischt man am Bahnhof einen Träger. Als wir das letzte Mal bei dem Onkel waren, mußte ich das gesamte Gepäck zum Wagen schleppen und habe dabei natürlich die Hand überanstrengt. Ich konnte vierzehn Tage lang nicht spielen.«

»Sie Armer.«

»Unter uns gesagt, Clemency, wir hofieren den Onkel ein

bißchen, weil er ziemlich viel Geld hat. Er hat versprochen, sein ganzes Vermögen Rosalie zu hinterlassen. Ich weiß, daß es sich nicht gehört, über Geld zu reden, aber wenn man keins hat, denkt man leider sehr viel daran.« Seine dunklen Augen bekamen einen grüblerischen Ausdruck. »Für mich wäre das ein Riesenunterschied, wenn ich nicht ständig jeden Penny zweimal umdrehen müßte. Ich könnte das Unterrichten aufgeben.« Er seufzte. »Ach, wäre das eine Wonne!«

»Es würde Ihnen nicht fehlen?«

»Keine Spur!« rief er. »Die meisten sind einfach schrecklich – und die Mütter sind noch schlimmer als die Schüler.«

»Was würden Sie tun, wenn Sie nicht mehr unterrichten müßten?«

»Ich würde ein Konzert schreiben. Das wollte ich immer schon, aber manchmal frage ich mich, ob ich je die Zeit dazu finden werde.« Er seufzte wieder.

Der Sommer 1911 war heiß und trocken. In den Londoner Straßen hingen Abgase und Ruß. In der Mittagszeit suchten sich Bürolehrlinge und Ladenmädchen ein Plätzchen auf dem versengten Gras in den Parks, öffneten die Kragen und rollten die Ärmel auf.

Mit Anhalten der Hitzewelle wurde die allgemeine Stimmung gereizt. In den Pubs, wo die Arbeiter auf dem Heimweg von der Baustelle oder Fabrik ihren Durst löschten, brachen Streitereien aus. Im Unterhaus mußte der Präsident die Sitzung vertagen, als der Premierminister während einer Debatte über die Reform des Oberhauses von der Opposition niedergeschrien wurde. Unten an den Docks traten die Arbeiter in Streik, um für bessere Löhne und Arbeitsbedingungen zu kämpfen, und die Regierung sandte Truppen in den Hafen von London, um die Versorgung mit dem Lebensnotwendigen zu sichern. In Liverpool und Südwales fanden Streikende den Tod, als die Truppen das Feuer auf sie eröffneten.

In Gabriels Atelier war es heiß und stickig. Gabriel malte

Eva am Tisch sitzend, die Arme vor sich verschränkt. Sie trug eine blaue Seidenbluse, und das Haar fiel ihr offen auf die Schultern. Vor ihr stand eine Schale mit Kirschen.

Er arbeitete vom frühen Morgen, bis das Licht zu schwinden begann. Er müsse das Porträt fertig haben, erklärte er Eva, bevor er mit Sadie und den Kindern in den Sommerurlaub in die Bretagne fahre. Es war ihm stets unerträglich, mitten in einem Schaffensakt unterbrochen zu werden. Wenn das geschah, war er frustriert und schlecht gelaunt, da er genau wußte, daß er den Geist der ersten Inspiration nicht wiederfinden, daß etwas auf immer verloren sein würde. Er vergaß das Essen und war erstaunt, wenn Eva, die vor Hunger umzukommen glaubte, um eine Scheibe Brot oder einen Apfel bat. Er ließ Sadies tägliche Briefe unbeantwortet, überflog sie nur eilig und stopfte sie in eine Schublade, bevor er wieder zum Pinsel griff.

Einen Tag bevor er wie vereinbart zu Sadie nach Greenstones fahren mußte, war er mit dem Bild fertig. Wie immer, wenn er ein größeres Werk vollendet hatte, war er erschöpft und in Hochstimmung zugleich. Er führte Eva ins Café Royal, wo er Austern und Champagner bestellte. Sie betrachtete die Säulen mit den Ranken aus Weinlaub und den gemeißelten Karyatiden und dachte an den Tag, an dem Gabriel sie zum erstenmal hierher mitgenommen hatte. So vieles hatte sich seither verändert. *Sie* hatte sich verändert. Veränderung schien in der Luft zu liegen wie ein Hitzeflirren und alles ins Wanken zu bringen, was sie einmal für selbstverständlich gehalten hatte.

Zum erstenmal verbrachten sie eine ganze Nacht zusammen. Mrs. Wilde hatte Eva erzählt, sie reise nach Sheffield, was sie jedoch erst für den folgenden Tag vorhatte. Als sie am Morgen erwachte, war Gabriel schon auf und dabei, seine Sachen zu packen. Er brachte Eva zum Bahnhof, begleitete sie in ein Abteil ihres Zugs, gab ihr einen flüchtigen Kuß und sagte: »Ich hasse lange Abschiede«, bevor er in Dampfwolken und Menschengewimmel verschwand.

Eva suchte sich einen Fensterplatz und schaute hinaus, als der Zug sich in Bewegung setzte. Sie hatte sich gefragt, ob sie bei dem Gedanken, Gabriel einen Monat lang nicht zu sehen, nicht vielleicht weinen würde, statt dessen verspürte sie zu ihrer Überraschung eine Spur von Erleichterung. Nur die Sonne, sagte sie sich, und der harte blaue Himmel, der auf London herabzudrücken schien, waren schuld an diesem unangenehmen Gefühl, daß alles Normale, alles Alltägliche und Erwartete Sprünge und Risse bekam und sich in der Hitze aufzulösen begann.

An einem Freitag Anfang August begleitete Eva ihren Vater ins Werk. Dort zeichnete sie die Frauen, die im Packschuppen die Messer und Sicheln in Wachspapier einschlugen. Später im Büro ihres Vaters trat sie ans Fenster und brachte die Fuhrleute zu Papier, die Kisten und Kartons aufluden, um sie zum Hafen zu befördern, und als ihr Vater weggerufen wurde, schlüpfte sie hinaus und rannte über den Hof in den Schmelzraum. Sie suchte sich einen geschützten Platz in einer Ecke und zeichnete die Männer bei der Arbeit, wie sie mit eisernen Zangen die Tiegel mit dem flüssigen Stahl aus den Öfen hoben, die Muskeln bis zum Äußersten angespannt unter dem Gewicht, die Körper schwarze Silhouetten vor den grellen Orange- und Rottönen des Feuers. Schweiß perlte Evas Rücken hinunter, und der Stift entglitt ihren feuchten Fingern. Fast ein wenig schwindlig lief sie wieder ins Freie hinaus.

Sie hatte die Augen gegen das blendende Licht zusammengekniffen, da sah sie Mr. Foley, der über den Hof auf sie zukam.

»Bitte sagen Sie meinem Vater nicht, daß ich bei den Öfen war, Mr. Foley.«

»Nur wenn Sie mir versprechen, da nicht wieder hineinzugehen. Es ist gefährlich, und außerdem bekommt man da drinnen heute einen Hitzschlag.«

»Ich frage mich, wie die Männer überhaupt Luft bekommen.«

»Sie sind daran gewöhnt. Einige haben schon mit zwölf Jahren hier angefangen.« Er sah sie an. »Möchten Sie ein Glas Wasser, Miss Eva?«

Sie gingen in sein Büro. Er wies auf ihr Skizzenbuch. »Darf ich hineinschauen?«

»Nur unter einer Bedingung.«

»Und die wäre?«

»Daß ich Sie zeichnen darf.«

»Was wollen Sie denn mit mir? Die Stahlarbeiter, ja, das kann ich verstehen, daß Sie die zeichnen wollen, obwohl Sie da eigentlich nicht hineingehen sollten.«

»Verstoßen Sie nie gegen die Regeln, Mr. Foley?«

»Nein«, antwortete er kurz.

»So gesetzestreu.« Aber sie sah, daß sie ihn aus der Fassung gebracht hatte, und sagte deshalb: »Tut mir leid, ich wollte keinen Ärger machen. Und ich möchte Sie gern zeichnen, weil Sie ein interessantes Gesicht haben.«

Während der Woche wohnte Rob Foley in Sheffield zur Untermiete, freitags nahm er die Bahn nach Buxton, um das Wochenende mit seiner Mutter und seinen älteren Schwestern zu verbringen. Jedesmal wenn er im Zug saß, regte sich in ihm ein lang vertrautes Grauen.

Sein Vater war zehn Jahre zuvor gestorben – Rob war damals fünfzehn gewesen – und hatte der Familie einen Berg Schulden hinterlassen. Rob war von der Schule abgegangen und hatte bei J. Maclise & Söhne angefangen. Er wußte, daß er froh sein konnte, die Arbeit bekommen zu haben – Joshua Maclise war ein gerecht denkender Arbeitgeber, und Rob hatte schnell gelernt, hinter den Launen und dem aufbrausenden Temperament ein gutes Herz zu erkennen. Im Lauf der Jahre hatte er sich vom Bürolehrling zum Assistenten des Chefs hochgearbeitet und mittlerweile die Schulden seines Vaters zum größten Teil abbezahlt, wenn auch die Hypothek auf das Haus weiterbestand und jeden Monat einen erheblichen

Teil seines Einkommens verschlang. Er hatte außerdem seine Mutter und seine ältere Schwester Susan unterstützt. Theresa, die jüngere, unterrichtete zu Susans fortgesetzter Mißbilligung an der Armenschule. Als Theresa der Familie ihren Entschluß mitgeteilt hatte, dort anzufangen, hatte Susan sofort befürchtet, Theresa werde ihnen unaussprechliche Krankheiten ins Haus schleppen. Rob hatte allerdings den Verdacht, daß Susans wahre Angst einem viel heimtückischeren Übel galt: dem eines weiteren Verlusts an gesellschaftlichem Prestige, das ihr und ihrer Mutter so ungeheuer wichtig war.

In Robs Augen machten sich die beiden selbst das Leben zur Hölle mit ihrem verzweifelten Bemühen, ihre Armut vor den Nachbarn zu verbergen. Während der Woche sparten sie sich jeden Bissen vom Mund ab, um am Sonntag, wenn Besuch kam – die Nachbarn, ein im Ruhestand lebender Arzt mit seiner Frau und der Pastor, Mr. Andrews –, die Gäste üppig bewirten zu können. Rob hatte ihnen deswegen Vorhaltungen gemacht und darauf hingewiesen, daß sie ihre Gesundheit gefährdeten, den Kampf aber aufgegeben, als seine Mutter behauptet hatte: »Susan und ich sind mit einer Scheibe Brot zum Tee vollauf zufrieden« und dann in Tränen ausgebrochen war. Er wußte, daß seine Mutter über die Schande, die ihr Mann mit seinem Tod über die Familie gebracht hatte, nie hinweggekommen war. Manchmal vermutete er sogar, daß nur der ewige Kampf um die Wahrung des Scheins sie überhaupt noch aufrechterhielt.

Er fühlte sich in diesem Haus wie in Ketten. In den unteren Räumen, die den Blicken der Gäste ausgesetzt waren, herrschten stilvolle Vornehmheit und ein gewisser, wenn auch bescheidener Komfort. Aber schon wenn man die Treppe hinaufstieg, überfiel einen eine erste fröstelnde Ahnung von den arktischen Temperaturen, die einen oben erwarteten. Niemals machte Winifred Foley im Winter Feuer in den Schlafzimmern, selbst in den kältesten Nächten nicht. In einem besonders bitteren Januar, als ein Schneesturm über den Ort hinweggefegt war, kam Rob, dessen Zug durch den Schnee aufgehalten worden war, erst spätabends nach Hause, wo er seine Mutter und Susan wärmesuchend aneinandergekuschelt im Bett vorfand, während Theresa es sich mit dem Mantel über dem Nachthemd unter einem Stapel Decken im Wohnzimmer vor der letzten Glut im Kamin auf dem Boden halbwegs bequem gemacht hatte.

Er wußte, daß seine Mutter zum Teil auch seinetwegen sparte. Obwohl an den Wochenenden einfach und nicht sehr einfallsreich gekocht wurde, war für ihn immer reichlich zu essen da. Er bekam das beste Stück Fleisch, das größte Stück Kuchen. Er erhob keine Einwände, weil er wußte, daß er seine Mutter damit nur gekränkt hätte. Er liebte seine Mutter und seine Schwestern von ganzem Herzen, ja, auch Susan, deren leidenschaftliche Natur sich, unbefriedigt wie sie war, Ablenkungen immer ausgefallenerer Art suchte. Aber diese ständige Dankbarkeit seiner Mutter ihm gegenüber zusammen mit seiner eigenen Angst, daß es ihm vielleicht nie gelingen würde, seine Familie aus der Armut zu befreien, unter der sie seit dem Tod seines Vaters litt, drückte ihn nieder. Daher das dumpfe Grauen, das ihn unweigerlich ergriff, wenn er freitags in der Bahn nach Buxton saß.

Vor Jahren hatte er seiner Mutter einmal vorgeschlagen, das Haus zu verkaufen und in einem anderen Teil des Landes etwas Kleineres zu suchen. Dann, hatte er gemeint, brauchten sie endlich nicht mehr vorzugeben, etwas zu sein, was sie nicht mehr waren. Seine Mutter war entsetzt gewesen. Sie war ihrem Mann am Tag ihrer Eheschließung nach Buxton gefolgt. Sie konnte doch nicht jetzt irgendwoanders noch einmal anfangen! Rob hatte gefühlt, wie die Ketten schwerer geworden waren.

Als er durch den Vorgarten zum Haus ging, sah er, wie sich der Vorhang bewegte, und wußte, daß seine Mutter schon nach ihm Ausschau gehalten hatte. Drinnen wurde er mit Küssen und Umarmungen empfangen.

»Du siehst müde aus, Rob«, sagte seine Mutter. »Findest du nicht auch, Susan?«

Rob seinerseits fand, daß seine Mutter müde aussah, müde und angestrengt. Winifred Foley war etwas über einen Meter fünfzig groß. Spärliche graue Locken umrahmten ein Gesicht, das noch hübsch war, aber faltig und hager.

»Es geht mir gut«, sagte er mit Entschiedenheit. »Ich freue mich schon auf meinen Urlaub.« Das Werk hatte an diesem Nachmittag seine Tore zur jährlichen Sommerpause von vierzehn Tagen geschlossen.

»Wie schön, dich mal zwei Wochen am Stück zu Hause zu haben«, rief Winifred. »Aber du hast abgenommen, Rob. Kümmert sich deine Wirtin auch richtig um dich?«

»Keine Sorge, Mutter, ich verhungere nicht.« Die Tür wurde geöffnet. »Ah, da ist Hetty. Da ist sicher das Essen fertig.«

Die Foleys hatten nur eine Hausangestellte, die etwas beschränkte Hetty, die leicht außer sich geriet, wenn man von ihr verlangte, an mehrere Dinge zugleich zu denken. Rob verzehrte seinen gekochten Kabeljau mit Salzkartoffeln und Karotten und den nachfolgenden Pudding mit dem höchsten Maß an scheinbarem Genuß, das er aufbringen konnte. Hinterher setzten sie sich ins Wohnzimmer. Theresa las ein Buch, während Susan und Winifred von den Ereignissen der Woche berichteten.

»Und stell dir nur vor«, sagte Winifred in einem Ton, als hätte sie höchst Aufregendes mitzuteilen, »Mrs. Clements hat uns zu einem Picknick eingeladen.«

»Ich hasse Picknicks«, erklärte Susan. »Als ich das letzte Mal auf einem Picknick war, hat mich eine Wespe gestochen. Der Stich wurde furchtbar dick, und ich habe mich scheußlich gefühlt.«

»Rob vertreibt die Wespen schon, nicht wahr, Schatz?«

»Ich werde nie verstehen, was an einem Picknick so toll sein soll«, fuhr Susan fort. »Ich esse überhaupt nicht gern im Freien. Ich finde das primitiv.«

»Nun, primitiv sind die Clements' sicher nicht.« Winifred sah leicht verwirrt aus. »Sie gehören zu den besten Familien in Buxton, nicht wahr, Theresa?«

Theresa sah von ihrem Buch auf. »Ja, Mutter.«

»Bei dieser Hitze bekomme ich bestimmt wieder meine Migräne«, fuhr Susan gnadenlos fort.

»Aber ich habe Mrs. Clements schon gesagt, daß wir alle kommen«, jammerte Winifred.

Mit einem Knall schlug Theresa ihr Buch zu. »Und wir werden auch alle kommen«, sagte sie scharf. »Wenn du einen Hut trägst, wirst du schon keine Migräne bekommen, Susan. Und für den Fall, daß dich eine Wespe sticht, kannst du ja eine Flasche Essig mitnehmen. So, und jetzt«, fügte sie mit einem Blick auf die Uhr hinzu, »ist es doch Zeit für eure Seance, wenn ich mich nicht irre.«

»Seance?« fragte Rob.

Susan faltete die Hände. »Letzte Woche hat Mrs. Healys Vetter versucht, mit uns Kontakt aufzunehmen. Ich bin jedenfalls fast sicher, daß es Mrs. Healeys Vetter war. Du machst doch mit, Rob?«

»Ich muß erst mal auspacken«, sagte er hastig. »Das nächste Mal vielleicht.«

Theresa folgte ihm, als er hinausging. »Sehr klug von dir«, flüsterte sie, als sie allein waren.

»Seancen!« sagte Rob. »Du lieber Gott!«

Sie gingen in die Küche. Hetty hatte sich in die Mansarde zurückgezogen. Theresa räumte Töpfe auf und faltete Geschirrtücher. »Mutter weiß nicht recht, ob Seancen so ganz comme il faut sind«, sagte sie, »darum müssen sie vor Mr. Andrews geheimgehalten werden. Susan glaubt felsenfest, daß sie einen ›Geisterführer‹ hat, weißt du.«

»Einen Geisterführer?«

»Ein Indianer namens Running Deer.« Theresa öffnete eine Dose. »Kakao, Rob? Running Deer führt Susan angeblich auf dem Ouija-Brett die Hand. Er buchstabiert die Namen der

Toten, die versuchen, mit ihr in Verbindung zu treten. Mir ist aufgefallen, daß Running Deer beinahe genauso viele Rechtschreibfehler macht wie Susan.«

Sie lächelten beide. Dann sagte Theresa seufzend: »Die arme Susan. Wenn sie nur eine sinnvolle Beschäftigung finden würde. Sie macht nur deshalb um jeden Unsinn ein solches Theater, weil es nichts Wichtiges gibt, worüber sie nachdenken müßte.«

»Tja, wenn sie doch geheiratet hätte.« Vor Jahren war Susan mit einem Hilfsgeistlichen verlobt gewesen, der dann die Verlobung kurz nach dem Tod ihres Vaters gelöst hatte. Rob sagte erbittert: »Vater hatte den Zeitpunkt gut gewählt, nicht wahr?«

»Mit dem Heiraten ist es für Susan jetzt jedenfalls vorbei.« Theresa setzte Milch auf. »Sie ist dreiunddreißig und mittellos. Von uns beiden wird keine mehr einen Mann finden.« In Theresas Ton schwang keine Bitterkeit mit, nur Resignation.

Rob legte ihr die Hand auf die Schulter. »Theresa –«

»Ich jammere nicht, ich bin nur realistisch. Es wäre dumm, sich Hoffnungen zu machen, wenn die Situation hoffnungslos ist. Im übrigen macht meine Arbeit mir Freude. Wirklich. Sie würde mir fehlen.«

Theresa goß heiße Milch in die Tassen, rührte um und stellte ihrem Bruder eine hin. »Bei dir sieht das ganz anders aus, Rob«, sagte sie. »Du hast einen guten Posten und wirst sicher noch weiter aufsteigen.«

»Ach, du weißt doch, daß bei mir an Heirat nicht zu denken ist, Tess. Ich kann nicht zwei Familien ernähren.«

»Dann mußt du eine Möglichkeit finden«, entgegnete sie mit Entschiedenheit. »Ich kann es ertragen, daß Susan und ich alte Jungfern werden. Aber ich könnte es nicht ertragen, wenn keiner von uns dreien heiratet. Das hat so etwas – so etwas Karges, Unlebendiges.« Ihr ausdrucksstarkes Gesicht, dunkel wie das seine und für eine Frau zu markant, um als schön zu gelten, drückte Bekümmerung aus.

Er drückte ihre Hand und sagte leichthin: »Ach, lassen wir das doch. Ich habe jetzt Urlaub, und den will ich genießen.«

»Einer von uns muß entkommen«, widersprach sie heftig. »Du lernst doch in Sheffield bestimmt genug Mädchen kennen, Rob. Hast du noch keine getroffen, die dir gefällt?«

Er und Theresa, im Alter nur anderthalb Jahre auseinander, hatten einander immer nahegestanden. Nach dem Tod des Vaters, der für die Familie so katastrophale Folgen gehabt hatte, waren sie zu Verbündeten geworden, da sie beide, weit klarer und realistischer als Susan und Winifred, den Ernst der Situation erkannt hatten.

Deshalb konnte er sie jetzt nicht belügen. »Doch, es gibt jemanden«, sagte er, fügte jedoch beim Aufleuchten ihrer Augen sogleich hinzu: »Es ist aussichtslos, Tess. Reine Spinnerei. Es besteht überhaupt keine Möglichkeit, daß aus diesem Hirngespinst jemals etwas wird.«

»Wieso? Die Bedingungen können sich doch ändern.«

Er schüttelte den Kopf. »Ich müßte das Zehnfache von dem verdienen, was ich heute verdiene, wollte ich auch nur die geringste Chance haben –« Er brach ab. Dann sah er Theresa in die Augen. »Und selbst wenn Geld und Stellung keine Rolle spielten, ist da immer noch das andere.«

»Die Ärzte sind sich überhaupt nicht einig –«

»Vielleicht nicht alle, aber genug«, fiel er ihr schroff ins Wort. »Niemals könnte ich so ein Risiko eingehen.«

Später, allein in seinem Zimmer, rief er sich wieder die Begegnung mit Eva Maclise ins Gedächtnis. Er hatte in seinem Büro am Fenster gestanden, als sie aus dem Schmelzraum gekommen war. Sie trug einen schmalen Rock aus blaugeblümtem Stoff und eine weiße Bluse. Die Jacke, die sie wohl in der Hitze der Öfen abgelegt hatte, hielt sie über dem Arm. Krause Strähnen dunklen Haars schmiegten sich an ihr erhitztes Gesicht. Einen Moment lang beobachtete er sie, konnte sich kaum satt sehen an ihr, dann war er zu ihr hinausgelaufen.

Bei der Erinnerung an das Gespräch mit Eva schlug er mit

der Faust zornig gegen die Wand. *Verstoßen Sie nie gegen die Regeln, Mr. Foley?* hatte sie ihn gefragt, und er hatte verneint. Was der Wahrheit entsprach. Sein Vater hatte gegen die Regeln verstoßen, und die Familie bezahlte bis heute dafür, würde wahrscheinlich bis in alle Ewigkeit dafür zahlen.

Eva Maclise' Blick hatte ihm verraten, daß sie ihn für einen spießigen und konventionellen Langweiler hielt. Er öffnete die Fäuste und ließ sich auf sein Bett fallen. So konventionell auch wieder nicht, dachte er bitter. Sich in die Tochter des Chefs zu verlieben – das war nicht konventionell. Das war nur albern.

Philip, der zum Ende des Sommertrimesters die private Grundschule abgeschlossen hatte, besuchte seit dem Herbst eine private höhere Schule, ein Knabeninternat in York. Mitten im zweiten Trimester erhielten sie ein Telegramm vom Direktor des Internats, in dem ihnen mitgeteilt wurde, daß der jüngste Sproß der Familie vermißt wurde. Joshua machte mit Donnerstimme seinem Unmut Luft und nahm den nächsten Zug. Als er am folgenden Abend zurückkam, hoffte Clemency, Philip werde bei ihm sein, aber er war allein. Clemency sah die tiefen Spuren der Müdigkeit in seinem Gesicht, als er draußen im Vestibül Hut und Schal abnahm und sie Edith reichte.

Als Joshua es sich mit einem Glas Whisky in der einen Hand und einer Zigarette in der anderen vor dem Feuer bequem gemacht hatte, fragte sie: »Habt ihr ihn gefunden, Vater?«

Ihr Vater schüttelte den Kopf. »Nein, Kind.« Er nahm ihre Hand. »Mach nicht so ein ängstliches Gesicht, Clemency. Er wird bald wieder dasein, gesund und munter, das verspreche ich dir.«

Sie sprach die schreckliche Befürchtung aus, die sie in der Nacht überfallen hatte, als sie wach gelegen und gegrübelt hatte, wo Philip sein könnte. »Aber Vater – es kann doch sein, daß er entführt worden ist.«

Ihr Vater lächelte mühsam. »Nein, Liebes, er ist nicht entführt worden. Das zumindest wissen wir, wenn wir auch sonst nichts wissen.« Er klopfte auf die Armlehne seines Sessels. Clemency ließ sich neben ihm nieder. »Ich bezweifle, daß Entführer seine Straßenkleidung, Taschengeld und Taschenmesser sowie das Proviantpaket von zu Hause mitgenommen hätten. Nein, nein, der kleine Schlingel ist durchgebrannt.«

»Durchgebrannt?«

»Ja. Auf und davon.« Ihr Vater zog an seiner Zigarette. »In der Schule wurde mir gesagt, daß die Jungen abends ihren Hobbys nachgehen dürfen – Klavierspielen, Modellschiffe bauen und was es da so alles gibt. Als Philip nicht erschien, glaubten seine Lehrer, er würde einfach etwas anderes machen – ich habe ihnen kräftig meine Meinung gesagt, das kannst du mir glauben. Verdammt nachlässig ist das – entschuldige den Ausdruck, Clemency, aber es ist wirklich verdammt nachlässig. Zuerst haben sie natürlich auf dem Schulgelände gesucht, und als ihnen endlich aufging, daß er weggelaufen war, war er wahrscheinlich schon über alle Berge.«

Ihr Vater sah finster auf sein Glas Whisky hinunter. »Dieser idiotische Arzt sagt, ich soll weniger trinken«, brummte er gereizt. »Wie soll ich das bitte schaffen mit so einer Familie? Du ausgenommen, Clemency, du bist ein gutes Kind. Kurz und gut, dieser Bursche, der Direktor, Dr. Gibson, ein kalter Fisch und richtig von oben herab, behauptete, Phil sei schwierig –« Ihr Vater drückte seine halb gerauchte Zigarette wütend im Aschenbecher aus. »Phil und schwierig! Das ist doch lächerlich. Der Junge ist ein Lamm!«

Er schwieg, den Blick immer noch wütend ins Feuer gerichtet.

»Glaubst du, er kommt nach Hause, Vater?« fragte Clemency.

»Wo soll er sonst hin? Der Direktor sagte, er sei ein rechter Einzelgänger. Finde keinen Anschluß. Ich dachte immer, genau das sei Sinn und Zweck so eines Internats – dafür zu sorgen, daß die Kinder Anschluß finden.«

»Aber Aidan –«

»Ach, Aidan!« prustete ihr Vater. »Aidan hat Philip noch Geld geliehen. Vermutlich für das Eisenbahnbillet, obwohl er behauptet, er wüßte von nichts. Hat sogar Zinsen von ihm verlangt, der habgierige kleine Knauser! Und jetzt« – schwerfällig stand ihr Vater aus seinem Sessel auf – »jetzt muß ich mit deiner Mutter sprechen. Ich hoffe nur, diese Geschichte wirft sie nicht wieder völlig zurück.«

In der Nacht wachte Clemency auf, ungewiß, was ihren Schlaf gestört hatte. Sie stand auf und ging zum Fenster. Erst schien alles wie immer zu sein, als sie hinausschaute: der Obstgarten, die kahlen, feuchtglitzernden Äste der Bäume, die Beete mit den verdorrten Überresten von Chrysanthemen und Astern.

Ein Licht im Gartenhausfenster erweckte plötzlich ihre Aufmerksamkeit. Sie starrte es mit zusammengekniffenen Augen an, dann zog sie einen Pulli über ihr Nachthemd, wickelte sich in ihren Morgenrock und fuhr mit nackten Füßen in ihre Schuhe. Draußen, in der rauhen kalten Luft, verschlug es ihr einen Moment den Atem. Auf dem Weg zum Gartenhaus überlegte sie, ob sie nicht besser den Schürhaken mitgenommen hätte. Was, wenn sich dort ein Landstreicher oder gar ein Einbrecher versteckt hatte?

Sie stieß die Tür auf und schrie leise auf, als sie die zusammengekauerte Gestalt in der hinteren Ecke des Raums bemerkte. »Phil!« rief sie.

Er lachte. »Hallo, Clem.«

»Phil, Gott sei Dank, daß dir nichts passiert ist.« Sie warf die Arme um ihn. »Aber was tust du hier? Warum bist du nicht ins Haus gekommen? Du mußt doch völlig durchgefroren sein.«

»Ach, das macht mir nichts aus. So schlimm ist es gar nicht.«

Philip trug über der Schuluniform seinen Mantel und den Wollschal, den er sich mehrmals um den Hals gelegt hatte. Sein Haar stand widerspenstig vom Kopf ab, und er sah insgesamt ziemlich schmuddelig und ungewaschen aus. Aus kleinen Zweigen und dürrem Laub hatte er auf einem alten Backblech ein kleines Feuer gemacht, und auf einer umgedrehten Teekiste nahe am Feuer lagen neben einer brennenden Kerze mehrere Bonbonpapierchen und die Reste eines Rosinenkuchens.

»Phil«, sagte sie, »bitte komm mit rein.«

Er schüttelte den Kopf. »In den Schlafsälen in der Schule ist es genauso kalt wie hier, Clem.«

Clemency setzte sich neben ihn auf den Boden. »Phil, wir haben uns alle solche Sorgen gemacht.«

»Das wollte ich nicht. Ist Vater böse?«

»Er ist immer böse, wenn er sich Sorgen macht, das weißt du doch.«

»Weißt du, ich habe es einfach nicht mehr ausgehalten.«

»War es so schlimm? Lag es am Unterricht? Bist du nicht mitgekommen?«

»Ach, der Unterricht war ganz in Ordnung. Außerdem mögen einen die anderen sowieso nicht, wenn man im Unterricht gut ist. Dann nennen sie dich Streber.«

»Sie?«

»Die anderen Jungs.«

Clemency dachte an Philips Tolpatschigkeit, er konnte ja kaum einen Ball fangen. »Ist es wegen Sport? Warst du nicht gut?«

Er zuckte mit den Schultern. »Na ja, lustig ist es nicht. Am schlimmsten ist Boxen.«

»Boxen?«

»Das ist doch blöd, auf andere Leute einzuschlagen.«

»Und – und haben die anderen dich gehänselt?«

»O ja.« Mit schmutzigen Fingern zupfte er an den verhedderten Schnürsenkeln seines Stiefels. »Sie haben gesagt, ich wäre unpatriotisch.«

»Unpatriotisch?« wiederholte Clemency verständnislos.

»Weil ich gesagt habe, daß Kämpfen blöd ist. Im Krieg kämpfen, meine ich.« Mit plötzlich aufflammender Leidenschaft fügte er hinzu: »Und das ist es auch, Clem. Kriege sind genauso idiotisch wie Boxkämpfe, nur werden dabei mehr Menschen getötet. Wenn keiner kämpfte, gäbe es keine Kriege, stimmt's?« Er blickte zum Fußboden hinunter und sagte leise: »Sie haben behauptet, ich wäre ein Feigling. Und weißt du, ich bin wirklich einer, ich bin ein Feigling. Ich mag nicht mal zuschauen, wenn andere sich schlagen. Allen anderen macht es Spaß, miteinander zu kämpfen. Also muß ich wohl ein Feigling sein, oder?«

»Und darum bist du weggelaufen?«

»Mein Geld hat nur für das Zugbillet bis Doncaster gereicht. Da hab ich auf der Straße gesungen und noch ein bißchen Geld zusammengekriegt.«

»Du hast gesungen?«

»Hauptsächlich Kirchenlieder. Die Leute haben Geld in meine Mütze geworfen. Aber dann kam ein Polizist, und ich bin abgehauen. Ich habe einen Bus nach Rotherham genommen und bin von dort aus gelaufen. Ich dachte, ich käme niemals hier an. Ich hab die ganzen Füße voll Blasen.« Er zog seinen Socken herunter und zeigte sie Clemency voller Stolz. »Dann hat mich ein Mann auf seinem Fuhrwerk mitgenommen, danach bin ich noch mal ewig gelaufen, und schließlich bin ich endlich hier angekommen.«

»Aber wo hast du geschlafen?«

»In der ersten Nacht im Wartesaal von einem Bahnhof.« Er machte plötzlich ein schuldbewußtes Gesicht. »Ich habe gelogen. Ich habe erzählt, meine Tante wäre gestorben und ich müßte zur Beerdigung nach Hause. Da haben sich mich da übernachten lassen.«

»Phil«, sagte sie, »wie kannst du nur glauben, daß du ein Feigling bist? Nach so einer Reise, ganz allein.«

»Na ja, ich bin doch weggelaufen. Alle werden sagen, daß das feige ist. Ganz bestimmt.«

Das Feuer war zu einem Häufchen rötlicher Asche heruntergebrannt. Clemencys bloße Beine waren mit Gänsehaut überzogen. »Komm doch mit rein, Phil, dann mache ich dir einen Kakao«, drängte sie. »Das ist bestimmt besser, als hier draußen rumzusitzen und zu frieren.«

Er sah sie ängstlich an. »Vater wird sicher furchtbar schimpfen.«

»Ich rede mit ihm. Es wird nicht so schlimm werden, das verspreche ich dir.«

»Aber ich muß zurück, oder?«

»Ich weiß es nicht, Phil«, sagte sie bekümmert. »Aber wahrscheinlich ja.«

Nach einer Weile stand er auf, und sie gingen zusammen ins Haus.

Am Morgen stand sie früh auf, um mit ihrem Vater zu sprechen, bevor er zur Arbeit aufbrach. Es gab den erwarteten Zornesausbruch, aber dann siegte die Erleichterung, und Clemency nutzte den Moment, um entschieden zu sagen: »Ich finde, er sollte ein paar Tage zu Hause bleiben dürfen. Er ist sehr müde und bekommt vielleicht eine Erkältung. Und außerdem muß ich etwas mit ihm erledigen.«

Am nächsten Tag nahm Clemency ihren Bruder zu einem Optiker in der Innenstadt mit. Der paßte ihm eine Brille an, die Clemency mit ihrem Taschengeld bezahlte. Auf der Heimfahrt mit der Straßenbahn drückte sich Philip am Fenster die Nase flach. »Schau doch mal, das Auto da – ist das nicht pyramidal? Und das da…«

Sie erzählte Ivor von Philip. »Der arme Junge«, sagte er teilnahmsvoll. »Wie gräßlich! Ich habe die Schule gehaßt. Nach einem Jahr hat meine Mutter mich herausgenommen, weil ich zu sensibel war. Sie hat mich zu Hause unterrichtet, und außerdem habe ich natürlich Musikstunden genommen.«

Clemency erkundigte sich nach Rosalie. Ivors Mundwinkel fielen herab. »Ach, sie kommt mit dem Winter nicht zurecht, die Arme. Sie ist überzeugt, daß sie einen weiteren englischen Winter nicht überleben wird. Sie möchte, daß wir nächstes Jahr wieder nach Südfrankreich gehen. Da waren wir schon einmal, und es war unglaublich öde, Clemency, ganz ohne Freunde, und in der Pension nur ein schreckliches altes Wandklavier zum Üben. Außerdem weiß ich nicht, wie wir uns das leisten sollen. Das habe ich Rosalie auch gesagt, aber ich habe das Gefühl, sie hört mir überhaupt nicht zu.«

Clemency war Rosalie nie begegnet, aber sie hatte eine Vorstellung von ihr: eine verwöhnte, egozentrische Person, die Ivors Gutherzigkeit schamlos ausnützte und ihren Mann damit um Karriere und wohlverdiente Anerkennung gebracht hatte. Insgeheim verabscheute Clemency diese Frau.

Anfangs hatte Lilian ihren Unmut über Clemencys Konzertbesuche klar zu verstehen gegeben. »Ich meine, du bist doch noch nie musikalisch gewesen, Clemency«, sagte sie. »Marianne ist die Musikalische in der Familie.« Doch Clemency ging weiter zu den Konzerten. So leicht wie sie die Schule, ihre Freunde und jede Chance auf ein Leben außerhalb ihres Elternhauses aufgegeben hatte, würde sie Ivor nicht aufgeben. Und etwas in ihr schützte sie davor, schwach zu werden, als ihre Mutter die Strategie wechselte und in mitleidheischendem Ton sagte: »Läßt du deine kranke Mutter schon wieder allein, Kind? Ich sehe ja bald keinen Menschen mehr.«

Clemency schüttelte die Kissen auf, vergewisserte sich, daß die Tropfen und die Tabletten erreichbar waren, und erinnerte ihre Mutter daran, daß Mrs. Catherwood sie besuchen würde. Lilians Seufzer folgten ihr, als sie ging. »Ach, aber diese fade Lucy ist doch nicht mit dir zu vergleichen, Kind.«

Erst als es zu dem Streit mit Vera kam, begann sie mehr in Ivor zu sehen als nur den guten Freund. Den Winter über hatte sie die Freundin nur gelegentlich zu Gesicht bekommen, und bei den seltenen Begegnungen war diese jedesmal merklich kühl gewesen.

Clemency beschloß, mit ihr zu reden, um herauszufinden, was los war. Eines Nachmittags Ende März besuchte sie Vera im Laden ihrer Mutter in der Bridge Street. Das Geschäft wirkte auf Clemency immer muffig und verstaubt und schien ihr nichts als unnützen Plunder anzubieten: dreibeinige Hocker mit Blumenmalerei, Kaminplatten aus falschem Marmor, Petit-Roint-Tischdecken und dergleichen mehr. Clemency hatte nie auch nur einen einzigen Kunden darin gesehen.

Vera saß in einer Ecke und war damit beschäftigt, eine Pflanzenetagere mit Goldfarbe zu streichen.

»Hallo, Vera«, sagte Clemency.

Vera schaute auf, sagte: »Ach, du bist's« und widmete sich wieder der Etagere.

»Ich habe dich bei Ivors letztem Konzert vermißt.«

»Ach, wirklich?«

Veras frostiger Ton irritierte Clemency. »Ivor hat sich gewundert, wo du bist«, sagte sie.

»Du wirst schon dafür gesorgt haben, daß er sich *darüber* kein allzu großes Kopfzerbrechen gemacht hat.« Vera lachte schrill.

»Vera –«

Die Miene ihrer Freundin veränderte sich plötzlich. »Ich möchte wirklich wissen, woher du die Frechheit nimmst, dich hier blicken zu lassen!« Sie warf den Pinsel krachend auf den Tisch, Goldfarbe spritzte auf den Fußboden. »Die liebe kleine Clem«, zischte sie. »Die kein Wässerchen trüben kann. Aber bilde dir bloß nicht ein, ich hätte dich nicht durchschaut!«

»Vera, ich versteh nicht, wovon du redest –«

»Ich rede davon, daß du es darauf anlegst, mir Ivor auszuspannen!«

Clemency riß den Mund auf. »Ich dir Ivor *ausspannen*?«

»›Ach, Ivor‹«, zitierte Vera in affektiertem Ton, »›lassen Sie mich doch die Programme auslegen. Ach, Ivor, lassen Sie mich doch die Briefe für Sie schreiben.‹ Wo du genau wußtest, wie gern ich das alles für ihn tun wollte.«

»Ich dachte, du könntest nicht wegen des Ladens.«

»Ja, das kam dir sehr gelegen, daß meine Mutter mich hier brauchte.« Vera wischte mit einem Lappen die Goldfarbe vom

Boden auf. Dann schaute sie zu Clemency auf und sagte mit Betonung: »Vergiß nur nicht, daß Ivor ein verheirateter Mann ist, Clemency.«

Sie brauchte einen Moment, um zu begreifen, was Vera meinte. Dann konnte sie vor Empörung kaum sprechen. »Also hör mal! Da ist nichts dergleichen – wirklich nicht –« Die Worte überschlugen sich.

»Du bist doch ganz verrückt nach ihm. Das sieht jeder.«

»Das ist nicht wahr.« Clemency kämpfte mit den Tränen. »Wie kannst du nur so gemein sein!«

»Mrs. Braybrooke hat's auch gemerkt. Ich habe gehört, wie sie zu Mrs. Carter sagte, du läufst Ivor Godwin nach wie ein Hündchen.« Vera kehrte zu ihrer Etagere zurück. »Du hast dich ja immer schon gern als Fußabtreter hergegeben«, fügte sie boshaft hinzu.

»Ivor ist ein *Freund.*«

»Ach, mach dir doch nichts vor! Du verschlingst ihn doch mit Blicken. Du würdest alles für ihn tun.« Vera musterte Clemency mit Geringschätzung. »Keine Angst, ich komme dir nicht in die Quere. Ich werde mich wahrscheinlich bald verloben und kann mir nicht vorstellen, daß mein Verlobter es gern sähe, wenn ich einem verheirateten Mann nachlaufe.«

Auf dem Heimweg versuchte Clemency, verwirrt und erschüttert, Veras Beschuldigungen abzuschütteln. *Du bist doch ganz verrückt nach ihm.* Konnte das stimmen? War sie in Ivor verliebt – wollte sie mehr von ihm als von einem Freund? Spielte in ihrer Freundschaft unterschwellig noch etwas anderes – vielleicht sogar Verwerfliches – mit?

Sie hatte ihrer Mutter nichts von Ivor erzählt. Warum nicht? Weil sie wenigstens ein Stück eigenes Leben brauchte – oder weil ihre Mutter mit Recht diese Beziehung nicht gutgeheißen hätte? Eigentlich, überlegte sie müde, wußte sie gar nicht, was Liebe war. Sie liebte ihre Familie, und ihr schien, daß die Gefühle, die sie Ivor entgegenbrachte, so stark waren wie die für ihre Geschwister.

Aber liebte sie ihn als Mann? Würde sie ihn, wenn Rosalie nicht wäre, heiraten wollen? Flüchtig stellte sie sich vor, sie lebte mit Ivor in einem hübschen kleinen Cottage zusammen, sorgte für ihn, umgäbe ihn mit der Liebe und dem Verständnis, die er verdiente und von Rosalie offensichtlich nicht bekam. Wenn Ivor wirklich mit Rosalie nach Südfrankreich ging, wie würde sie sich dann fühlen? Einsam, dachte sie. Ohne Ivor würde ihr Leben wieder leer werden.

War es möglich, daß sie ihn liebte? Wollte sie ihn berühren, küssen? Außer ihren Eltern, ihren Geschwistern und ihren besten Freundinnen hatte sie noch nie jemanden geküßt. Sie erinnerte sich, wie sie Vera einmal das lange nußbraune Haar ausgebürstet und ihr zum Abschluß einen Kuß auf den Scheitel gegeben hatte, und hätte beinahe geweint bei der Erinnerung.

7

Als das Trauerjahr vorüber war, begannen Freunde, Marianne zu Abendessen im kleinen Kreis und zu Wochenenden auf dem Land einzuladen. Bei den Abendessen im kleinen Kreis war bisweilen ein Mann allein da, ein Junggeselle oder Witwer. Sie wußte, daß diese Leute, die sie wieder unter die Haube bringen wollten, es gut meinten, daß sie eine neue Liebe für das beste Heilmittel hielten, aber innerlich war sie wütend auf sie. Begriffen sie nicht, daß sie niemals wieder lieben würde? Es gab keinen Mann, der Arthur ersetzen konnte. Und wenn es auf der ganzen weiten Welt doch einen gab, sollte sie sich dann noch einmal solchem Schmerz aussetzen?

Sie sah ihren Gesichtern an, daß sie fanden, es müsse ihr allmählich bessergehen, sie müsse anfangen, ihren Verlust leichter zu nehmen. Sie vermutete, daß sie langsam die Geduld mit ihr verloren, und sie wurde zornig, wenn sie sich ausmalte, wie sie dachten: *Na ja, sie waren schließlich nur ein Jahr verheiratet.* Wahrscheinlich sollte sie einfach wieder »normal« werden, so wie sie vor Arthurs Tod gewesen war.

Sie hatte schlechte Tage und bessere. An den schlechten Tagen drückten Depressionen sie nieder, und in ihrem Inneren war alles dunkel. Sie ging nicht aus dem Haus; an den schlimmsten Tagen verließ sie nicht einmal ihr Schlafzimmer. Aber langsam wurden die schlechten Tage seltener. Sie kümmerte sich um den Haushalt, sie aß und trank und bemühte sich, einigermaßen gesellig zu sein, damit ihre Schwestern sich nicht zuviel um sie sorgten. Ein Gefühl der Gemeinsamkeit jedoch erlebte sie nur bei Menschen, die wie sie jemanden verloren hatten. In ihren Augen entdeckte sie eine innere Verwandtschaft.

Im April 1912 luden die Merediths sie nach Rawdon Hall ein. »Nur ein paar Freunde«, hatte Laura Meredith gesagt, aber bei ihrer Ankunft sah Marianne zu ihrer Bestürzung das Haus voll heiterer, eleganter Paare.

Als sie sich zum Abendessen umzog, dachte sie an ihren früheren Besuch in diesem Haus, spürte wieder die Berührung von Arthurs Lippen an ihrem Hals und wurde plötzlich wütend, daß die Erinnerung noch immer so lebendig, so schmerzhaft sein konnte. Hatte sie denn nicht genug gelitten? Hatte sie nicht wenigstens diese kleine Gnade verdient, die Gnade des Vergessens?

Von einem Impuls getrieben, ließ sie sich von ihrem Mädchen aus dem tristen grauen Kleid in silbern schimmernde Seide helfen und eine Kette aus Mondsteinen ins dunkle Haar flechten. Beim Essen zog ein gutaussehender Mann mit Oberlippenbärtchen und brillantineglänzendem, glatt zurückgestrichenem Haar ihren Blick auf sich und hob lächelnd sein Glas. Teddy Fiske, dachte sie, sich des routinierten Schürzenjägers erinnernd, dem sie bei ihrem letzten Besuch in Rowdon Hall im Garten begegnet war und der allzulange ihre Hand gehalten, als er ihr von der Bank aufgeholfen hatte.

Sie ließ ihren Blick weiterwandern. Ein neues Gesicht: ihr Blick verweilte. Viel später versuchte sie, sich diesen Moment ins Gedächtnis zu rufen. Hatte sie es da schon gewußt? Hatte sie vielleicht schon geahnt, wie er in ihr Leben eingreifen, sich an ihm *vergreifen* würde?

Nein. Er fiel ihr auf, weil er in der engen Welt, in der sie sich bewegte, fremd war. Er fiel ihr auf, weil etwas Besonderes an ihm war – etwas Engelsgleiches mit diesem hellen Haar und den lichten Augen im Gegensatz zur gebräunten Haut. Und weil er mit seinen breiten Schultern und durch seine Haltung, wie er da locker zurückgelehnt auf seinem Stuhl saß, ruhig beobachtend, sich selbst genug, einen Eindruck von Kraft und Stärke vermittelte.

Nach dem Essen trennte man sich, die einen liefen in die Gewächshäuser und suchten ausgelassen kreischend nach Ananas, andere fanden sich zum Kartenspiel um hohe Einsätze zusammen, und die Liebespärchen gingen natürlich ihre eigenen Wege, suchten schattige Winkel auf oder die Plüschsofas in selten benutzten Räumen.

Marianne streifte allein durch das Haus und wurde, als sie um eine Ecke bog, von einem hellen Schimmer jenseits einer offenen Tür angelockt. Als sie in das Zimmer trat, konnte sie die Skulptur erkennen, die auf einem kleinen Tisch stand. Das Mondlicht fiel auf vier tanzende Marmorfiguren: flatternder Stoff und fliegendes Haar, in einem Moment der Freude und der Hingabe, wie durch den Blick des Basilisken zu Stein erstarrt.

Sie hörte Schritte und drehte sich um.

»Ah, Mrs. Leighton«, sagte Teddy Fiske und musterte sie mit schräg gelegtem Kopf. »So ganz allein?«

»Wie Sie sehen.«

Er schloß die Tür hinter sich. »Was für eine Freude, Sie hier anzutreffen.«

»Ach ja?«

»Zigarette?« Er trat zu ihr und hielt ihr sein Etui hin. Nachdem er ihre Zigaretten angezündet hatte, blieb er, an den Tisch gelehnt, neben ihr stehen und schaute zum Fenster hinaus. Rauch kräuselte sich in den langen Strahlen des Mondlichts.

»Diese Wochenenden können ganz schön langweilig sein, nicht wahr?« bemerkte er. »Immer dieselben Leute, immer die gleichen Gespräche.«

»Warum sind Sie dann hergekommen?«

»Ich hoffe stets auf Zerstreuung.«

Zerstreuung, dachte sie. Das ist es, was ich brauche. Etwas Neues, um die Erinnerungen zu überdecken wie eine Tapete.

Etwas, das bewirkte, daß die dünnen Hautschichten endlich zu einer Narbe wurden, die häßlich gerunzelt ihr Herz versiegelte.

»Zerstreuung?« fragte sie kühl.

»Ach, Sie wissen schon.« Er drückte seine Zigarette aus. »Das übliche.«

»Das übliche? Was soll denn das sein?«

»Na ja, es ist wahrscheinlich Geschmackssache. Mir ist eben das eine lieber als das andere.« Er sah sie an. »Sie spielen nicht, Mrs. Leighton, und Sie tanzen nicht. Ich nehme daher an, daß Sie, genau wie mich, diese Art der Zerstreuung nicht befriedigt.«

Als sie nicht antwortete, sagte er leise: »Darf ich vielleicht etwas anderes vorschlagen?«

Seine Finger krochen über ihren Handrücken. Sie stieß sie nicht weg, sondern stand völlig reglos, passiv, abwartend. Er strich mit der Hand ihren Arm hinauf, zeichnete mit einem Finger den Bogen ihres Halses und ihrer Schulter nach. Sie fragte sich, ob sie irgend etwas empfand. Sie fragte sich, ob Lust würde Lust anfachen können wie einst.

Da ging die Tür auf. Sie wich vor dem plötzlichen Lichteinfall zurück. Der Mann mit den hellen Augen, der ihr bei Tisch aufgefallen war, sagte lässig: »Oh, ich bitte um Entschuldigung. Ich dachte, das Zimmer wäre leer.«

»Melrose«, knurrte Teddy Fiske ihn an. »Sie haben sich wirklich den dümmsten Moment ausgesucht.«

Mit einer hastigen Entschuldigung lief Marianne aus dem Zimmer. Oben schloß sie sich ein. Ohne erst ihr Mädchen kommen zu lassen, riß sie sich das Kleid herunter und zog die Nadeln aus dem Haar. Die Mondsteine ergossen sich auf den Boden, und sie starrte zu ihnen hinunter, während sie zusammengekauert auf dem Bett hockte und sich fragte, wie weit sie es hätte kommen lassen, wenn sie nicht gestört worden wären. Hätte sie sich starr und reglos wie diese steinernen Figuren Teddy Fiskes Verführungskünste gefallen lassen?

Draußen klopfte es, jemand sprach leise ihren Namen. Sie starrte die Türklinke an, die sich auf und ab bewegte, und fürchtete sich plötzlich vor sich selbst, vor dem Schmerz und der Wut, die in ihr brodelten und sie, Marianne Leighton, die gute Ehefrau und gehorsame Tochter, dazu getrieben hatten, die Regeln zu brechen, zu schockieren und zu provozieren. Heute abend hätte sie sich beinahe einem Mann hingegeben, der ihr nichts bedeutete. Ja, der ihr widerwärtig war. Soviel Verzweiflung, dachte sie. Als sie hörte, wie sich Schritte von der Tür entfernten, rutschte sie vom Bett, um die Mondsteine aufzuheben.

Ihre Strafe war ein lästiges Katz- und Mausspiel mit Teddy Fiske. Bis zum Nachmittag hatte sie Kopfschmerzen davon und war mit den Nerven fast am Ende.

Das Wetter war gut genug zum Tennisspielen, und Laura Meredith bestimmte, daß die Gesellschaft sich in Paare aufteilen sollte. Marianne entfernte sich unbemerkt und floh durch Gebüsch und Blumenbeete, um im Schutz der Hainbuchenallee Zuflucht zu suchen. Als sie Mr. Melrose am Zugang zu der Allee stehen sah, war es zu spät, ihm auszuweichen.

»Sie spielen nicht?« rief er ihr zu.

»Ich hasse Tennis.« Sie warf einen hastigen Blick zurück zu den Plätzen.

»Keine Sorge, ich glaube nicht, daß Ihr Verehrer Ihr Verschwinden bemerkt hat.« Er sah sie nachdenklich an. »Oder möchten Sie gern verfolgt werden?«

»Ganz sicher nicht.« Stockend sagte sie: »Gestern abend –«

»Ich bitte um Entschuldigung, wenn ich gestört habe.«

»Das haben Sie nicht. Er ist ein unangenehmer Mensch.«

»Und einer, der sich im Tennisdreß für unwiderstehlich hält. Seine Eitelkeit wird ihm nicht erlauben, Ihnen nachzulaufen.«

Sein Gesicht war fein geschnitten, und er hatte volle, sinnliche Lippen. Sie bemerkte, daß seine Augen nicht blau waren, wie sie zuerst angenommen hatte; sie waren vielmehr von einem hellen, leicht wolkigen Grau, ähnlich der Farbe von Mondsteinen.

»Dieses Haus«, sagte sie unvermittelt mit Leidenschaft. »Ich hasse dieses Haus.«

»Warum bleiben Sie dann?«

»Es vertreibt die Zeit.« Sie runzelte die Stirn. »Ich rede schon wie Mr. Fiske. Das ist ja gräßlich.«

»Sein Überdruß ist einstudiert – eine Masche. Ihrer ist echt.«

»Ich fahre morgen ab. Ich hätte gar nicht erst herkommen sollen. Bitte entschuldigen Sie mich.«

Rechts und links von ihm standen hoch die miteinander verwachsenen Hainbuchen, deren frisches Laub hellgrüne Wände bildete. Tränen schossen ihr in die Augen. Sie drängte sie zurück und eilte die Allee hinunter.

Sie hatte ihm entfliehen wollen, aber er blieb an ihrer Seite. »Entschuldigen Sie vielmals«, sagte er. »Wie unhöflich von mir. Ich glaube, wir sind gar nicht miteinander bekannt gemacht worden. Ich bin Lucas Melrose.«

Sie nannte ihm ihren Namen.

»Sie sind verwitwet?« sagte er und warf ihr einen hastigen Blick zu.

»Schon gut, Mr. Melrose«, sagte sie scharf. »Seien Sie ruhig direkt, das ist mir lieber. Ich weiß nicht, was die Leute denken, die so vorsichtig um den heißen Brei herumstreichen. Vielleicht fürchten sie, sie könnten mich aus der Fassung bringen. Vielleicht glauben sie, ich könnte den Tod meines Mannes vergessen, wenn sie nicht so taktlos sind, mich daran zu erinnern.« Sie hielt inne, von neuem von der Furcht ergriffen, daß sie im Begriff war, den Boden unter den Füßen zu verlieren, nicht mehr fähig, die gesellschaftlichen Regeln höflichen Anstands einzuhalten. »Das hätte ich nicht sagen sollen«, murmelte sie. »Ich weiß, daß die Leute es gut meinen. Ich sollte dankbar sein für ihre Anteilnahme.«

»Finden Sie?«

Seine Frage, der direkte Blick, mit dem er sie ansah, machten sie unsicher. »Aber ja, natürlich. Es ist doch nicht die Schuld der anderen, daß mir etwas Schlimmes geschehen ist. Wie komme ich also dazu, ihnen böse zu sein? Es ist meine eigene Schuld, daß ich nicht mehr glücklich bin. Daß ich die Gesellschaft anderer – unzulänglich finde.«

»Jedermanns Gesellschaft oder meine im besonderen?«

Von dem Verlangen nach Alleinsein getrieben, begann sie schneller zu gehen. Plötzlich veränderte sich sein Gesicht. »Bitte verzeihen Sie mir«, sagte er. »Ich habe Sie verstimmt.«

Sie schüttelte den Kopf. »Es hat nichts mit Ihnen zu tun, Mr. Melrose. Mein Mann ist vor fast anderthalb Jahren gestorben, und ständig wird mir von allen Seiten geraten, ich solle wieder anfangen zu leben. Als hätte ich nur eben eine kleine Pause eingelegt. Ich habe die Einladung hierher angenommen, weil ich meinte, ich müßte endlich einen Versuch wagen. Aber mir ist klargeworden, daß ich noch nicht soweit bin.«

»Vielleicht ist der Anfang, den Sie versuchen, der falsche.«

»Wie meinen Sie das?«

»Vielleicht versuchen Sie, Ihr altes Leben wiederaufzunehmen, aber das ist unmöglich. Vielleicht sollten Sie etwas anderes versuchen, etwas Neues.«

Sie überlegte, während sie über den Rasen zur Treppe vor dem Haus gingen.

»Aber wie komme ich dazu, Ihnen guten Ratschläge zu geben«, hörte sie ihn sagen. »Die reine Anmaßung. Ich bin sonst eigentlich nicht so dreist. Aber im Augenblick geht es mir nicht besonders gut.«

»Oh, das tut mir leid, Mr. Melrose«, sagte sie höflich. »Sind Sie krank?«

»Nein, nein, ich erfreue mich bester Gesundheit. Ich habe nur schreckliches Heimweh.«

»Heimweh? Wonach denn?«

»Nach Ceylon.«

Bei ihrem verblüfften Gesicht lachte er. »Was für eine Antwort haben Sie erwartet? Nach Hampshire? Oder Surrey?«

»Ceylon.« Das, dachte sie, erklärte vielleicht seine Besonderheit und ihr Gefühl, daß er, wie sie, ein Außenseiter war.

»Ich habe eine Teeplantage im Hochland«, sagte er, »und das alles hier« – sein Blick flog über Rasenflächen, Blumenbeete, Eichen und Buchen – »wirkt fade im Vergleich dazu.«

»Leben Sie immer schon in Ceylon, Mr. Melrose?«

»Ich bin dort geboren. Hier bin ich nur ein paar Monate, teils aus geschäftlichen, teils aus privaten Gründen.«

»Haben Sie Verwandte in England?«

»In Schottland. Meine Familie stammt aus Schottland, aus der Gegend von Aberdeen. Woher kommen Sie, Mrs. Leighton?«

Sie waren jetzt auf der Terrasse. »Ich bin in Sheffield geboren«, antwortete Marianne. »Nicht ganz so romantisch wie Ceylon, leider.«

Vor der Haustür trennten sie sich. Er bot ihr die Hand. Sie ergriff sie und hielt sie kurz in der ihren. Sie war kühl und trocken, als hätte die Wärme des Tages keine Wirkung auf ihn.

Einige Tage später, zurück in London, hörte Marianne die ersten Berichte über den Untergang der *Titanic*. Im Lauf der folgenden Tage wurde die Katastrophe in ihrer ganzen Ungeheuerlichkeit offenkundig. Als das mächtige Schiff mit einem Eisberg kollidiert und gesunken war, hatten tausendfünfhundert Menschen das Leben verloren. Zum erstenmal seit Arthurs Tod berührte eine Nachricht aus der Außenwelt sie nachhaltig. Sie stellte sich das Grauen jenes Augenblicks vor, als die Menschen, die noch an Bord des Schiffs gewesen waren, erkannt hatten, daß der Tod unausweichlich bevorstand. Diese letzte Entscheidung, wann und wie man sterben wollte – indem man, an die Reling geklammert, mit dem Schiff unterging, das langsam im Meer versank, oder indem man vom Bug aus in die Tiefe sprang. Ein langer letzter Flug durch die Leere. Der Schock, wenn das eiskalte Wasser in Augen, Mund und Nase drang. Dann nichts mehr.

Gabriel war nach Spanien gereist. Er hatte Eva nicht aufgefordert, ihn zu begleiten. Dafür hatte sie sich ihm angeboten. »Bis Dieppe könnte ich doch mitkommen«, hatte sie gesagt und sich verachtet für ihren quengelnden Ton. »Ein andermal, Schatz«, hatte Gabriel ausweichend geantwortet. »Du weißt, ich hab's Max versprochen.«

Val Crozier, der Freund von Gabriel und Sadie aus Greenstones, schrieb Eva und fragte, ob sie nicht abends einmal mit ihm essen gehen wolle. Sie traf sich in einem kleinen Café in der Frith Street mit ihm. Der unnatürliche Glanz seiner Augen und seine etwas undeutliche Sprechweise verrieten ihr, daß er schon vor ihrer Ankunft einiges getrunken hatte.

»Eva.« Er gab ihr einen geräuschvollen Kuß auf die Wange. »Wie geht es dir?« Mittlerweile waren sie alle beim Du.

»Gut, danke.« Sie bestellten Steak mit Kartoffeln und eine Flasche Rotwein. »Und dir, Val?« fragte sie. »Was treibst du in London?«

»Nichts Besonderes. Eigentlich lungere ich nur rum. Aber ich hab's in Greenstones nicht mehr ausgehalten.«

»Wie geht es Sadie?«

Er zuckte mit den Schultern. »Wie immer.«

»Gabriel wird ihr fehlen.«

»Ja, wahrscheinlich. Und Max vielleicht auch.« Er sah Eva an. »Aber Nerissa sicher nicht.«

»Nerissa? Ist sie auch verreist?«

Er schaute sie groß an. »Weißt du das denn nicht?«

»Was?«

»Nerissa ist mit Gabriel und Max in Spanien.«

Eva, die eben ihr Glas zum Mund führen wollte, erstarrte. »Nein. Da täuschst du dich, Val. Gabriel und Max sind allein unterwegs.«

Er schüttelte den Kopf. »Nerissa ist auch mitgekommen. Gott sei Dank – wir konnten sie in Greenstones alle nicht mehr sehen. Du hast das nicht gewußt?«

Sie schüttelte wortlos den Kopf. Ausgeschlossen, daß

Nerissa Gabriel nach Frankreich begleitete. Val mußte sich irren. Niemals hätte Gabriel sie hiergelassen und dann Nerissa mitgenommen. Eva trank einen Schluck Wein und wurde etwas ruhiger. Wenn Val wirklich recht hatte und Nerissa tatsächlich mit Max und Gabriel nach Spanien gereist war, gab es sicher eine absolut akzeptable Erklärung dafür. Wahrscheinlich hatte Nerissa Gabriel so lange zugesetzt, bis er sie mitgenommen hatte. Sie konnte sich den Kleinmädchenton lebhaft vorstellen, den diese immer anschlug, wenn sie etwas durchsetzen wollte. *Nimm mich doch mit, Gabriel, Schätzchen. Ich verspreche dir auch, daß ich ganz brav sein werde.*

»Nerissa hat wahrscheinlich so lange gebettelt, bis Gabriel nachgegeben hat«, sagte sie und hörte befriedigt, wie ruhig ihre Stimme klang. »Wir wissen ja, wie gern sie reist.«

»Gabriel wird es genießen. Aber Max nicht.« Val lachte leise. Eva fiel auf, daß sein Blick immer wieder zu ihr flog. »Bei den dreien möchte ich nicht gern den Sittenwächter spielen«, fügte er hinzu.

»Ich verstehe nicht –«

»Na, das ist doch eine ziemlich heikle *menage à trois.*« Sie sah die nackte Verachtung in seinem Blick. »Du weißt doch wohl, daß Max in Nerissa verknallt ist, oder?«

»Aber er ist immer so – so ekelhaft zu ihr!«

»Um sein gebrochenes Herz nicht zu zeigen. Der arme Trottel ist seit Jahren unglücklich in sie verliebt«, erklärte Val in abfälligem Ton. Er füllte ihre Gläser auf und vergoß dabei etwas Wein, der auf dem Tischtuch zu einer dunkelroten Lache verlief. Verstehst du jetzt, was ich meine?«

»Eigentlich nicht, nein.« Gleichzeitig aber erfüllte sie die plötzliche Gewißheit, daß sie gleich etwas Schreckliches zu hören bekommen würde. Am liebsten hätte sie sich die Ohren zugehalten und wäre davongelaufen.

Val lächelte dünn. »Gabriel geht immer mit seinen Modellen ins Bett. Und mit den ehemaligen auch. Das wissen alle.«

Sie starrte ihn an. Dann schüttelte sie heftig den Kopf. »Nein!«

Er riß die Augen auf. »Heißt das, ich irre mich? Ihr geht gar nicht miteinander ins Bett, du und Gabriel?«

Sie spürte, wie sie rot wurde. Aber sie sagte kalt: »Das geht außer mir niemanden etwas an.«

»Ach? Auch Sadie nicht?«

Sie wandte sich ab. Unter dem Tisch ballte sie die Hände zu Fäusten. »Ich würde Sadie niemals weh tun wollen«, flüsterte sie. »Das weißt du ganz genau. Gabriel und ich – wir sind nie –«

Aber sie konnte den Satz nicht zu Ende sprechen. *Gabriel geht immer mit seinen Modellen ins Bett.* Konnte das wirklich wahr sein? Selbst wenn Gabriel Nerissa einmal geliebt hatte – und wenn sie sich jetzt der verführerischen Schönheit der Bilder von dem »Mädchen im roten Kleid« erinnerte, sah sie, wie naiv sie gewesen war, es nicht auf Anhieb zu erraten –, hieß das nicht, daß sie jetzt noch miteinander intim waren. Vertrauen war ein Teil der Liebe, und sie mußte Gabriel vertrauen.

Andererseits hatte Gabriel selbst zugegeben, daß er schon einige Beziehungen gehabt hatte. Von Treue hielt er nichts; ja, er verachtete sie. Und warum sollte er nicht auch seine Geliebte betrügen, wenn er sogar seine Frau betrogen hatte?

Trotzdem sagte sie: »Nicht mit Nerissa. Nicht jetzt. Das wollte ich sagen.«

»Ach, Eva.« Gespieltes Mitleid. »Ich dachte, du wüßtest Bescheid. Wie dumm von mir, daß mir das rausgerutscht ist.« Sein Ton wurde kalt. »Und wie dumm von dir, daß du nichts gemerkt hast.«

»Es ist nicht wahr –«

»Frag Max – frag Bobbin –, wenn du mir nicht glaubst. Die beiden steigen immer noch miteinander ins Bett.«

Es war möglich, daß nichts so war, wie sie geglaubt hatte, daß Gabriel sie hintergangen und sie beide Sadie betrogen hatten. Eine tiefe Scham erfaßte sie. »Warum erzählst du mir das alles?« fragte sie leise.

»Weil ich dachte, du würdest es gern wissen wollen.« Val zündete sich eine Zigarette an. »Du kannst jederzeit Sadie fragen. Wenn du den Mut dazu hast.« Er zuckte mit den Schultern. »Sadie war klug. Sie hat als einzige von Gabriels Frauen erkannt, daß er sie niemals heiraten würde, wenn sie vor der Hochzeit mit ihm ins Bett ginge. Also hat sie ihn zappeln lassen, bis sie den Ringer am Finger hatte.«

In seiner Stimme schwang so viel Bitterkeit, daß sie ihn ansah. Und da verstand sie. »Du liebst sie. Du liebst Sadie.«

Er lächelte trübe. »Ganz recht. Was denkst du denn, warum ich es da draußen ausgehalten habe? Du hast doch nicht geglaubt, daß ich einer von Gabriels Jüngern bin?« Sein Gesicht verfinsterte sich. »Als würde mir das was helfen. Komisch eigentlich – du liebst Gabriel, Max liebt Nerissa, und ich liebe Sadie. Wie diese blöden Dorfreigen, für die Bobbin so schwärmt. Das gemeine ist nur, daß Nerissa Max oft genug in ihr Bett läßt, um ihn am Bändel zu halten, Sadie mit mir aber nichts zu tun haben will. Ach ja, der gute alte Val, der die Schweine füttert und die Kinder hütet. Das ist meine ganze Rolle.«

»Und Sadie?« flüsterte sie.

»Sadie hat immer nur Gabriel geliebt.« Er verzog abschätzig den Mund. »Ich bin mir nicht mal sicher, daß ihr die Kinder viel bedeuten. Sie vergöttert nur ihren Gabriel. Das war immer so. Und sie ist bereit, alles zu tun, um ihn zu halten. Einen Haufen Kinder kriegen, draußen in der Wildnis leben, wo Fuchs und Hase sich gute Nacht sagen. Sie läßt es sich sogar gefallen, daß er ihr seine Geliebten ins Haus schleppt.« Er senkte den Blick, aber die halb geschlossenen Lider konnten die Kälte und die Grausamkeit seines Ausdrucks nicht ganz verbergen. »Manchmal freut es mich, daß er ihr weh tut«, murmelte er. »Manchmal freut es mich, daß er sie demütigt. Dann erfährt sie wenigstens am eigenen Leib, wie es ist, jemanden zu lieben, der sich einen Dreck um einen schert.«

Als Marianne gegen Mittag von Patricia Letherby nach Hause kam, sah sie an der Straßenecke Lucas Melrose stehen, der ihr, sobald er sie bemerkt hatte, überrascht entgegeneilte. »Mrs. Leighton! Was für ein bemerkenswerter – und erfreulicher – Zufall!«

»Guten Tag, Mr. Melrose.« Sie war irritiert. Natürlich, dachte sie, weil man dazu neigt, bestimmte Personen mit bestimmten Orten in Verbindung zu bringen. Mr. Melrose gehörte für sie nach Rawdon Hall und nicht an den Norfolk Square. »Haben Sie in London zu tun?« fragte sie.

»Ich habe gerade einen sehr langen Vormittag mit meinen Vertretern in der Mincing Lane hinter mir. Ich brauchte dringend frische Luft und wollte mich ein bißchen umsehen. Aber der Hinterwäldler aus den Kolonien hat sich prompt verlaufen.«

»Kann ich Ihnen weiterhelfen? Welche Straße suchen Sie denn?«

»Keine Straße. Ich wollte in den Hyde Park. Können Sie mir vielleicht sagen, wie ich dahin komme?«

»Ach, der Park ist nicht weit. Sie brauchen nur am Ende dieser Straße rechts zu gehen – nein, links –« Ihre Hände schossen erst in die eine, dann in die andere Richtung. »Nein, ich bin sicher, es ist rechts ...«

Er lachte. »Mrs. Leighton, ich kann zwar als eingeschworener Junggeselle nicht behaupten, mich mit Frauen auszukennen, aber mir ist aufgefallen, daß die Damen hin und wieder Schwierigkeiten mit links und rechts haben.«

»Mein Mann hat sich immer über mich amüsiert«, bekannte sie. »Ich war unfähig, die Karte zu lesen, wenn er am Steuer saß. Wir haben uns jedesmal scheußlich verfahren.«

»Dann mache ich Ihnen einen Vorschlag: Bereiten Sie mir das Vergnügen und kommen Sie mit zum Park, dann brauchen wir uns um theoretische Beschreibungen nicht zu kümmern.«

Als sie zögerte, sagte er mit einer schnellen Geste der Entschuldigung: »Das war schon wieder anmaßend von mir, verzeihen Sie, Mrs. Leighton. Ich bin eben nur ein ungehobelter Pflanzer, der erst noch Manieren lernen muß.«

»Aber nein!« Sie schämte sich ihrer mangelnden Großzügigkeit und zwang sich zu einem Lächeln. »Wahrscheinlich täte mir ein wenig frische Luft ganz gut. Ich habe gerade drei Stunden in einer Sitzung der Snow-drop-Vereinigung gesessen. Damit verbringen wir Witwen unsere Zeit – wir sitzen in Ausschüssen und Komitees und planen stundenlang Straßensammlungen oder kleine Konzerte oder weiß der Kuckuck was. Ich führe das Protokoll. Meine Freundin, Mrs. Letherby, hat mich überredet, den Posten der Schriftführerin zu übernehmen. Sie meinte vermutlich, Beschäftigung tue mir gut. Lenke mich ab.«

»Und – ist es so?«

»Leider nicht.« Sie gingen nebeneinander die Straße hinunter. »Meine Gedanken sind ständig auf Wanderschaft, und nach der Sitzung merke ich, daß meine Notizen praktisch unlesbar sind. Haben Sie schon mal versucht, ein Protokoll einer Sitzung zu erfinden?«

Er lachte. »Nein. Ich bin meistens draußen im Freien unterwegs – auf einer Teeplantage gibt es keine Ausschüsse und kaum Sitzungen.«

»Sie Glücklicher!«

»Gibt es denn etwas, was Ihnen mehr Freude macht als die Wohltätigkeitsarbeit?«

»Oh, ich besuche meine Freunde und Verwandten, ich führe meinen Haushalt und gehe jeden Sonntag zur Kirche.« Sie bemerkte seinen Blick und fügte kleinlaut hinzu: »Ich müßte eigentlich ganz zufrieden sein mit meinem Leben. Ich weiß, daß ich es leichter habe als viele andere Menschen.«

»Aber Sie sind nicht zufrieden?«

»Nein, Mr. Melrose, ich bin nicht zufrieden«, sagte sie und bedauerte sogleich ihre Offenheit. Sie verspürte einen Drang, sich zurückzuziehen, Distanz zu ihm herzustellen. Mit einem

Mann, den sie kaum kannte, über ihre persönliche Notlage zu sprechen erschien ihr unpassend, allzu intim.

Aber er sagte nur: »Vielleicht brauchen Sie eine Veränderung.«

»Mag sein, daß es in Ceylon anders ist, Mr. Melrose, aber in England hat eine Frau wie ich keine großen Möglichkeiten, ihr Leben zu gestalten. Hinzu kommt, daß ich keine besondere Begabung besitze. Ich habe Klavier gespielt, aber seit mehr als einem Jahr keine Note mehr angeschlagen. Und wie ich schon sagte, die Wohltätigkeitsarbeit finde ich eher langweilig. Das ist wahrscheinlich sehr egoistisch von mir, aber es ist wahr.«

»Ich meinte eigentlich nicht Zeitvertreib. Ich meinte, was würden Sie tun, wenn Sie tun könnten, was Sie wollen?«

Wenn ich tun könnte, was ich will, dachte sie sehnsüchtig, würde ich die Vergangenheit löschen und wieder mit Arthur zusammensein. Aber sie sagte: »Keiner von uns tut wirklich, was er will. Soviel anderes – Pflicht, Verantwortung, Unglück und Mißgeschick – hindert uns daran.«

»Ich tue, was ich will.«

»Dann haben Sie Glück.«

»Ich glaube nicht an das Glück.« Ein verächtliches Zucken um den Mund, ein raubtierhaftes Funkeln im Auge, als er sagte: »Man muß sich überlegen, was man will, und dann muß man es sich nehmen.«

»Das klingt – skrupellos.«

»Finden Sie?« Schon einmal, draußen in Rawdon Hall, war ihr ein ähnlich plötzlicher Stimmungsumschwung bei ihm aufgefallen. Jetzt schien sich sein Gesicht aufzuhellen, und sein Lächeln bekam etwas freundlich Aufmunterndes. »Ich will hier wirklich nicht den wilden Mann spielen. Ich wollte nur sagen, daß das Leben kurz ist und man es sich so angenehm wie möglich machen sollte. Also, Mrs. Leighton, wenn Sie tun könnten, was Sie wollen, was würden Sie dann machen?«

Der wolkige graue Blick forderte Antwort. Sie griff eine aus der Luft, nur um ihn zufriedenzustellen, weitere Fragen abzuwehren und die innere Leere vor ihm zu verbergen, die sie seit Arthurs Tod quälte.

»Ich glaube, ich würde gern reisen.«

»In den Lake District – oder weiter in die Welt hinaus?«

»Darüber habe ich noch nicht nachgedacht.«

»Dann sollten Sie das vielleicht nachholen. Vielleicht sollten Sie sich die Welt anschauen, Mrs. Leighton.«

»Ich kann unmöglich –«

»Warum nicht? Man braucht nur das Geld für die Schiffspassage. Es sei denn –«

»Ja, Mr. Melrose?«

»Sie werden mich wieder unverschämt finden.«

»Ich verspreche Ihnen, daß ich nicht beleidigt sein werde.«

»Ich wollte sagen, es sei denn, Ihr verstorbener Mann hat nicht gut für Sie vorgesorgt.«

»Mein Mann hat sehr gut für mich vorgesorgt.«

»Dann sind Sie ja gut dran, Mrs. Leighton.«

»Bin ich das?« Sie war zornig. »Mit Freuden würde ich alles hergeben, was ich besitze, könnte ich dafür nur noch einen Tag mit meinem Mann verbringen.«

»Verzeihen Sie, ich habe Sie schon wieder verstimmt.«

»Nein.« Sie seufzte. »Es ist nur – vielen Leuten bedeutet Geld so viel, und sie verwenden eine ungeheuere Zeit darauf, es anzuhäufen, aber mir – ich finde es unwichtig.«

Als er darauf schwieg, sagte sie: »Sie halten mich für verwöhnt, weil ich Wohlstand verachte, wo doch so viele Not leiden.«

»Ich habe den Eindruck, Sie haben vergessen, was für Möglichkeiten Geld bieten kann.« Wieder lächelte er. Sie sah weiße, ebenmäßige Zähne. »Oder vielleicht hatten Sie bisher nicht die Gelegenheit, das zu erfahren. Geld gibt einem Freiheit. Es erlaubt einem, Dinge zu tun, die man sonst nicht tun könnte. Darin liegt seine Bedeutung. Ohne jetzt weiter auf der Sache herumreiten zu wollen – ich könnte mir denken, es ist um einiges interessanter, die Welt kennenzulernen als in Ausschüssen zu sitzen.«

Sie folgten den Kieswegen, die sie so oft mit Arthur gegangen war. »Ich weiß nicht, ob ich den nötigen Mut dazu habe«, sagte sie zögernd.

»Allein zu reisen?«

Sie hatte gemeint: *Ich weiß nicht, ob ich den Mut habe, neu anzufangen, mein Zuhause zu verlassen, mich einer solchen Herausforderung zu stellen. So etwas bedarf eines Elans und einer Tatkraft, wie sie mir fehlen, vielleicht immer gefehlt haben.*

»Sie haben mir erzählt, daß sie aus einer großen Familie kommen«, sagte er. »Könnte nicht jemand aus Ihrer Familie mit Ihnen reisen?«

»Meine Geschwister sind alle mit ihrem eigenen Leben beschäftigt.«

»Mrs. Meredith reist viel, soweit ich weiß.« Er sah sie an. »Aber Sie betrachten sie wohl nicht als gute Freundin? Nein. Nein, sie hat etwas Oberflächliches, was Ihnen, vermute ich, überhaupt nicht liegt.«

»Laura ist eine großzügige Gastgeberin. Und sie hat sich nach dem Tod meines Mannes sehr lieb um mich gekümmert. Dennoch ist sie einfach nicht – ich meine, ich bin nicht –« Marianne brach ab. »Ich habe es ja vorhin schon gesagt, Mr. Melrose. Es ist mein Fehler, ich suche keine Nähe.«

»Na gut«, sagte er. »Sie würden also gern reisen. Gibt es noch etwas, was Sie sich wünschten, Mrs. Leighton?«

Beim Round Pond trieben zwei kleine Mädchen ihre Reifen, Spielzeugschiffe schaukelten im Wasser, und kleine Jungen in Matrosenanzügen hockten am Teichufer und klatschten aufgeregt in die Hände. Während Marianne die Kinder beobachtete, stieg eine so tiefe Sehnsucht in ihr auf, daß sie, beinahe schwindlig, einen Moment die Augen schloß.

Dann lachte sie. »Ich weiß es wirklich nicht«, sagte sie leichthin und spannte ihren Sonnenschirm auf, um ihr Gesicht in Schatten zu tauchen. »Außerdem habe ich weiß Gott genug von mir selbst geredet. Jetzt würde ich zur Abwechslung gern etwas über Sie hören. Und über Ceylon. Erzählen Sie mir von Ceylon, Mr. Melrose.«

Im Dezember 1911 hatte Iris ihre Ausbildung abgeschlossen und war nun qualifizierte Krankenpflegerin. Mehrere ihrer Kolleginnen hatten bald nach der Abschlußprüfung das Krankenhaus verlassen. Charlotte nahm einen Posten als private Krankenpflegerin in Belgien an. Iris drückte die Freundin mit aller Kraft an sich, als sie sich am Victoria-Bahnhof von ihr verabschiedete, sie wußte, wie sehr sie ihr fehlen würde. Charlottes unscheinbares Gesicht unter dem bedauerlich unvorteilhaften Hut war tränennaß. Sie hielt fest Iris' Hand. »Du schreibst mir doch! Versprich, daß du mir schreibst.«

Iris war am Mandeville-Krankenhaus geblieben. Die frischgebackenen Schwestern bekamen vier Wochen Urlaub. Im Januar war Iris nach Hause gefahren, hatte alte Freundschaften aufgefrischt, Tanzveranstaltungen und eine Reihe von Festen besucht. Es tat gut, nach niemandes Pfeife tanzen zu müssen, und es war ein ungewohnter, beinahe sündiger Genuß, morgens auszuschlafen.

Aber nach vierzehn Tagen begann sie, unruhig zu werden. Die Vormittage wurden ihr lang. Ewig nur Hüte zu putzen und Clemency im Haushalt zu helfen war nicht genug. Sie merkte, wie sie in ausgefahrene alte Bahnen zurückrutschte, wo das wohlwollende Gängelband, Schicksal der höheren Tochter, sie wieder zu fesseln drohte. Sie wurde sich bewußt, daß das Mandeville ihr fehlte, und fragte sich, ob sie im Begriff war, die typische Krankenschwester zu werden, eine sachliche, energische Person mit dicken Füßen und roten aufgesprungenen Händen.

Sie konnte nicht sagen, wann genau die Freude an ihrem Beruf erwacht war. Sie schien langsam, beinahe schleichend gewachsen zu sein und hatte sich zunächst nur gelegentlich gezeigt, bis auf einmal zu Iris' Verwunderung Stunden, Vormittage, ganze Tage wie im Flug vergingen. Dann war Arthur gestorben. Sein tragischer und sinnloser Tod war trauriges Lehrbeispiel für das gewesen, was am Mandeville jeder Lernschwester von jeder Stationsschwester unaufhörlich eingebleut wurde: wie wichtig es war, auf Sauberkeit und Keimfreiheit zu achten. Und wenn auch die Betreuung von Kranken nicht immer ein Vergnügen war, langweilig wurde einem dabei nie. Sie hatte entdeckt, daß Langeweile ihr unerträglich war. Wenn sie jetzt an ihr früheres Leben zurückdachte, kam es ihr unglaublich eingeschränkt und ereignislos vor. Wenn sie nicht im Krankenhaus war, fehlten ihr das scherzhafte Geplänkel mit den Patienten, die geschäftige und abwechslungsreiche Tätigkeit auf der Station; die Kameradschaft mit den Kolleginnen; das Gefühl, etwas Sinnvolles zu tun, gebraucht zu werden.

Ende April besuchte Eva sie. Der niedergeschlagene Ausdruck ihres Gesichts schien das graue, regnerische Wetter zu spiegeln. Sie hatte ihren Schirm vergessen und war triefnaß, als sie ankam. Im milchiggrauen Licht, das durch das Fenster fiel, setzte sie sich auf Iris' Bett und versuchte lustlos, ihr Haar zu trocknen, während der Regen an die Scheiben klatschte.

Auf dem Bett lagen Iris' Nähsachen, Bänder und Spitzen, Stecknadeln mit bunten Perlenköpfen und ein silberner Fingerhut.

»Was ist los?« fragte Iris, während sie eine Spule Garn wählte.

»Nichts. Was soll los sein?«

»Eva!« Iris nahm einen Hut aus einer Schachtel.

»Ach, es ist das Malen. Ich habe die letzten Tage wie eine Verrückte gearbeitet, aber ich bringe nichts zustande.«

Iris glaubte Eva keinen Moment. Eva war einfach nicht der Mensch, der sich von Mißerfolg bei der Arbeit so tief niederdrücken ließ. Trotzdem sagte sie: »Vielleicht solltest du mal eine Pause machen.«

»Wie denn?« rief Eva aufgebracht. »Das ist das letzte, was ich mir leisten kann.«

Sie sah schrecklich aus, fand Iris, blaß, mit roten Augen, als hätte sie tagelang geweint. »Warum fährst du nicht eine Zeitlang nach Hause?«

»Nach Hause?«

»Ja. Warum nicht? Es ist vielleicht langweilig, aber wenigstens bekommst du dein Essen auf den Tisch und brauchst dein Bett nicht selbst zu machen. Außerdem freust du dich doch immer, Clemmie und James zu sehen.«

»Ja, aber Vater –«

»Ich verstehe nicht, warum du immer so gegen Vater bist.«

»Weil ich weiß –« Eva preßte die Lippen aufeinander.

»Was weißt du?« Iris fädelte den Faden ein. »Was weißt du, Eva?«

Durch das Handtuch hindurch, das ihre Stimme dämpfte, sagte Eva kalt: »Er lügt und betrügt. Deshalb bin ich gegen ihn.«

»Eva!«

»Es ist wahr.« Sie senkte das Handtuch. Iris sah, daß sie den Tränen nahe war. »Ich habe es selbst gesehen«, sagte sie leise.

»Was hast du gesehen?«

Es blieb lange still. Eva drehte eine feuchte Haarsträhne zu einem festen Knoten zusammen. »Ich habe Vater mit Mrs. Carver gesehen«, sagte sie tonlos.

»Mrs. Carver?« Iris brauchte einen Moment, um sich klarzumachen, wer das war. »Diese Witwe mit den wundervollen Haaren? Und den zwei sommersprossigen Töchtern?«

»Ich habe gesehen, wie sie sich geküßt haben. Zweimal sogar!«

»Oh.« Iris kramte in ihrem Beutel mit den Borten und Besätzen.

»Ist das alles, was du dazu zu sagen hast? Oh?« Eva war wütend.

»Du hast gedacht, sie hätten ein Verhältnis?«

»Natürlich hatten sie eins. Und es dauert bestimmt immer noch an.«

»Ein Kuß heißt gar nichts.«

Eva prustete spöttisch.

Iris nahm zwei Bänder aus dem Beutel. »Ich habe viele Männer geküßt, aber ich hatte mit keinem von ihnen ein Verhältnis. Es war nichts weiter als – na ja, als eben ein Kuß. Ein bißchen Spaß. Bedeutet hat es nie etwas.«

Eva kaute auf der Unterlippe. »Es war die Art, *wie* sie sich geküßt haben.«

»Wann war das überhaupt?«

»In dem Sommer, in dem wir Ash kennengelernt haben.«

Ash. Der Garten in Summerleigh nach dem Regen. Sie hatte Ash geküßt. Und dann hatte er gesagt: *Ach, Iris, was hätten wir beide denn miteinander zu reden?*

»Bist du überhaupt nicht schockiert, Iris?« rief Eva. »Findest du das nicht schrecklich?«

Sie überlegte einen Moment, stellte fest, daß sie tatsächlich nicht schockiert war, obwohl sie es vielleicht hätte sein sollen, und sagte ausweichend: »Ja, für dich ist es sicher schrecklich.«

»Und für Mutter erst! Stell dir nur mal vor, sie kommt dahinter! Es würde sie umbringen.«

»Meinst du?« Iris sah ihre Mutter vor sich, zart und blaß und unberührbar. »Ich glaube, Vater und Mutter führen schon seit Jahren keine richtige Ehe mehr. Seit Philips Geburt nicht mehr.«

»Aber das rechtfertigt doch nicht –«

»Nein. Aber es macht es vielleicht verständlich.« Iris hielt die beiden Bänder an den dunkelblauen Hut. »Das blasse Flamingo oder das dunkle Violettrosa? Was meinst du?«

»Also wirklich, Iris!« rief Eva. »Manchmal bist du – unmöglich!«

»Das kann schon sein. Deswegen mußt du mir aber jetzt trotzdem helfen. Du hast ein besseres Auge für Farben als ich.

Ich habe ein Vermögen für diesen Hut bezahlt, und mit Dunkelblau kann das so schwierig sein.«

»Das Dunkle«, sagte Eva widerwillig.

Iris schnitt ein Stück Band ab. »Du weißt doch selbst, daß Vater gern Menschen um sich hat. Er ist nicht gern allein. Aber Mutter hat sich seit Jahren zurückgezogen.«

»Das ist ja wohl kaum ihre Schuld. Sie ist krank!«

Es trat eine wahrnehmbare Pause ein, bevor Iris sagte: »Natürlich.«

Eva starrte sie an. »Manchmal habe ich das Gefühl, du widersprichst mir absichtlich.«

»Denk doch mal nach, Eva. Was für Symptome hat Mutter? Hat sie Ausschlag? Erbricht sie? Hat sie Fieber?« Sie schüttelte den Kopf. »Nichts dergleichen.«

»Du glaubst, sie tut nur so –«

»Nein, nein, bestimmt nicht. Mutter ist überzeugt, daß sie krank ist, darum ist sie auch krank, in gewisser Weise.«

»Kein Mensch würde sich so ein Leben freiwillig aussuchen.«

»Glaubst du? Es ist doch gar nicht so übel. Für Mutter bedeutet ihre Krankheit, daß sich alles nach ihr richtet. Wir geben uns die größte Mühe, es ihr recht zu machen. Sie braucht sich nicht um den Haushalt zu kümmern. Ich kann gut verstehen, daß es mit der Zeit seinen Reiz verliert, jeden Morgen eine Einkaufsliste für eine zehnköpfige Familie zu schreiben. Mutter ist eine intelligente Frau, aber hat sie für ihre Intelligenz je ein Betätigungsfeld gehabt? Sie konnte nicht studieren wie du, sie konnte keinen Beruf erlernen wie ich.« Iris faltete das Band zu einer Rosette.

»Du glaubst doch nicht im Ernst, daß Mutter praktisch die letzten zwölf Jahre das Bett gehütet hat, weil – weil sie ihr Leben satt hatte oder langweilig fand?«

»Das ist ziemlich extrem, ja. Aber vielleicht sind wir eine Familie, die zu Extremen neigt.« Iris sah Eva an – Eva, die in ihrem bunten Trödel immer aussah wie Lumpenmüllers Tochter, von der Iris vermutete, daß sie schon seit einiger Zeit mit einem völlig unpassenden Mann zusammen war. »Vielleicht tun wir noch so, als hielten wir uns an die Konvention«, fuhr sie kühl fort. »Vielleicht hat jeder von uns ein Geheimnis.«

Eva wurde rot und schaute weg. Iris begann, die Rosette am Hut festzunähen. »Ich habe eigentlich gedacht, gerade du, Eva, würdest verstehen, daß Frauen manchmal zu den drastischsten Mitteln greifen müssen, um die Herrschaft über ihr eigenes Leben zu erlangen. Du predigst mir doch ständig, wie machtlos wir sind, weil wir nicht wählen dürfen.«

»Das stimmt ja auch.«

»Unserer Mutter hat die Krankheit Macht über die Familie gegeben. Nicht einer von uns – nicht einmal Vater – wagt, sich ihr offen zu widersetzen. Wir schleichen alle auf Zehenspitzen herum, und wenn einer von uns nicht tut, was sie will, geht es ihr sofort wieder schlechter, und wir haben riesige Schuldgefühle. Denk nur mal an Clemency. Sie ist so gern zur Schule gegangen, aber sie hat sie ohne Widerrede aufgegeben, weil Mutter sie brauchte.«

»Na und? Das ist doch nicht unzumutbar. Hätte Mutter etwa ganz allein bleiben sollen?«

»Und wenn Clemency nicht einverstanden gewesen wäre – oder wenn wir nur drei Schwestern gewesen wären –, was dann? Hättest du für Mutter die Kunstakademie und alle Chancen auf eine künstlerische Karriere aufgegeben?«

Eva lief rot an. »Du hältst mich für egoistisch –«

Iris legte den Hut nieder. »Du bist nicht egoistischer als ich«, sagte sie ruhig. »Lieber Gott, ich bin Krankenschwester geworden, nur um Mutter zu entkommen. Vom Regen in die Traufe, könnte man sagen.« Nach einem kurzen Schweigen fuhr sie fort: »Als ich das letzte Mal zu Hause war, habe ich mit Mutter gesprochen. Sie bekommt seit mehr als zehn Jahren immer dieselbe Behandlung – Bettruhe, keine Aufregung, wenig Besuch und dann immer nur eine Person. Aber so wie es aussieht, hat das überhaupt nicht geholfen. Ich habe ihr vorgeschlagen, über eine Änderung der Behandlung nachzudenken. Ich war sehr vorsichtig und sehr taktvoll. In ihrem Zimmer war es wie immer wie in einem Backofen. Ich sagte, frische Luft und ein bißchen Bewegung seien vielleicht besser für sie. Natürlich nichts Anstrengendes zu Beginn – zunächst ein kleiner Spaziergang im Garten und dann jeden Tag ein bißchen mehr zum Aufbau ihrer Kräfte.«

»Was hat Mutter gesagt?«

»Sie erklärte mir, ich sei herzlos. Na ja, sie ist nicht die erste, die mir das vorwirft.« Iris dachte an das abgedunkelte, überheizte Zimmer ihrer Mutter, das Sammelsurium von Medizinfläschchen auf dem Toilettentisch. »Mutter nimmt jeden Tag Laudanum und Portwein. Das ist eine altmodische und gefährliche Behandlung. Der Patient neigt dazu, immer mehr von dem Zeug zu nehmen, damit es wirkt. Wenn sie damit aufhören könnte, würde sie sich vielleicht nicht ständig so benommen fühlen. Sie könnte vielleicht klarer denken und würde sich kräftiger fühlen. Aber als ich ihr das erklärte, sagte sie, sie hätte Herzjagen und ihr sei schwindlig. Sie hat nicht zugelassen, daß ich ihr den Puls zählte, und die arme Clemency mußte den ganzen Morgen bei ihr bleiben und sie wieder beruhigen. Danach« – Iris griff wieder zu dem dunkelblauen Hut – »habe ich aufgegeben.«

»Trotzdem«, sagte Eva hartnäckig, »das ist keine Entschuldigung für Vater.«

»Das behaupte ich ja auch nicht. Aber die Krankheit kommt unserer Mutter gut zupaß. Sie braucht zum Beispiel keine Kinder mehr zu bekommen.«

»Kinder?« fragte Eva verwirrt.

»Denk doch mal, sieben Kinder in – wie vielen Jahren? Vierzehn? Das heißt, jedes zweite Jahr ein Kind. Und ich vermute, sie hat dazwischen einige Fehlgeburten gehabt. Ich erlebe solche Frauen im Krankenhaus. Sie gebären ein Kind nach dem anderen und erfahren nie, wie es ist, wirklich gesund zu sein, weil sie immer entweder ein Kind erwarten oder gerade eines bekommen haben oder das letzte noch stillen. Neulich habe ich eine Frau betreut, die bei uns ihr zehntes Kind bekam. Es war eine schwere Geburt, und als das Kind da war, wollte sie es nicht einmal sehen.« Iris seufzte. »Ach, Eva, Vater ist eben nicht vollkommen – kein Mensch ist das. Als du klein warst, hast du ihn für vollkommen gehalten, und dann mußtest du auf ziemlich grausame Weise erfahren, daß er es nicht ist. Aber er ist kein schlechter Mensch. Nur unvollkommen, wie wir alle.« Sie bog den Hut ein wenig zurecht, dann stellte sie sich vor den Spiegel und setzte ihn auf. »Hast du außer mir jemandem von Vater und Mrs. Carver erzählt?«

Eva schüttelte den Kopf. »Natürlich nicht. Dir wollte ich es auch nicht erzählen.«

»Gut. Dann laß es dabei.« Iris musterte ihr Spiegelbild. »Was meinst du? Eigentlich ganz schick, oder schaut er aus wie eine Kohlenschütte?«

Lucas Melrose' Teeplantage in Ceylon trug den Namen Blackwater. »So hieß das schottische Dorf, aus dem Großvater kam«, erklärte er Marianne. Archibald Melrose, Lucas' Großvater, war einer von fünf Brüdern gewesen. Der Hof in Aberdeenshire, auf dem er geboren war, war zu klein, um eine so große Familie zu ernähren, deshalb beschloß Archibald, anderswo sein Glück zu machen. In den dreißiger Jahren des neunzehnten Jahrhunderts traf er in Ceylon ein.

»Ich glaube, er hat sich sofort in die Insel verliebt«, sagte Lucas. »Er wollte eigentlich nur ein paar Jahre bleiben und dann nach Schottland zurückkehren, was er aber nie getan hat. Ceylon besitzt einen Zauber, der einen in Bann schlägt. Die moslemischen Händler, die schon vor Jahrhunderten dort landeten, nannten es Serendib, die Insel der Edelsteine.

Archibald arbeitete sechs Monate in einer Sägemühle in Colombo, bevor er zu einem Kaffeeaufbereitungsbetrieb in Kandy ging. Mit der Zeit hatte er genug Geld gespart, um im Hügelland Grundbesitz zu kaufen. Er baute Kaffee an und machte, wie so viele andere Europäer, beim Kaffeeboom in den fünfziger Jahren ein Vermögen. Er heiratete, und der Ehe entsprang ein Sohn namens George. Dank kluger Verwaltung und ebenso klugen Investitionen wuchs die Plantage immer weiter, und bei Archibalds Tod gehörten der Familie Melrose über dreihundert Morgen Land.

Als in den siebziger Jahren eine Pilzkrankheit die Kaffeepflanzen befiel, waren viele Plantagen ruiniert. Jedoch nicht Blackwater. George Melrose schaffte es mit Hartnäckigkeit, unermüdlichem Fleiß und Weitsicht, schnell genug von Kaffee zu Tee zu wechseln und so den allgemeinen Zusammenbruch zu überleben. »Ich war zwanzig, als mein Vater starb«, erzählte Lucas Marianne. »Er war gerade fünfzig. Er hatte sein Leben lang von früh bis spät hart gearbeitet – er hatte sich zu Tode geschuftet. Er fällte Bäume und rodete mit bloßen Händen das Unterholz, er schoß Elefanten, bösartige Einzelgänger, wenn sie die Teepflanzen zertrampelten, und er baute den Bungalow, in dem ich heute lebe. Mein Vater hat sich vor keiner Arbeit gescheut. Nur ihm habe ich es zu verdanken, daß mir die Plantage heute noch gehört, wo so viele andere nach der Kaffeeseuche von Teehandelsgesellschaften aufgekauft wurden. Mein Vater hat stets mit Klauen und Zähnen für sein Eigentum gekämpft.«

Er zog eine lederne Brieftasche aus seiner Jacke. »Möchten Sie sehen, wie ich lebe, Mrs. Leighton.«

Er reichte ihre eine Fotografie, die ein weißes, ebenerdiges Gebäude inmitten eines Parks zeigte. Vor dem Haus war eine sechseckige Veranda; durch offene Türen konnte Marianne kühle, schattige Innenräume mit Palmen, Korbmöbeln und weißgekleideten Dienstboten erkennen.

»Mein Garten würde Ihnen gefallen«, sagte er. »Die Rosen hat meine Mutter gepflanzt. Sie sind jetzt leider sehr vernachlässigt. Ich kann mit Tee umgehen, aber nicht mit Rosen. Als meine Mutter noch da war, waren sie eine Pracht.«

»Ist Ihre Mutter erst kürzlich gestorben?«

»Nein, ich habe meine Mutter schon vor langer Zeit verloren.«

»Das tut mir leid.«

Er zog die Augen zu schmalen grauen Schlitzen zusammen. »Blackwater ist fünf Meilen von der nächsten Ortschaft entfernt«, sagte er. »Wenn ich ehrlich bin, kann man es kaum als Ortschaft bezeichnen. Es gibt dort einen Bahnhof, einen Basar mit einem Postamt und ein paar Geschäfte. Außer meinem eigenen Haus stehen nur noch die Bungalows der Verwalter und die Hütten der Arbeiter auf der Plantage. Manchmal hört man mitten am Tag nichts als Vogelgezwitscher und das Rascheln der Bäume.«

Seine Stimme hypnotisierte sie. »Das klingt wie das Paradies«, murmelte sie.

»Es ist das Paradies.« Sie sah die Sehnsucht in seinem Blick. »Ich habe auf mehr als fünfhundert Morgen Tee angebaut. Die restlichen fünfzig Morgen liegen brach, weil die Hänge zu steil oder zu steinig sind, um bepflanzt zu werden. Oder der Wald ist zu dicht. Ja, es ist paradiesisch. Für mich war Blackwater immer das Paradies.«

Edith, das Hausmädchen, war mittlerweile durch Rheumatismus in den Händen so stark behindert, daß Clemency an ihrer Stelle die Aufgabe übernommen hatte, Großtante Hannah morgens beim Ankleiden behilflich zu sein. Sie fand die alte Dame stets in Korsett und Unterrock vor, wenn sie um halb acht bei ihr klopfte, und fragte sich manchmal, ob die Großtante das Korsett überhaupt je ablegte oder gar darin schlief. Wie auch immer, wenn sie kam, half sie Hannah als erstes in das abgetragene Kleid aus dem grünstichigen schwarzen Stoff, der an den Nähten schon brüchig war, und ging ihr dann beim Anziehen von Strümpfen und Schuhen zur Hand. Hannah erzählte derweilen dies und jenes. Da sie oft etwas verwirrt war und Clemency nicht erkannte, sondern sie mit Marianne oder Eva oder aber mit einer ihrer eigenen lang verstorbenen

Schwestern verwechselte und von Ereignissen sprach, die sich ebenso am vergangenen Tag wie vor achtzig Jahren zugetragen haben konnten, mußte Clemency genau hinhören, wenn sie den Gesprächen folgen wollte. War Hannah endlich angekleidet, hatte Clemency Taschentuch, Veilchenpastillen und Spitzenhandschuhe für sie zusammengesucht und ihr in den Sessel am Fenster geholfen, waren sie beide völlig erschöpft. Hannah machte dann oft ein Nickerchen, während Clemency in die Küche lief, um nachzusehen, ob das Frühstückstablett für ihre Mutter bereitstand.

Im Mai hatte Großtante Hannah Geburtstag. Niemand wußte, wie alt sie war – sogar Hannah selbst war sich nicht sicher. Clemency hatte keine Ahnung, was sie einem Menschen so unermeßlichen Alters schenken sollte.

Sie besprach das Problem mit Ivor. Er war gerade aus der Schweiz zurückgekommen, wo er einen Monat lang mit seiner Frau gewesen war, und sie saßen in »ihrer« kleinen Teestube, ihrem Lieblingslokal. »Sonst schenken wir Großtante Hannah meistens Taschentücher oder Seife«, erklärte Clemency, »aber sie hat inzwischen ganze Schubladen voll Taschentücher, und die Seifen stapeln sich. Eva kauft ihr immer Briefpapier, und ich habe ihr letztes Jahr eine neue Leine für Winnie geschenkt – obwohl Winnie kaum noch rauskommt, weil sie so dick ist.«

»Dann laß doch das Geschenk und mach ihr eine andere Freude, lad sie zu irgend etwas ein. Ich liebe so etwas.«

»Ja, ich auch.« Sie sah ihn lächelnd an, glücklich, daß sie soviel gemeinsam hatten.

»Es ist so eine Freude, mit dir hierzusein.« Er schob die Hand über den Tisch, bis ihre Finger sich trafen und miteinander verschränkten. Er hatte sehr schön geformte, lange, schmale Hände – Musikerhände, dachte Clemency bei sich.

»Du hast mir gefehlt«, sagte sie.

»Und du mir erst! Ich hasse die Schweiz. So etwas Spießiges.«

»Nach dem, was ich gehört habe, dachte ich immer, es müßte dort ganz schön sein. Ich habe noch nie ein richtiges Gebirge gesehen. Derbyshire zählt ja nicht, oder?«

Die Bedienung näherte sich ihrem Tisch, Ivor zog seine Hand zurück. »Ja, die Berge sind schon beeindruckend«, sagte er vage, »aber das Hotel! So trist. Und kein Mensch, mit dem man hätte reden können.«

»Aber Rosalie war doch da.«

»Rosalie und ich reden nicht miteinander. Jedenfalls nicht so wie wir beide.«

Clemency war stets beglückt, wenn Ivor *wir* sagte. Es gab ihr das Gefühl, wichtig zu sein. Ivor war so klug und begabt, er hatte so viele Freunde, von dem Kreis von Frauen, die regelmäßig zu seinen Konzerten kamen, bis zu der Londoner Clique, die er zu den seltenen Gelegenheiten besuchte, wenn Rosalie ihn einmal ein, zwei Tage wegließ. Obwohl Clemency seit ihrem Streit mit Vera wußte, daß sie Ivor liebte, war sie sich seiner Gefühle für sie anfangs nicht sicher gewesen. Doch eines Tages, als sie im Botanischen Garten spazierengegangen waren, hatte er ihr plötzlich die Hand geküßt. »Ich hoffe, Sie empfinden das nicht als aufdringlich«, hatte er gesagt, und sie hatte den Kopf geschüttelt. Ivor hatte erleichtert gewirkt. »Ich hatte schon so lange den Wunsch, dich zu küssen«, sagte er, »aber ich hatte immer Angst, du würdest es nicht wollen.«

Seitdem hatte er sie mehrmals auf den Mund geküßt, jede Berührung so leicht und zart wie die einer Feder. Sie konnten beide wegen ihrer Verpflichtungen zu Hause nicht viel zusammensein – eine halbe Stunde, ein- oder zweimal im Monat –, aber Clemency war in diesen gestohlenen Momenten wunschlos glücklich. Bei schönem Wetter gingen sie in den Botanischen Garten; wenn es regnete, setzten sie sich in die kleine Teestube in der Ecclesall Road. Sie war schäbig, die kleine Teestube, mit braunem Wachstuch auf den Tischen und angeschlagenem cremefarbenem Geschirr. Von den Leuten, die sie kannten, ging keiner dorthin. Clemency sagte sich, sie hätte eigentlich ein schlechtes Gewissen haben müssen, daß sie hier mit einem verheirateten Mann saß und unter dem Tisch mit ihm Händchen hielt, aber das hatte sie nicht.

Manchmal sah Ivor sie mit so einem intensiven Blick an und sagte: »Wenn Rosalie nicht wäre…« Er sprach nie zu Ende, aber sie vermutete, der fertige Satz lautete: Wenn Rosalie nicht wäre, könnten wir heiraten. Clemencys Abneigung gegen Rosalie hatte sich mit der Zeit zu regelrechtem Abscheu gesteigert. Früher hätte sie es nie für möglich gehalten, daß man einen Menschen, dem man nie begegnet war, so sehr verabscheuen konnte. Hin und wieder sprach er vage davon, daß sie einmal nach Hathersage kommen müsse, um Rosalie kennenzulernen, doch es folgte nie eine konkrete Einladung. Statt sich mit der realen Person auseinanderzusetzen, bastelte Clemency sich also ihr eigenes Bild von Rosalie, das einer matten, hübschen Blondine, die die meiste Zeit, von Medizinfläschchen umgeben, auf dem Sofa oder der Chaiselongue lag.

Wenn Clemency daran dachte, welche Ansprüche Rosalie ständig an Ivor stellte, wieviel Aufmerksamkeit sie von ihm verlangte, wieviel Kraft sie ihm raubte, wieviel Zeit, die er dringend zur Pflege seines Talents gebraucht hätte, überkam sie jedesmal ein heißer Zorn. Sie stellte sich vor, wie sie Rosalie ihren Egoismus vorhalten und ihr ins Gesicht sagen würde, was sie von ihr dachte. So flüssig wie sonst nie würden ihr die Worte über die Lippen kommen, und Rosalie würde weinend um Verzeihung bitten und versprechen, sich zu ändern.

Immer häufiger jedoch wurden diese Phantasien von anderen verdrängt, in denen Rosalie unversehens einen besonders bösen Husten oder eine plötzliche Fiebererkrankung bekam. Clemency stellte sich vor, wie sie Ivor tröstete, der bei Rosalies Tod völlig aufgelöst sein würde. Sie würde ihn in die Arme nehmen und ihm zart über die Haare streichen, und dann würden sie sich natürlich küssen. Und dann (die genaue Abfolge der Ereignisse blieb nebelhaft) würden sie heiraten und in Ivors kleinem Haus in Hathersage leben, sie würde für ihn sorgen, und er würde endlich sein Konzert komponieren können. Später würden sie ein Kind bekommen, vielleicht auch zwei, und wenn Ivor es wollte, würden sie nach London übersiedeln und dort in einem hübschen Remisenhaus leben. Sie würde sich um Haus und Familie kümmern, und er würde Konzerte geben. Eine vollkommene Welt!

Aber so angenehm diese Phantasien auch waren, Clemency kam sich jedesmal schlecht vor, wenn sie sich ihnen überlassen hatte. Scham und Schuldgefühle plagten sie. Sie wußte, daß es unrecht war, ja eine Sünde, sich den Tod eines anderen Menschen zu wünschen. Doch an den Tagen, an denen Ivor besonders müde und niedergeschlagen war, gewann ihr Haß auf Rosalie eine solche Macht, daß sie diese Frau beinahe hätte umbringen können. Manchmal machte ihr die Intensität ihres Hasses auf Rosalie angst. Es war, als hätte sie in den Jahren, seit sie die Schule aufgegeben hatte, nur an der Oberfläche gelebt und selten irgend etwas tiefer empfunden. Jetzt schien sie zu erwachen, wieder lebendig zu werden. Bevor sie Ivor begegnet war, hatten ihre stärksten Gefühle ihren Freundinnen gegolten, Vera vor allem. Aber sie hatte Vera seit Monaten nicht mehr gesehen; Vera hatte sie auch nicht zu ihrer später im Jahr geplanten Hochzeit eingeladen. Daß Veras Desinteresse nicht so weh tat, wie das vielleicht früher einmal der Fall gewesen wäre, lag an Ivor, dessen war sich Clemency bewußt.

Ivors Vorschlag folgend, schenkte sie Großtante Hannah zum Geburtstag einen Ausflug im Automobil. Ihr Vater und James hievten die alte Dame mit einiger Mühe in den Wagen, und Clemency fuhr langsam und vorsichtig los. Sie waren halbwegs den Hang hinunter, als Hannah sagte: »Eine fabelhafte Maschine. Mich erinnert das an meine erste Fahrt mit der Eisenbahn. Es ist ein tolles Gefühl, die Bäume und Häuser mit solchem Tempo vorüberfliegen zu sehen.« Durch das Netz ihres Schleiers hindurch konnte Clemency die blitzende Erregung in Hannahs Augen erkennen.

Marianne merkte plötzlich, daß sie sich auf Lucas Melrose' Besuche freute. Ihr war gar nicht bewußt gewesen, welch ein Einerlei ihr tägliches Leben war und wie dringend sie ein wenig Abwechslung brauchte. Sie wußte nicht recht, warum er sie besuchte. Vielleicht, vermutete sie, weil er einsam war, fern von zu Hause, und in England keine Familie hatte und nur wenige Freunde. Natürlich kam ihr auch der Gedanke, daß er sich zu ihr hingezogen fühlen könnte. Wenn es so war, ließ er es kaum merken. Er hielt sich stets an die Formen, versuchte nicht zu flirten, sprach sie immer als Mrs. Leighton an, fragte nie, ob er sie Marianne nennen dürfe, unternahm keinen Versuch, ihr körperlich nahe zu kommen. Seine Besuche waren kurz und nicht so häufig, daß sie ihr lästig geworden wären.

Meistens sprach er über Ceylon. »Schon in dem Moment, wenn das Schiff in Colombo anlegt«, erzählte er, »spürt man den Unterschied und ist überwältigt. Sogar die Luft ist anders. Sie ist natürlich warm, Ceylon liegt ja in den Tropen, nur wenige Grade nördlich des Äquators, aber diese Wärme ist mit der eines englischen Sommertags nicht zu vergleichen. Sie ist viel weicher und fülliger und riecht nach dem Meer und tausend Gewürzen. Dazu kommen all die ungewohnten Geräusche, überall hört man das Geplapper der Mainas – eine mit dem Beo verwandte Vogelart – und der Affen, das Geschrei, mit dem die Händler ihre Waren anpreisen, und das Gewinsel, mit dem die Bettler einem ein paar Cent abluchsen wollen. Auf den Straßen der Innenstadt herrscht ein Riesendurcheinander, alles ist voller Automobile, Fahrräder und Ochsenkarren, und wenn man Glück hat, sieht man einen Elefanten.«

»Einen Elefanten?« rief sie.

»Ich setze sie auf meiner Plantage auch ein. Zur Beförderung schwerer Lasten. Haben Sie schon einmal einen Elefanten gesehen, Mrs. Leighton?«

»Ja, im Zoo.«

»Haben Sie schon einmal auf einem gesessen?«

»Nein, noch nie. Sie?«

»Oft. Nach einer ausgiebigen Mahlzeit würde ich so einen Ritt allerdings nicht empfehlen. Das Schwanken ist stärker als in einem kleinen Boot.«

Sie lachte.

»Und die Farben –«

»Ja, ich erinnere mich. Sie sagten, daß England fade wirkt.«

»England ist auf seine Weise natürlich auch schön.«

»Das ist sehr höflich von Ihnen, Mr. Melrose, wenn man bedenkt, daß Ihr Herz offensichtlich an Ceylon hängt.«

»Sie haben mich durchschaut. Aber wirklich, Sie sollten die Farben sehen, schon die Obststände an den Straßenrändern sind eine Pracht – riesige grüne Durianfrüchte, gelbe Bananen, goldene Königskokosnüsse. Und die Straßen sind eigentlich immer beflaggt. Die Standbilder vor den Hindutempeln sind so herrlich bemalt, daß die englischen Kirchen dagegen düster wirken.« Er lächelte. »Das Hochland ist allerdings anders. Die ersten Pflanzer ließen sich dort nieder, weil es sie an Schottland erinnerte. Es gibt Nadelwälder und große Azaleen- und Rhododendronhaine. Über den Baumwipfeln hängt immer ein feiner Dunst, und die Berge in der Ferne schimmern blau. Je weiter die Eisenbahn durch den Nebelwald in die Berge hinaufzuckelt, desto kühler wird die Luft. Der Anstieg ist so steil und hat so viele Kurven, daß einem schwindlig würde, wenn man zum Fenster hinausschaute. Aber die jungen Eingeborenen machen sich einen Spaß daraus, sich außen an die Wagentüren zu hängen, wenn die Bahn über die tiefsten Schluchten fährt. *Die* haben keine Angst. Vielleicht suchen sie auch den Kitzel. Jedenfalls fürchten nur die Eindringlinge, die Europäer, der Zug könnte entgleisen und abstürzen.«

»Und Sie, Mr. Melrose? Fürchten Sie sich davor, zum Fenster hinauszuschauen?«

»Nein. Ich sehe gern bis zum Rand der Welt.«

Einmal gingen sie nachmittags in die Tate-Galerie. Marianne, die eine furchtbare Nacht hinter sich hatte, schleppte sich todmüde und verzweifelt von Saal zu Saal. Die Bilder schienen Alpträumen entsprungen zu sein, die Porträts wirkten verzerrt und grell in den Farben, die Landschaften häßlich und dürr.

Danach machten sie einen Spaziergang an der Themse. Sie konnte sich später nicht erinnern, wie das Gespräch begonnen und was in seinem Verlauf sie dazu verleitet hatte, sich so weit zu öffnen. Sie war müde und niedergeschlagen gewesen und dadurch wahrscheinlich in ihrer Abwehr geschwächt. Vielleicht hatte er, dem ihre Blässe natürlich aufgefallen war, auch eine teilnehmende Frage gestellt, eine gutgemeinte Bemerkung gemacht, um sie zu trösten. Auf jeden Fall war plötzlich der Damm gebrochen, und sie hatte ihm hemmungslos ihr Herz ausgeschüttet.

Sie hatte ihm von Arthur erzählt. Von ihrer ersten Begegnung mit ihm, ihrer Heirat, seinem Tod. »Ich weiß nicht, ob das, was ich fühle, Schmerz ist«, sagte sie. »Wenn ja, dann hat es mit meiner bisherigen Vorstellung von Schmerz wenig Ähnlichkeit. Ich bin eigentlich vor allem wütend.«

»Wütend? Auf wen?«

»Auf die ganze Welt.«

»Das kann ich nicht glauben. Sie doch nicht!«

»Arthurs Tod war sinnlos, die Folge eines blödsinnigen Unfalls. Wenn er für irgend etwas Großes gestorben wäre – für sein Vaterland oder die Menschen, die er liebte –, das wäre vielleicht ein gewisser Trost gewesen. Aber er ist umsonst gestorben. Sehr oft bin ich wütend auf Gott oder wäre es, wenn ich noch an seine Existenz glaubte. Freunde versuchen, mich damit zu trösten, daß sie mir erklären, Arthur sei jetzt bei Gott, aber ich kann nur sagen, wenn das stimmt, muß Gott unendlich grausam und selbstsüchtig sein.« Sie sah ihn an. »Habe ich Sie schockiert, Mr. Melrose?«

»Ich bin nicht so leicht zu schockieren. Und nicht so leicht für Platitüden zu haben wie offenbar einige Ihrer Freunde.«

»Und manchmal«, fuhr sie stockend fort, »bin ich sogar auf Arthur wütend. Ich bin wütend auf ihn, weil er mich verlassen hat, obwohl er versprochen hatte, das niemals zu tun. Erst hat er meine Liebe geweckt, und dann hat er mich verlassen. Ich bin wütend auf ihn, weil er mir nicht erlaubt hat, früher einen Arzt zu holen. Er wollte nicht zugeben, daß ihm etwas fehlte. Ich glaube, um Hilfe zu bitten, war für ihn ein Zeichen von Schwäche.«

»Das haben wir Männer so an uns. Und die Engländer erst recht.«

»Immer die Zähne zusammenbeißen«, sagte sie bitter. »O ja, Arthur war ein echter Engländer. Und das war sein Tod, Mr. Melrose. Es war sein Tod.« Sie hielt inne, dann sagte sie ruhiger: »Aber vor allem bin ich wütend auf mich selbst. Auf meine eigene Schwäche und meine Lebensfremdheit. Meine ganze sogenannte gute Erziehung hat mir bei Arthurs Tod nicht geholfen. Ich war nicht auf so etwas vorbereitet. Mir wurde beigebracht, dekorativ zu sein, aber nicht lebenstauglich. Andere hätten ihn vielleicht gerettet, *ich* nicht.«

»Sie urteilen zu hart über sich selbst, Mrs. Leighton. Sie haben viele bewundernswerte Eigenschaften. Schon als wir uns in Rawdon Hall das erste Mal miteinander unterhalten haben, ist mir Ihre sanfte und liebenswürdige Art aufgefallen.

Später, allein im Haus am Norfolk Square, erinnerte sich Marianne mit Verlegenheit ihrer Redseligkeit. Fraglich, ob Lucas Melrose sie danach noch einmal besuchen würde. Vielleicht würde er, abgestoßen von ihrer Gottlosigkeit und ihrem Selbstmitleid, in sein Inselparadies zurückkehren und sich mit Erleichterung den Staub Englands von den Füßen schütteln.

Über Nacht war es mit dem guten Wetter vorbei. Regen prasselte ans Fenster, als Marianne am nächsten Morgen erwachte. Ihr fiel eine Veränderung an Lucas Melrose auf, als er sie am Nachmittag besuchte. Er wirkte unruhig und nervös. Tasse und Untertasse, die er von ihr entgegennahm, zitterten in seiner Hand, und ein paar Tropfen Tee schwappten in die Untertasse.

Sie sprachen vom Wetter, von gemeinsamen Bekannten, von der Theateraufführung, die er am vergangenen Abend besucht hatte. Aus heiterem Himmel sagte er: »Ich bin eigentlich hergekommen, weil ich Sie fragen wollte –« Er brach ab, stand abrupt auf und ging zum Fenster.

»Was wollten Sie mich fragen, Mr. Melrose?«

Die Wolken drückten auf die Stadt herunter und überzogen die Straßen mit einer grauen Decke aus Qualm und Regen. Er hatte die Hände am Fensterbrett, als suchte er Halt.

»Ich wollte Sie fragen, ob Sie sich vorstellen könnten, meine Frau zu werden, Mrs. Leighton«, sagte er.

8

Eva wünschte, Gabriel käme endlich nach Hause. Wenn sie ihn nur sehen, mit ihm sprechen, der Wahrheit auf den Grund gehen könnte. Aber er kam nicht, schickte nur einmal eine schnell hingekritzelte Postkarte. *Frag Max, frag Bobbin,* hatte Val gesagt. Aber Max war mit Gabriel unterwegs, und sie wußte nicht, wo Bobbin wohnte.

Frag Sadie, hatte Val gesagt, *wenn du den Mut dazu hast.* Niemals hätte sie Sadie nach Nerissa fragen können. Wenn sie nachts aufwachte, wußte sie nicht, was schlimmer war – die Möglichkeit, daß Gabriel Nerissas Liebhaber war, oder die Möglichkeit, daß Sadie von ihrer – Evas – Beziehung zu Gabriel wußte. Der Gedanke an das eine erzeugte Wut und Verzweiflung, der an das andere tiefe Scham.

Bei der Arbeit an der Akademie konnte sie sich nicht mehr konzentrieren, weil sie innerlich ständig mit Gabriel und ihrer Beziehung zu ihm beschäftigt war. Auf ihren Zeichnungen war der Faltenwurf der Kleider unnatürlich steif, Hände hingen leblos herab, Finger waren unförmig und sahen aus wie Gummiwürste. Manchmal radierte sie in ihrer Verbissenheit Löcher ins Papier. Gabriel hatte gesagt, er müsse Tag und Nacht an sie denken. Er hatte gesagt, er liebe sie, könne nicht ohne sie sein. Wenn sie sich das ins Gedächtnis rief, fühlte sie sich seiner gewiß. Aber die Gewißheit verflog, wenn sie die Augen aufmachte und mit aller Deutlichkeit sah, daß Gabriel jedermann liebte. Er liebte Sadie und seine Kinder ebenso wie die Freunde, die ihn in Greenstones besuchten. Er liebte die Bohemiens, die sich im Café Royal und im Tour Eiffel mit ihm betranken. Er liebte das Blumenmädchen an der Ecke und den streunenden Hund, der ihm im Park entgegensprang.

Sadie schrieb ihr. Eingeflochten in Anekdoten über die Kinder und Fragen nach Eva, der Akademie und London waren die Zeilen: *Gabriel ist vor zwei Wochen aus Spanien zurückgekommen. Braun wie ein Zigeuner und mit einem goldenen Ring im Ohr. Aber er beginnt schon wieder, rastlos zu werden, und hat vor, bald nach London zurückzukehren.*

Ein paar Tage später suchte Eva das Atelier auf. Die Tür war angelehnt; als sie sie aufstieß, sah sie ihn – eine große dunkle Gestalt, scharf umrissen vom Licht, das durch das Fenster fiel.

»Eva!« rief er und breitete die Arme aus.

»Ich wußte gar nicht, daß du wieder da bist.«

»Ich bin gerade erst angekommen.« Er ließ sie aus den Armen und begann, seinen Rucksack auszupacken. »Ich wollte dir einen Brief schicken.«

»Wie war Spanien?«

»Wunderbar. Es ist ein außergewöhnliches Land.«

»Hat es Nerissa auch gefallen?«

Er schüttelte ein Hemd aus. »Ich denke schon. Sie kannte es ja schon. Oben in den Bergen war es ihr zu kalt.«

Da war es wieder dieses Gefühl, das sie wie ein Schlag in die Magengrube traf; dieser plötzliche Schreck, wenn man stolperte und fiel. »Ich wußte gar nicht, daß Nerissa mit euch gefahren ist«, sagte sie.

»Ach, es ging alles mehr oder weniger auf die letzte Minute. Du kennst ja Nerissa. Es lebe der Impuls.«

Eva ließ sich auf die Armlehne des Sessels sinken. Aus dem Berg zerknitterter Kleidungsstücke neben dem Rucksack zog Gabriel eine Halskette aus kleinen Kaurimuscheln und legte sie ihr um. »Gefällt sie dir?« Die Muscheln schimmerten in Creme, Gold und Rosé. Eva nickte. »Ich habe sie einem Jungen in Almería abgekauft, unten am Meer«, erzählte er. »Für eine Peseta ist er reingesprungen und hat einem die Muscheln gebracht. Da waren Scharen solcher Jungs, wie die Frösche sind sie ins Wasser gehüpft.« Er lachte sie strahlend an. »Komm, gehen wir etwas trinken. Ich habe die Clique vom Café Royal seit Monaten nicht gesehen.«

»Nerissa!« Sie spie den Namen aus, als wäre er Gift. »Val hat mir erzählt, daß du mit Nerissa –«

»Was?«

»Val hat gesagt, du hättest ein Verhältnis mit Nerissa.«

Er knotete einen knallroten Wollschal um seinen Hals. »Nerissa und ich kennen uns seit einer Ewigkeit. Das weißt du, Eva.«

Sie hätte es dabei bewenden lassen können – besser, es nicht zu wissen –, aber sie mußte der Ungewißheit ein Ende bereiten, darum fragte sie: »Und geht ihr noch miteinander ins Bett, Gabriel?«

»Ab und zu. Ja.«

Sie schnappte nach Luft wie eine Ertrinkende, sprechen konnte sie nicht.

Er warf ihr einen schnellen Blick zu. »Das ändert nichts zwischen uns.«

»Aber du hast es mir nicht gesagt!«

»Du hast nicht danach gefragt.«

»Ich dachte, du liebst mich«, flüsterte sie.

»Das tue ich auch.« Mit der Fingerspitze strich er ihr von der Wange zum Kinn hinunter. »Ich liebe dich, Eva. Komm, setz deinen Hut auf, und wir machen uns einen netten Abend.«

»Du kannst nicht erwarten, daß mir das nichts ausmacht.«

Sein Lächeln wurde kühl. »Wieso nicht?«

»Weil ich mir vorkomme wie –«

»Wie was?«

»Verraten«, sagte sie leise.

»Unsinn.« Er zog seinen Mantel an.

Ihr kamen die Tränen. »Es ist kein Unsinn. Es ist wahr.«

»Ich will – und ich werde – nicht glauben, daß Liebe etwas mit Exklusivrechten zu tun haben soll. Du weißt, daß das mit mir nicht zu machen ist, Eva.«

Sie sah ihn an. »Und was ist mit mir?«

Seine Miene wurde wieder etwas weicher. Er nahm ihre Hände in die seinen. »Ich war von Anfang an ehrlich zu dir, Liebes. Du kannst nicht behaupten, ich hätte dich getäuscht. Ich bin nicht bereit, die Liebe zu rationieren, das weißt du.«

Sie schüttelte seine Hände ab. »Du erwartest also von mir, daß ich dich bereitwillig mit anderen teile?« sagte sie kalt.

Ein kurzer Seufzer. »Wenn du es so sehen willst.«

»Wie sonst sollte ich es sehen?«

»Du benimmst dich gerade wie alle anderen. Du schneidest die Menschen in Scheiben, die du dann wie kleine Besitzstücke verteilst. Ich dachte, du wärst anders.«

»Aber ich wußte nichts davon!« rief sie vorwurfsvoll. »Was glaubst du wohl, wie das für mich war, so etwas ausgerechnet von Val zu erfahren? Und dabei hat es ihm noch Spaß gemacht, Gabriel – es hat ihm richtig Spaß gemacht, mir reinen Wein einzuschenken.«

»Es tut mir leid, wenn er dir weh getan hat. Val kann grausam sein. Er ist nicht intelligent genug, um mehr zu sein als Durchschnitt, aber er ist intelligent genug, um zu wissen, daß er nur Durchschnitt ist – und menschlich genug, um damit zu hadern. Das ist seine Tragödie.« Gabriel betrachtete sie mit nüchternem Blick. »Komm jetzt, Eva. Du hast doch immer gewußt, daß du mich teilen mußt.«

»Mit *Sadie* –«

»Was soll das heißen? Daß du zwar bereit bist, mich mit Sadie zu teilen, aber nicht mit Nerissa?«

Voll Scham wandte sie sich ab und hörte Gabriel ruhig sagen: »Eva, Liebes, ich wollte dich nie verletzen. Aber ich werde mich in der Liebe nicht beschränken. Daß ich Sadie liebe – und daß ich Nerissa liebe –, heißt nicht, daß ich dir weniger Gefühl entgegenbringe.«

Der Drang, zu weinen, zu wüten, legte sich plötzlich. Die Frage fiel ihr schwer, aber sie wußte, daß sie sie stellen mußte.

»Und was ist mit Sadie? Weiß sie von Nerissa? Weiß sie von mir?«

»Sadie hat mich immer verstanden.«

»Oh.« Sie sah Sadie vor sich, wie sie in Greenstones in der Küche stand, Brot backte und Gemüse schnitt, um die Geliebten ihres Ehemanns zu verköstigen. Was kostete Sadie dieses Verständnis? Sie stand auf.

»Komm, Eva«, sagte Gabriel. »Du hast mir gefehlt. Komm, gehen wir etwas trinken.«

Sie schüttelte den Kopf, nahm ihre Tasche und ihren Hut. Als sie die Tür öffnete, sagte er: »Ich hätte überhaupt nicht geheiratet, wenn Sadie mir nicht klipp und klar zu verstehen gegeben hätte, daß etwas anderes für sie nie in Frage käme. Ich kenne mich, und ich weiß, daß ich kein Mann zum Heiraten bin.« Sein Ton wurde hart. »Das letzte, was ich brauche, ist noch eine Ehefrau. Ich dachte, das hättest du begriffen.«

»Ja, das dachte ich auch.« Sie drehte sich nach ihm um und zwang sich zu einem Lächeln. »Das dachte ich auch, Gabriel.«

»Eva –« Als sie die Treppe hinunterlief, folgte ihr seine Stimme, gekränkt und ärgerlich. »Eva! Das ist doch albern! Herrgott noch mal, Eva!«

Sie glaubte, er würde schreiben, erklären, sich entschuldigen und irgendwie alles wieder in Ordnung bringen. Sie glaubte, er würde, wie nach ihrer ersten Begegnung, draußen vor der Akademie stehen und auf sie warten, wenn sie herauskam. Seine Beharrlichkeit damals war beängstigend und schmeichelhaft zugleich gewesen. Jeden Morgen rannte sie nach unten, wenn der Briefträger klopfte, und riß ihm die Briefe fast aus der Hand. Aber es war nie etwas von Gabriel dabei. Und wenn sie später mit Blicken die Straße vor der Akademie absuchte und ihn nicht fand, war ihr, als schrumpfte ihr Herz zu einem harten kleinen Stein.

Die drei Jahre an der Slade-Akademie waren fast um. Bei der Durchsicht ihrer Mappe regte sich Panik. Die Mappe kam ihr bescheiden vor, zu viele unfertige Zeichnungen, zu viele, die im vielversprechenden Ansatz steckengeblieben waren. Eine armselige Ausbeute nach drei Jahren Arbeit. Sie zählte die Stunden, die sie Gabriel gesessen hatte, und fragte sich, um wieviel besser ihre Arbeit sein könnte, wenn sie diese Stunden ihrem eigenen Schaffen gewidmet hätte. Sie erinnerte sich der Tage, an denen Gabriel sie morgens auf dem Weg zur Akademie abgepaßt und gedrängt hatte, den Unterricht sausenzulassen und den Tag mit ihm zu verbringen. Sie hatte ihm immer nachgegeben. Sie hatte Entschuldigungen gefälscht, Erkältungen und kranke Verwandte erfunden, nur um mit Gabriel zusammensein zu können. Wäre sie heute eine bessere Malerin, hätte sie sich nicht in Gabriel Bellamy verliebt? Hätte sie das Vertrauen, das Miss Garnett und Großtante Hannah in sie gesetzt hatten, besser gerechtfertigt?

Verspätet erinnerte sie sich Iris' Rat und fuhr nach Hause. Ein wenig ärgerlich war es schon, sich eingestehen zu müssen, daß Iris recht gehabt und sie selbst gar nicht gemerkt hatte, wie sehr es sie nach Hause zog. Und noch ärgerlicher war es, sich dabei zu ertappen, daß sie auf dem Weg von der Straßenbahnhaltestelle nach Summerleigh trotz des schweren Gepäcks immer wieder in Laufschritt fiel.

Zu Hause warteten Türenknallen und laute Stimmen. Ihre Ankunft blieb in der Hitze des Gefechts fast unbemerkt, kaum einer hielt ihr überraschendes Erscheinen eines Kommentars für wert. Joshua tobte, und Clemency versuchte krampfhaft zu schlichten.

Am Abend fuhr James zum Bahnhof, um den Zug nach London zu nehmen, und Großtante Hannah zog sich aus dem Kampfgebiet in ihren Sessel im Salon zurück, wo sie mit Winnie an der Seite und einer schweren Bibel auf dem Schoß einnickte. Nur Lilian konnten die Stürme und Gewitter um sie herum nichts anhaben, sie saß, von allem unberührt, oben in ihrer überheizten, dunklen Höhle. Eva mußte daran denken, was Iris gesagt hatte: *Ich dachte, gerade du, Eva, würdest ver-*

stehen, daß Frauen manchmal zu den drastischsten Mitteln greifen müssen, um die Herrschaft über ihr eigenes Leben zu erlangen.

Im Wintergarten, wo das letzte Abendlicht durch das Glasdach fiel, berichtete Aidan Eva von den Ereignissen der letzten Tage. Er hatte sich geweigert, nach Ferienende in die Schule zurückzukehren. Als Philip am Morgen des vergangenen Tages in den Zug nach York gestiegen war, hatte Aidan es hartnäckig abgelehnt, mit ihm zu fahren, obwohl ihr Vater gefordert hatte, daß er die Schule beendete. Daher Joshuas Zornesausbruch. Er halte es für sinnlos, weiter zur Schule zu gehen, erklärte Aidan seiner Schwester ruhig. Es habe immer schon vorgehabt, mit sechzehn abzugehen und in der Firma zu arbeiten, etwas anderes habe ihn nie interessiert. Ihr Vater wolle das zwar jetzt nicht akzeptieren, aber sobald sich sein Zorn gelegt habe, werde er sich über seine – Aidans – Entscheidung freuen.

Es irritierte sie, daß er in seiner Selbstgewißheit so unzugänglich war. In ihren Augen war Aidan immer der Vernünftige gewesen, keiner, der Unfrieden stiftete. Zum erstenmal erkannte sie jetzt, daß Aidan der Sohn seiner Mutter war, nicht nur dem Aussehen nach – schmächtig, mit zarter, heller Haut und feinem rotblondem Haar –, sondern auch in seiner Hartnäckigkeit.

Sie bekam allmählich den Eindruck, daß sie alles falsch verstanden hatte: ihre Familie, Greenstones, Gabriel. Sie hatte von Nerissa nicht gewußt, weil sie vor der Wahrheit die Augen verschlossen hatte, anstatt auf die Zeichen zu achten. Sie hatte nicht gewußt, daß Sadie über sie und Gabriel auf dem laufenden war, weil sie es nicht hatte wissen wollen. Gabriel hatte nichts vor ihr verheimlicht. Sie hätte nur hinzuschauen brauchen, um zu sehen. Wenn die Wahrheit ihr jetzt weh tat, hatte sie sich das einzig selbst zuzuschreiben.

Und was ihre Familie betraf – als sie vor drei Jahren von Summerleigh nach London gegangen war, hatte sie sie als altmodisch und scheinheilig abgetan. Aber woher nahm sie das Recht, über diese Menschen zu urteilen? Wo war der Unterschied zwischen ihr und ihrem Vater? Sie logen doch beide, einer wie der andere, und riskierten es, die Menschen zu verletzen, die sie liebten. Die Selbsttäuschungsmanöver, die sie angewandt hatte, um ihre Affäre mit Gabriel vor sich zu rechtfertigen, erschienen ihr jetzt erbärmlich. Was sie tat, war nicht in Ordnung. Man konnte die einzelnen Bereiche seines Lebens nicht voneinander getrennt halten; sie überschnitten sich, ihre Farben liefen ineinander, verwoben sich unentwirrbar miteinander.

Ihrem Vater, der ihr mit seiner Impulsivität und der Durchsichtigkeit seiner Emotionen die eigenen Schwächen vorführte, ging sie aus dem Weg. Seine Fragen nach ihrem Leben in London wehrte sie mit schroffer Einsilbigkeit ab, weil sie fürchtete, man könnte merken, wie unglücklich sie war. Sie war ungeduldig mit Clemency und Aidan, und von den Besuchen im überheizten Zimmer ihrer Mutter bekam sie regelrecht Kopfschmerzen.

Eines Morgens, als sie ihrer Mutter vorgelesen hatte und gerade nach unten ging, läutete es draußen. Da Edith sich nicht blicken ließ, machte Eva selbst die Tür auf. Draußen stand Mr. Foley.

Er lüftete den Hut. »Miss Eva, ich wußte gar nicht, daß Sie zu Hause sind. Ich bringe ein Telegramm für Ihren Herrn Vater.«

Sie bat ihn herein. Sonnenlicht strömte durch die Buntglasscheiben in der Haustür. »Geht es Ihnen gut, Miss Eva?« fragte er.

Irgendwie, schoß es ihr durch den Kopf, brachte er es fertig, sie immer dann zu erwischen, wenn sie gerade gar nicht präsentabel war – entweder erhitzt und verschwitzt nach einem Abstecher in den Schmelzraum oder durchnäßt und den Tränen nahe nach einer Irrwanderung durch Sheffields Elendsviertel.

»Danke, Mr. Foley, es geht mir gut.«

»Sie sehen – nicht sehr glücklich aus.«

Kalt versetzte sie: »Keine Sorge, ich fühle mich ausgezeichnet, Mr. Foley. Sie sagten, Sie wollten zu meinem Vater?«

Er wurde rot und trat einen Schritt zurück. Dann kam Edith, um ihn ins Arbeitszimmer zu führen, und Eva floh in den Salon und schloß die Tür.

Sobald sie allein war, verpuffte der Zorn, zurück blieben Niedergeschlagenheit und Erschöpfung. Im Spiegel über dem Kaminsims sah sie ihr Bild. Ein weißes Gesicht mit dunkel umrandeten Augen. Rote, geschwollene Lider, weil ihr bei dem Gedicht, das sie ihrer Mutter vorgelesen hatte, die Tränen gekommen waren. *(Komm zu mir im Schweigen der Nacht, im beredten Schweigen eines Traums).*

Sie hörte die Haustür zufallen und Schritte auf dem Kies, als Mr. Foley wieder ging. Ihre eigene Stimme dröhnte ihr in den Ohren, die hochmütigen Worte, mit denen sie ihn in die Schranken gewiesen und daran erinnert hatte, daß sie die Tochter des Chefs war und er der Angestellte ihres Vaters. Ihr persönliches Elend war keine Entschuldigung für solches Verhalten. Sie wußte, daß Mr. Foley aus einer guten Familie stammte, die irgendwie – die näheren Umstände hatte ihr Vater ihr nicht erklärt – ins Unglück geraten war. Von klein an war sie dazu erzogen worden, denen, die vom Schicksal weniger begünstigt waren als sie, freundlich und ohne Geringschätzung zu begegnen, und nun hatte ausgerechnet sie, der Rang und Name doch angeblich nichts bedeuteten, ihre Stellung dazu benutzt, Mr. Foley zu demütigen. Und nur, weil er ihr verweintes Gesicht gesehen und sich daraufhin erdreistet hatte, Anteilnahme zu zeigen.

Am folgenden Morgen nahm sie ihr Fahrrad und fuhr zum Werk. Durch den Geruch nach hocherhitztem Metall und das Donnern und Tosen der Öfen ging sie zu Mr. Foleys Kontor und klopfte. Bei ihrem Anblick wurde sein Mund schmal, sein Blick ausweichend.

»Ihr Herr Vater ist im Packraum, Miss Maclise.«

»Ich wollte nicht zu meinem Vater. Ich wollte zu Ihnen.«

Er schob einen Stapel Papiere zusammen und verstaute ihn in einer Ledertasche. »Ich muß leider ins andere Werk hinüber.«

»Darf ich Sie begleiten?«

Einen Moment glaubte sie, er werde ablehnen, dann aber sagte er kurz: »Wie Sie wünschen.«

Sie wartete, bis sie das Werktor hinter sich gelassen hatten, bevor sie sagte: »Ich bin hier, um mich bei Ihnen zu entschuldigen, Mr. Foley.«

»Das ist nicht nötig.«

»Ich finde doch.«

Endlich sah er sie richtig an. Im Ausdruck seiner dunklen Augen mischten sich unterschiedliche Emotionen: Stolz, Zorn, Verletztheit. »Ich bin Ihnen gestern zu nahe getreten. Es war Ihr gutes Recht, Ihren Unmut darüber zu äußern.«

Sie schüttelte den Kopf. »Nein. Ich war unhöflich zu Ihnen, weil es mir nicht gutging. Es hatte nichts mit Ihnen zu tun. Sie hatten mich nur in einem schlimmen Moment erwischt.« Sie sah, wie er ihre Worte abwog, und fügte eilig hinzu: »Aber das entschuldigt natürlich nicht mein unmögliches Verhalten. Deshalb bitte ich Sie um Verzeihung, Mr. Foley.«

»Es gibt nichts zu verzeihen.«

Sie gingen über die Brücke über dem Fluß. Das ölige Wasser unten schillerte in Regenbogenfarben; Treibgut von den Docks schaukelte auf den Ölschlieren.

»Ich wußte gar nichts von dem neuen Werk«, bemerkte Eva.

»Ihr Herr Vater hat es vor sechs Monaten gekauft. Die früheren Eigentümer mußten Bankrott anmelden. Jetzt wird es von Mr. James geleitet.«

»Und was wird dort hergestellt?«

»Kupplungsscheiben. Für Automobile.«

»Clemency, meine Schwester, fährt den Wagen meines Vaters.«

»Ich weiß. Ich habe sie vor dem Werk auf ihn warten sehen.«

»Alles verändert sich.« Sie sah sich um. »Alles ist anders.«

»Ja, das ist der Fortschritt.«

»Ich wollte, alles würde so bleiben wie immer.«

»Ich fürchte, das ist unmöglich.«

»Aber meine Familie ...« Wieder dieses verräterische Zittern der Stimme. »Ich dachte, wenigstens da würde alles bleiben wie immer.«

»Ach ja, wir glauben alle, unsere Familien zu kennen.« Sein Ton klang bitter. »Aber allzuoft kennen wir sie überhaupt nicht.«

»Clemency kutschiert in einem Automobil herum, und Aidan hat die Schule abgebrochen. James habe ich seit Ewigkeiten kaum gesehen – irgendwie ist er immer gerade in London unterwegs. Und meine Großtante Hannah nennt mich Frances – das war ihre Schwester, sie ist schon seit vielen Jahren tot. Sogar mein Vater – mein Vater sieht so *alt* aus.«

»Das kommt Ihnen nur so vor, weil Sie so lange weg waren. Man findet Menschen oft verändert, wenn man sie längere Zeit nicht gesehen hat. Außerdem war der Aufbau des neuen Werks natürlich sehr anstrengend für Ihren Herrn Vater. Wir hatten ein paar Anfangsschwierigkeiten, auch Arbeitsauseinandersetzungen, Lohnstreiks, die uns Arbeitstage gekostet haben und leider auch Aufträge. Es war ein schwieriges Jahr.«

Wieder war Umdenken nötig. Es erschreckte sie, daß das Familienunternehmen, von dem sie immer geglaubt hatte, es laufe von selbst und sei durch nichts zu erschüttern, auf Schwierigkeiten stoßen konnte.

»Aber jetzt ist alles in Ordnung?«

»Es gibt zumindest nichts, womit wir nicht fertig werden. Aber das alles hat Ihren Herrn Vater natürlich zusätzlich belastet.«

Ihr fiel plötzlich ein, daß sie Mr. Foley zwar seit ihrer Kindheit kannte, aber praktisch nichts von ihm wußte.

»Haben Sie Familie, Mr. Foley?«

Ein Aufflackern von Ungeduld. »Was dachten Sie denn? Daß ich ein Serienprodukt vom Fließband bin? Glieder, Kopf, Gehirn –«

Sie wurde rot. »So habe ich das nicht gemeint.«

»Ich habe eine Mutter und zwei Schwestern. Sie leben in Buxton.«

»Und Ihr Vater?«

»Er ist tot. Vor elf Jahren gestorben.«

»Das tut mir leid.«

Er blieb plötzlich stehen. Die Menschenmengen um sie herum teilten sich. »Mir nicht. Er war ein Trinker und ein Spieler, er hat meiner Mutter das Leben zur Hölle gemacht und meinen Schwestern und mir jede Chance auf eine normale Zukunft genommen.«

Mitten im Getöse des Straßenverkehrs und der Stahlwerke schien Stille einzutreten. Als sie weitergingen, sagte Mr. Foley: »Verzeihen Sie.«

»Was gibt es da zu verzeihen?«

»Daß ich Sie mit meiner unerfreulichen Familiengeschichte behelligt habe. Das ist weiß Gott nichts, worauf man stolz sein kann.«

»Sie sind doch nicht für Ihren Vater verantwortlich, Mr. Foley.« In dem Bemühen, ihn aus seiner düsteren Stimmung zu reißen, setzte sie hinzu: »Ich würde mich bedanken, wenn jemand mich für das Verhalten meiner Familie verantwortlich machen wollte. Schon weil wir viel zu viele sind.«

Vor einem roten Backsteingebäude blieb Mr. Foley stehen. Eva reichte ihm die Hand. »Ich habe mich gern mit Ihnen unterhalten, Mr. Foley. Sind wir jetzt Freunde?«

Sein Gesicht hellte sich auf, als er lächelte, und war plötzlich schön. »Natürlich sind wir das«, sagte er und schüttelte ihr die Hand.

Marianne hatte Lucas Melrose einen Korb gegeben; hatte es in ihrem Schock geschafft, die übliche Floskel zu stammeln: *Ich weiß die Ehre zu schätzen, aber ich kann Ihren Antrag leider nicht annehmen.*

Sie hatte erwartet, er werde sich danach nicht mehr blicken lassen, aber er besuchte sie weiter. »Es ist unmöglich«, erklärte sie ihm, »es geht nicht.« »Warum?« fragte er. »Warum ist es unmöglich? Bedenken Sie, was ich Ihnen bieten kann. Sie haben gesagt, Sie würden gern reisen. In meiner Begleitung könnten Sie die Welt sehen. Ich kann Ihnen Wunderwerke zeigen, die Sie sich in Ihren kühnsten Träumen nicht vorgestellt haben, ich kann Ihnen Schönheit zeigen, die Ihnen den Atem rauben würde. Ich kann Ihnen Nebelwälder zeigen, Mondsteinminen und Flammenbäume. Sie könnten im Indischen Ozean baden und die Luft der Tropen atmen. Sie würden erfahren, wie es ist, auf Bergeshöhen zu leben, zum Ende Ihres Gartens zu gehen und meilenweit über Hügel und Täler hinwegzublicken, die sich zum Meer hinunterziehen. Was haben Sie durch eine Heirat mit mir zu verlieren außer Einsamkeit, Monotonie und ein Dasein, das Sie, wie Sie selbst sagen, nur ermüdet? Was haben Sie zu verlieren, wenn Sie einen Neuanfang wagen?«

Sie erhob Einwände, als wäre eine Heirat ein Rechenexempel, bei dem es galt, Plus und Minus gegeneinander abzuwägen. Er verwarf sie einen nach dem anderen. Sie habe keine Ahnung vom Leben auf einer Plantage, erklärte sie.

»Das lernt sich schnell«, entgegnete er. »Es ist nicht schwierig. Sie müßten lediglich dafür sorgen, daß im Haus alles reibungslos läuft, das wäre Ihre einzige Aufgabe. Um die Plantage und die Herstellung brauchen Sie sich nicht zu kümmern. Das ist mein Ressort. Sie hätten weit mehr Dienstboten als hier; Sie brauchten kaum einen Finger zu rühren. Ich lebe gut, es würde Ihnen an nichts fehlen.«

»Aber das Klima«, wandte sie ein. »Die Fieberkrankheiten, die Schlangen, die Tiger ...«

Er nahm Papier aus dem Sekretär und seinen Füllfederhalter aus der Tasche. Mit sicherem, kräftigem Strich zeichnete er die Tropfenform der Insel auf. »Das ist Blackwater.« Er tippte auf eine Stelle etwa in der Mitte des breiter gerundeten Tropfenteils. »Und das sind die Malariasümpfe, weit entfernt, in der Küstenebene. Das Hochland ist bekannt für sein gesundes Klima. Natürlich gibt es fieberhafte Erkrankungen, aber die kommen doch auch in London vor. Mit Schlangen wissen meine Leute umzugehen, und Tiger sind keine Gefahr, die bleiben im allgemeinen in den Wäldern. Sollte doch einmal einer auftauchen – ich schieße gut.«

»Aber meine Eltern und meine Geschwister würden mir schrecklich fehlen«, sagte sie. »Ceylon ist so weit weg.«

»Ein moderndes Passagierschiff bringt einen innerhalb weniger Wochen von Colombo nach London«, entgegnete er. »Manche der Frauen in unserer Gegend reisen jedes zweite Jahr zu Besuch nach England. Und wenn Sie Heimweh haben sollten – nun, es gibt ja die Post. Einsam brauchen Sie gewiß nicht zu sein – wir sind alle sehr gesellige Leute und treffen uns an den Wochenenden häufig im Klub.«

Einmal setzte er sich neben sie und ergriff ihre Hand. Als er sie ansah, als dieser blaßgraue, opalisierende Blick sie traf, konnte sie sich nicht abwenden.

»Sie sagen, Ihre Familie wird Ihnen fehlen, Mrs. Leighton, aber Sie haben mir auch erzählt, daß Ihre Schwestern häufig keine Zeit haben. Und mit den Jahren werden sie immer weniger Zeit haben. Sie werden heiraten, Kinder zur Welt bringen und sich um ihre eigenen Familien kümmern müssen. Wollen Sie wirklich, daß es so kommt? Wollen Sie zusehen, wie das Leben der anderen immer reicher wird, während Ihr eigenes leer bleibt? Wollen Sie sich damit begnügen, Tante zu werden, aber niemals Mutter?«

An einem anderen Tag, als es regnete und ein stürmischer Wind die rosigen Blüten von den Kirschbäumen riß, sagte er fröstelnd: »Dieses Wetter. Diese Kälte. Ich weiß nicht, wie Sie das Jahr für Jahr aushalten. Ich würde morgen abreisen, wenn nicht – wenn nicht manchmal diese Einsamkeit wäre.

Das leere Haus. Bisher hat mich das kaum gekümmert. Allein zu sein war etwas Normales. Ich war wohl zuviel mit Ihnen zusammen. Dadurch ist mir bewußt geworden, was mir fehlt.« Er ging im Zimmer auf und ab. Unvermittelt sagte er: »Mir ist klar, warum Sie nichts von mir wissen wollen, Mrs. Leighton. Ich kann Ihnen von meinem schönen Heim und meiner kleinen gesellschaftlichen Welt erzählen, bis ich schwarz werde, mit Ihrem Leben hier ist das alles nicht zu vergleichen. Mit diesem Haus. Mit dem gesellschaftlichen Leben Londons.«

»Ach, das ist es nicht«, widersprach sie. »Das gesellschaftliche Leben hat mich nie interessiert. Das würde mir kein bißchen fehlen.«

»Es ist liebenswürdig von Ihnen, das zu sagen, Mrs. Leighton. Sie haben ein großes Herz, sonst hätten Sie mich nicht all die Wochen ertragen.« Ein trauriges Lächeln, das gleich wieder verschwand. »Ich hätte nie hierherkommen dürfen. Sie hätten mir nie begegnen dürfen. Es hat mir meine – Zufriedenheit geraubt. Vielleicht werde ich eines Tages unter den Wilden enden. Oder zur Flasche greifen. Ich kenne einige Männer, denen es so ergangen ist.«

Das kurze Aufflackern der Furcht in seinem Blick überraschte sie. Furcht hätte sie ihm nicht zugetraut. Er sprach so leise weiter, daß sie sich anstrengen mußte, um die Worte zu verstehen. »Mein Vater ist seit zwölf Jahren tot. Aber manchmal habe ich das Gefühl, er sei da, im Zimmer nebenan. Ich wache mitten in der Nacht auf und glaube, seine Schritte zu hören.«

Er schien sich einen innerlichen Ruck zu geben, und so plötzlich, wie sie das schon ein-, zweimal bei ihm erlebt hatte, wechselte seine Miene, etwas Dunkles wurde entschlossen verdrängt. »Entschuldigen Sie, das ist ein bißchen makaber, nicht?«

»Uns allen kommen düstere Gedanken, wenn wir einen geliebten Menschen verloren haben, Mr. Melrose.«

Er blieb am Fenster stehen und sah zur Straße hinunter, wo die Menschen unter Regenschirmen wie unter einem wogenden Gedränge schwarzer Sterne dahineilten. »Ich kenne England inzwischen gut genug«, sagte er bedächtig, »um zu wissen, daß ich ein anderes Leben führe, als man es in London führt. In Ceylon habe ich mit Frauen kaum etwas zu tun. Ich kann mir vorstellen, daß Sie mich ziemlich ungehobelt finden. Dazu kommt meine Herkunft. Vor zwei Generationen waren die Melroses noch einfache kleine Bauern.«

»Und meine Vorfahren waren Hufschmiede. Das ist kein großer Unterschied.«

Er drehte sich nach ihr um. »Wenn nicht meine Herkunft, meine Erziehung oder meine Lebensart Sie davon abhalten, meine Frau zu werden, dann liegt der Grund wohl in meiner Person? Ich hatte gehofft, Sie würden mich nicht ganz abstoßend finden, aber –«

»Nein, nein! Von abstoßend kann keine Rede sein –« Sie brach ab, plötzlich verwirrt.

»Aber –?«

Sie bemühte sich, sich so klar wie möglich auszudrücken. »Sie müssen doch sehen, Mr. Melrose, daß ich nicht dazu tauge, Sie oder irgendeinen anderen Mann zu heiraten. Ich habe meinen besseren Teil verloren, als Arthur starb. Wenn Sie mich länger kennten, würde Ihnen das, was übrig ist, vielleicht wenig gefallen.«

»Oh, ich denke, ich kenne Sie gut genug.« Er lächelte plötzlich. »Ja, ich denke, ich kenne Sie mittlerweile gut genug.« Er kam auf sie zu. »Ich erwarte nicht, daß Sie mich lieben, wie Sie Ihren Mann geliebt haben«, sagte er leise. »Ich weiß, daß Ihnen das nicht möglich ist. Aber vielleicht würden die Achtung und die Liebe, die ich Ihnen entgegenbringe, für uns beide reichen. Oder vielleicht würde ich mich mit freundschaftlicher Zuneigung zufriedengeben. Noch etwas sollten Sie in Betracht ziehen: Hätte Ihr Mann nicht gewünscht, daß Sie glücklich sind? Wenn er Sie so sehr geliebt hat, wie Sie glauben, hätte er dann gewünscht, daß Sie den Rest Ihres Lebens um ihn trauern?«

In der Ambulanz des Mandeville-Krankenhauses gab es Samstag abends immer viel zu tun.

Die Art der Beschwerden, mit denen die Patienten zur Behandlung kamen, änderte sich mit dem Fortschreiten der Stunden. Am frühen Abend stürzte weinend eine junge Frau in die Klinik, die sich die Kopfhaut mit einer zu heißen Brennschere verbrannt hatte. Danach mußten Schnittwunden an Fingern und Händen, plötzliche Fieberanfälle und Knochenbrüche verarztet werden. Später erschien eine ganze Familie, deren sämtliche Mitglieder, vom Kleinkind bis zur Großmutter, nach dem Genuß verdorbener Wurst von Übelkeit und Erbrechen geplagt wurden. Ein zwölfjähriges Mädchen, das schwerste Verbrennungen erlitten hatte, weil sein Sonntagskleid am offenen Kamin Feuer gefangen hatte, starb, kurz nachdem sein Vater es hereingetragen hatte.

Dann waren da noch die Betrunkenen. Manche wurden lallend mit blutenden Kopfverletzungen von Freunden hereingebracht, andere von der Polizei eingeliefert, die sie grün und blau geprügelt mit geleerten Taschen in einer dunklen Gasse gefunden hatte. Sie waren aggressiv oder anlehnungsbedürftig, bewußtlos oder aufgekratzt. Iris schnitt bewußtlosen Männern und Frauen die Kleider vom Leib, verband Schnittwunden, legte verstauchte Gliedmaßen in Schlingen. Sie wehrte bierselige Annäherungsversuche von Männern ab, die um nur einen einzigen Kuß bettelten, und kämmte alten Frauen, die sie kreischend beschimpften, Läuse aus den Haaren.

Gegen acht wurde es etwas ruhiger, und die Schwestern flohen in die Küche. Eine von ihnen hatte Geburtstag und eine Torte mit rosarotem Guß mitgebracht. Mit einem Seufzer des Behagens zog Iris die Füße aus den soliden Schnürschuhen, die sie im Krankenhaus trug, und streckte ihre Zehen. Den nächsten Tag hatte sie frei und wollte mit einer Kollegin und deren beiden Brüdern einen Ausflug machen. Sie schloß die Augen und freute sich darauf, statt Tracht und Häubchen endlich einmal wieder ein hübsches Kleid und einen schicken Hut zu tragen. Sie schaute auf die Uhr: noch eine Viertelstunde. Nur noch eine Viertelstunde, und sie wäre frei.

Donnernde Gesänge aus dem Korridor der Ambulanz scheuchten die Schwester auf. Seufzend zogen sie ihre Schürzen gerade und gingen wieder an die Arbeit. Draußen umringten fünf, sechs grölende junge Burschen ihren Freund, der aus einer Beinverletzung blutete. Andere Patienten drängten in die Runde – eine ältere Frau, die ein feuchtes Tuch auf ihre verbrühte Hand drückte, ein schwangeres junges Mädchen mit ihrem ebenso jungen blassen Ehemann und zwei Männer, von denen der jüngere den älteren stützte. Der ältere, in geflickter Jacke und Schirmmütze, krümmte sich heftig hustend über einem Taschentuch, das fast sein Gesicht verdeckte. Iris sah Blutflecken auf dem Tuch.

Der jüngere Mann blickte suchend den Korridor hinauf und hinunter. Er hatte helles Haar und trug keinen Hut. Als er sich in ihre Richtung drehte, erkannte Iris, wen sie vor sich hatte. Einen Moment war sie wie gelähmt, dann schaute sie sich in der Hoffnung auf Entkommen hastig um. Als sie jedoch sah, daß alle anderen Schwestern zu tun hatten und ihr keine Wahl blieb, ging sie über den Korridor auf ihn zu.

»Ash«, sagte sie.

Er sah sie an. »Iris!«

Eine Stille trat ein, in der alle Hektik und aller Tumult unterzugehen schienen. Dann begann Ashs Begleiter wieder zu husten, und Iris sagte sachlich: »Nehmt einen Moment hier Platz, Ash, ich hole einen Arzt, der sich um deinen Freund kümmert.«

Als sie sicher war, daß er sie nicht mehr sehen konnte, drückte sie beide Hände ans Gesicht, um ihre brennenden Wangen zu kühlen. Ausgerechnet Ash, dachte sie. Ausgerechnet der Mann, den sie am liebsten nie wiedergesehen hätte. Wie ungerecht!

Während sie nachfragte, wann der Arzt frei sein würde, Ashs Freund in die mit Vorhängen abgeschirmte kleine Zelle begleitete und seinen Namen und seine Adresse aufnahm, lief in ihrem Kopf immer wieder das letzte Gespräch mit Ash im Garten von Summerleigh ab. *Wenn wir verlobt wären*, hatte sie gesagt, nachdem sie ihn geküßt hatte. Und dann Ashs Erwiderung, so niederschmetternd wie ein körperlicher Schlag: *Ach, Iris, was hätten wir beide denn miteinander zu reden?*

Als sie zu Ash zurückging, stand er auf. »Ist Mr. Reynolds ein naher Freund von dir?« fragte sie .

»Nein, das kann man eigentlich nicht sagen. Aber ich kenne die Familie immerhin seit einem halben Jahr. Was fehlt ihm?«

»Wir behalten ihn heute nacht hier.« Iris runzelte die Stirn. »Er hat mir gesagt, er habe Frau und Kinder.«

»Ja, vier Kinder.«

Sie bedeutete Ash, ihr in eine ruhigere Ecke des Korridors zu folgen. »Du weißt sicher, daß Mr. Reynolds Tuberkulose hat. Im Endstadium. Wir können nur noch versuchen, ihm ein wenig Erleichterung zu verschaffen. Es tut mir sehr leid.«

Als sie sich zum Gehen wandte, rief er leise: »Iris!«, und sie blieb kurz stehen, bevor sie sagte: »Ich muß weiter. Ich muß mich um die anderen Patienten kümmern.« Ihre Stimme zitterte ein wenig. »Du mußt die Familie darauf vorbereiten, Ash. Mr. Reynolds wird das Ende der Woche wahrscheinlich nicht mehr erleben.«

Marianne besuchte Patricia Letherby. Nach dem Mittagessen setzten sie sich in den Garten, wo Patricias Kinder spielten.

»Molly will unbedingt laufen«, sagte Patricia. Das kleine Mädchen, gerade dreizehn Monate alt, untersuchte mit großem Interesse Steine, Grashalme und Blumen, kam dabei allerdings wegen des Windelpakets und der Unsicherheit seiner stämmigen Beinchen nicht ohne Mühe vorwärts. »Die Kinderfrau ist entsetzt. Sie ist der Auffassung, Kinder sollten frühestens mit anderthalb Jahren zu laufen anfangen. Ich habe ein ganz schlechtes Gewissen – wahrscheinlich bekommt Molly, das arme Dinge, später mal krumme Beine. Sieht sie nicht süß aus? Es macht ihr einfach mehr Spaß, im Garten herumzuwatscheln, als in ihrem Kinderwagen zu sitzen.«

Molly wackelte ihrer Mutter ein paar schwankende Schritte entgegen. »Ist das für mich? Danke dir, mein Liebes.« Patricia hielt die Hand auf, um Mollys Geschenk, ein grünes Blatt, entgegenzunehmen. »Gestern«, erzählte sie Marianne, »hat sie mir einen Wurm geschenkt.«

»Ich hoffe, du warst dankbar.«

»Ganz ungeheuer.« Plötzlich ertönte lautes Geheul. »Oh, *John*!« rief Patricia und rannte durch den Garten, um ihren Sohn aus dem Fischteich zu retten.

Während Patricia mit John ins Haus ging, um ihm trockene Kleidung anzuziehen, trippelte Molly lachend und mit ausgestreckten Armen auf Marianne zu. Marianne reihte ihre Geschenke im Gras auf: einen Kieselstein, ein Schneckenhaus und die zerquetschten Überreste einer Blume.

Als Molly nach einer Weile müde zu werden schien, nahm Marianne sie auf den Arm. Als Patricia zurückkehrte, war die Kleine eingeschlafen, das Köpfchen entspannt auf Mariannes Schulter.

»Ach, sie schläft«, rief Patricia. »Ist sie dir nicht zu schwer? Sie ist so ein kleines Möpschen.«

»Sie ist überhaupt nicht schwer. Sie ist zum Fressen.«

Patricia nahm ihr das Kind ab. »So schade, daß du und Arthur keine –« Sie brach ab. »Verzeih mir.« Sie tätschelte Marianne den Arm. »Wie kann man nur so taktlos sein! Ich brauche nur den Mund aufzumachen, und schon kommt ein Haufen Quatsch heraus.«

Auf dem Heimweg fielen Marianne die von grünem Laub schweren Zweige auf, die über die Zäune der Vorgärten hingen, und die Bienen, die sich in die Lilien bohrten, um, mit orangefarbenen Pollen bestäubt, wieder herauszukriechen. Wenn der Verkehrslärm nachließ, war ihr, als vernähme sie den

Rhythmus des Sommers, eine Mischung aus Vogelgesang und Insektengebrumm, ein Pulsieren in der Luft, das die Rückkehr von Wärme und Leben feierte.

Im Park setzte sie sich auf eine Bank und sah den Kindern beim Spiel zu. Aber nach einer Weile kehrten Zorn und Verzweiflung zurück. Darüber, daß sie an diesem Leben nicht teilhaben konnte. Daß sie Zuschauerin bleiben mußte.

Wie viele Male war sie hierhergekommen, um Arthur bei seinem Ausritt auf der Rotten Row entgegenzublicken? Sie wußte noch genau, wie er ausgesehen hatte, der bestaussehende Mann im Park. Tränen brannten ihr in den Augen. Selbst heute noch, anderthalb Jahre nach seinem Tod, ertappte sie sich dabei, daß sie in den Menschenmengen sein geliebtes Gesicht suchte. Jedesmal durchlebte sie den unerträglichen Schmerz seiner Abwesenheit. Sollte sie sich dafür entscheiden, all diese Erinnerungen an ihn zurückzulassen?

Sie mußte es, sagte sie sich. Die Alternative war lebenslanges Warten auf einen Menschen, den sie nie wiedersehen würde. Sie erinnerte sich an den Tag, an dem er gestorben war. Nachdem Dr. Fleming operiert hatte, hatte sie an seinem Bett gesessen. Die Abstände zwischen seinen Atemzügen waren immer größer geworden, und in diesen entsetzlichen Pausen hatte sie ihn beschworen, angefleht, am Leben zu bleiben. Sie war bei ihm geblieben, als er zu atmen aufgehört hatte, aber nicht weil sie, wie ihre Schwestern geglaubt hatten, seinen Tod nicht akzeptieren konnte, sondern weil sie nicht wußte, was sie nun tun sollte. Mit dem Versiegen dieses Atems hatte ihr Leben seinen Sinn verloren. Die vielen kleinen Handlungen, die das tägliche Leben ausmachten, waren ihr seither fragwürdig geworden.

Arthur war wegen einer kleinen Nachlässigkeit unter Qualen gestorben. Dies akzeptieren zu müssen war unerhört grausam gewesen. Trotzdem hatte sie es ausgehalten. Vor einem Jahr hatte sie daran gedacht, sich das Leben zu nehmen. Sie hatte es nicht getan und damit eine Entscheidung getroffen.

Sie mußte neue Entscheidungen treffen. Sie mußte sich für irgend etwas entscheiden: sich zu amüsieren, sich nützlich zu machen oder sich von neuem der Liebe zu stellen.

Das einzige, worin sie gut gewesen war, so schien ihr, war die Ehe. Die Ehe war das richtige für sie gewesen, sie hatte ihre besten Seiten zum Vorschein gebracht. Unverheiratet wäre sie immer den räuberischen Absichten von Männern wie Teddy Fiske ausgesetzt. Da es ihr selbst an Bestimmtheit mangelte, mußte sie sich ihre Stärke von jemandem holen, der selbstsicherer und energischer war. Charakterstärke und Selbstgewißheit zogen sie an, weil ihr selbst diese Eigenschaften fehlten.

Sie ging durch den Park zurück. Hin und wieder blieb sie stehen, um die Rosen zu betrachten. Einmal brach sie eine Blüte ab und steckte sie an ihr Revers. Den ganzen Heimweg atmete sie den süßen Duft der Rose ein und strich mit den Fingern sachte über ihre samtigen roten Blütenblätter.

Das Zusammentreffen mit Ash hatte Iris ihre letzte, für sie so demütigende Begegnung ins Gedächtnis gerufen. Sie fragte sich, ob er vergessen haben könnte, was sich zwischen ihnen abgespielt hatte, verwarf diese Möglichkeit jedoch sogleich. So etwas vergaß niemand, mochte er noch so weltfremd sein. Solche Begegnungen prägten sich unauslöschlich ein.

In den nächsten Tagen war sie nervös und unruhig. Es gelang ihr nicht, sich einzureden, daß er nicht wiederkommen würde. Jeder andere Mann, dachte sie, wäre so taktvoll, sich fernzuhalten. Aber Taktgefühl hatte nie zu Ashs Vorzügen gehört.

Als sie am Samstag vormittag in ihrer Pause rasch etwas einkaufen ging, hörte sie ihn hinter sich rufen. Mit trotzig erhobenem Kopf drehte sie sich um. Diesmal, nahm sie sich vor, würde sie sich nicht aus der Ruhe bringen lassen. Diesmal würde *sie* den Ton angeben.

»Neue Patienten für das Mandeville, Ash?« fragte sie kühl.

»Nein, diesmal nicht. Ich wollte mit dir reden. Hast du einen Moment Zeit?«

»Ich habe Dienst. Ich muß gleich wieder zurück auf die Station. Ich wollte nur schnell etwas Faden besorgen.«

Zu ihrem Ärger folgte er ihr in den Laden. Ohne ihn zu beachten, durchsuchte sie ein Sortiment von Zwirnrollen nach dem altrosa Farbton zu dem Stoff, den sie für eine Bluse gekauft hatte.

»Als du da letzte Woche plötzlich vor mir gestanden hast – das war so unerwartet«, sagte er.

»Unerwartet?« Sie sah ihn mit hochgezogenen Brauen an. »Inwiefern denn, Ash?«

»Ich wußte nicht, daß du in London lebst.«

»Ach, Ash, du enttäuschst mich!« rief sie. »Mich in London zu sehen war garantiert die geringste Überraschung.« Sie schaute wieder zu den Zwirnrollen hinunter, strich mit der Fingerspitze über die verschiedenen Farben. »Du wolltest sagen«, berichtigte sie ihn, »wie unerwartet es war, Iris Maclise als Pflegerin in einem Krankenhaus anzutreffen. Wie unerwartet zu sehen, daß sich Iris Maclise tatsächlich die Hände schmutzig macht.«

Er wurde rot. »Das stimmt nicht. Das wollte ich überhaupt nicht sagen.«

»Aber natürlich.« Sie wandte sich ihm zu. Beiläufig nahm sie wahr, daß auch er sich verändert hatte. Daß er älter aussah, selbstsicherer wirkte. Aber nicht gepflegter: Seine Haare waren zu lang, und er hatte ein Jackett aus einem samtigen grünlich schwarzen Stoff an, das aussah, dachte sie geringschätzig, als wäre es aus den Häuten toter Maulwürfe gemacht.

»Du hast mir doch vor drei Jahren ganz klar zu verstehen gegeben, was du von mir hältst«, sagte sie kalt. »Tu doch jetzt nicht so, als wäre das hier nur ein höflicher Plausch zwischen alten Freunden. Du bist neugierig, stimmt's? Du möchtest gern wissen, wie es kommt, daß Iris Maclise, diese oberflächliche Gans, endlich etwas Sinnvolles tut.«

»Ich habe dich nie für eine oberflächliche –«

»Lüg doch nicht, Ash!« zischte sie wütend. »Ich entspreche vielleicht nicht deinen hehren Maßstäben, aber ich bin nicht blöd.« Damit ergriff sie eine Garnrolle, legte der Verkäuferin das abgezählte Geld hin und ging.

Er lief ihr nach. »Iris! Bitte!«

Sie war schon halb die Treppe zum Krankenhaus hinauf. Im Schatten des Portals holte sie tief Atem, um ruhig zu werden. »Die Menschen verändern sich, Ash. Ich habe mich verändert. Es wäre die größte Beleidigung für mich, wenn du fändest, ich wäre wie früher. Man kann nicht in so einem Haus arbeiten, ohne schlimme Dinge zu sehen. Ich gehe nicht wie Eva zu politischen Versammlungen oder ähnlichen Geschichten, weil ich ohnehin kaum eine freie Minute habe. Wenn ich einmal nicht im Dienst bin, versuche ich, das Leben zu genießen, und dafür schäme ich mich nicht. Aber glaub bitte nicht, daß ich so töricht und unwissend bin wie früher.«

Einen Moment blieb es still. Dann sagte er: »Du hast mir gefehlt.«

Wieder hob sie trotzig den Kopf. »Ich? Oder meine Familie?«

»Ihr alle. Aber du am meisten.« Er lächelte schief. »Ich kann mit niemandem so schön streiten wie früher mit dir, Iris. Das fehlt mir. Wirklich.«

Seine Augen blitzten, und ihr fiel wieder ein, warum sie ihn damals gemocht hatte, warum sie sich trotz ihrer Differenzen in seiner Gesellschaft immer wohl gefühlt hatte.

»Ich muß hinein«, sagte sie.

»Ja, natürlich. Aber wir sehen uns doch wieder?«

»Ash –«

»Gut, dann ist es abgemacht.« Und schon war er weg, im Gewimmel des Markttags verschwunden.

Iris sah zu der Zwirnrolle in ihrer Hand hinunter. Das war überhaupt kein Altrosa, das war ein scheußliches Lachs. Mit einem ärgerlichen Brummen stopfte sie die Rolle in ihre Tasche und öffnete die Tür zum Krankenhaus.

Als sie um acht Schluß machte, fand sie in ihrem Fach im Schwesternheim einen Brief von Eva. *Iris*, stand da in großen schwarzen Tintenkrakeln, *Du mußt etwas tun. Marianne will einen fürchterlichen Mann heiraten und nach Ceylon gehen. Du mußt das verhindern.*

Marianne war gerade in der Spülküche, als Iris kam. Sie trug ein altes blaues Kleid, das Iris noch aus Summerleigh kannte, und ihr dickes, dunkles Haar war nachlässig hochgesteckt. Das Blau des Kleids und die schlechte Beleuchtung des Raums ließen ihren ohnehin blassen Teint farblos wirken.

Sie schaute auf, als Iris hereinkam. »Ich habe die Blumen vergessen.« Neben mehreren Vasen lagen Nelken- und Rosensträuße auf dem Abtropfbrett des Spülsteins. »Ich habe sie heute morgen gepflückt, hier liegengelassen und dann völlig vergessen. Die armen Dinger werden halb verdurstet sein.« Sie sah Iris forschend an. »Ist es nicht ziemlich spät für einen Besuch?«

»Entsetzlich spät.« Iris trat zum Spülstein. »Die Heimleiterin wird mir den Kragen umdrehen, wenn ich nicht spätestens um zehn in meinem Zimmer bin.«

Marianne kürzte die Blumenstengel mit einem Messer. »Eva hat es dir wohl schon erzählt?«

»Daß du heiraten willst? Ja. Ist es wirklich wahr?«

»Ja. Und wenn du hergekommen bist, um mich davon abzuhalten, kannst du gleich wieder gehen. Es wäre nur Zeitverschwendung.«

»Wenn du diese Heirat wirklich willst, Marianne, würde ich nie versuchen, dich davon abzuhalten.«

»Na, das ist doch mal eine angenehme Abwechslung. Eva hat mich angebrüllt.«

»Sie ist wahrscheinlich aus allen Wolken gefallen. Wir hatten ja keine Ahnung, daß es jemanden gibt, der dir besonders nahesteht.«

»Gibt es auch nicht.« Mariannes Stimme war hart. Wieder

sah sie Iris an. »Aber Lucas hat mir einen Antrag gemacht, und ich habe angenommen.«

»Lucas?«

»Lucas Melrose.«

Iris beobachtete die schnelle, gnadenlose Bewegung des Messers. »Habe ich von dem schon einmal gehört? Ich kann mich nicht erinnern, daß du von ihm gesprochen hast.«

»Er ist ein absolut ehrenwerter Mann, wenn es das ist, was dir Sorgen macht. Er hat eine Teeplantage in Ceylon.«

»Und nach eurer Heirat wollt ihr euch in Ceylon niederlassen?«

»Wir reisen in vierzehn Tagen ab. Gleich nach der Hochzeit.«

»Marianne –« *Das darfst du nicht tun*, wollte sie sagen, konnte es sich aber gerade noch verkneifen. »Hast du mit Vater gesprochen?«

»Ich habe ihm gestern geschrieben. Und ich nehme stark an, daß Eva ihm bereits ein Telegramm geschickt hat.« Marianne lächelte angespannt. »Wahrscheinlich ist er schon auf dem Weg hierher. Mit James im Schlepptau, zur moralischen Unterstützung. Ich sollte den Mädchen vielleicht schon einmal Anweisung geben, die Gästezimmer zu lüften, oder?« Der Sarkasmus in ihrem Ton wurde von trotziger Selbstbehauptung abgelöst, als sie sagte: »Es ändert nichts. Ich habe endlos darüber nachgedacht und bin zu der Erkenntnis gekommen, daß dies für mich das einzig Richtige ist.«

Iris hatte ein Gefühl, als tappte sie blind im Nebel. »Wo hast du diesen Mr. Melrose eigentlich kennengelernt?«

»In Rawdon Hall. Laura Meredith hat uns miteinander bekannt gemacht.«

»Und da habt ihr gemerkt, daß ihr euch sympathisch seid … oder zumindest manches gemeinsam habt?«

»Wir haben uns ein bißchen unterhalten. Und dann haben wir uns zufällig in London wiedergetroffen. Seitdem hat er mich oft besucht.« Marianne schwieg einen Moment. »Wir sind beide allein. Ich vermute, das war der Grund. In Rawdon Hall waren wir beide – Außenseiter.«

Iris beruhigte das kein bißchen. »Wie lange kennst du ihn?«

Marianne füllte eine Vase mit Wasser. »Zwei Monate.«

Diesmal konnte sie nicht anders. »*Zwei Monate!* Mein Gott, Marianne, bist du verrückt geworden?«

»Na ja.« Ein dünnes Lächeln. »Ein bißchen vielleicht. Jedenfalls denke ich das oft. Seit Arthurs Tod gibt es gewisse Dinge, die mir ständig im Kopf herumgehen. Schlimme Dinge. Ich muß mir auf die Zunge beißen, damit ich sie nicht laut sage. Aber manchmal kann ich nicht anders, sie müssen einfach heraus, und dann sind alle wahnsinnig schockiert, als hätte ich etwas Unanständiges gesagt. Ja, vielleicht bin ich wirklich ein bißchen verrückt.« Sie lehnte sich mit dem Rücken gegen das Spülbecken. Im ungewissen Licht waren die Schatten in ihrem eingefallenen Gesicht noch tiefer, ihr Körper wirkte noch schmaler. Marianne, die immer dünn gewesen war, hatte seit Arthurs Tod noch abgenommen.

»Weißt du«, sagte sie ruhig, »manchmal versuche ich gar nicht, mich zu bremsen, weil ich nicht einsehe, warum ich es tun sollte. Schließlich sehe ich die Welt, wie sie ist, während sich andere etwas vormachen. Ich bin nicht mehr derselbe Mensch wie früher. Ich tue so, als wäre ich's, aber ich bin es nicht. Aber in letzter Zeit bin ich manchmal über mich selbst erschrocken. Ich habe Angst, daß ich einmal etwas Schlimmes tun werde. Etwas ganz und gar Unbesonnenes.«

»Die Heirat erscheint mir unbesonnen genug.«

Marianne legte das Messer aus der Hand. »Ich meinte etwas Schlimmeres. Es gibt Schlimmeres, als einen Mann zu heiraten, den man nicht liebt.«

»Meinst du? Aber eine Heirat ist doch so etwas Endgültiges – man bindet sich fürs ganze Leben –«

»Du lieber Himmel, Iris, hast du so eine bescheidene Phantasie?« Mariannes Lachen klang brüchig. »Ich könnte weit Schlimmeres tun, als Lucas Melrose zu heiraten! Ich könnte mir einen Liebhaber nach dem anderen nehmen. Was Vater wohl *da*zu sagen würde?«

»Marianne –«

»So verrückt bin ich auch wieder nicht. Ich weiß, was ich tue«, erklärte sie mit grimmiger Entschlossenheit. »Ich habe mich entschieden, wieder zu heiraten.«

»Das ist natürlich dein gutes Recht. Aber einen Mann, den du erst zwei Monate kennst?«

»Die Zeit spielt da überhaupt keine Rolle. Ich wußte schon bei meiner ersten Begegnung mit Arthur, daß ich ihn liebe.«

»Dann empfindest du für diesen Mann, für Lucas, etwas von dem, das du für Arthur empfunden hast?«

»Aber nein, natürlich nicht.« Verachtung schwang in Mariannes Stimme. »Ich habe dir doch gesagt, ich empfinde nichts für ihn. Aber er ist gut genug. So gut wie jeder andere.«

»Gut genug? Das ist doch keine Basis für eine Ehe!«

»Nein?« fragte Marianne ärgerlich. »Wieso bilden sich meine Schwestern eigentlich ein, sie müßten mich über Heirat und Ehe belehren? Eva hält nichts von der Ehe, und Clemency, das arme Ding, wird wahrscheinlich eine alte Jungfer werden. Und du? Willst du mir raten, auf etwas Besseres zu warten? Wie du es getan hast?«

In der Stille war das Tropfen des Wasserhahns zu hören und von draußen, aus dem Garten, der schmelzende Gesang einer Singdrossel. Iris mußte an Summerleigh denken: warme Abende, Rosenduft, heimliche Küsse im Mondschein.

»Das habe ich wahrscheinlich verdient.« Sie hob ein herabgefallenes Blütenblatt auf und zerdrückte es zwischen Finger und Daumen. »Ich habe eine ganze Menge Chancen vertan, nicht wahr?«

Marianne schloß kurz die Augen. »Entschuldige. Das war gemein. Ich wollte dich nicht –«

»Natürlich wolltest du. Und du hast ja auch recht. Ich war zu stolz, um einen der Männer zu nehmen, die mich heiraten wollten. Ich dachte immer, an der nächsten Ecke würde ein Besserer warten. Als ich schließlich merkte, daß es nicht so war, war es zu spät. Wer würde mich jetzt noch heiraten wollen?« Sie lachte ein wenig. »Karbolseifenduft ist nicht gerade verführerisch, und schau dir bloß meine Hände an.«

»Bitte verzeih mir, Iris«, sagte Marianne leise. »Das war wirklich gemein von mir.«

Sie war blaß und angespannt und wirkte todunglücklich. »Du siehst müde aus«, sagte Iris teilnehmend. »Schläfst du nicht?«

»Schlecht.« Marianne stopfte eine lose Haarsträhne in den nachlässig gesteckten Knoten.

»Marianne, Arthur ist erst seit anderthalb Jahren tot. Das ist keine Zeit. Und da willst du einen Mann heiraten, den du kaum kennst, und mit ihm in ein Land gehen, das Tausende von Meilen von deinem Zuhause entfernt ist – kannst du denn nicht verstehen, daß wir uns da Sorgen machen?«

Marianne begann, Blumen in eine Vase zu stecken. »Ich weiß, daß du mich immer ziemlich albern gefunden hast mit meiner romantischen Ader. Wahrscheinlich war ich es ja auch. Als junges Mädchen habe ich nur auf die große Liebe gewartet. Es war mir gleich, ob der Mann reich oder arm, schön oder häßlich sein würde. Ich war überzeugt, die große Liebe würde mein Leben verändern. Und tatsächlich, sie hat mein Leben für immer verändert. Ich weiß, daß es für andere nicht leicht ist zu begreifen, wie ich mich fühle, aber seit Arthur tot ist, habe ich das Gefühl, ich wäre hier« – sie legte die Hand auf die Brust – »versteinert. Es ist wahr, ich liebe Lucas nicht, aber er scheint mir ein guter Mensch zu sein, und er sagt, daß er mich liebt. Ist es so schrecklich, ihn glauben zu lassen, ich könnte seine Liebe vielleicht erwidern? Ich kann schauspielern, Iris – ich bin eine hervorragende Schauspielerin geworden.« Sie senkte die Stimme. »Verstehst du, ich glaube nicht, daß ich je einen anderen Mann lieben kann, und selbst wenn ich es könnte, weiß ich gar nicht, ob ich das wollte. Man kann die Liebe verlieren, meinst du nicht? ›Besser geliebt und verloren zu haben, als gar nicht geliebt zu haben‹, sagen dauernd alle zu mir, aber das stimmt nicht, nein, das stimmt ganz und gar nicht.«

Iris wählte ihre Worte mit Bedacht. »Ich weiß, daß du Arthur immer noch schrecklich vermißt. Ich finde ja nur, du solltest noch warten.«

»Aber verstehst du denn nicht, Iris? Es gibt nichts zu warten. Ich habe fast meine ganze Jungmädchenzeit mit Warten zugebracht. Etwas anderes haben wir doch alle nicht getan – keine von uns. Wir haben gewartet. Auf irgendein Ereignis – auf die Liebe, auf die Ehe. Als ich Arthur geheiratet habe, dachte ich, jetzt hätte das Warten ein Ende. Aber dann ist er gestorben, und seitdem komme ich mir vor wie in einem Niemandsland. Es gibt nichts, worauf ich mich freuen kann, nicht einmal mit der Vergangenheit kann ich mich trösten, weil alle meine Erinnerungen an Arthur von seinem Tod überschattet sind. Ich kann die Lücke nicht füllen. Ich habe keine besondere Begabung wie Eva, und ich bin nicht gescheit genug, um einen Beruf zu ergreifen wie du. Ich bin dreiundzwanzig Jahre alt und habe das Gefühl, daß mein Leben vorbei ist.«

Marianne sprach mit einer Endgültigkeit, bei der Iris innerlich kalt wurde. Immer stärker wurde der Verdacht, daß weder sie noch sonst jemand Marianne davon abhalten konnte, Lucas Melrose zu heiraten. Trotzdem versuchte sie es weiter. »Mit der Zeit –«

»Nein.« Marianne schüttelte energisch den Kopf. »Die Zeit ändert nichts. Zu warten ändert nichts.« Sie stellte die Vase auf den Tisch. Iris bemerkte, daß die Blumen kunstvoll und sehr ordentlich gesteckt waren. »Dieses Haus –« Mariannes Blick flog durch den Raum – »ist wie ein Mausoleum. Jedes Zimmer erinnert mich an ihn. Anfangs habe ich mich an diese Erinnerungen geklammert, aber in letzter Zeit sind sie mir zur Qual geworden. Jedesmal wenn ich unser Schlafzimmer betrete, sehe ich ihn dort im Sterben liegen. Ich muß weg von hier. Ich muß andere Orte aufsuchen, andere Dinge sehen. Ich brauche andere Gedanken. Sonst sterbe ich, Iris. Sonst gehe ich einfach ein.«

»Ach, Marianne!« Iris drückte ihre Schwester an sich, doch Marianne blieb steif und voller Abwehr. »Ich verstehe nur nicht, warum alles so schnell gehen muß. Könntest du denn nicht einen Kompromiß eingehen und dich erst einmal verloben? Dann hätten wir alle Zeit, Lucas kennenzulernen, und du könntest dir in Ruhe darüber klarwerden, ob du das Richtige tust. Und wenn du es dann in einem halben Jahr noch genauso siehst wie jetzt, könnten wir dir unseren Segen geben.«

Marianne wandte sich wieder den Blumen zu. »Lucas muß in vierzehn Tagen nach Ceylon zurück.« Ihre Worte waren kurz und emotionslos. »Er kommt so bald nicht wieder nach England. Entweder wir heiraten jetzt oder gar nicht. Daran hat er mir gegenüber keinen Zweifel gelassen.«

Eine frühere Bemerkung Mariannes veranlaßte Iris zu sagen: »Du hast mir erzählt, daß Mr. Melrose in Rawdon Hall auf dich aufmerksam geworden ist. Vielleicht bist du ihm aufgefallen, weil du allein warst. Arthur hat dir ein Vermögen hinterlassen, Marianne. Das macht dich für einen bestimmten Typ Mann sehr begehrenswert.«

»Du meinst, er könnte ein Mitgiftjäger sein?« Marianne stellte weiße Rosen in eine Vase. Sie leuchteten im Zwielicht. »Wenn es so ist, ist mir das ziemlich egal.«

»Aber das kann dir doch nicht egal sein!«

»Ist es mir aber«, entgegnete Marianne scharf. »Das hieße doch nur, daß jeder von uns den anderen benützt. Er würde mich des Geldes wegen heiraten, und ich, weil ich ein Kind will.«

»Ein Kind?«

»Ich weiß, daß ich nie einen anderen Mann lieben werde. Aber vielleicht kann ich ein Kind lieben. Ich habe mit mir selbst einen Pakt geschlossen, weißt du. Ich werde Lucas eine gute Frau sein. So wie er es geschildert hat, ist sein Leben ein ziemliches Provisorium. Ich glaube, er wünscht sich eine Frau, die ihm das Haus führt und für ein bißchen Gemütlichkeit sorgt. Ich weiß, daß ich das kann und daß ich es gut kann. Dafür bekomme ich von ihm, was *ich* mir wünsche – ein Kind.«

Endlich begriff Iris. »Deshalb heiratest du? Weil du ein Kind willst?«

»Ja«, sagte Marianne trotzig. »Ich habe genug vom Alleinsein. Ich habe genug davon, morgens aufzuwachen und mich zu fragen, wie ich den Tag herumbringen soll. Ich möchte wieder jemanden haben, den ich liebhaben kann. Ich habe immer getan, was andere von mir wollten«, sagte sie leise. »Ich war eine gute Tochter und eine gute Ehefrau. Jetzt hole ich mir etwas für mich. Ich hole mir, was ich haben will. Das einzige, was ich haben will.«

Vor dem Altar überfiel Marianne eine solche Panik, daß sie am liebsten umgedreht hätte und aus der Kirche gerannt wäre. Sie konnte das nicht. Sie konnte nicht einen Mann heiraten, den sie kaum kannte und den sie nicht liebte; einen Mann, der bisweilen flüchtig etwas von sich zeigte, was ihr angst machte.

Aber sie blieb still an Lucas Melrose' Seite stehen, während der Geistliche die Formeln sprach, und ihr vom Schleier verhülltes Gesicht verriet nichts von dem inneren Aufruhr. Stell dir bloß den Wirbel vor, dachte sie. Die Erklärungen, die sie würde geben müssen, die Kommentare von Familie und Freunden, die sie über sich würde ergehen lassen müssen, die Neugier und der Klatsch, denen sie sich aussetzen würde. Allein schon der Gedanke daran war grauenhaft.

Und außerdem – wenn sie nicht heiratete, was sollte sie dann tun? Nichts hätte sich geändert. Sie würde keine andere Wahl haben, als ein Leben wiederaufzunehmen, das für sie sinnlos geworden war. Sie hätte ihre letzte Chance auf ein bißchen Glück, auf ein eigenes Kind verspielt. Ein kleines Flämmchen in ihr, das Arthurs Tod schon beinahe erstickt hatte, würde ganz erlöschen.

Sie hörte sich selbst, wie sie, mit festerer Stimme jetzt, die Worte des Geistlichen nachsprach. Der Ring glitt über ihren Finger.

Zwei Tage später traten sie die Seereise nach Colombo an. Marianne winkte, bis sie ihre Eltern und Geschwister, die am Kai standen, nicht mehr sehen konnte. Danach blieb sie an Deck und sah zu, wie zuerst die großen Kräne und Frachtschiffe verschwanden, dann Southampton und zum Schluß die englische Küste.

9

Eva kehrte zu Gabriel zurück, weil sie nicht anders konnte. Sie brauchte ihn, seine Energie, seine Lebensfreude, das Lachen, das ihm so leicht über die Lippen kam.

Aber es hatte sich etwas verändert. Ihr Haß auf Nerissa war tiefschwarz und voll Eifersucht. Er trieb sie, Gabriel zu beobachten, argwöhnisch, wo und mit wem er zusammengewesen sein könnte. Seit Monaten hatte Gabriel nicht mehr gemalt, hatte er *sie* seit der Zeit vor Weihnachten nicht mehr gemalt. »Eine unfruchtbare Phase«, sagte er niedergeschlagen. »Jedesmal wenn mir das passiert, fürchte ich, daß es aus und vorbei ist und ich nie wieder malen werde.«

Im Juli half Eva Lydia Bowen beim Umzug in eine neue Wohnung. Sie strichen die Wände, hängten Vorhänge auf, schneiderten Sesselbezüge. Als die Inneneinrichtung fertig war, gab Lydia ganz spontan ein Einweihungsfest. Mit langstieligen Margeriten gefüllte Vasen und Gläser standen auf Tischen und Kaminsimsen. Licht strömte durch die hohen Bogenfenster. In den Zimmern drängten sich die Gäste, und das Knallen der Champagnerkorken bildete einen eigenen Rhythmus neben der Musik aus dem Grammophon.

Eva war mit Gabriel gekommen, aber irgendwie verlor sie ihn ständig im Gewühl. Eben noch war er an ihrer Seite, und im nächsten Moment, wenn sie sich nach einem kurzen Gespräch mit Freunden umsah, war er verschwunden. Sie hatte das Gefühl, unbedingt mit ihm zusammenbleiben zu müssen. Vertraute Gesichter hoben sich aus der Menge heraus: Kommilitonen und Dozenten von der Akademie, Lydias Freundinnen aus der Frauenbewegung, Künstler und Mäzene, die Eva in Lydias Galerie kennengelernt hatte.

Während sie sich mit Lydia und May Jackson unterhielt, verlor sie Gabriel wieder einmal aus den Augen. Sie entschuldigte sich und machte sich, sich durch die Grüppchen von Gästen hindurchschlängelnd, auf die Suche nach ihm. Am Ende entdeckte sie ihn am hintersten Ende des Flurs, im Gespräch mit einer jungen Frau. Sie war schlank und dunkel und trug einen knöchellangen smaragdgrünen Samtrock zum schwarzen Wollpullover. Ihre Füße waren nackt, und langes lockiges Haar fiel ihr frei von Nadeln und Bändern den Rücken herab. Wenn sie lachte, warf sie den Kopf in den Nacken und zeigte ihren langen, schlanken Hals.

Gegen Mitternacht begann die Gesellschaft sich aufzulösen. Lydias Freund, ein drahtiger, fremdländisch wirkender Mann, verabschiedete sich in der Küche von ihnen, wo Eva die Gläser spülte. »Gespräche mit Fabrice sind meistens todlangweilig«, bemerkte Lydia, nachdem sie ihn zur Tür gebracht hatte, »aber er tanzt wie ein Gott.«

»Hast du schon mal jemanden wirklich geliebt, Lydia?« fragte Eva.

»Nur einmal. Zigarette?«

»Ja, bitte.« Eva trocknete sich die Hände an einem Geschirrtuch. »Was war das für ein Mann?«

»Laurence?« Lydia lächelte wehmütig. »Er war groß und ziemlich dünn und hatte Augen wie schwarzer Kaffee. Ich glaube, wegen der Augen habe ich mich in ihn verliebt.«

»Aber du hast ihn nicht geheiratet?«

»Nein.« Lydia knipste ihr Feuerzeug an. »Diese prachtvollen Augen waren leider immer auf Wanderschaft. Laurence war ein Sammler, vor allem sammelte er hübsche junge Frauen. Er war verheiratet, als ich ihn kennenlernte. Er hat es mir allerdings nicht verheimlicht, das muß ich zugeben. Man könnte also sagen, ich wußte, was ich tat. Aber wann weiß man das schon?«

Das Schweigen, das folgte, war drückend. Eva dachte an die Porträts von sich, die in Lydias Galerie hingen. Wer alles wußte oder ahnte, daß sie Gabriel Bellamys Geliebte war? Val hatte gesagt: *Gabriel geht immer mit seinen Modellen ins Bett. Das weiß jeder.*

»Diese Frau –«, begann sie.

»Welche Frau?«

»Sie hatte einen grünen Samtrock an. Und keine Schuhe.«

»Sie heißt Ruby Bailey.« Lydia drückte ihre Zigarette aus. »Irgend jemand muß sie mitgebracht haben. Ich bin ihr ein-, zweimal begegnet, aber ich kenne sie eigentlich nicht. Sie ist Tänzerin, glaube ich. Sehr apart.«

»Ist sie –«

»Was?«

»Ach, nichts.«

Eva spülte die restlichen Gläser und stellte sie zum Trocknen auf das Abtropfbrett. *Ist sie mit jemandem zusammen? Ist sie der Typ Frau, in den sich Gabriel verlieben könnte?* Sie brauchte sich die dunkle, zigeunerhafte Ruby Bailey nur vorzustellen, um zu wissen, wie die Antwort auf diese Frage lautete.

Langsam und vorsichtig erneuerten Iris und Ash ihre Freundschaft. Iris erfuhr, daß Ash seit zwei Jahren als Praktikant bei einer Anwaltskanzlei in der Leman Street angestellt war, nur einen Katzensprung vom Mandeville-Krankenhaus entfernt. Er hatte Adam Campbell, den Seniorpartner von Campbell, Sparrow & Blunt über das Soziale Hilfswerk der Universität kennengelernt. Campbell war Mitte Vierzig, ein ruhiger Mann mit hohen Prinzipien, für den es zu seinem Beruf gehörte, die Interessen der Armen ohne Macht und Einfluß zu vertreten.

»Na, da bist du ja in deinem Element«, meinte Iris, als Ash sie durch die recht schäbigen Räume der vielbeschäftigten Kanzlei führte. »Ständig in guten Werken unterwegs.«

Sie sahen sich selten. Iris hatte lange Arbeitszeiten, und an Abenden und Wochenenden unterrichtete Ash Politik- und Wirtschaftswissenschaften an einer technischen Hochschule, hielt Vorträge bei der *Worker's Educational Association*, einer hauptsächlich von Intellektuellen getragenen Organisation zur Fort- und Weiterbildung von Arbeitern, und besuchte politische Versammlungen. Durch sein Haus in Aldgate zog ein wechselndes Sortiment von der Gesellschaft Benachteiligter oder Vergessener, und in seiner Küche fanden oft heiße Diskussionen statt, die bis in die frühen Morgenstunden dauerten.

Ash zeigte Iris ein East End, das sie noch nicht kannte. Zusammen erforschten sie das Gewirr kleiner Straßen und Gassen, die sich von der Whitechapel Road verzweigten, und stöberten in Läden, die mit Papageienkäfigen und Straußenfedern, Mandolinen und Mantillen in den Schaufenstern lockten. Iris sah zu den seltsamsten Formen gedrehtes flaches Brot, Glasflaschen mit Pfefferminzbonbons und eingekochten Früchten, Platten mit türkischem Honig in Gelb und Rosa. Ash zeigte ihr die Stammlokale der Anarchisten in der Jubilee Street und den Klub, in dem Prinz Kropotkin und Enrico Malatesta ihre Reden gehalten hatten. Er führte sie in kleine, düstere Cafés, wo an den Wänden Fotografien fremdländisch aussehender Männer mit schwungvollen Schnauzbärten hingen, und bestellte dicken, süßen türkischen Kaffee, den sie in einer Nische auf einer mit fadenscheinigem burgunderrotem Plüsch bezogenen Polsterbank tranken. Es selbst sei kein Anarchist, erklärte Ash; Anarchisten seien für seinen Geschmack zu sehr in Pulver und Sprengstoff verliebt.

Sie redeten über alles – oder beinahe alles. Ein Thema gab es, vor dem sie zurückscheuten. Sie sprachen niemals über ihren Streit am Tag nach dem Sommerfest in Summerleigh. Iris kam irgendwann der Gedanke, Ash könnte glauben, die Erinnerung daran sei ihr peinlich. Oder noch schlimmer: Er könnte glauben, sie sei damals wirklich in ihn verliebt gewesen. Wenn ja, so mußte diese irrige Annahme schleunigst richtiggestellt werden.

An ihrem freien Samstag ging sie mit Ash spazieren. Auf dem Heimweg machte sie noch ein paar Einkäufe. Mit der Routine der Erfahrung wählte sie Bänder und Litzen, Spitzen und Garn, suchte Farben aus und schätzte die Maße. Es hatte zu regnen angefangen. Ash trug ihr in braunes Papier eingeschlagenes Päckchen, und sie rückten unter seinem Schirm zusammen.

»Das bewundere ich an dir, Iris«, sagte er, als sie aus dem Laden kamen. »Du weißt immer genau, was du willst.«

»Ich halte nicht viel von langem Hin und Her.«

»Einen halben Meter von diesem, drei Meter von jenem und ein Dutzend Perlenknöpfchen – was soll das eigentlich werden?«

»Das sollte ein Herr eine Dame niemals fragen. Stell dir nur vor, es handelt sich um etwas Unaussprechliches.«

»Dann bitte ich vielmals um Vergebung und ziehe die Frage zurück.«

»Ich mache nur Spaß. Es soll eine Bluse für Clem zum Geburtstag werden, dann nähe ich noch einen Rock für mich und zwei Nachthemdchen für das Baby einer Freundin.«

In der Commercial Road herrschte starker Verkehr. Ash nahm Iris bei der Hand, als sie zwischen Straßenbahnen und Bierfuhrwerken hindurch zur anderen Straßenseite liefen. Als sie den Bürgersteig erreicht hatten, sagte sie: »Außerdem irrst du dich. Manchmal brauche ich ewig, um dahinterzukommen, was ich will. Ich habe zum Beispiel jahrelang geglaubt, etwas zu wollen, was wahrscheinlich gar nichts für mich gewesen wäre.«

Donner krachte, und es begann plötzlich zu schütten. Sie rannten zum nächsten Laden und stellten sich in der Türnische unter. Ash schloß den Schirm. »Und was war das?« fragte er.

»Heiraten natürlich. Na, wie findest du das, Ash? Ich gebe zu, daß ich mich geirrt habe, und du weißt doch, wie schwer mir das fällt. Aber vielleicht waren mir Brillantringe und Hochzeitskleider eben doch nicht so wichtig, wie ich dachte.«

»Du willst also bis ans Ende deines Lebens Krankenschwester bleiben?«

»Du meine Güte, nein. Das ist ein gräßlicher Gedanke.« Iris lachte. »Erinnerst du dich, daß ich vor sehr langer Zeit mal einen Moment hatte, wo ich dich heiraten wollte?«

Er zog sie näher an sich, um sie vor dem Regen zu schützen. »Ja, ich erinnere mich.«

»Aber du hast nie darüber gesprochen. Aus Taktgefühl, Ash?«

»Na, das wäre einmal etwas Neues. Ich kann mich jedenfalls nicht entsinnen, damals besonders taktvoll gewesen zu sein.«

»Nein?« sagte sie scherzend. »Das weiß ich ja gar nicht mehr.«

»Ich glaube, ich habe mich wie ein aufgeblasener Idiot benommen.«

»Dann ist es ja gut, daß ich es nicht mehr weiß.«

Der Regen trommelte aufs Pflaster, und sie sprachen eine Zeitlang nichts. Als das Unwetter nachließ, gingen sie weiter. »Die schreckliche Wahrheit ist, daß ich gern Krankenschwester bin«, sagte Iris. »Und ich bin auch ganz gut in meinem Beruf – am Anfang war ich es nicht, aber jetzt bin ich's. So edel, aber leider so langweilig – das bin ich! Wahrscheinlich werde ich mein Leben als alte Jungfer im Kreis meiner Katzen beschließen.«

»O ja, ganz zweifellos«, stimmte er lachend zu.

Sie hakte sich bei ihm unter. »Und wie schaut es bei dir aus, Ash? Irgend etwas Aufregendes?«

»Nichts von Dauer. Aber du willst mir doch nicht weismachen, daß die Männer achtlos an dir vorübergehen?«

Sie lächelte. »Na ja, bei den beiden Brüdern meiner Kollegin bin ich ganz gern gesehen… und bei ein paar Ärzten im Krankenhaus auch.«

»Dieselbe alte Iris.«

»Aber ich habe mich nie in jemanden verliebt, und eigentlich sollte man doch in den Mann verliebt sein, den man heiratet, meinst du nicht?«

»Doch, das denke ich auch.«

»Du siehst, mein Herz ist immer noch aus Eis. Ich bin dem Mann noch nicht begegnet, der es schmelzen kann.« Sie strahlte ihn an. »Es ist so angenehm zu wissen, daß du nie mehr sein wirst als ein Freund, Ash. Freundschaft ist doch längst nicht so beschwerlich wie die Liebe.«

Am Ende des Sommersemesters zerstreuten sich Evas Freunde von der Akademie, manche kehrten in ihr Elternhaus zurück, ein oder zwei heirateten. Einige wollten ihr Studium in Paris fortsetzen und forderten Eva auf mitzukommen, aber sie zögerte. Vielleicht später, sagte sie. Wenn sie etwas mehr Geld gespart hätte.

Die Eröffnung von Gabriels Ausstellung in Lydias Galerie war im September. Neben den Porträts von Eva zeigte er Landschaften und Skizzen von seinen Kindern. Am Abend nach Erscheinen der Besprechungen traf Eva ihn im Tour Eiffel in der Percy Street an, wo er trübselig über einem Glas Absinth saß. »Dieser Mistkerl von der *Times* hat die Stirn, mich altmodisch zu nennen«, sagte er erbittert. »Bloß weil ich meine Bilder nicht mit Zeitungsfetzen oder Zigarettenschachteln vollpflastere. Wenn ich schöne Frauen darstellen würde, als wären sie aus Pappmaché gemacht, oder meine Zeit damit vertäte, gottverdammte *Maschinen* zu malen, würden sie mir zu Füßen liegen.« Er spülte den Rest seines Absinths hinunter und bestellte noch einen. »Ich möchte das Schöne malen, nicht das Häßliche. Was gibt's daran auszusetzen? Weshalb sollten wir die Häßlichkeit preisen? Davon gibt's ohnehin mehr als genug auf der Welt, oder vielleicht nicht? Warum soll ich da noch was draufsetzen? Die Kunst sollte beflügeln, nicht herunterziehen. Die meisten von uns versuchen krampfhaft, aus dem Dreck rauszukommen, warum sich dann absichtlich darin suhlen?«

Er war schwerfällig aufgestanden, eine massige Gestalt in Hut und wallendem Mantel. Die anderen Gäste drehten die Köpfe und starrten ihn an. »Schönheit ist das einzige, was zählt!« rief er und donnerte mit der Faust auf den Tisch, daß die Gläser hochsprangen. »Sieht denn das keiner von euch Narren?« Leicht schwankend ließ er seinen Blick durch den Saal schweifen und sagte dann leise und geringschätzig: »Aber Schönheit ist gerade nicht die Mode, wie? Und wir müssen doch mit der Mode gehen, nicht wahr? Koste es, was es wolle. Gott helfe uns, wenn wir uns erlauben, aus der Mode zu geraten!«

Eva zerrte ihn hinaus. Sie gingen weiter nach Soho, zogen durch die Pubs. Freunde und Mitläufer hängten sich an, klebten an Gabriel wie die Kletten. Irgendwann im Lauf des Abends sagte Max leise zu Eva: »Du solltest jetzt lieber nach Hause gehen. Ich passe schon auf ihn auf.«

Später hörte sie, daß Gabriel volltrunken in einem Pub in eine Prügelei geraten war und den Rest der Nacht in einer Zelle verbracht hatte. Max hatte ihn am Morgen auf Kaution herausgeholt und nach Greenstones gebracht.

Sie hatte Gabriel seit Anfang des Jahres nicht mehr gesessen. Einmal, als sie allein in seinem Atelier waren, schickte sie sich an, ihre Bluse aufzuknöpfen. »Was tust du da?« fragte er. »Ich dachte, du willst mich vielleicht malen«, antwortete sie. »Ich meine, richtig malen, wie du das immer wolltest.« Er knöpfte die Bluse eigenhändig wieder zu. »Eva, meine Kleine, das brauchst du nicht zu tun.« Sein Blick war mitleidig.

Sie wußte, daß sie immer weniger von ihm bekam, immer weniger von ihm erhoffte. Früher einmal hatten sie ganze Tage miteinander verbracht; früher einmal war das Atelier die ganze Welt für sie gewesen. Jetzt erkannte sie meist schon nach einer Stunde die Ruhelosigkeit in seinem Blick, das Verlangen nach anderer Gesellschaft und anderer Umgebung. In sechs Monaten, spätestens einem Jahr, dachte sie bei sich, würde sie nur noch seine *cinq-à-sept* sein, die ehemalige Geliebte, die – in Erinnerung an eine nun erloschene Leidenschaft – um alter Zeiten willen irgendwo zwischen wichtigen Dingen eingeschoben werden mußte.

Obwohl Ash nun schon seit geraumer Zeit im East End lebte, fiel es ihm immer noch schwer, sich mit der Armut abzufinden, der er täglich begegnete. Sein Wohlstand erschien ihm wie eine Obszönität an diesem Ort, wo Menschen ständig vom Hunger bedroht waren. Es quälte ihn, die eingefallenen Gesichter und den stumpfen Blick der Kinder sehen zu müssen, und noch mehr die Blutergüsse auf ihren Beinen und Rücken. Er wußte, daß es viele liebevolle Eltern im East End gab, aber es gab eben auch andere, die ihre Kinder prügelten, weil sie zu erschöpft und zu ungebildet waren, um zu wissen, wie sie ihnen sonst Disziplin beibringen sollten. Und es gab, wie er irgendwann entdeckte, noch Schlimmeres; es gab unter den Ärmsten der Armen Familien, in denen Kinder lebten, die nie hätten geboren werden sollen. Halbwüchsige Brüder und Schwestern waren in einem gemeinsamen kleinen Schlafzimmer zusammenpfercht; immer wieder kam es vor, daß aus diesem engen Aufeinanderleben ein Kind hervorging, über das niemand sprach. Die Schande der Familie wurde verheimlicht, und nie wurde gegen jemanden vorgegangen – aber wen, dachte er zornig, hätte man auch bestrafen sollen? Das Kind, indem man es dem einzigen Zuhause entriß, das es je gekannt hatte? Die unwissenden Jugendlichen, die es gezeugt hatten? Oder die Eltern, weil sie nicht genug Geld verdienten, um ihre Kinder angemessen unterzubringen?

Er tat, was er konnte, aber es schien nie genug zu sein. Seine Taschen waren leer, weil er es nicht schaffte, einfach vorbeizugehen, wenn ihm ein vergessener alter Soldat, der im Burenkrieg ein Bein verloren hatte, seine Mütze hinhielt oder eine alte Frau, die lieber betteln ging, als sich ins Armenhaus einweisen zu lassen, ihn ansprach. Er teilte sein Essen mit Familien, die nicht einmal mehr eine Brotkruste hatten, und gab Männern, die für die Nacht kein Bett hatten, sein Sofa. Er sah den Widerwillen in Iris' Augen, als er sie das erste Mal mit zu sich nahm. »Ich weiß, es sieht unordentlich aus«, sagte er hastig, »aber ich weiß, wo alles ist. Und ich habe gern Freunde da.«

Er schrieb für linke Zeitungen Artikel über die Mißstände, die ihn wütend machten: die Unterernährung der Kinder; die Lebensumstände der Hafenarbeiter, die infolge ihrer Arbeitsbedingungen immer nur einen Schritt von der Armut entfernt waren. Er fotografierte Straßen und Plätze im East End, und manchmal wurden die Aufnahmen von schäbigen kleinen Galerien in der Jubilee Street ausgestellt, in die sich, vermutete Ash, allenfalls auf der Flucht vor dem Regen jemand verirrte. Er verfaßte Flugblätter, auf denen er in einfacher Sprache, die die Arbeiter verstanden, auf die Notwendigkeit der Veränderung hinwies, und ließ sie auf einer laut ratternden Presse in Inkhorn Court drucken. Er steckte die Flugblätter selbst in die Briefkästen, stets gefolgt von einer Schar neugieriger Kinder und Straßenhunde.

Man war schon mitten im Programm, als Ash eines Abends auf einer Versammlung der Labour Partei eintraf. Nach der Versammlung gab es Tee. Sie zogen sich in eine Ecke des Saals zurück – Ash, Harry Hennessy, der Schriftführer des Ortsvereins, Harrys Bruder Fred und ein rotblonder Mann in Ashs Alter namens Charlie Porter. Eine junge Frau in einer blauen Baskenmütze und einem abgetragenen Regenmantel gesellte sich zu ihnen. Harry machte Ash, der ihr bisher noch nicht begegnet war, mit ihr bekannt. Thelma Voss, so hieß sie, war mittelgroß und schlank und hatte ein rundes, slawisch wirkendes Gesicht mit gelblichem Teint. Das bemerkenswerteste in diesem Gesicht waren die fast geraden, sehr kräftigen schwarzen Brauen über den lebhaften grünen Augen.

Sie sprachen über den schwierigen Weg des von der Regierung vorgelegten Gesetzes über die autonome Selbstverwaltung Irlands durch das Parlament.

»Die Unionisten sind nicht zum Nachgeben bereit«, sagte Fred. »Ihnen ist völlig egal, was Asquith will und was das irische Volk will.«

»Es ist immer die alte Geschichte.« Harry rührte Zucker in seinen Tee. »Die Großgrundbesitzer sind entschlossen, nichts von ihrer Macht abzugeben. Ihnen liegt rein gar nichts daran, dem gewöhnlichen Arbeiter ein Mitspracherecht einzuräumen.«

»Oder der gewöhnlichen *Arbeiterin*«, murmelte Thelma Voss. »Frauen sollten genauso mitreden können wie Männer.«

»Wir sollten uns jetzt nicht auf Nebenkriegsschauplätze begeben«, sagte Charlie.

»Du bezeichnest den Anspruch der Frauen auf Vertretung ihrer Rechte als Nebenkriegsschauplatz?« fragte Thelma Voss kämpferisch.

»Man muß Prioritäten setzen.«

»Und die Rechte der Frau stehen auf deiner Liste ziemlich weit unten, wie, Charlie?« Thelmas Ton war ätzend. »Was willst du eigentlich hier? Warum gehst du nicht gleich ein paar Häuser weiter zu den Liberalen? Ich habe den Eindruck, du vertrittst so ziemlich die gleichen Ansichten wie Mr. Asquith.«

Charlie zündete sich eine Zigarette an. »Irland ist lange genug von Großgrundbesitzern regiert worden, die überhaupt nicht im Land leben. Ich hätte nicht gedacht, daß du dich für den Adel stark machst, Thelma.«

»Tu ich ja gar nicht!«

Charlie zwinkerte Ash zu. »Thelma mag die herrschende Klasse nicht. Sie würde sie mit Stumpf und Stiel ausrotten, wenn sie könnte. Stimmt's, meine Liebe?«

»Na ja, wozu sind sie schon gut? Sind doch lauter Schmarotzer.«

»Thelma würde sie samt und sonders einen Kopf kürzer machen.«

»Du weißt genau, daß das nicht stimmt, Charlie«, widersprach Thelma pikiert. »Du weißt, daß ich gegen Gewalt bin.«
Charlie lachte. »Ha, wenn man dich ließe, wie du willst, würdest du seelenruhig dasitzen und stricken, während die Köpfe rollen.«
»Ich bin Pazifistin.«
»Ich hör die Nadeln klappern ...«
»Wieso mußt du dich immer über mich lustig machen?« fauchte Thelma.
Charlie grinste. »Ist doch nur Spaß. Wo bleibt dein Humor?«
Thelma hatte einen roten Kopf bekommen. »Ich wollte damit nur sagen, daß für die Reichen andere Regeln gelten als für die Armen –«
»Miss Voss hat recht«, bemerkte Ash. »Die Frauenrechtlerinnen sperrt man ein und unterzieht sie der Zwangsernährung, während Sir Edward Carson, der ganz offen den bewaffneten Aufstand der Unionisten in Ulster befürwortet hat, völlig ungeschoren davonkommt.«
»Carson ist Parlamentsmitglied«, warf Fred ein. »Eine Krähe hackt der anderen kein Auge aus.«
»Und er ist reich.« Thelmas Ton war bitter. »Das ist der Unterschied.«
Charlie warf ihr einen verschmitzten Blick zu. »Von diesen wilden Weibern, die das Wahlrecht fordern, sind einige auch nicht gerade arm.«
»Wilde Weiber!«
»Na, Steine schmeißen und Schaufenster zertrümmern – das ist ja wohl kaum damenhaftes Verhalten.«
»Damenhaftes Verhalten hat uns Frauen nicht weit gebracht«, entgegnete Thelma hitzig.
Charlie kramte Zigarettenpapier und einen Tabaksbeutel heraus. »Soweit ich sehen kann, bist du aber nicht scharf darauf, für deine Überzeugung ins Gefängnis zu gehen, Thelma.«
»Du weißt genau, ich kann nicht –«

»Womit ich auf keinen Fall sagen will, daß du dich etwa auch so lächerlich machen sollst wie einige dieser Frauen.«

»Nicht nur Frauen machen sich lächerlich. Männer können das noch viel besser.« Thelmas Augen sprühten Feuer. »Ich sehe sie jeden Abend im Pub bei mir in der Straße.«

Charlie neigte sich lächelnd zu ihr. »Und ich weiß im Bull ein paar flotte Motten, die einem Mann für einen Gin Orange jeden Gefallen tun.«

Thelma wurde blaß. Sie packte ihren Regenmantel. Harry Hennessy sagte: »Thelma –«

»Ich muß gehen. Mein Vater macht sich sonst Sorgen.« Ihre Stimme zitterte ein wenig.

Sie lief aus dem Saal. Harry wollte ihr nacheilen, aber Ash sagte: »Nein, laß mich das machen. Ich gehe schon.«

In der Commercial Road holte er sie ein. Sie schleppte zwei schwere Einkaufstaschen. Mit scharfem Blick sah sie ihn an. »Was wollen Sie?«

»Ich wollte nur nach Ihnen sehen.«

Ein schnelles kleines Schulterzucken. »Und?«

»Ich bin sicher, Charlie hat es nicht böse gemeint.«

»Ach ja?« Diesmal richtete sich ihr Zorn gegen Ash. »Und wieso sind Sie da so sicher?«

»Manche Leute provozieren gern. Charlie ist so einer.«

»Charlie macht sich einen Spaß daraus, *mich* zu provozieren.« Sie sah Ash an. »Charlie und ich waren mal zusammen, aber ich hab Schluß gemacht.«

»Tut mir leid.«

»Mir nicht.« Thelma stellte die Einkaufstaschen ab. »Ich habe ihn mit einem anderen Mädchen gesehen. Der gute Charlie liebt die Abwechslung. Als ich ihn zur Rede stellte, hat er gesagt, die Kleine wäre ihm nicht wichtig. Darauf habe ich erwidert, daß *er mir* nicht wichtig ist. Das hat ihm gar nicht gefallen.« Abwehrend zog sie ihren Regenmantel über der Brust fester zusammen. »Charlie hält sich für unwiderstehlich. Er genießt es, mich zu ärgern. Er kennt meine wunden Punkte genau.« Sie drehte sich zu Ash um. »Ist Ihnen aufgefallen, wie viele Frauen heute abend auf der Versammlung waren?«

Er überlegte. »Fünf oder sechs, würde ich sagen.«

»Und wie viele Männer?«

»Fünfundzwanzig – vielleicht dreißig...«

»Es ist nicht so, daß Frauen sich nicht für Politik interessieren. Sie müssen zu Hause bleiben und sich um ihre kleinen Kinder kümmern oder um ihre alten Eltern. Darum kommen sie nicht. Männer brauchen sich über solche Dinge keine Gedanken zu machen.«

»Nein, wohl nicht.«

Sie schüttelte ärgerlich den Kopf. »Ist Ihnen zufällig aufgefallen, wer den Tee und die Plätzchen gemacht hat? Und wer alle bedient hat?«

»Zwei von den Frauen – ich weiß ihre Namen nicht...«

»Nein, natürlich nicht. Wozu auch? Aber es werden immer zwei von den Frauen sein und nie zwei von den Männern. Dafür werden neun von zehn Reden von Männern gehalten. Sicher, ab und zu sind sie so gnädig, uns auch mal zu Wort kommen zu lassen. Vor ein paar Monaten hat hier eine Fabrikarbeiterin gesprochen. Ich fand sehr interessant, was sie zu sagen hatte. Hinterher habe ich gehört, wie sich die Männer über sie lustig machten. Ein Mäuschen, haben sie sie genannt, ein quiekendes Mäuschen.« Sie brach ab. Ich muß gehen. Mein Vater...«

»Ich begleite Sie.«

Sie war verblüfft. »Das ist nicht nötig.«

»Es ist finster, Miss Voss.«

Sie zog die Brauen zusammen. »Na gut, meinetwegen«, sagte sie brummig.

»Lassen Sie mich die Taschen tragen.«

Sie reichte sie ihm, und sie machten sich auf den Weg, der schließlich vor einem Lebensmittelgeschäft endete. »Hier wohne ich«, erklärte sie. In einem Fenster bewegte sich ein

Vorhang. Thelma klopfte an die Scheibe. »Schon gut, Vater, ich bin's.« Mit heftiger Bewegung wandte sie sich Ash zu. »Darum kann ich nicht mitmarschieren. Darum kann ich das Risiko nicht eingehen. Wer würde den Laden versehen, wenn ich ins Gefängnis müßte? Wer würde sich um meinen Vater kümmern?«

Dann verschwanden Trotz und Zorn aus ihren Zügen, und sie sagte ein wenig schroff: »Danke, daß Sie mir die Taschen getragen haben. Und daß Sie mir vorhin gegen die anderen Schützenhilfe geleistet haben. Das war nett von Ihnen.« Sie öffnete die Tür. »Ich habe Sie schon öfter gesehen, wenn Sie Flugblätter eingeworfen haben. Ich helfe Ihnen gern mal, wenn Sie wollen. Ich muß es mir nur einrichten.«

Clemency wußte, daß sich Großtante Hannah zu sterben bereit machte. Sie war nicht direkt krank, man hatte eher den Eindruck, daß sie sich Schritt für Schritt aus dem Leben zurückzog. Ihr Körper und ihr Geist verloren an Kraft. Ihre Augen waren so trübe geworden, daß sie nicht mehr in ihrer Bibel lesen konnte, obwohl sie sie immer noch gern in den Händen hielt, wenn sie in ihrem Sessel im Salon saß. Clemency mußte sehr laut und sehr deutlich sprechen, wenn sie sich ihr verständlich machen wollte, und seit einigen Wochen ging sie keinen weiteren Weg mehr als den von ihrem Zimmer in den Salon und zurück. Manchmal fragte sich Clemency, wie das war, wenn einem langsam, aber sicher alles genommen wurde, was das Leben lebenswert machte. Wenn man die Stimmen der Menschen, die man liebte, nicht mehr hören und ihre Gesichter nicht mehr sehen konnte. Wenn man nicht mehr die Sonne auf der Haut oder den Wind im Haar spüren konnte.

Es traf sich unglücklich, daß ausgerechnet in der Zeit, als Hannah langsam zu erlöschen schien, Lilians Befinden schlechter wurde. Fast den ganzen Sommer und Herbst hindurch rannte Clemency mit Medikamenten, Tee oder irgendwelchen Krankenmahlzeiten zwischen den Zimmern ihrer Mutter und ihrer Großtante hin und her. Der Arzt kam beinahe jeden Tag. Joshua, dem der durchaus angenehme Dr. Hazeldene aus unerfindlichen Gründen herzlich unsympathisch war, sagte einmal beim Abendessen unwirsch: »Am besten läßt du diesem lästigen Menschen ein Zimmer richten, Clem. Er hat sich hier ja offenbar bereits häuslich niedergelassen.«

Aber ganz gleich, wieviel Clemency zu tun hatte, sie nahm sich immer Zeit, Ivors Konzerte zu besuchen. Ihr Vater war ihr dabei zum unerwarteten Verbündeten geworden. Er hatte natürlich keine Ahnung – und durfte auch nicht erfahren –, welcher Art ihre Gefühle für Ivor waren, aber er merkte wohl, daß die Konzerte ihr viel bedeuteten, und hielt zu ihr, wenn ihre Mutter sich über Lucy Catherwoods Langweiligkeit beklagte oder die Dienstboten wortlos ihrem Groll über die zusätzliche Arbeit Ausdruck gaben, die bei Clemencys Abwesenheit anfiel. An Konzertnachmittagen nahm ihr Vater sie im Auto mit in die Stadt, wenn er nach dem Mittagessen wieder ins Werk fuhr. Bevor sie aus dem Haus gingen, sah er sich jedesmal mit Verschwörermiene um und sagte: »Die Luft ist rein. Kein Feind in Sicht. Jetzt oder nie, Clem.« Wenn er sie später vor dem Haus absetzte, in dem das Konzert stattfand, steckte er ihr meistens eine halbe Krone zu.

Im September lernte Clemency endlich Rosalie kennen. Das Konzert fand im Haus von Mrs. Braybrooke statt, die Veras boshafter Bemerkung zufolge einmal gesagt hatte, Clemency laufe Ivor wie ein Hündchen hinterher. Seit Clemency das gehört hatte, bemühte sie sich, Ivor nicht zuviel Aufmerksamkeit zu schenken, wenn sie bei Mrs. Braybrooke waren. Als sie an diesem Nachmittag ankam, etwas verspätet, weil ihre Mutter sie noch gebraucht hatte, war Ivor schon da. Er unterhielt sich gerade mit Mrs. Braybrooke, und neben ihm stand eine hochgewachsene, dunkelhaarige Frau, die Clemency nicht kannte. Die Frau trug ein burgunderrotes Ensemble aus Rock und Jäckchen und dazu einen passenden burgunderroten Hut. Als sie hörte, daß Mrs. Braybrooke sie mit Mrs. Godwin ansprach, glaubte sie an einen Irrtum. Diese große, gutgebaute Person mit dem frischen Teint konnte unmöglich Rosalie Godwin sein. Rosalie war blond, bläßlich, schmächtig. Clemency brauchte einen Moment, um sich zu erinnern, daß die bläßliche schmächtige Blondine nur in ihrer Phantasie existierte.

Während des Konzerts konnte sich Clemency kaum auf die Musik konzentrieren, immer wieder mußte sie zu Ivors Frau hinüberschauen. Mrs. Godwin lächelte Ivor vor jedem neuen Stück aufmunternd zu und applaudierte hinterher höflich. Einmal, bei einer der längeren Sonaten, gähnte sie mittendrin dezent hinter vorgehaltener Hand. Clemency beobachtete, wie sie nach dem Vortrag zu Ivor ging und ihm einen leichten Klaps auf den Arm gab, um ihn zu seinem Spiel zu beglückwünschen; wie sie das Tüchlein in seiner Brusttasche zurechtzupfte und wie sie ihm schnell und energisch die widerspenstige dunkle Locke aus der Stirn strich. Genau das hatte Clemency so oft schon tun wollen, sich aber nie getraut. Beim Tee sorgte Rosalie Godwin dafür, daß ihr Mann seinen Tee so bekam, wie er ihn mochte: nicht zu stark, mit einem Löffel Zucker. Kleine Kuchen wurden herumgereicht; als Ivor zugreifen wollte, sagte Rosalie: »Nicht das Mandeltörtchen, Ivor. Du weißt, das tut deiner Verdauung nicht gut.«

Bevor der Nachmittag um war, wurde Clemency mit Rosalie Godwin bekannt gemacht. »Das ist Clemency Maclise, eine liebe Freundin«, sagte Ivor, und sie und Rosalie gaben einander die Hand. Natürlich fiel der Spaziergang im Botanischen Garten an diesem Nachmittag aus.

Nach diesem Tag war es vorbei mit Phantasien von Rosalie auf dem Sterbebett. Was vorher nur geschmacklos gewesen war, erschien jetzt, da sie Rosalie kennengelernt hatte, abscheulich. Sie hätte Rosalie gern weiter gehaßt, aber es gelang ihr nicht recht. Sie hätte ihr gern das Gähnen mitten in Ivors Vortrag zum Vorwurf gemacht, mußte allerdings zugeben, daß die Sonate wirklich ziemlich lang und nicht sonderlich einfallsreich gewesen war. Sie hätte ihr die Fürsorglichkeit bei

Ivors Gebäckwahl gern als besserwisserische Betulichkeit angelastet, aber sie wußte selbst, daß Ivor einen sehr empfindlichen Magen hatte. Einmal hatte er in ihrer Teestube ein Rosinenbrötchen gegessen und danach Qualen gelitten.

Einige Wochen später spürte Clemency schon beim Betreten des Salons in Summerleigh, daß sich etwas verändert hatte. Etwas war für immer zu Ende gegangen. Hannah saß in ihrem Sessel. Ihre Augen waren geschlossen, als wäre sie eingenickt, und die Bibel lag aufgeschlagen auf ihrem Schoß. Als Clemency ihre Hand berührte, war diese schon kalt.

An diesem Abend schrieben sie Briefe und verschickten Telegramme. »Ich weiß noch, wie Tante Hannah immer mit mir in den Ecclesall-Forst gegangen ist«, sagte Joshua und schneuzte sich geräuschvoll. »Ich habe dort so gern gespielt – ich bin in den Bäumen herumgeklettert, die Wege hinauf- und hinuntergerannt und habe mir vorgestellt, ich würde mich verlaufen und nie wieder aus dem Wald herausfinden. Einmal ist Hannah selbst auf einen Baum gestiegen. Habe ich dir das mal erzählt, Clemency? Ich hockte oben und traute mich nicht wieder herunter – ich war damals noch ein kleiner Kerl –, und da kletterte sie hoch und rettete mich. Stell dir das bloß mal vor – in Krinoline und Unterröcken auf einen Baum zu klettern!« Joshua legte Löschpapier auf seinen Brief und schlug mit der Faust darauf. »Hannah war die einzige Person, die mich noch als kleinen Jungen kannte«, sagte er traurig. »Mit ihr habe ich auch einen Teil von mir selbst verloren.«

Eva bekam einen Brief von Sadie.

Die Kinder hatten die Windpocken. Statt schön zu gleicher Zeit, haben sie sie alle nacheinander bekommen. Wir waren monatelang in Quarantäne. Liebste Eva, wenn Du diese lästige Krankheit schon gehabt hast und eine Sadie ertragen kannst, die seit einiger Zeit mit den Schweinen spricht, dann komm mich doch bitte, bitte besuchen.

Niemand erwartete sie am Bahnhof. Sie ging zu Fuß über die Felder nach Greenstones. Der Hof wirkte vernachlässigt. Das abgefallene Laub war noch nicht aufgefegt, ein paar schmuddelige Hühner pickten gackernd im Matsch.

Sadie war beim Wäscheabnehmen. Sie umarmte Eva. »Ich bin so froh, daß du gekommen bist. Jetzt werde ich wenigstens nicht völlig verrückt.«

Auch das Haus wirkte verwahrlost. Überall lagen die Sachen der Kinder herum. In der Küche waren alle Sitzgelegenheiten von Spielsachen besetzt. Im dunklen Korridor stolperte Eva über einen Bogen und Pfeile.

»Ich räume dauernd auf«, sagte Sadie, »aber es ist sinnlos, die Kinder ziehen jedesmal alles wieder heraus. Zu allem Überfluß hat mich auch noch unsere Tagesfrau im Stich gelassen – ich kann's ihr nicht mal übelnehmen unter diesen Umständen, und eine große Hilfe war sie sowieso nicht. Wenn sie die Böden geputzt hat, sahen sie hinterher immer schmutziger aus als vorher. Aber mit ihr konnte man wenigstens mal ein paar Worte wechseln. Jetzt sind nur Val und die Kinder da, und du kennst ja Vals schwarze Stimmungen. Manchmal schaut er mich richtig finster an. Du kannst dir gar nicht vorstellen, wie sehr ich mich freue, dich zu sehen, Eva. Wirklich!«

Eva spülte das Geschirr, bügelte die Kindersachen und las Tolly vor, während der an den allmählich verschwindenden Pusteln kratzte. Am späten Nachmittag kam Sadie mit besorgter Miene ins Wohnzimmer. »Ich kann Hero nicht finden. Hast du sie irgendwo gesehen?«

Eva schaute unten, während Sadie nach oben in die Mansarde ging und Val Garten und Hof absuchte. Eine Zeitlang war nichts zu hören als ihre Rufe nach Hero, dann erschallte ein lauter Schrei, bei dem Sadie und Eva aus dem Haus stürzten.

Der Schrei kam vom Karpfenteich. Als sie dort ankamen, stieg Val gerade, mit Laichkraut bekränzt, aus dem Wasser, in den Armen das leblose kleine Mädchen.

Sadie wurde kreidebleich. »O Gott! Nein. Bitte, lieber Gott.« Sie lief Val entgegen. Der legte Hero bäuchlings ins Gras, kniete neben ihr nieder und drückte auf ihren Brustkorb. Einen entsetzlichen Moment lang rührte sie sich nicht, dann aber begann sie zu husten und spie Wasser und Laichkraut. Als sie sich weinend aufrichtete, nahm Sadie sie auf den Arm und trug sie ins Haus.

Eva sah, daß Sadies Hände zitterten, als sie den Wasserhahn aufdrehte, um ein warmes Bad einlaufen zu lassen, und Hero dann aus den nassen Kleidern half. Sie war immer noch sehr blaß, und in ihren Augen spiegelten sich Angst und Entsetzen. Trotzdem sagte sie ganz ruhig: »Ach, Eva würdest du dich bitte um das Essen kümmern? Nicht, daß uns der Eintopf anbrennt.«

Eva ging in die Küche hinunter. Sie zitterte ebenso. Nachdem sie nach dem Eintopf gesehen hatte, setzte sie sich an den Tisch. Val kam herein, immer noch in seinen nassen Sachen. »Es war anscheinend irgendein Spiel. Orlando hat einen alten Holzklotz zum Schiff erklärt. Es sollte die *Titanic* sein, soweit ich es mitbekommen habe.« Er griff unter den Spülstein und brachte eine Flasche Brandy zum Vorschein. »Auch einen?«

Eva schüttelte den Kopf.

»Wie du meinst.« Er legte den Kopf in den Nacken, setzte die Flasche an und trank. Dann wischte er sich mit dem Handrücken den Mund. »Ich glaube, ich ziehe mich besser um. Ich stinke ja wie eine Kloake.«

Beim Abendessen ging es gedrückt zu. Nicht einmal Orlando plapperte wie sonst beim Essen. Sadie stocherte nur mit bleichem, starrem Gesicht lustlos in Fleisch und Kartoffeln herum. Nach dem Essen brachte sie die Kinder zu Bett, und Eva spülte ab. Sie war dabei, die letzten Stücke Besteck zu trocknen, als Sadie wieder herunterkam. »Alle in ihren Betten?« fragte sie.

Sadie nickte.

»Wo ist Val?«

»Wollte ins Pub. Hat wahrscheinlich fürs erste genug vom Familienleben.« Sadie setzte sich und schlug die Hände vors Gesicht. Eva verstand die gemurmelten Worte nur undeutlich. »Wenn sie tot gewesen wäre – wenn Hero ertrunken wäre –, es wäre meine Schuld gewesen.«

Eva setzte sich zu ihr und legte ihr den Arm um die verkrampften Schultern. »Kinder haben immer Unfälle.«

»Meine Kinder haben mehr als die meisten.« Sadie nahm die Hände vom Gesicht. Ihre dunklen Augen waren starr und ohne Tränen. »Ich bin keine gute Mutter, Eva. Ich sorge nicht richtig für meine Kinder, und ich liebe sie nicht richtig. Ich weiß nicht, ob ich mir überhaupt Kinder gewünscht habe. Fünf wollte ich jedenfalls nie. Und seit Rowan da ist, habe ich irgendwie aufgegeben, glaube ich.«

»Du bist einfach müde, Sadie.«

»Ja, wahrscheinlich. Ich bin immer müde – seit Orlando zur Welt gekommen ist. Ich weiß gar nicht mehr, wie es ist, nicht müde zu sein. Aber das ist keine Entschuldigung. Andere Mütter sind auch müde und schaffen es trotzdem, ordentlich für ihre Kinder zu sorgen.« Ihr kurzes Lächeln war ängstlich. »Ich brauche eine Tasse Tee. Würdest du uns einen Tee aufgießen, Eva? Ich lebe dieser Tage von Tee und Zigaretten.«

Eva setzte das Teewasser auf.

»Seit Rowans Geburt fühle ich mich nicht mehr normal«, sagte Sadie leise. »Ich liebe ihn nicht, verstehst du? Wenn ich ihn ansehe, empfinde ich nichts. Ich sage mir, daß sich das ändern wird – ich habe Säuglingen noch nie viel abgewinnen können, ich mag sie lieber, wenn sie ein bißchen älter sind –, aber Rowan ist jetzt zwei, und ich empfinde immer noch nichts für ihn.« Stirnrunzelnd klappte sie ihr Zigarettenetui auf. »Ich habe es niemandem erzählt. Auch Gabriel nicht. Nicht einmal meiner Mutter. Über so etwas spricht man nicht. Eine Mutter sollte ihre Kinder lieben.« Sie riß ein Streichholz an. »Aber heute nachmittag, als ich dachte, Hero wäre –« Sie brach ab. Dann lachte sie kurz. »Vielleicht sollte ich froh sein.

Vielleicht war es gut, daß Hero beinahe ertrunken wäre. Jetzt weiß ich immerhin, daß ich meine Kinder doch ein wenig liebe.«

Eva goß den Tee auf und stellte Sadie eine Tasse hin. »Vielleicht hast du einfach in einer viel zu kurzen Zeit viel zu viele Kinder bekommen«, sagte sie und erinnerte sich an Iris' Worte: *Arme Mutter. Sieben Kinder in vierzehn Jahren.*

»Ich vernachlässige sie, Eva. Ich weiß es. Sie laufen in Lumpen herum, weil ich mit dem Waschen und dem Flicken nicht nachkomme. Und sie haben Glück, wenn ich dran denke, sie wenigstens einmal in der Woche zu baden. Wußtest du, daß die Dorfkinder nicht mit ihnen spielen? Sie nennen sie Herumtreiber und Zigeuner und werfen mit Steinen nach ihnen. Aber selbst wenn ich Gabriel überreden könnte, sie zur Schule zu schicken – wie sollten sie da zurechtkommen? Sie können nicht einmal das kleine Einmaleins, und das Vaterunser haben sie in ihrem ganzen Leben noch nicht gebetet.«

Sie sah sich in der unaufgeräumten Küche um. »Ich will nicht, daß sie so aufwachsen«, sagte sie leise. »Vor allem Hero nicht. Männer stört Unordnung nicht. Ihnen ist es egal, wie es in einem Zimmer ausschaut. Aber Frauen ist es nicht egal. Und mir ist es ja auch nicht egal, ich hätte viel lieber alles sauber und aufgeräumt, aber ich kann nicht – ich kann einfach nicht –« Sie brach ab.

»Es ist ein großes Haus«, sagte Eva tröstend. »Da gibt es sicher wahnsinnig viel zu tun.«

»Am Anfang habe ich es ganz gut geschafft. Aber ich finde die Kraft nicht mehr. Ich habe das Gefühl, ich kämpfe gegen Windmühlenflügel.« Sie lächelte unsicher. »Als Mann kann man sich ein Bohemeleben leisten, aber für Frauen ist das nichts. Gabriel schwärmt dauernd davon, wie er vor unserer Heirat durchs Land zigeunert ist und in Straßengräben genächtigt hat. Er liebt das Kneipenleben und seine lärmenden Freunde, mit denen er durch die Pubs zieht.« Sie senkte die Stimme. »Aber niemals könnte eine Frau so ein Leben führen.

Du weißt selbst, was Männer von Frauen halten, die in Kneipen oder Pubs herumsitzen. Und wenn sie es sich auch noch einfallen lassen würden, in Straßengräben zu nächtigen, würde man sie wahrscheinlich ins Irrenhaus verfrachten.«

Eva goß Tee nach. »Ich kann nicht behaupten, daß Nächte in Straßengräben mich je gelockt hätten. Schon weil mir das viel zu kalt wäre.«

»Genau.« Sadie seufzte. »Ach Gott, jetzt habe ich stundenlang nur von mir geredet. So was Langweiliges. Jetzt bist du dran, Eva. Erzähl. Du bist doch inzwischen sicher fertig an der Akademie.«

»Ja. Ich bin im Juni fertig geworden.«

»Du bleibst doch bei der Malerei, oder?«

Eva wandte sich ab und verspürte den plötzlichen Drang, die Teeblätter in den Müll zu werfen. »Wenn man Erfolg haben will, muß man schon sehr gut sein. Sogar Gabriel, der so genial ist, hat immer wieder mit Schwierigkeiten zu kämpfen.«

»Nach seiner letzten Ausstellung war er wochenlang ungenießbar«, berichtete Sadie. »Diese gräßlichen Kritiker. Ich würde ihnen mit Freuden den Hals umdrehen. Er ist immer ungenießbar, wenn er nicht malt.« Sadie begann, die auf dem Tisch verstreuten Puzzleteile zusammenzuschieben.

»In der Kunst haben es Frauen schwerer als Männer«, sagte sie langsam. »Man muß so vieles aufgeben. Ich glaube, die Kunst läßt sich mit Familie und Haushalt nicht vereinen. Am Anfang unserer Ehe habe ich versucht, regelmäßig zu malen, aber es war nicht zu machen. Immer ist irgend etwas dazwischengekommen – entweder hat irgendein Händler an der Tür geklingelt, oder ich mußte los und fürs Abendessen einkaufen, oder aber die Wäsche war noch nicht gemacht. Damals lebten wir in London, und ich hatte noch Dienstboten, trotzdem bin ich zu nichts gekommen. Die Dienstboten muß man ja auch beaufsichtigen. Und natürlich war immer ich dafür zuständig, daß genug Brot im Haus war, der Milchmann sein Geld bekam und die Betten frisch bezogen wurden. Nie Gabriel.« Ihr Gesicht verdunkelte sich. »Wenn ich malen wollte, ist er oft einfach bei mir hereingeplatzt – nur um zu fragen, wo dies oder jenes sei oder wann wir uns das nächste Mal mit diesen oder jenen Freunden treffen. *Ich* habe ihn nie gestört.« Sie drückte ihre Zigarette in einer Untertasse aus. »Nach einer Weile habe ich die Malerei aufgegeben. Ich hatte das Gefühl, es lohnte sich nicht weiterzumachen. Dann kam Orlando, und seitdem habe ich keinen Pinsel mehr in die Hand genommen.«

»Vielleicht wenn sie größer sind ...«

»Vielleicht. Ich fürchte nur, bis dahin wird sich das bißchen Talent, das ich mal hatte, in Luft aufgelöst haben.«

Auch auf dem Fußboden lagen Puzzleteile. Sadie kniete auf den Fliesen nieder und sammelte sie ein. »Es ist schon ein Witz«, sagte sie. »Die Männer verlassen sich darauf, daß wir die Hausarbeit machen, aber Häuslichkeit finden sie absolut unattraktiv. Besonders Gabriel. Er hat mich viel mehr geliebt, als ich noch nicht in Haushalt und Kindern erstickte. Er verabscheut das alles – die ungemütlichen Mahlzeiten mit den Kindern und die nörgelnde Ehefrau, die ihn immer nur daran erinnert, daß irgend etwas erledigt oder gerichtet werden muß. Darum setzt er sich nach London ab, um alldem zu entkommen.« Sadie stand auf und legte die Puzzleteile auf den Tisch. »Und deshalb fliegt der arme Junge so auf seine Nymphen und Zigeunermädchen.«

Eva konnte nicht sprechen. Ihr Gesicht brannte.

Sadie fügte die Puzzleteile zusammen. »Gabriel verliebt sich immer in scheinbar ungezähmte, scheinbar unerreichbare Frauen«, sagte sie in leichtem Ton. »Sandalen, wildes Haar und flatternde Gewänder, du weißt schon. Er stellt den armen Dingern so entschlossen nach, daß sie gar nicht anders können. Er kann unglaublich hartnäckig sein, wenn er will. Als er mir den Hof machte, habe ich immer wieder nein gesagt, aber er hat es einfach ignoriert. Aber wenn er sie dann eingefangen hat – wenn er sie *gezähmt* hat –, verliert er das Interesse. Tja, den armen Gabriel fasziniert nur das Unerreichbare.

Das inspiriert ihn, Frauen sind im Grunde nicht mehr für ihn als ein Mittel der Inspiration. Er bewundert uns, und er achtet uns – im Gegensatz zu vielen seiner Geschlechtsgenossen –, aber vor allem braucht er uns, um sich inspirieren zu lassen. Wenn er aber sein ungezähmtes kleines Vögelchen erst einmal in einen Käfig gesperrt hat, ist es vorbei mit der Faszination. Wenn er die Frau im Bild gebannt hat, muß er weiter und sich eine neue Muse suchen.«

Eva mußte sich zwingen, die Frage zu stellen. »Macht es dir nichts aus?«

Sadie schien zu überlegen. »Früher schon, jetzt nicht mehr.« Wieder sah sie sich in der unordentlichen Küche um. »Ich müßte schließlich nicht hierbleiben. Ich könnte nach Hause gehen, zu meiner Mutter. Sie hat mich oft genug darum gebeten.«

»Und warum tust du es nicht?«

»Wegen Gabriel natürlich. Ich liebe ihn.« Es klang resigniert. »Ich wünsche mir oft, es wäre nicht so, aber ich kann es nicht ändern. Meine Liebe zu Gabriel ist wie eine Krankheit, die ich nicht loswerden kann. Und auch, weil meine Mutter dann triumphieren würde. Sie würde versuchen, es sich zu verkneifen, aber das könnte sie gar nicht. Sie hat Gabriel nie gemocht.« Sadie lächelte. »Das verrückte ist, daß mir manche der Musen richtig ans Herz gewachsen sind. Das hätte ich nie erwartet, aber es ist so. Ich weiß, daß andere das reichlich seltsam finden. Nerissa gehört natürlich nicht dazu, ich könnte für jemanden, der so egozentrisch ist, nie Zuneigung entwickeln. Aber ein paar andere mag ich. Sehr sogar.« Sie sah Eva an. »Und es wäre schlimm für mich, wenn ihnen weh getan würde. Wenn sie ihr Leben an einen Mann verschwendeten, für den seine Kunst immer an erster Stelle steht.«

Diesmal, schien es Eva, dauerte das Schweigen ewig. Dann fing oben ein Kind an zu weinen. »Rowan«, sagte Sadie gereizt, als sie aus der Küche eilte. »Dieser Junge wird mit einundzwanzig noch nicht durchschlafen, wenn das so weitergeht.«

Zwei Tage später fuhr Eva nach London zurück. Dort wartete ein Telegramm auf sie. »Es ist vor einer Stunde gekommen.« Mrs. Wilde warf einen furchtsamen Blick darauf. »Scheußliches Ding.«

Aus dem Telegramm erfuhr Eva, daß Großtante Hannah gestorben war. Sie telegraphierte nach Hause und suchte ihre schwarzen Kleider heraus. Im Zug nach Sheffield starrte sie blind aus dem Fenster und erinnerte sich, wie sie mit Großtante Hannah immer einkaufen gegangen war oder sie auf dem Weg in den Park so schnell den Hang hinuntergeschoben hatte, daß ihre Röcke sich gebläht hatten und der Rollstuhl wie ein vom Wind getriebenes Segelschiff über den Asphalt gesaust war. Sie dachte auch an Sadie, wie sie am Küchentisch in Greenstones gesessen und gesagt hatte: *Ich liebe ihn. Ich wünsche mir oft, es wäre nicht so, aber ich kann es nicht ändern.* Sie verspürte eine große Leere, als wäre sie innerlich ausgehöhlt worden.

Nach der Beerdigung räumten sie gemeinsam Großtante Hannahs Zimmer aus. Iris sortierte schwarze Wollstrümpfe, Clemency und Eva falteten Kleider aus knisterndem schwarzem Bombassin und Gros grain, Fransentücher und Umhänge, voluminöse Schlüpfer mit langem Bein und Unterröcke und verpackten alles in Seidenpapier. Sie fanden Fischbein- und Kalikokorsetts, in die Iris mit ihrer schmalen Taille dreimal hineingepaßt hätte, lange pelzbesetzte Mäntel und Pelerinen, einen Muff aus weißem Pelz und ein paar blaßblaue, mit Vergißmeinnicht bestickte Seidenpumps. Das Papier der Briefe in der Schreibmappe aus Saffianleder war brüchig vom Alter, die Tinte ein verblaßtes Braun. Der Geruch, der Großtante Hannah begleitet hatte – eine Mischung aus Kampfer und Veilchenpastillen –, hing noch in ihren Räumen mit den strengen Daguerreotypien und Landschaftsaquarellen.

Großtante Hannahs Schmuck legten sie auf dem Bett aus. Broschen, Armbänder, Halsketten und Medaillons. »Was sollen wir Marianne schicken?« fragte Clemency.

»Auf jeden Fall *nicht* das Armband aus Elefantenhaar.« Iris schauderte.

Unter den Schmuckstücken befand sich ein Ring mit einer Perle und Amethysten, nach Clemencys Meinung bei weitem das hübscheste Stück. Sie hielt ihn ans Licht und dachte an Marianne, die Tausende von Meilen entfernt in einem fremden Land war. »Den hier«, sagte sie.

In Gabriels Atelier stand ein halbfertiges Gemälde auf der Staffelei. Eva erkannte Ruby Baileys ungebändigtes, im Wind flatterndes Haar und ihren langen weißen Hals.

Als sie ihm sagte, warum sie gekommen war, wirkte er tief erschüttert.

»Du willst mich verlassen? Eva, das kannst du nicht.«

»Ich muß.«

»Ist es wegen Nerissa?«

Sie schüttelte den Kopf. »Nein, höchstens zu einem kleinen Teil. Und zu einem kleinen Teil auch wegen *ihr*.« Sie schaute zu dem Bild auf der Staffelei. »Und natürlich Sadies wegen. Aber vor allem verlasse ich dich meinetwegen. Weil ich nicht mehr glücklich bin, wenn ich mit dir zusammen bin, Gabriel. Früher war ich es – manchmal bin ich es auch jetzt noch, aber zu selten. Es reicht nicht, finde ich.«

Bevor sie ging, sagte sie: »Nur um eines möchte ich dich noch bitten, Gabriel.«

»Alles, was du willst.«

»Bitte sag mir, ob ich gut genug bin, um eine richtige Malerin zu werden. Ich weiß, du wirst ehrlich mit mir sein.«

Sie bemerkte, daß sein Blick schon wieder zu dem halbfertigen Gemälde schweifte. Aber er sagte: »Du könntest vielleicht Illustratorin werden – oder es gibt auch noch die Raumausstattung...«

»Aber nicht Malerin.« Ihre Stimme war tonlos.

»Das ist ein verdammt hartes Brot, Eva. Sogar für die besten von uns.«

»Danke, daß du mir die Wahrheit gesagt hast.« Sie wandte sich zum Gehen.

»Eva!« Seine Stimme folgte ihr, als sie nach unten rannte. »Eva!«

Aber sie kehrte nicht um.

10

Nachmittags sass Marianne gern unter dem Banyanbaum im Garten. Wenn eines der dicken, ledrigen Blätter herabfiel, schlug es mit einem hörbaren dumpfen Geräusch auf dem Boden auf. Bartvögel und Priole hockten in seinen Ästen, und wenn sie hinaufsah, gewahrte sie manchmal einen flüchtigen goldenen oder grünen Schimmer. In diesen friedlichen Stunden im Garten hatte sie das Gefühl, als begänne etwas, das zerbrochen war, endlich zu heilen.

Die Reise mit dem P&O Dampfer *SS Pelagia* von Southampton nach Colombo hatte vier Wochen gedauert. Auf die rauhe graue See des Ärmelkanals waren zuerst das Blau des Mittelmeers gefolgt und dann die stille sengende Hitze des Roten Meers. Tagelang sahen sie nichts als die Weiten des Indischen Ozeans und in den Nächten Sterne von diamantenem Glanz, unter denen das Kielwasser des Schiffs wie Phosphor leuchtete. Dann endlich hatte Marianne zum erstenmal die Insel erblickt, hohe Berge, deren Gipfel in Wolken schwammen. Während sie sich langsam dem Hafen von Colombo näherten, hatte sie braunhäutige Menschen in Auslegerkanus gesehen, sandige Strände und Palmen, die den Saum der Küste bildeten.

Sie waren drei Tage in Colombo geblieben, im Grand Oriental Hotel. Lucas hatte geschäftlich in der Stadt zu tun gehabt. Eine englische Landsmännin, die Marianne vom Schiff kannte, zeigte ihr die Stadt. Rikschas und Ochsenkarren drängten sich mit Automobilen auf den bevölkerten Straßen; ein Elefant schleppte eine Ladung Baumstämme durch das Tor eines Sägewerks. Magere Rinder und wilde gelbe Hunde teilten sich die Straßen und Gassen mit den Menschen, schmächtigen, goldhäutigen Singhalesen, Tamilen, Burgherren, Afghanen, Malaien und Europäern. In den offenen Auslagen der Läden wurden Armbänder und Halsketten mit Mondsteinen, Sternsaphiren, Katzenaugen und Rubinen angeboten, Ballen herrlich gefärbter Seiden- und Baumwollstoffe, aus Palmblättern geflochtene Körber mit Bergen von Gewürzen und Früchten. Auf dem *pettah*, dem Markt im Eingeborenenviertel, rasierten Friseure ihre Kunden auf der Straße, und Schlangenbeschwörer lockten mit Messingflöten die Kobras, die mit schläfrigem Blick in Körben zusammengerollt lagen. Kleine braune Kinder, nur mit bunten Perlenketten bekleidet, spielten in der Nähe ihrer Mütter.

Als Marianne schließlich ins Hotel zurückkehrte, war ihr weißes Kleid rot vom Staub der Straßen, und in der Nase hatte sie den Duft Ceylons, gemischt aus den Gerüchen von Hitze und Gewürzen, von tropischen Blüten und den Ausdünstungen geschäftiger Menschenmengen. Die Luft war feucht und schwül; eine Mattigkeit schien sich ihrer Glieder zu bemächtigen, und etwas in ihr, das so lange aufs äußerste zusammengezogen gewesen war, begann sich zu entspannen. Nachts, in die Momente zwischen Wachen und Schlafen, in denen sie seit Arthurs Tod nur Schmerz und Entsetzen heimgesucht hatten, drängten sich jetzt andere Bilder: von einem schwarzhaarigen Jungen, der in einem Fluß badete; einer katholischen Kirche, die mit roten Fahnen geschmückt war; von Ladenschildern mit singhalesischen Schriftzeichen, die ihr mit ihren anmutigen Bögen und Schnörkeln die eigenartige Schönheit dieses Landes zu verkörpern schienen.

Drei Tage später reisten sie mit der Eisenbahn von Colombo nach Kandy in der Mitte der Insel. Marianne hatte einen Roman mitgenommen, um sich die Zeit zu vertreiben, aber sie schlug das Buch nicht auf. Sie brauchte nur aus dem Zugfenster zu schauen, um gefesselt zu sein. In der fruchtbaren Ebene des Hinterlands von Colombo dehnten sich smaragdgrüne Reisfelder, lebhaft getupft von den bunten Saris der Arbeiterinnen, die knöcheltief im Wasser standen. Weiße Reiher stolzierten auf den Dämmen zwischen den Feldern, und in den Büschen schwirrten Bienenfresser in schillernden Grün- und Blautönen. Mehrmals sprang ihr das saphirblaue Gefieder eines Eisvogels ins Auge, der an einem Fluß tauchte. Büffel zogen durch das Sumpfland, Kraniche und Ibisse reckten ihre langen Hälse. Kaskaden rosafarbener und violetter Bougainvillea und weißer Stechapfelblüten säumten die Straßen; Lotusblüten schwammen auf olivgrünem Wasser, und ein Waran, bestimmt anderthalb Meter lang, kroch schwarz gesprenkelt aus einem Bach. Einmal sah sie eine hohe Akazie, die voller großer dunkler Stoffetzen zu hängen schien. »Das sind Fliegende Füchse«, erklärte ihr Lucas. »Sie schlafen bei Tag in den Bäumen. Es sind natürlich keine Füchse, sondern Fledermäuse mit einer Spannweite von –« Er zeigte mit den Händen einen Abstand von vielleicht einem Meter an.

Ein Boot mit geschwungenem Bug glitt einen Fluß hinunter, und in den schattigen Gummiplantagen zapften Eingeborene die Stämme der Bäume an. Grüne Schoten hingen von Kakaosträuchern herab, und hoch oben in den Palmen leuchteten Trauben von Königskokosnüssen so gelb wie die Sonne. Als der Zug höher ins Gebirge hinauffuhr, erblickte Marianne ihre erste Teepflanzung. Die fernen Hänge mit den langen Reihen der Sträucher sahen aus wie Stoffbahnen aus geripptem, dunkelgrünem Samt. Sie spürte eine Veränderung bei Lucas, er schien angespannt und ungeduldig.

Sie blieben nur eine Nacht in Kandy, wo Bäume und elegante Häuser mit roten Dächern einen rechteckigen blauen See umgaben. In der Mitte des Sees lag eine von Palmen beschattete Insel – der König von Kandy hatte dort seine Frauen untergebracht, erklärte ihr Lucas. Als sie am folgenden Morgen von Kandy nach Nuwara Eliya weiterreisten, sah Marianne Wasserfälle, die sich über steile Felsvorsprünge stürzten, und gezackte Hügel mit grünen Hängen. Aus düsteren Wäldern mit von Flechten überwachsenen Nadelbäumen starrten zottige Bärenmakaken im Schutz ausladender Äste sie mit großen Augen an. Wolkenfetzen hingen in Farnen und Moosen, und tief unten im Tal schoß der Nanu-Oya-Fluß schäumend durch schmale Schluchten.

Nuwara Eliya hieß »Stadt des Lichts«. Die herbe Luft hier war kühl und klar. Marianne war schwindlig vom Sauerstoffmangel und vom fortwährenden Ansturm fremder Bilder, Geräusche und Düfte. Die Straßen von Nuwara Eliya, das mehr als achtzehnhundert Meter hoch in den Bergen Ceylons lag, waren von Bungalows gesäumt, deren adrette Gärten mit Stiefmütterchen, Geranien und Fackellilien bepflanzt waren. Sie blieben eine Nacht im Grand Hotel; Marianne machte in Cargill's Kaufhaus ein paar Einkäufe.

Am folgenden Tag brachte die Eisenbahn sie weiter durch die Berge. Am Bahnhof wurden sie von Dienern abgeholt, die Turbane trugen und lange weiße Jacken mit gelben Schärpen. Sie hatten zur Bewältigung des letzten Stück Wegs ein Pferd für Lucas und einen Ochsenkarren für Marianne mitgebracht. Als sie den kleinen Ort mit dem Basar und kleinen Hütten hinter sich ließen, begannen sich zu beiden Seiten die Teefelder auszubreiten, und Lucas beugte sich mit blitzenden Augen im Sattel vor.

»Blackwater«, sagte er. »Das ist Blackwater.«

Die Straße wurde zu einem steinigen Saumpfad, der sich, kaum breit genug für den Wagen, an die Bergflanke schmiegte und auf einer Seite jäh abfiel, Hunderte von Metern ins Tal hinunter. In einer Unmenge von schmalen Haarnadelnkurven schraubte er sich steil in die Höhe, und der Wagen ratterte über Holzbrücken, die sich über beängstigend tiefe Schluchten spannten. An den Bächen, die über die Felsen sprangen, fielen Marianne abgelegte Blumensträuße auf und seltsame geformte Steine, die mit bunten Bändern verziert waren. »Gaben für die Götter«, erklärte Lucas, als sie ihn danach fragte. »Für die

Götter der tamilischen Kulis, die auf den Teepflanzungen arbeiten.«

Ungefähr zwei Meilen legten sie so zurück, Felswände auf der einen Seite, gähnende Leere auf der anderen. Hätte der Karren ein Rad verloren oder hätte es einen Steinschlag gegeben, so hätte nichts einen Sturz in den Tod verhindern können. Dennoch hatte Marianne keine Angst. Sie wußte, daß sie leben würde, leben mußte, denn im Lauf der Tage war aus Hoffnung Gewißheit geworden, und sie wußte jetzt, daß sie ein Kind erwartete.

Eine so lange Reise! Sie hätten sich eigentlich in dieser Zeit allmählich näherkommen müssen. Doch sie hatte das Gefühl, Lucas Melrose bei ihrer Ankunft in Blackwater kaum besser zu kennen als bei der Abreise in Southampton.

Ein paar Dinge allerdings entdeckte sie. Er war ein Gewohnheitsmensch, der jeden Tag sehr früh aufstand und schon vor dem Frühstück seinen Körper ertüchtigte. Auf dem Schiff und im Hotel in Colombo aß er stets zur selben Zeit zu Abend, zog sich stets zur selben Zeit zurück. Marianne war schon in London aufgefallen, daß er mit einer gewissen Autorität aufzutreten pflegte und meistens bekam, was er wünschte. Er brauchte nur mit den Fingern zu schnippen, schon waren die Dienstboten zur Stelle, und auf dem Schiff begegneten ihm einige der Mitreisenden, die weniger selbstsicher waren als er, beinahe unterwürfig. Er war anspruchsvoll – er schickte seine Kragen in die Wäscherei zurück, wenn sie nicht so gestärkt waren, wie er es wünschte, und wurde schroff, als der Rikschafahrer, der ihr Gepäck vom Hafen zum Hotel brachte, einen Koffer fallen ließ. Marianne schrieb seine Gereiztheit der Ermüdung nach der langen Reise zu.

Sie unterhielten sich nie, wie sie und Arthur das getan hatten, über unbedeutende, belanglose Kleinigkeiten. Lucas war höflich und immer bereit, ihr Auskunft zu geben, beantwortete ihre Fragen, sorgte dafür, daß sie alles hatte, was sie brauchte, aber gemeinsame Freude, gemeinsames Interesse an kleinen Dingen gab es nicht. Er trug etwas Unterdrücktes, Spannungsgeladenes in sich, das an Intensität gewann, als sie sich Blackwater näherten. Sie vermutete, es sei die Sehnsucht, nach so langer Abwesenheit sein Haus und seinen Besitz wiederzusehen.

Manchmal, wenn sie nach ein paar Stunden der Trennung wieder mit ihm zusammentraf, bemerkte sie Überraschung in seinem Blick, als hätte er vorübergehend vergessen, daß es sie gab. Er pflegte schnell und entschieden zu handeln und interessierte sich selten für ihre Meinung. Aber das war nicht verwunderlich, er war es gewöhnt, einsame Entscheidungen zu fällen. Sie würden einander mit der Zeit schon besser kennenlernen, ihre Verlobungszeit war dazu viel zu kurz gewesen. Es war verständlich, daß er sich nach so vielen Jahren des Alleinlebens erst daran gewöhnen mußte, seinen Alltag mit jemandem zu teilen. Und sie selbst suchte ja nicht nach Intimität, sondern lediglich nach Gemeinschaft.

Als sie gewiß war, sagte sie ihm, daß sie ein Kind erwartete.

»Bist du sicher?« fragte er.

Es war Abend, sie saßen auf der Veranda des Hauses.

»Ganz sicher.« Sie lachte über seinen Gesichtsausdruck. »Lucas, ich habe seit Wochen die größten Schwierigkeiten, mein Frühstück hinunterzubringen. Und es gibt noch andere Anzeichen. Ich bin absolut sicher.«

»Gut«, sagte er. »Das ist gut. Wann kommt er zur Welt?«

»Im März, denke ich. Aber es kann auch ein Mädchen werden.«

Er schüttelte den Kopf. »Bei den Melroses gibt es nur Söhne. Und für das alles hier« – er blickte in den mondbeschienenen Garten hinaus – »brauche ich einen Erben«.

Von diesem Abend an teilte er das Bett nicht mehr mit ihr, sondern schlief in einem Zimmer auf der anderen Seite des Hauses. Sie empfand es als eine Erleichterung, bei der Liebe mit ihm fehlten die Beglückung und die Ekstase, die sie mit

Arthur geteilt hatte. Wie rücksichtsvoll von ihm, dachte sie, ihr Wohlergehen über sein eigenes Vergnügen zu stellen und sich dafür Abstinenz aufzuerlegen.

Sie erfüllte ihren Teil der Vereinbarung und sorgte dafür, daß der Haushalt glatt und reibungslos lief. Der große Bungalow war hell und luftig und hatte vorn ein schönes achteckiges Vestibül, das nach sieben Seiten offen war. Wohnzimmer, Speisezimmer und die vier Schlafzimmer mit dem Badezimmer befanden sich im vorderen Teil des Hauses, die Küche und die Dienstbotenunterkünfte im hinteren. Alle Wohnräume waren mit offenen Kaminen ausgestattet, denn nachts konnte es hier oben in den Bergen sehr frisch werden.

Morgens wurde Marianne bei Tagesanbruch von einem *boy* namens Nadeshan mit Tee und frischen Früchten geweckt, und später, wenn sie gefrühstückt und Toilette gemacht hatte, prüfte sie den Bestand der Vorratskammer, besprach Mittag- und Abendessen mit der singhalesischen Köchin und teilte ihr die notwendigen Zutaten zu. Alles, was bestellt werden mußte, wurde in ein Heft geschrieben und bei Lieferanten in Auftrag gegeben. Sie achtete darauf, daß das Haus täglich gefegt und gewischt wurde, sorgte dafür, daß die Vasen immer mit frischen Blumen aus dem Garten gefüllt waren.

Lucas kam mittags zu einem kleinen Imbiß nach Hause. Danach, in der heißesten Zeit des Tages, zog sich Marianne in ihr Zimmer zurück. Ihr Schlafbedürfnis war ungeheuer, seit sie wußte, daß sie schwanger war. Es war, als wollte sie allen Schlaf nachholen, den sie in den ruhelosen Nächten nach Arthurs Tod vermißt hatte. Nach der Siesta schrieb sie Briefe, und danach vertrieb sie sich die Zeit bis zum Tee meistens im Garten.

Der Bungalow stand auf der Höhe eines Hügels. Drei ausgedehnte, in Terrassen angelegte Rasenflächen führten von der Veranda abwärts. Die Randbeete mit den Buschrosen und den mehrjährigen Pflanzen waren ungepflegt, wie Marianne bekümmert feststellte. Um den parkähnlichen Garten führte ein Fußweg, und nur wenige Meter jenseits fiel das Gelände steil ab. Innerhalb der Abgrenzungen jedoch waren Rasenflächen, Blumenbeete, Fußwege und bewaldetes Land. Die Ähnlichkeit, die der Garten von Blackwater auf den ersten Blick mit den großen Garten- und Parkanlagen Englands zu haben schien, war trügerisch; beim zweiten Blick war sie betört, ja beinahe überwältigt von seiner fremdartigen Üppigkeit und Pracht. Eiche und Buche wie in den englischen Landschaften sah man hier nicht, dafür den Eukalyptus, den Flammenbaum mit strahlend orangefarbenen Blüten und die Pistazie mit hohem, hellem Stamm und gefiedertem Laub. Bienen schwärmten um eigenartig geformte Stöcke, die von den Ästen herabhingen; eine Würgerfeige, die den Stamm einer Zeder umschlang, drohte den Wirtsbaum mit ihren langen gewundenen Luftwurzeln zu ersticken. Die Rufe der Vögel schienen hier lauter und eindringlicher zu sein als in England, und über das Gras schwebten Wolken weißer Schmetterlinge wie Hunderte vom Wind getragener Blüten. Karawanen dickleibiger Ameisen zogen durch das wuchernde Unkraut, und in einem dunklen Winkel unter hohen, schattenspendenden Bäumen stieß Marianne auf einen kleinen Schrein, kaum mehr als ein Dreieck aus Stöckchen, eingebettet in die Wurzeln eines Baumes. Jemand hatte Blumen in das Häuschen gelegt; von den Ästen der umliegenden Bäume flatterten weiße Papierbänder herab.

Am hinteren Ende des Gartens stand auf einer Holzplattform, die aus dem Hügelhang hervorsprang, ein kleines Gartenhaus mit einem Dach aus Palmblättern. Von diesem Gartenhaus aus blickte sie in Wolken hinunter. An einem schönen Tag konnte sie die Bergketten sehen, die, eine hinter der anderen, das Land in Wellenbewegung zu versetzen schienen, so weit das Auge reichte. Hier und dort stachen wie leuchtende Farbakzente in einem großen Teppich das Silber eines glitzernden Sees, das Grün eines Maisfelds heraus. Der kleine

Holzbau, der wie ein Vogelnest über dem Abgrund schwebte, verlieh ihr ein Gefühl der Unbehaustheit, der Ungebundenheit.

Die jungen Hilfsverwalter schauten oft zum Tee im Bungalow vorbei; gelegentlich kamen auch ein anderer Pflanzer mit seiner Frau, vielleicht Dr. Scott oder der Padre zu Besuch. In den Rohrstühlen auf der Veranda sitzend, pflegten die Männer zu fachsimpeln, und Marianne sah zu, wie das Blau der Berge immer dunkler wurde, während sie langsam mit dem Horizont verschmolzen. Der frühe Sonnenuntergang – von kurzer Dauer, weil Ceylon so nahe am Äquator lag – war ein flüchtiger Rausch in Bronze und Gold.

Dann kam die Post, und vor dem Abendessen war noch Zeit, die Briefe durchzusehen. Sie aßen um acht Uhr, danach setzten sie sich im Wohnzimmer ans Feuer. Nachts, wenn sie im Bett lag, hatte Marianne wie im Gartenhaus das Gefühl, frei und ungebunden über der Welt zu schweben.

Sie mußte, überlegte sie, in den ersten Wochen ihrer Ehe mit Lucas schwanger geworden sein. Flüchtiger Groll darüber, daß ein solches Wunder ihrer Ehe mit Arthur nicht beschert worden war, wurde bald von ihrer Sehnsucht nach dem Kind verdrängt. Nach den ersten drei Monaten ließ die morgendliche Übelkeit merklich nach, und sie bekam wieder Appetit. Ihr Körper veränderte sich, wurde fülliger um die Hüften, voller um den Busen. Als sie zum erstenmal die Bewegung des Kindes in sich spürte, wurde in ihr ein Gefühl wach, das sie beinahe vergessen hatte, eine Mischung aus Erregung, Vorfreude und Wonne – von Glück.

Im Herbst 1912 gab der Labourabgeordnete für Bow und Bromley, George Lansbury, seinen Sitz im Parlament auf, um damit die Öffentlichkeit auf das Elend der inhaftierten Frauenrechtlerinnen aufmerksam zu machen. In der später abgehaltenen Nachwahl kandidierte er als Vertreter der Frauenbewegung und der Sozialisten. Sein Wahlbüro in der Bow Row lag

Wand an Wand mit den Wahlzentralen der *WSPU* der Schwestern Pankhurst, Millicent Fawcetts *National Union of Women's Suffrage Societies*, der *Votes for Women Fellowship*, der *Men's Political Union for Women's Emancipation*, der *National League for Opposing Women's Emancipation* und den Ausschußräumen der Unionisten. Mrs. Emmeline Pankhurst persönlich hielt am Tag vor der Wahl nicht weniger als drei öffentliche Reden in Bow, bei denen, wie Eva ihrer Schwester Iris erzählte, das Publikum fast ausschließlich aus Frauen bestand, von denen viele ihre kleinen Kinder mitgebracht hatten. Die Kinder schrien und krähten in regelmäßigen Abstanden während Mrs. Pankhursts gesamter Rede, die dadurch teilweise kaum zu verstehen war. Am Abend versammelten sich die Frauenrechtlerinnen in Bow vor der Kirche. Eine Blechkapelle spielte die Marseillaise, dann marschierten die Frauen, Fahnen und Laternen schwenkend, in langem Zug durch den Wahlbezirk.

Freiwillig hätte Iris keinen ihrer zwei kostbaren freien Tage im November dafür hergegeben, bei Wind und Wetter durch Bow zu stapfen, aber sie ließ sich von Ash dazu überreden. Zu ihrer Überraschung herrschte auf den Straßen des tristen East-End-Viertels trotz des unwirtlichen Wetters eine Atmosphäre wie auf einem Rummelplatz. Banner – im Rot-Grün-Weiß der WSPU und im Gelb-Weiß der *Women's Freedom League* – flatterten an Pferdewagen und Automobilen, Kinderchöre sangen Wahllieder. Vor den Wahlkabinen drängten sich die Frauen; Eva, die an einer Kabine die Wählerinnen hereinließ, hatte ihren Schirm vergessen und war naß bis auf die Haut, als Iris und Ash bei ihr vorbeikamen.

Iris gab ihr ihren Schirm und schlüpfte bei Ash unter. Während sie durch die Straßen gingen und sich umsahen, fiel ihr auf, wie viele Leute Ash mit Wärme und Herzlichkeit grüßten. Männer mit Schirmmützen blieben stehen, um ein paar Worte mit ihm zu wechseln, Frauen in schäbigen Mänteln mit Rosetten am Revers winkten ihm zu, Kinder liefen ihm nach und bettelten um ein Pfefferminzbonbon oder eine Karamelle aus seiner Hosentasche.

Auf der anderen Straßenseite schwenkte eine dunkelhaarige junge Frau den Arm und rief ihm etwas zu, als sie durch den Verkehr über die Fahrbahn gelaufen kam. »Ich habe dich schon gesucht, Ash. Ich bin erst jetzt aus dem Laden weggekommen. Eigentlich wollte ich früher zumachen, aber Vater wollte nicht –« Sie brach ab, als sie Iris bemerkte, die neben Ash unter seinem Schirm stand.

»Thelma«, sagte Ash. »Darf ich dich mit Miss Iris Maclise bekannt machen? Iris, das ist Miss Thelma Voss.«

»Freut mich, Miss Maclise.«

»Thelma und ich haben zusammen Wahlflugblätter verteilt«, erklärte Ash. »Fünfhundert, stimmt's?«

»So ziemlich.«

»Ohne dich hätte ich das nicht geschafft, Thelma.«

Thelma wurde rot. »Ich hab gern geholfen.«

»Das klingt furchtbar anstrengend«, sagte Iris. »Wohnen Sie hier in der Gegend, Miss Voss?«

»Ja, ganz in der Nähe, in der Commercial Road.«

»Ach, dann sind wir ja beinahe Nachbarinnen. Ich arbeite im Mandeville-Krankenhaus.«

»Da war mein Vater mit seinem Bein.« Thelma Voss musterte Iris, den breitkrempigen Hut mit dem kirschfarbenen Chiffonputz und den neuen Mantel mit dem Samtkragen, den sie sich bei Harrods gekauft hatte. »Ich habe mir gar nicht die Zeit genommen, mich umzuziehen«, murmelte sie dann. Unter ihrem Regenmantel trug sie eine braune Kittelschürze, und um die Haare hatte sie turbanartig einen Schal geschlungen. »Manche von den Frauen hier sind so *elegant.* Vor allem die von der WSPU.« Sie zupfte an ihrem Kittel und schob eine Haarsträhne unter den Turban.

»Als ich meine Schwester Eva zuletzt gesehen habe«, bemerkte Iris, »hatte sie eine Zeitung über dem Kopf, um den Regen abzuhalten. Wirklich nicht elegant. Ich glaube, Sie brauchen sich keine Gedanken zu machen, Miss Voss. Gehören Sie auch zur WSPU?«

»Nein, bestimmt nicht«, antwortete Thelma geringschätzig. »Die WSPU ist nichts für Frauen wie mich – Frauen, die *arbeiten.*«

»Ich wollte zum Wahllokal und sehen, ob sie dort Hilfe brauchen«, sagte Ash, ohne darauf einzugehen. »Du kommst doch mit, oder, Thelma? Und danach lade ich dich zum Essen ein. Zum Dank für die Flugblätter.«

»Zum Essen?« Thelma strahlte. »Also, ich –«

»Iris und ich wollten irgendwo Fisch und Fritten essen. Du bist herzlich eingeladen.«

Thelmas Gesicht wurde wieder mürrisch. »Ich kann nicht«, entgegnete sie. »Ich hab Nancy Smith versprochen, daß ich ihr beim Teeausteilen helfe. Und dann muß ich Vater das Essen richten.«

Ohne sich zu verabschieden, lief sie davon.

Als sie außer Hörweite war, sagte Iris: »Sie hat dich offensichtlich sehr gern, Ash.«

»Thelma?« Er sah sie erstaunt an. »Sie ist nur eine Freundin.«

Iris wollte widersprechen, öffnete den Mund, um zu sagen: Nein, Ash, sie ist in dich verliebt, aber sie sagte nichts. Thelma Voss war in der Menge verschwunden. Dafür, daß du so ein intelligenter Mensch bist, dachte Iris, als sie sich bei Ash einhakte, kannst du manchmal erstaunlich vernagelt sein.

George Lansbury verlor die Nachwahl im Arbeiterbezirk Bow and Bromley um siebenhunderteinundfünfzig Stimmen. Die größte Ironie war in Ashs Augen, daß infolge eines Fehlers in der Wählerliste tatsächlich eine Frau, eine einzige!, eine Mrs. Unity Dawkins, ihre Stimme hatte abgeben können. Mrs. Pankhurst selbst hatte Mrs. Dawkins aufgesucht, um sie zu überreden, ihre Stimme George Lansbury zu geben; eine der Frauenrechtsvereinigungen hatte sich sogar erboten, sie in einem Automobil zum Wahllokal zu bringen. Aber am Ende hatte Mrs. Dawkins Reginald Blair, dem Kandidaten der Konservativen, die gegen das Frauenwahlrecht waren, ihre Stimme gegeben. Ash hatte sie selbst gesehen, wie sie voll Stolz eine blaue Karte hochgehalten hatte, um alle wissen zu lassen, daß sie Mr. Blair unterstützte.

Eines Abends nach der Wahl besuchte Ash Thelma im Laden ihres Vaters. Sie sah gerade eine Steige Äpfel durch, um die schlechten auszusortieren. Ihr Gesicht leuchtete auf, als sie ihn sah.

»Ich wollte dir für deine Hilfe bei der Wahl danken«, sagte Ash. »Dieses Herumgerenne mit den Flugblättern im strömenden Regen.«

»Geholfen hat's ja leider nicht viel«, erwiderte sie, während sie einen Apfel nach dem anderen mit einem Tuch polierte.

»Mir war schon klar, daß wir vielleicht verlieren – es war von Anfang an ein Risiko, das Frauenwahlrecht zum einzigen Thema zu machen –, aber ich hätte nicht gedacht, daß der Verlust so hoch ausfallen würde.«

Thelma zuckte mit den Schultern. »Ich könnte mir denken, daß von den Männern einige was gegen diese schicken Damen hatten, die plötzlich überall rumschwirrten, wo sie normalerweise keinen Fuß hinsetzen würden, um ihnen zu sagen, was sie zu tun haben.«

»Ja, das kann sein. Aber wie kann man die Konservativen wählen? Was haben die je für das East End getan?«

»Sie sind ›anständig‹. Und das ist das einzige, was die meisten hier wollen – als ›anständige‹ Leute angesehen werden. Man kann ihnen vom Sozialismus und allem anderen erzählen, bis einem die Spucke wegbleibt, sie wollen nur eine Sprosse höher auf der Leiter steigen. Die, bei denen Zeitung auf dem Tisch liegt, wollen Stoff. Frauen, die nur ein Umschlagtuch haben, wollen einen Mantel. Und das ist schon das Höchste der Gefühle.«

»Bei dir auch, Thelma?«

Sie antwortete nicht auf seine Frage, sondern legte, das Poliertuch aus der Hand und sagte: »Möchtest du mit uns essen? Ich wollte den Laden sowieso zumachen.«

»Gern. Wenn es keine Umstände macht.«

Thelma drehte das Schild an der Tür um und zog das Rollo herunter. Als sie aus dem Laden nach hinten gingen, flüsterte sie Ash zu: »Red nicht von Politik und solchen Sachen, wenn mein Vater dabei ist. Das macht ihn immer nervös.«

Der Laden der Familie Voss lag an einer Straßenecke; ihr Haus, das letzte in einer Zeile Reihenhäuser, war etwas größer als seine Nachbarn. Im Wohnzimmer, das hinter dem Laden gelegen war, sah man durch ein Erkerfenster zur Seitenstraße hinaus. Thelmas Vater saß in einem Sessel am Feuer, als sie kamen. Als er Ash bemerkte, wollte er aufstehen, aber Thelma sagte rasch: »Bleib sitzen, Vater, das stört Ash nicht. Vater, das ist mein Freund Ash. Du weißt doch, ich habe dir schon von ihm erzählt. Ich habe ihn zum Essen eingeladen.«

Ash unterhielt sich mit Thelmas Vater, während Thelma das Abendessen richtete. Er konnte eine gewisse äußere Ähnlichkeit zwischen Vater und Tochter erkennen – die hochliegenden, breiten Wangenknochen, die geraden Augenbrauen –, aber dem Vater fehlten Thelmas Lebhaftigkeit und Entschiedenheit. Sein Körper war gekrümmt, sein Gesicht eingefallen, und auf Ashs Bemühungen, ein Gespräch in Gang zu bringen, reagierte er nur mit einsilbigen Bemerkungen, während sein Blick immer wieder nervös zur Küche flog, als fühlte er sich nicht wohl, wenn Thelma nicht in seiner Nähe war.

Das Abendessen bestand aus Schnittchen, die mit Dosenlachs belegt waren, englischem Kuchen und Götterspeise. Sie sprachen über Ashs Arbeit, über die vielen Veränderungen in der Gegend, seit die Familie vor fünfundzwanzig Jahren hier eingezogen war, und über das Wetter. Als ihr Vater müde zu werden begann, half Thelma ihm wieder in seinen Sessel, Ash bedankte sich für die Einladung und verabschiedete sich.

Thelma führte ihn durch den Laden hinaus. Nachdem sie die

Wohnzimmertür hinter sich geschlossen hatte, sagte sie leise: »Das ist der Grund, warum ich keine großen Ambitionen habe. Deswegen stehe ich den ganzen Tag nur im Laden.«

»Das tut mir leid«, sagte er. »Wie lange geht es deinem Vater schon so schlecht?«

»Seit sechs Jahren. Seit dem Unfall.«

»Was ist da passiert?«

»Er ist von einem Brauereiwagen angefahren worden. Die Ärzte im Mandeville haben ihr Bestes getan, aber sein Bein ist nie wieder geworden.« Sie senkte die Stimme noch ein wenig mehr. »Aber wenn du mich fragst, ist das Bein das Wenigste. Du hast ihn ja erlebt. Meine Mutter ist zwei Monate vor seinem Unfall an Lungenentzündung gestorben. Ich glaube, daß diese beiden so dicht aufeinanderfolgenden Katastrophen ihn fertiggemacht haben. Er hat sich nie wieder richtig erholt. Der Arzt hat mir erklärt, daß er einen Nervenzusammenbruch hatte. Jede Kleinigkeit macht ihn nervös. Besonders laute Geräusche – wenn draußen ein Lastwagen vorbeifährt, Donner, eigentlich alles. Und er hat immer Angst um mich. Wenn ich spät nach Hause komme, regt er sich jedesmal wahnsinnig auf. Und wenn es ihm besonders schlecht geht, würde er mich am liebsten keine fünf Minuten aus den Augen lassen.« Sie sah Ash trotzig an. »Ich hätte mir das bestimmt nicht ausgesucht. Ich hätte viel lieber studiert. Oder Krankenschwester gelernt wie deine Freundin.«

»Iris?«

»Ja.« Ihr Blick, so scharf und direkt wie der eines Habichts, ließ ihn nicht los. »Ich hatte sie vorher noch nie hier gesehen, Ash. Seid ihr schon lange befreundet?«

»Ich kenne sie seit Jahren. Iris kommt aus Sheffield.« Er lächelte. »Dort habe ich sie kennengelernt. Sie sauste auf dem Fahrrad einen Berg hinunter, und ihr Rock verfing sich im Vorderrad. Sie stürzte und landete praktisch zu meinen Füßen. Dann«, fügte er hinzu, »verloren wir uns ein paar Jahre aus den Augen. Wir hatten einen Streit, einen richtig dummen Streit.

Es war meine Schuld.« Er erinnerte sich an das Fest in Summerleigh: Iris, wie sie im weißen Ballkleid in den Armen immer anderer Männer durch den Saal wirbelte. Und er erinnerte sich des Zorns und dieses anderen scheußlichen Gefühls – es konnte eigentlich nur Eifersucht gewesen sein –, die ihn gequält hatten, während er sie beobachtete. »Als ich erfuhr, daß sie als Krankenschwester arbeitete, war das ein richtiger Schock. Ich hatte nie das Gefühl, daß Iris sich für so etwas interessierte, und hätte ihr nie zugetraut, an ein Krankenhaus zu gehen und fremde Leute zu pflegen. Ihrer Freundin Charlotte, ja. Aber Iris …« Mit einer Überheblichkeit, an die er sich jetzt am liebsten nicht erinnert hätte, hatte er Iris als oberflächlich und frivol abgetan. Hatte geglaubt, hinter den blonden Locken und dem hübschen Gesicht stecke kein ernsthafter Gedanke.

»Das kommt, weil sie so hübsch ist«, stellte Thelma sachlich fest. »Du hast ihr das nicht zugetraut, weil sie so hübsch ist. Sie sah so – so elegant aus.« In ihren Augen lag ein sehnsüchtiger Ausdruck.

»Findest du?« fragte er zerstreut und wandte sich zum Gehen.

Ein kurzes Stück vom Laden entfernt, hörte er schnelle Schritte hinter sich. Als er sich umdrehte, hatte Thelma ihn schon eingeholt. Sie hielt ihm etwas hin.

»Nimm ihn«, sagte sie. »Die Leute hier mögen sie nicht, sie denken, sie wären giftig oder so was, aber ich lasse Vater immer ein paar mitbestellen. Ich mag sie. Du auch? Ich stelle mir gern die Länder vor, wo sie herkommen.«

Es war ein Granatapfel. Er dankte ihr, und sie lächelte, was sie so selten tat. Dann lief sie nach Hause.

Daß Clemency sich um ihre drei Brüder sorgte, hatte verschiedene Gründe. Philip schien sich nun zwar in der Schule einigermaßen eingelebt zu haben, aber er war immer noch übermäßig empfindlich, und Kleinigkeiten, die die meisten anderen nicht weiter gekümmert hätten – ein hartes Wort, ein toter

Vogel, den Evas Katze auf dem Gewissen hatte –, schienen ihn tief zu schmerzen. Es war, als hätte er eine zu dünne Haut und wüßte nicht, wie er sich gegen die Welt wappnen sollte. Wäre er ein Mädchen gewesen, dachte Clemency manchmal, dann wäre es nicht so schlimm gewesen. Bei Mädchen wurde Sensibilität geschätzt, bei Jungen erntete sie nur Verachtung.

In den Weihnachtsferien beim Mensch-ärgere-dich-nicht-Spiel vertraute er sich ihr endlich an. »Wenn ich mit der Schule aufhöre«, sagte er, »werde ich Priester.«

Sie schüttelte den Würfel in der Hand. »Du meinst, Pastor.«

»Nein, Priester.« Er sah sie ruhig an, und sie erkannte, wie ernst es ihm war. »Wenn sie mich auf dem Seminar nehmen«, fügte er hinzu. »Ich weiß, daß es für Konvertiten schwieriger sein kann.«

Sie starrte ihn fassungslos an. »Du meinst – du willst katholisch werden?«

»Ja. Ich habe mit einem Priester gesprochen. Wir haben den Sonntag nachmittag jetzt immer zu unserer eigenen Verfügung und dürfen das Internat auch verlassen. Ich bin im Dorf spazierengegangen, und er hat in seinem Garten gearbeitet. Da habe ich gefragt, ob ich ihm helfen kann. Er ist schon ziemlich alt, weißt du. Ich habe seither viel darüber nachgedacht und weiß jetzt, daß das mein Weg ist.« Ein kleines, resigniertes Lächeln. »Mir ist klar, daß Vater das überhaupt nicht verstehen wird. Er hat ja immer erwartet, daß ich einmal in die Firma gehe. Und er hält auch nicht viel von den Katholiken, nicht wahr? In seinen Augen sind sie fast so schlimm wie die Kommunisten, das weiß ich. Aber ich muß diesen Weg gehen, Clem. Ich weiß, daß er für mich der richtige ist. Ich habe nie vorher etwas mit solcher Sicherheit gewußt.«

Nach einigem guten Zureden war Philip damit einverstanden, bis zu seinem achtzehnten Geburtstag zu warten, bevor er sich unwiderruflich entschied oder mit ihrem Vater sprach.

»Aber das ändert nichts an meinem Entschluß, Clem«, sagte er, und sie glaubte ihm.

Was James und Aidan anging, so begriff Clemency erst in diesem Winter, wieviel Feindseligkeit Aidan seinem älteren Bruder entgegenbrachte. Die beiden hatten sich nie gut verstanden – eigentlich hatten alle drei Brüder wenig miteinander zu tun. Einer wie der andere auf den lauten, dominanten Vater fixiert, waren sie doch grundverschieden und hatten kaum gemeinsame Berührungspunkte, doch seit Aidan in der Firma arbeitete, hatte er zwangsläufig mehr Kontakt mit James. Da die beiden – Aidan und James – mehr als zehn Jahre auseinander waren, hatte Clemency sie vorher nie als Rivalen betrachtet – und es war auch jetzt fraglich, ob man überhaupt von Rivalität sprechen konnte, denn alle Feindseligkeit ging von Aidan aus.

Aidan hatte den schwierigeren Charakter, und er tat Clemency oft leid. Sie wußte aus eigener Erfahrung, wie man sich fühlte, wenn man nicht wahrgenommen wurde. Es war schwer, sich für Aidan zu erwärmen, der seine Gefühle nicht zeigen konnte und auch äußerlich nicht sonderlich einnehmend war – schmächtig, mit rotblondem Haar und unsteten blaßblauen Augen, die ihm bei seinen Geschwistern den Spitznamen Wiesel eingebracht hatten. Doch Aidan war der intelligenteste unter den Geschwistern. Er konnte Kopfrechnen, daß Clemency Hören und Sehen verging, und besaß eine rasche Auffassungsgabe sowie eine Fähigkeit, logisch und sachlich zu denken, die den anderen Geschwistern fehlte.

Es war sicher schwer für Aidan, daß in ihrer Familie Intelligenz kein besonders hoher Wert beigemessen wurde, oder genauer gesagt, daß sein Vater der Intelligenz keinen besonders hohen Wert beimaß, denn die Meinung seines Vaters war die einzige, die für ihn zählte. Doch der sah in Aidans ruhiger und zurückhaltender Art nicht Intelligenz, sondern hinterhältige Durchtriebenheit, und er machte kein Hehl aus seiner Voreingenommenheit. Clemency vergötterte ihren Vater, aber seit einiger Zeit begann sie, auch seine Fehler zu sehen. Ohne es darauf anzulegen, brachte er es fertig, Aidans Groll gegen

James immer von neuem zu schüren, schon dadurch, daß er James' Erfolge stets mit Stolz hervorhob, während er Aidan allenfalls eine Art widerwillige Anerkennung zollte. Es erschreckte Clemency, Aidans schadenfrohen Blick zu sehen, wenn sein Vater und James in Streit gerieten. Es erschreckte sie zu sehen, wie Aidan immer noch Öl ins Feuer goß, indem er seinen Vater in den ungünstigsten Momenten an James' Versäumnisse erinnerte – seine vielen Reisen nach London, seine Weigerung zu heiraten und für den Fortbestand der Familie Maclise Sorge zu tragen.

Sogar James schien in letzter Zeit nicht mehr so unbeschwert zu sein. Wenn sie ihn anblickte, ohne daß er es merkte, sah sie häufig einen gequälten Ausdruck in seinem Gesicht. Daß James – der unbekümmerte, immer optimistische James – offenbar Sorgen hatte, beunruhigte sie.

Eines Abends, als sie im Salon war und Kohlen nachlegte, um das Feuer im Kamin in Gang zu halten, kam James herein. »Sag mal, Clem, du könntest mir wohl nicht ein bißchen Geld leihen?«

Sie sah ihn erstaunt an, und er wurde rot. »Ich weiß, ich sollte dich nicht bitten –«

»Das macht doch nichts.«

»Es ist nur – na ja, ich bin ein bißchen knapp.«

»Ich könnte dir das Geld von Großtante Hannah geben«, sagte sie. Hannah hatte jeder ihrer Großnichten ein kleines Vermächtnis hinterlassen.

»Nein, das kann ich unmöglich annehmen. Das gehört doch zu deiner Aussteuer.«

»Ich geb's dir gern, James.«

Er antwortete mit einer schnellen Geste der Ungeduld. »Ich komme mir schäbig vor, daß ich dich überhaupt bitte. Aber ich sitze ziemlich in der Klemme. Ich würde Vater fragen, aber du weißt ja, wie er ist.«

»Wenn du ihm erklärst, wozu du es brauchst …«

»Das kann ich nicht.«

»Warum nicht?«

»Weil ich –« Er brach ab und lachte kurz. »Du weißt doch, daß ich im Augenblick bei ihm nicht gut angeschrieben bin. Er möchte unbedingt, daß ich Louisa Palmer heirate. Er läßt einfach nicht locker.«

»Ich weiß.« Ihr Vater scheute sich auch nicht, zur Brechstange zu greifen, um seine Ziele zu erreichen. »Und du willst nicht?«

»Ich kann nicht«, sagte er mit Entschiedenheit.

»Magst du sie nicht?«

»Oh, Louisa ist ein guter Kumpel.«

»Aber du magst sie nicht genug«, sagte sie und dachte dabei an Ivor. »Du hast keine Sehnsucht nach ihr.«

»So ungefähr, ja.«

Behutsam fragte sie: »Ist etwas nicht in Ordnung, James?«

»Also ehrlich gesagt« – er sah beinahe verzweifelt aus –, »ehrlich gesagt, sitze ich ganz schön in der Tinte, Clem.«

Da öffnete sich die Tür, und Aidan kam ins Zimmer. »Edith läßt euch sagen, daß es Zeit zum Abendessen ist.«

Als sie wieder allein waren, sagte Clemency: »James! Sag mir, was los ist.«

»Ach, nichts.« James' Lächeln wirkte gezwungen. »Es ist wirklich nichts.«

Marianne hatte sich in den Garten von Blackwater verliebt. Sie schnitt die Kriechpflanzen zurück, die die Rosen überwuchert hatten, und zupfte das Unkraut, das die mehrjährig blühenden Blumen zu ersticken drohte. Darunter entdeckte sie kleine Schätze: scharlachrote Geranien, kleine blaue Stiefmütterchen. Jemand hatte diesen Garten einmal geliebt; jemand hatte ihn geschaffen und gepflegt.

Der Haushalt lief praktisch von selbst, sie brauchte kaum einzugreifen. Es waren genug Dienstboten da, alle sehr tüchtig, da hatte sie wenig zu tun. Zu den Dienstboten gehörten Rani, die *ayah*, die zu Mariannes persönlicher Bedienung da war, Nadeshan, der *boy*, dann der Koch und seine Gehilfin, der Küchenkuli und der *tappul* oder Postkuli. Sporadisch erschienen andere Einheimische im Haus: die *dhobi*, die Kleidung und Bettwäsche wuschen, indem sie sie im Bach auf den Steinen klopften; Hausierer aus Indien, die Seiden, Spitzen sowie Gold- und Silberstickereien vor Marianne ausbreiteten; und der Schneider, der mit seiner uralten Nähmaschine auf dem Boden hockte und Vorhänge, Hemden und lange Frauengewänder nähte. Schließlich war da noch Mr. da Silva, der Singhalese, der für den Transport des Tees nach Colombo zuständig war. Mr. da Silva, dessen schwarzes Haar an den Schläfen grau zu werden begann, war ein freundlicher und angenehmer Mann, und wenn er etwa einmal im Monat vorbeikam, brachte er Marianne jedesmal eine kleine Überraschung mit – ein Blumensträußchen zum Anstecken, einen kleinen Kuchen mit grünem und rosafarbenem Zuckerguß oder ein Windrad aus Papier, um in ihrem schönen Garten die Vögel fernzuhalten.

Auf der Pflanzung arbeiteten die beiden Hilfsverwalter Mr. Salter und Mr. Cooper sowie zahlreiche Feld- und Fabrikarbeiter und Büroangestellte. Die Hilfsverwalter wohnten in eigenen bescheidenen Bungalows etwa eine Viertelmeile vom Herrenhaus entfernt, die tamilischen Kulis, achthundert an der Zahl, die aus Südindien nach Ceylon gekommen waren, lebten in den Hütten, die in langen Reihen zwischen den Teefeldern standen. Um sechs Uhr morgens rief Trommelschlag die Kulis zum Appell. Sie wurden gezählt und in Gruppen eingeteilt, um dann von sogenannten *kanganis*, den Gruppenaufsehern, auf die verschiedenen Felder der Pflanzung geschickt zu werden. Marianne lernte, daß die Frauen mit ihren schmalen, behutsamen Fingern die besten Pflücker waren und daß sie, um einen Spitzentee zu erhalten, nur den obersten Keim und zwei Blätter von der Pflanze nahmen. Die Männer erledigten die schwereren Arbeiten auf der Plantage, das Zurückschneiden der alten Sträucher und das Anpflanzen von neuen, außerdem übernahmen sie Dienstbotenpflichten und halfen im Büro.

Auf der Plantage drehte sich alles um Tee. In der Fabrik duftete die Luft nach Tee; draußen hing der Duft über den Feldern, wenn auch schwächer. An den Berghängen zogen rotbraune Wege Quadrate und Kreise durch die dunkelgrünen Felder aus Teepflanzen. Die farbigen Saris der Frauen, die schwere Palmkörbe auf dem Rücken trugen, leuchteten im dunklen Grün. Die Körbe mit den Teeblättern wurden mehrmals am Tag geleert, und die Ernte wurde durchgesehen, um ungeeignete Blätter und kleine Zweiglein zu entfernen, ehe sie gewogen und zur Fabrik gebracht wurde.

Mr. Salter, der grobknochige Hilfsverwalter mit dem roten Gesicht, zeigte Marianne die Fabrik. »Das sind die Welktröge«, erklärte er. Sie befanden sich im oberen Stockwerk. »Hier werden die Blätter ausgebreitet. Wir lassen sie ungefähr einen Tag liegen, es kommt ganz auf die Wetterverhältnisse an.«

Sie gingen nach unten. Flaschenzüge, Fließbänder und Schwungräder ratterten und brummten. »Und das ist die Rollmaschine«, schrie Mr. Salter, um den Lärm zu übertönen. »Sie bricht die Blätter auf, damit der Tee fermentiert. Das wird natürlich nicht mit Alkohol gemacht, aber die Blattzellen müssen oxidieren. Die Blätter werden vier- oder fünfmal gerollt. Man muß genau zum richtigen Zeitpunkt damit aufhören. Dann lockert der Ballenbrecher sie auf, und sie werden gesiebt. Durch das Aufbrechen der Blätter erhält der Tee sein Aroma.«

Im Fermentierungsraum wurden die Blätter auf einem Glastisch ausgelegt. Mr. Salter wischte sich die schweißfeuchte Stirn und sah Marianne an. »Ich langweile Sie doch hoffentlich nicht, Mrs. Melrose? Das alles ist für Sie wahrscheinlich sehr uninteressant.«

»Im Gegenteil«, versicherte sie. »Woher wissen Sie, wann der Prozeß abgeschlossen ist?«

»Das erkennt man an der Farbe. Das Blatt muß genau die richtige Farbe haben.«

Er ging ihr voraus in einen weiteren Raum. »Das sind die Trockenöfen. Hier werden die Blätter mit Heißluft behandelt. Das macht sie trocken und spröde. Sie werden sortiert und in Gütegruppen eingeteilt, und dann kann der Tee zu unseren Händlern in Colombo gebracht und auf der Teebörse versteigert werden. Von dort aus wird er in alle Welt versandt.« Mr. Salter zog an seinem Kragen und enthüllte einige rotglühende Furunkel an seinem Hals. »Das Klima und die Höhenlage beeinflussen das Aroma und die Qualität des Tees. Ob es zur rechten Zeit regnet oder nicht, wirkt sich auf das Aroma aus, und von diesem hängt natürlich der Preis ab. Die Teeherstellung ist eine Kunst, Mrs. Melrose.«

»Und bei Blackwater-Tee stimmt alles genau?«

»Blackwater-Tee ist der beste Tee der Welt. Mr. Melrose nimmt es sehr genau. Und das zahlt sich aus. Im Teegeschäft ist die Konkurrenz hart. Da braucht man nur mal ein wenig nachzulassen, und schon sind die Gewinne weg und die Plantage wird von einer der großen Gesellschaften geschluckt. Ich vermute, aus diesem Grund hat Mr. Melrose das Glencoe-Land gekauft.«

»Glencoe?«

»Das ist die Nachbarpflanzung.« Mr. Salter machte eine vage Handbewegung in westlicher Richtung. »Sie hat vor sechs Monaten Bankrott angemeldet. Der Mann, dem sie gehört hat, ist ein bißchen übergeschnappt. Ganz unter uns gesagt, Mrs. Melrose, er hat gern mal zu tief ins Glas geguckt. Ich meine, jeder trinkt gern mal einen Schluck, aber wenn einer schon zum Frühstück Arrak kippt – na also, das geht wirklich ein bißchen weit, nicht? Kurz und gut, irgend jemand hat erzählt, Lipton wäre interessiert, da mußte Mr. Melrose natürlich schnell zugreifen. Die Plantage ist ziemlich vernachlässigt, da gibt's einen Haufen Arbeit. Man darf dem Urwald keine Chance geben, sonst holt er sich sofort alles zurück, wissen Sie.«

Sein Blick flog durch das Fenster. »Das ist das schlimme in

diesem Land«, brummte er, »zum Anschauen eine Pracht, und zuerst, wenn man hier ankommt, meint man fast, man wäre in England. Aber das stimmt natürlich nicht.« Seine Miene wurde gereizt. »Man kann es sich nicht vom Leib halten. Es versucht immer, einen zu packen – läßt einen nie in Ruhe. Passen Sie nur mal eine Sekunde nicht auf, und schon haben Sie Schlangen in der Küche und Ameisen in den Reissäcken und gottverdammte Schlingpflanzen am Haus, die einem das Dach vom Kopf reißen.« Er wischte sich wieder das Gesicht. »Entschuldigen Sie meine Ausdrucksweise, Mrs. Melrose. Ich bin heute nicht ganz auf dem Damm. Ein Fieberanflug.«

An einem Samstag besuchten sie den Planters-Club in dem Dorf mit dem Basar und dem Bahnhof. Lucas ritt, und Marianne fuhr in einem Ochsenkarren, den ein Diener über den schmalen Bergpfad lenkte.

Die Pflanzer und ihre Frauen und Familien pflegten sich in einem langen, rechteckigen Gebäude zu treffen. Die Männer scharten sich am einen Ende des Hauses rund um die Bar zusammen, die Frauen saßen an Tischen am anderen Ende. An den Wänden hingen gerahmte Fotografien von weißgekleideten Kricketmannschaften und Männern mit martialischen Schnauzbärten und Gewehren.

Marianne spürte eine beinahe greifbare Neugier, als sie den Klub betrat. Blicke richteten sich auf sie, Nachbarn tuschelten miteinander. Man gratulierte ihnen, jemand winkte dem *boy*, einem braunhäutigen alten Mann mit weißen Haaren in einem weißen Uniformrock mit Messingknöpfen, und ließ Getränke bringen, damit man einen Toast auf das frischverheiratete Paar ausbringen konnte.

Danach folgte allgemeines Händeschütteln. Marianne stellte fest, daß es hier eine Hierarchie gab: Pflanzer und Hauptverwalter wurden ihr zuerst vorgestellt, dann erst kamen die Hilfsverwalter an die Reihe. Die hierarchischen Gruppen hielten sich getrennt, man saß an getrennten Tischen.

Sie wurde mit Ralph Armitage und den Rawlinsons bekannt gemacht. Armitage war sehr groß und massig und hatte eine Hakennase. Er musterte Marianne mit einem flüchtigen Blick von oben bis unten, ehe er Lucas in die Männerdomäne des Klubhauses entführte. Mr. Rawlinson, der Schriftführer des Klubs, hager und weißhaarig, wirkte fast verloren neben seiner breiten, behäbigen Frau. Anne Rawlinson war rotbraun gebrannt und faltig wie jemand, der zuviel in der Sonne gewesen ist.

»Sie sind also das Mädchen, das Lucas endlich die Zügel angelegt hat.« Anne Rawlinsons Stimme dröhnte. »Lassen Sie sich anschauen. Gott, Sie sind ja blutjung. Wie alt sind Sie? Neunzehn, zwanzig?«

»Ich bin vierundzwanzig.«

»Vierundzwanzig! Das hätte ich nicht gedacht. Sie haben eine sehr helle Haut, Kind. Da müssen Sie vorsichtig sein – die Sonne ist gefährlich. Wie gefällt Ihnen Ceylon? Sie haben ja ein schönes großes Haus in Blackwater. Und Lucas hat Ihnen hoffentlich zuverlässige Angestellte besorgt.«

»Sie sind sehr tüchtig, soweit ich sehen kann.«

»Behalten Sie nur Ihre *ayah* im Auge, das rate ich Ihnen. Meine wäre schon längst mit dem ganzen Schmuck durchgebrannt, wenn ich ihr die kleinste Chance ließe.«

Anne Rawlinson nahm sich ein Glas vom Tablett. »Die Leute hier haben nicht viel Vorstellung von recht und unrecht. Wie die Kinder, sage ich immer.«

Marianne lehnte einen Drink ab. Anne Rawlinsons Augen blitzten. Sie beugte sich vor und sagte in theatralischem Flüsterton: »Steht da vielleicht ein glückliches Ereignis bevor? Ich sehe so etwas sofort. Es ist irgend etwas im Gesicht. Oh, Mrs. Melrose, stören Sie sich nicht an mir. Sie werden sich schon an mich gewöhnen – alle hier wissen, daß ich gern direkt bin. Aber ich habe recht, nicht wahr? Wann kommt es denn?«

»Mitte März, meint Dr. Scott.«

»Und Sie haben Ende Juni geheiratet?« Anne Rawlinson

kniff die Augen zusammen, während sie rasch nachrechnete. »Oho, da hatte es Lucas aber eilig, wie? Aber na ja, in dieser Hinsicht war er ja immer fix.«

»Was heißt das?«

»Ach, nichts, mein Kind.« Anne Rawlinson hatte ihren Gin mit Tonic ausgetrunken. »Gar nichts.« Sie tätschelte Marianne die Hand. »Wenn Sie irgend etwas wissen wollen, ganz gleich, was, brauchen Sie mich nur zu fragen. Ich kenne mich hier aus – ich lebe seit Ewigkeiten hier oben in den Bergen.«

Ein blondhaarige junge Frau gesellte sich zu ihnen. Anne Rawlinson stellte sie Marianne als Mrs. Barlow vor. »Kommen Sie, ich zeige Ihnen die Tennisplätze, Mrs. Melrose«, schlug Mrs. Barlow vor. »Wir sind sehr stolz auf unsere Tennisplätze.« Als sie hinausgingen, senkte Mrs. Barlow die Stimme. »Ich dachte, Sie können Rettung gebrauchen.«

»So etwas Neugieriges«, sagte Marianne erbost. »So unglaublich gönnerhaft –«

»Als Anne Rawlinson mich das erste Mal besucht hat, schnüffelte sie im ganzen Haus herum und steckte überall ihre Nase hinein. Ich habe nur darauf gewartet, daß sie sich auch noch meinen Kleiderschrank vornimmt, um meine Unterröcke zu inspizieren.«

Marianne lachte. »Danke, daß Sie mir zu Hilfe gekommen sind, Mrs. Barlow.«

»Clare. Bitte, nennen Sie mich Clare.«

»Und ich bin Marianne.«

»Ich habe eben mitbekommen, daß Sie ein Kind erwarten. Hier scheint etwas in der Luft zu liegen. Ich bekam mein erstes genau neun Monate, nachdem ich hier angekommen war. Und das zweite ein Jahr später. Da sind sie.« Clare Barlow deutete auf zwei kleine Mädchen mit Zöpfen, die an der Schaukel spielten.

»Ach, die sind ja süß. Wie alt sind sie denn?«

»Hilda ist sieben und Joan sechs. Sie müssen bald nach England ins Internat. Ich weiß nicht, wie ich das aushalten soll.

Ich habe es so lange wie möglich hinausgeschoben. Ohne sie werde ich hier furchtbar einsam sein. Ich könnte natürlich noch ein Kind bekommen. Johnnie, mein Mann, wünscht sich ohnehin dringend einen Jungen für die gräßliche Pflanzung, aber ich weiß nicht... Ich bin so glücklich mit meinen beiden Mädchen.« Clare schnitt eine Grimasse. »Und da wir seit einiger Zeit kaum noch ein Wort miteinander sprechen, geschweige denn das Bett miteinander teilen, dürfte auf einen Sohn wohl wenig Aussicht bestehen.« Stirnrunzelnd blickte sie auf das Glas in ihrer Hand hinunter.

»Entschuldigen Sie«, sagte sie dann. »Ich habe anscheinend ein bißchen viel getrunken. Es waren zwar nur zwei Gläser, aber sonst trinke ich tagsüber nicht. Es ist mir zu Kopf gestiegen. Zwischen Johnnie und mir ist es gerade ein wenig schwierig. Wir hatten einen fürchterlichen Krach, bevor wir losgefahren sind, das ist natürlich auch der Grund, warum ich trinke.« Ihr Blick hatte sich umwölkt. »Hier draußen eine gute Ehe zu führen ist nicht leicht«, sagte sie unvermittelt. »Ich glaube, wir sind zu sehr aufeinander angewiesen. Zu viele lange Abende im Haus, allein bis auf die Kinder und die Dienstboten, und nichts zu tun als Briefe schreiben, lesen, Karten spielen oder trinken. Und für die Männer ist es so selbstverständlich, daß alles nach ihrem Kopf geht, daß sie meinen, wir Frauen müßten springen wie die Kulis, wenn sie nur mit dem Finger schnippen. Ich sage Johnnie oft, daß er auf seiner Pflanzung herrscht wie ein kleiner Gott. Was er sagt, ist Gesetz. Die Männer können tun und lassen, was ihnen beliebt, und niemand hindert sie daran. Das steigt ihnen leider zu Kopf.«

Dann rief sie: »Hilda! Laß Joan auch einmal schaukeln.« Sie sah Marianne lächelnd an. »Ich werde Sie bald einmal besuchen, wenn ich darf. Ich habe das Gefühl, wir werden gute Freundinnen werden. Ich glaube, wir haben viel gemeinsam – unter anderem eine heftige Abneigung gegen Anne Rawlinson, nicht wahr?«

Lucas war dabei, das Glencoe-Land zu roden. Zusammen mit seinen Leuten rückte er dem dichtverwachsenen Unterholz zu Leibe, fällte Bäume, entfernte Steine und Geröll. Wenn er mittags nach Hause kam, waren seine Kleider rotbraun vom Staub der Erde, sein Gesicht schmutzig und verschwitzt.

Eines Nachts, als Marianne aus dem Badezimmer in ihr Schlafzimmer zurückkehrte, hörte sie ein Geräusch, eine raschelnde Bewegung in der Dunkelheit. Besorgt, eine Schlange könnte sich ins Haus verirrt haben, hielt sie die Kerze hoch, um die Ecken des Flurs auszuleuchten. Da hörte sie Gelächter, das schnell wieder versiegte, dann Schritte und das Geräusch einer sich schließenden Tür.

Sie lief ins Wohnzimmer und hob einen Vorhang an. Zuerst konnte sie in der Schwärze der tropischen Nacht und den dichten Schatten der Bäume, die den Garten umgaben, nichts erkennen. Dann zog ein flüchtiger Schimmer leuchtender Farbe ihren Blick auf sich. Nur ein Wimpernschlag, und er erlosch wieder, vom Dickicht verschluckt.

Einige Nächte später geschah es wieder. Marianne erkannte, daß die Frau – sie war sich sicher, daß es sich bei dem nächtlichen Gast um eine Frau handelte, das sagten ihr die Anmut der Bewegung und der bunte Stoff eines Saris, der über langes schwarzes Haar gezogen war – auf dem Weg zu den Kulihütten war.

Als Clare eines Nachmittags zu Besuch kam, erzählte sie ihr von den Vorfällen. »Wenn ich in England wäre«, sagte sie, »würde ich jeden Dienstboten, der Fremde ins Haus schleppt, natürlich augenblicklich entlassen. Aber ich weiß nicht, wie ich mich hier verhalten soll. Ich weiß ja nicht einmal, ob so etwas hier als normal gilt. Ob ich nicht einen Riesenwirbel auslöse, wenn ich herauszubekommen versuche, was vorgeht. Lucas möchte ich nicht fragen. Er will mit dem Haushalt nichts zu tun haben. Außerdem sollte ich wirklich allein mit dieser Geschichte fertig werden.«

Sie saßen in dem kleinen Gartenhaus am Hang. Clare zündete sich eine Zigarette an. »Wissen Sie, wen die Frau hier besucht?«

Marianne seufzte. »Ich habe Rani gefragt, aber die schweigt sich aus. Und die männlichen Dienstboten zu befragen wäre mir peinlich. Aber es wird mir wohl nichts andres übrigbleiben.«

Clare runzelte die Stirn. »Sind Sie denn sicher, daß sie einen der Dienstboten besucht?«

»Wen sonst?« Marianne starrte sie an. »Lucas? Das kann doch nicht Ihr Ernst sein!«

»Die meisten Männer hier haben eine tamilische Geliebte, manchmal auch zwei. Johnnie zum Beispiel. Es gibt hier eine Frau, die kennt er schon viel länger als mich. Und unten in den Hütten laufen fünf oder sechs kaffeebraune Kinder von ihm herum.«

»Aber macht Ihnen das denn nichts aus?«

Clare zog an ihrer Zigarette. »Am Anfang hat es mich wahnsinnig gekränkt. Aber jetzt... Sie müssen bedenken, daß Lucas sehr, sehr lange allein hier oben gelebt hat. Es ist doch zu verstehen, daß er jemanden um sich haben wollte. Nein, wenn sie Lucas besucht, dann drücken Sie am besten beide Augen zu.« Clares Blick schweifte rastlos von den Bergen über den Garten und den Bungalow. »Ich habe gehört, daß manche Pflanzer vor lauter Einsamkeit mit ihren Hunden intim werden. Also, da würde *ich* die Grenze ziehen.«

Die Diphtherie-Epidemie begann im neuen Jahr. Erste Symptome waren im allgemeinen Fieber und Schluckbeschwerden. In den schlimmsten Fällen bildete sich ein blaßgrauer, membranartiger Belag auf den Mandeln und der Rachenschleimhaut, der dann den Kehlkopf überzog und dem Patienten die Luft raubte. Am gefährlichsten war die Krankheit für Kinder unter fünf Jahren, bei denen die Luftröhre noch sehr eng war. Bei ihnen half oft nur noch ein Luftröhrenschnitt zur Einführung eines Atemröhrchens, das die Luftzufuhr ermöglichte.

Innerhalb von vierzehn Tagen hatte sich die Epidemie im ganzen East End ausgebreitet. Viele Kinder starben infolge starker Unterernährung innerhalb eines Tages. Heute spielten sie noch auf der Straße, am nächsten Abend waren sie schon tot. Manche starben auf dem Weg ins Krankenhaus, andere bei der Aufnahme. Iris wurde auf die Kinderabteilung versetzt, wo sie und ihre Kollegin Rose von Bettchen zu Bettchen rannten, um sich immer wieder zu vergewissern, daß die Säuglinge ihre Atemröhrchen nicht herausgehustet hatten, während eine Lernschwester Windeln und Bettwäsche wechselte. Immer wieder kam es vor, daß ein Kind starb. Die Haut verfärbte sich blau, der Atem ging röchelnd, und dann war es plötzlich still. Iris, immer schon flink mit der Nadel, nähte die kleinen Leichentücher, und Rose bahrte die Kinder auf. Oft starben sie in den frühen Morgenstunden, als hätte ihnen die dunkelste und kälteste Zeit der Nacht den letzten Lebenswillen geraubt. Viele hielt Iris in den Armen, während sie starben, streichelte die eingesunkenen Wangen und murmelte Beruhigendes. Später konnte sie das Bild der Nadel, die durch den weißen Stoff stach, nicht mehr vom heiseren Röcheln der kindlichen Atemzüge trennen.

Wann immer sie eine halbe Stunde Pause hatte, floh sie aus dem Krankenhaus. Sie bekam Routine darin, sich aus dem Schwesternheim zu stehlen, ohne daß die Heimleiterin es bemerkte. Sie sah sich Schaufenster an oder stöberte in den Regalen der Buchhandlung, alles war ihr recht, um der bedrükkenden Atmosphäre der Station zu entkommen. Manchmal flüchtete sie zu Ash. Sie gingen zusammen durch die kalten, regennassen Straßen und aßen Fisch und Fritten aus einer zur Tüte gedrehten Zeitung; einmal nahm er sie mit ins Kino, und sie schlief, an seine Schulter gelehnt, ein, sobald die Lichter ausgingen. Er mußte sie wecken, als die Vorführung vorbei war. Wenn sie ihn ein, zwei Tage lang nicht sah, vermißte sie ihn.

Nach einer Nacht, die besonders schlimm war, weil zu wenig Personal da war, mußte sie auch noch die Tagschicht übernehmen. Als sie endlich dienstfrei hatte, kehrte sie nur ins Schwesternheim zurück, um sich umzuziehen. Statt zu Abend zu essen und sich dann hinzulegen, ging sie zu Ash.

In seiner Küche lag in einer Ecke ein ungepflegter graubrauner Hund und schnarchte, in der anderen stand ein Vogelkäfig mit einem trillernden Kanarienvogel. Iris runzelte die Stirn. »Der Hund da –«

»Den hat mir jemand vorbeigebracht.«

»Und der Vogel?«

»Die Turners mußten bei Nacht und Nebel aus ihrer Wohnung verschwinden, weil sie mit der Miete im Rückstand sind. Ich habe ihnen versprochen, den Vogel zu hüten, bis sie wieder eine Unterkunft haben.«

»Und das *Spülbecken*!« Sie schüttelte den Kopf über die Berge von Töpfen und Pfannen. »Du lieber Gott, ich gebärde mich schon wie eine von den Stationsschwestern im Krankenhaus. Demnächst werde ich noch nachsehen, ob dein Bettlaken auch stramm gezogen ist. Aber mal ehrlich, Ash, du solltest dir eine Putzhilfe suchen.«

»Ich habe eine.«

»Laß mich raten – sie ist hundert Jahre alt und kann vor Gicht keinen Finger rühren. Du hast sie natürlich nur genommen, weil sie dir leid tut.«

»Na ja, in letzter Zeit konnte sie wirklich nicht viel machen. Sie hat ein Fußleiden.« Er sah sie fragend an. »Möchtest du darüber sprechen oder lieber nicht?«

Als sie nur hastig den Kopf schüttelte und heftig zwinkernd den Blick zu Boden richtete, nahm er sie in den Arm und drückte sie an sich. Sie schloß die Augen und überließ sich seiner Wärme und dem erleichternden Gefühl, daß hier endlich jemand war, der ihr Halt gab und ihr etwas von dem Grauen der letzten Wochen abnehmen konnte. Am liebsten hätte sie den Kopf einfach an seine Schulter sinken lassen und wäre in seinen Armen eingeschlafen.

Aber sie wünschte sich mehr. Es war ein Wunsch, den sie

nicht vorhergesehen hatte. Sie wünschte sich, von ihm berührt zu werden, sie wünschte sich, die Hand, die jetzt über ihren Rücken strich, würde ihren Hals streicheln und ihr Gesicht. Sie wünschte sich, seine Lippen, die ab und zu leicht über ihr Haar streiften, würden ihren Mund suchen...

Abrupt trat sie von ihm weg und sagte brüsk: »Gestern abend kamen fünfundzwanzig Säuglinge zu uns auf die Station. Zwölf von ihnen sind gestorben. An solchen Tagen verstehe ich nicht, was ich da überhaupt tue. An solchen Tagen hasse ich meinen Beruf.« Sie hob einen Zipfel ihres Kleides. »Ich werde den Geruch wahrscheinlich überhaupt nicht mehr los. Diesen gräßlichen Krankenhausgeruch.«

»Unsinn«, entgegnete er. »Du riechst wunderbar, wie immer.«

Sie brachte ein Lächeln zustande. »Du mußt mich ablenken, Ash.«

»Wozu hast du Lust? Wir könnten essen gehen.«

»Ich würde gern tanzen gehen«, sagte sie. »Wenn du nichts dagegen hast, mit mir zu tanzen. Wir haben ja schon einmal miteinander getanzt. Damals in Summerleigh. Erinnerst du dich?«

»Ich erinnere mich, daß ich ziemlich betrunken war und sehr wütend und mich wie ein absoluter Flegel benommen habe«, sagte er. »Ich verspreche dir: Dieses Mal werde ich mich besser benehmen.«

Sie suchte ihm aus seinem Schrank ein paar halbwegs anständige Sachen heraus. »Ich glaube, ich muß einmal mit dir einkaufen gehen. Die Manschetten an deinen Hemden sind alle durchgescheuert.« Ihre Stimme schien ihr klirrend wie Glas in der Luft zu schweben.

Sie gingen zum Tanztee in einem kleinen Hotel in Shoreditch. Es gab Tee, Kuchen und Schnittchen, auf dem Podium spielte eine Drei-Mann-Kapelle, Wildlederschuhe glitten zischend über gewachste Holzdielen, es roch nach Zigaretten und billigem Parfum. Büroangestellte in gestärkten Kragen schwenkten

Schreibdamen und Verkäuferinnen auf der kleinen Tanzfläche herum, und die abgehackten heiseren neuen Rhythmen des Ragtime füllten den Raum, hypnotisierend und aufregend, Veränderung verheißend.

Irgendwann gegen Ende der Veranstaltung suchte Iris die Damentoilette auf. Junge Mädchen puderten sich die käsigen Gesichter; eine steckte einen heruntergerissenen Saum hoch. Ein Mädchen in einem rosaroten Taftkleid lehnte weinend am Waschbecken. »Er sagt, er liebt mich, aber ich weiß, daß es nicht wahr ist«, sagte sie immer wieder jammernd zu ihrer Freundin.

Iris musterte sich im Spiegel. Sie war blaß, und um ihre Augen lagen dunkle Schatten. Bilder aus den vergangenen vierundzwanzig Stunden überfielen sie, und in ihrer Müdigkeit konnte sie sie nicht abwehren. Sie meinte Hoffnungslosigkeit in ihren umschatteten Augen zu erkennen. Sie wußte nicht, ob die Hoffnungslosigkeit den Kindern galt oder ihr selbst nach der Entdeckung, die sie an diesem Tag gemacht hatte. Wie töricht, dachte sie, sich ausgerechnet in einen Mann zu verlieben, der schon vor Jahren keinen Zweifel daran gelassen hatte, daß er nichts von ihr wissen wollte. Wie töricht, sich in einen Mann zu verlieben, der ihr schon einmal das Herz gebrochen hatte. Wie töricht, sich in Ash zu verlieben.

II

Einmal, als sie am Wohnzimmerfenster stand und Lucas' nächtliche Besucherin beobachtete, die aus dem Bungalow in den Garten huschte, hörte Marianne ein Geräusch hinter sich und drehte sich herum. Rani, ihre *ayah*, stand in der Tür.

Marianne ließ den Vorhang fallen. »Wie heißt sie?« fragte sie.

Rani antwortete nicht.

»Rani, wie heißt sie?«

Ein Flackern der Furcht in den dunklen Augen. Ein Flüstern, das die Nachtluft bewegte. »Sie heißt Parvati, *dorasanie*.«

»Besucht sie hier den *peria dorai*?«

Rani legte ihr leicht die Fingerspitzen auf die Stirn. »*Dorasanie* sollte wieder zu Bett gehen. *Dorasanie* trägt keinen Schal. Sie wird sich erkälten.«

Auf ihren Fahrten über den Besitz sah Marianne am Straßenrand in den Bäumen festgemachte Stoffhängematten, in denen Säuglinge schliefen, während ihre Mütter auf den Feldern arbeiteten. Die größeren Kinder starrten sie an, wenn sie vorüberfuhr, und sie selbst starrte genauso zurück, immer auf der Suche nach solchen mit hellerer Haut, mit Augen, die nicht schwarz waren, sondern grün oder grau. Sie umfaßte die Gruppen junger Frauen mit forschendem, beharrlichem Blick, hielt Ausschau nach einem roten Sari und dem Blitzen goldener Armbänder, nach einer Frau namens Parvati, die das Bett ihres Mannes teilte.

Das Leben auf der Plantage verlief in einem gleichbleibenden Rhythmus, geprägt von der Ernte und Aufbereitung der gepflückten Blätter, vom alltäglichen Ablauf der Dinge im Haus. Die riesigen Teefelder, die wie eine Decke über die Hügel ausgebreitet lagen, bestanden aus Abertausenden von Sträuchern der *Camellia sinensis*, der Pflanze, die ihrer aller Leben diktierte.

Immer bei Vollmond hörte Marianne von den Kulihütten her dumpfes Trommeln, und nachts sah sie orangefarbene Feuer vor dem tintenschwarzen Himmel lodern. Wimpel und lange Bänder flatterten an den Hütten mit den Wellblechdächern, und in Opferschreinen an der Straße lagen Blumen und Blüten. Einmal entdeckten sie nach einem Regenguß auf der Veranda eine Schlange, ein braunes Tier, das zusammengerollt in der Sonne schlief. Lucas holte sein Gewehr und schoß es in den Kopf. Der Schuß brach sich in lautem Echo an den Bäumen.

Sie besuchten die Barlows auf ihrem vierzig Meilen entfernten Besitz und blieben zwei Nächte. Abends tranken die Männer zusammen und lachten über die Geschichten, die sie sich erzählten, während Marianne und Clare im Wohnzimmer am Feuer saßen. Einige Wochen später sprach Ralph Armitage in Blackwater vor. Beim Abendessen füllte seine laute Stimme den Raum, und er räkelte sich in seiner ganzen Massigkeit mit lang ausgestreckten Beinen am Tisch, während er ausgiebig aß und trank. Mit Marianne wechselte er kaum ein Wort; sie spürte, daß er sie seiner Aufmerksamkeit nicht für würdig hielt, und verließ das Zimmer gleich nach dem Essen. Die Stimmen der Männer dröhnten noch bis in die tiefe Nacht durch das Haus. Hin und wieder hörte Marianne Nadeshans schnellen, leichten Schritt, wenn er eilte, den Männern eine neue Flasche Arrak zu holen. Sie war gerade eingeschlafen, als Gewehrfeuer sie weckte. Schüsse krachten im Garten. Am folgenden Morgen fand sie bei den Wurzeln des Banyanbaums einen Brahminenweih, das rotbraune Gefieder blutig und schon glanzlos.

Im Klub musterte Anne Rawlinson mit neugierigem Blick Mariannes gerundeten Leib. »Sie müssen über den sechsten Monat hinaus sein, Kind. Geht es Ihnen gut?«

Sie saßen auf der Veranda des Klubhauses. Es fand ein Tennisturnier statt: Das Knallen von Schlägern und Bällen und die lauten »Aus«-Rufe untermalten den Nachmittag.

»Es geht mir sehr gut, danke, Anne.«

»Sie sind bei Dr. Scott in Behandlung, nicht wahr? Er ist ein guter Arzt, einer der besten. Wir verlassen uns alle auf Dr. Scott.«

Dr. Scott hatte heiße, feuchte Hände und roch nach Pfeifentabak. Wenn er nach Blackwater kam, blieb er stets den Abend über und trank mit Lucas. Um das Thema zu wechseln, sagte Marianne: »Ich habe die Rosen in meinem Garten zurückgeschnitten. Sie sind sehr vernachlässigt und haben lauter wilde Triebe.«

»Ich weiß noch, als der Rosengarten von Blackwater der schönste in der ganzen Provinz war. Lucas' Mutter hat ihn damals angelegt. Sarah war eine unvergleichliche Gärtnerin. Unter ihren Händen gedieh alles. Wenn man sie so gesehen hat, hätte man ihr das gar nicht zugetraut.«

Im Haus in Blackwater waren keine Fotografien oder Gemälde, die Sarah Melrose zeigten. Marianne wollte gern mehr über die Frau wissen, die den Garten angelegt hatte. »Wie war sie denn?«

Anne Rawlinson zündete sich eine Zigarette an. »Blonde Haare und blaue Augen. Der Typ Frau, bei dem alle Männer den Kopf verlieren. Sie konnte sie um den Finger wickeln, einen wie den anderen, und sie haben es nicht gemerkt, die Dummköpfe.«

»Es war sicher sehr schwer für Lucas' Vater, als sie starb.«

»Starb?« Anne Rawlinson zog die Brauen hoch. »Sarah ist nicht gestorben. Sie ist mit einem Holzkaufmann aus Colombo auf und davon gegangen.«

»Aber Lucas sagte doch –« Marianne brach ab. Was genau

hatte Lucas gesagt? Sie versuchte, sich zu erinnern. *Ich habe meine Mutter schon vor langer Zeit verloren.*

Anne Rawlinson sah sie an, begierig und mißbilligend. »Er kam nicht gerade aus den besten Kreisen, Sarah Melrose' Verehrer. Und unter uns gesagt – ganz rein war sein Blut auch nicht. Hat natürlich nicht gehalten, nach sechs Monaten war sie schon wieder auf und davon. Mir hat das Kind leid getan. Lucas war erst vier. Und George Melrose war immer ein schwieriger Mensch. Er hat zu gern getrunken. Es gab da Geschichten –«

Ein Schatten fiel über sie. Der Satz blieb unvollendet in der Luft hängen. »Lucas, mein Lieber«, zwitscherte Anne Rawlinson und blickte auf. »Spielst du nicht Tennis?«

»Du weißt, daß ich nicht spiele, Anne.«

Kurz danach gingen sie. Lucas ritt, und sein Diener fuhr Marianne im Ochsenwagen. Sie waren auf dem Bergpfad, als Lucas sagte: »Was hat diese Frau dir erzählt? Anne Rawlinson – was hat sie gesagt?«

Ein bedrohlicher Unterton in seiner Stimme veranlaßte sie zu antworten: »Wir haben über das Baby gesprochen, das war alles. Und über den Garten von Blackwater.«

Er schob sein Pferd neben den Ochsenkarren. Es schien Marianne, als balancierte er am Rand des Abgrunds. »Ich möchte wissen, was sie über meine Mutter gesagt hat, Marianne.«

»Nichts Wichtiges, Lucas.«

»Sag es mir.«

»Ach, ich habe plötzlich gemerkt, daß ich etwas falsch verstanden hatte. Ich dachte, deine Mutter wäre gestorben, als du noch ein Kind warst.«

»Und dieses dumme Luder, diese Wichtigtuerin, hat dir was anderes erzählt?«

Sie schluckte und sah den Diener an; sein Gesicht war unbewegt, der Blick starr auf den Weg gerichtet.

»Was hat sie noch gesagt?«

»Nichts. Was sie sagte – ich habe ihr nicht geglaubt.«

Er schwieg einen Moment. »Sie hat dir wohl erzählt«, sagte er dann, »daß meine Mutter abgehauen ist und mich mit *ihm* in Blackwater allein gelassen hat. Warum müssen Frauen nur immer tratschen und ihre Schnüffelnasen in die Angelegenheiten anderer Leute stecken?« Er galoppierte voraus und verschwand in einer Wolke aus rotem Staub hinter einem Felsvorsprung.

Beim Essen am Abend verriet eine gewisse Unbekümmertheit der Bewegung Marianne, daß er getrunken hatte. Das Klirren der Teller und Gläser war das einzige Geräusch im anhaltenden Schweigen. Sie aßen beide nicht viel.

Nadeshan deckt ab, als Lucas sagte: »Wenn du es genau wissen willst, meine Mutter ist vor neun Monaten gestorben. Deshalb bin ich nach England zurückgekommen. Ich hatte gehört, sie sei krank, und dachte, sie würde mir vielleicht etwas hinterlassen. Hat sie aber nicht getan. Keinen Penny habe ich von ihr geerbt.« Der graue, verschwommene Blick glitt zu Marianne. »Ich brauchte das Geld, um das Land zu kaufen, verstehst du? Aber die blöde Hure hat mich wieder mal im Stich gelassen. Sogar im Tod noch.«

Er stand auf. Schon auf dem Weg aus dem Zimmer drehte er sich noch einmal nach ihr um. »Ich denke, du gehst in Zukunft besser nicht mehr in den Klub«, sagte er kalt. »Das wäre in deinem Zustand nicht gut. Der Weg ist so steinig und holprig. Da könnte der Karren leicht ein Rad verlieren. Ich möchte nicht, daß womöglich dem Kind etwas passiert.«

Marianne ging in ihr Zimmer. Als sie auf ihrem Bett saß, bemerkte sie, daß sie zitterte. In ihrem ganzen Leben hatte noch nie ein Mann so mit ihr gesprochen. Weder ihr Vater noch ihre Brüder, noch Arthur hätten je im Beisein einer Frau Worte ausgesprochen, wie Lucas sie gerade gebraucht hatte. Und niemals hätten sie einen solchen Ton gewählt.

Ihr wurde plötzlich bewußt, wie finster die Nacht war, wie fremd dieses Land. Und wie fern die Menschen, die sie liebte. Bei dem Gedanken an ihre Schwestern verspürte sie einen beinahe körperlichen Schmerz. Ihr Blick flog zum Schreibtisch. Samstag abends schrieb sie immer an Iris, Eva und Clemency. Was sollte sie schreiben? *Ich glaube, ich habe einen schrecklichen Fehler begangen. Ich glaube, ich kenne meinen Mann überhaupt nicht.* Feder und Papier blieben unberührt.

Am Morgen erschienen ihr ihre Ängste aufgebauscht, ja sogar leicht hysterisch. Wie schrecklich, in so jungen Jahren die Mutter zu verlieren! Und wie unverantwortlich von dieser Frau, das eigene Kind zu verlassen. Kein Wunder, daß Lucas Klatsch über seine Mutter haßte. Wenn er erst einmal Vater war, würde bestimmt seine weiche Seite zum Vorschein kommen, dessen war sie ganz sicher. Und was das Trinken anging, so tranken viele Männer zuviel, und viele wurden unangenehm. Sie hatte Glück gehabt, daß die Männer, die sie bisher gekannt hatte, mit dem Alkohol hatten umgehen können. Sie mußte Geduld haben: Lucas arbeitete schwer und war abends erschöpft. Sie hatten noch keine Chance gehabt, die Gemeinschaft zu entdecken, die sie sich von dieser Ehe erhoffte. Wenn das Glencoe-Land in Ordnung gebracht war, würden sie Zeit haben, einander besser kennenzulernen.

Die Wochen vergingen. Die unguten Gefühle über ihre Ehe wurden zurückgedrängt von der Schönheit der Natur, die sie umgab, und natürlich von der Freude auf das Kind. Es machte ihr nichts aus, dem Klub fernzubleiben. Sie hatte sich unter Fremden nie wirklich wohl gefühlt und immer die Gesellschaft weniger guter Freunde vorgezogen. Die Künstlichkeit der sogenannten feinen Gesellschaft war bis hierher, nach Ceylon, vorgedrungen. Sie hielt sich lieber in ihrem Garten in Blackwater auf, ihrer Zuflucht, ihrem Paradies.

Iris hatte den Eindruck, daß ihr Beruf sie seit einiger Zeit nicht mehr im gleichen Maß wie früher befriedigte. Sie gab Schwester Dickens die Schuld daran, auf deren Station sie seit Ende Februar arbeitete. Iris hatte Schwierigkeiten mit Schwester Dickens, die peinlich auf Ordnung, Sauberkeit und Disziplin achtete. Alle Stationsschwestern im Mandeville achteten peinlich auf Ordnung, Sauberkeit und Disziplin, aber Schwester Dickens zeigte eine Kälte, die Iris abstieß, und behandelte die Patienten ohne eine Spur von Mitgefühl. Es gab im Krankenhaus mehrere Pflegerinnen wie Schwester Dickens, die seit Jahren am Krankenhaus tätig waren und, so tüchtig sie auch sein mochten, kaum etwas für die Patienten übrig zu haben schienen. Nichts berührte sie. Tod, Verlust und Schmerz, alles schien an ihnen abzuperlen wie Regen von einem Lorbeerblatt.

Manchmal hatte Iris Angst, sie würde vielleicht auch einmal so werden. In ihren Träumen quälte sie immer noch die Diphtherie-Epidemie. Sie hetzte wieder von Bettchen zu Bettchen, die Säuglinge husteten ihre Atemröhrchen heraus, und sie konnte sie ihnen nicht schnell genug wieder einführen. Es war, als hätte sich seit der Epidemie etwas in ihr verhärtet, als wäre sie nur eines bestimmten Maßes an Gefühl fähig gewesen und dieses Maß wäre nun erschöpft. Sie wußte natürlich, daß sie nur müde war, daß ihre Arbeit am Mandeville anstrengend war und niemand ewig auf diesem Niveau weitermachen konnte. Vielleicht, sagte sie sich, sollte sie einfach einmal wechseln, etwas Neues anfangen. Von ihrer Gruppe waren nur noch fünf geblieben. Die anderen waren an andere Krankenhäuser gegangen oder in den privaten Pflegedienst. Am Schwarzen Brett im Schwesternheim hingen immer Briefe und Anzeigen, in denen private Pflegerinnen gesucht wurden; manchmal sah sie sie durch.

Aber sie bewarb sich nie. Sie wußte auch, warum nicht. Ashs wegen. Bei Ash fehlte es ihr nicht an Gefühl; im Gegenteil, da fiel sie, zwischen Hoffnung und Verzweiflung schwankend, ständig von einem Extrem ins andere. Aber sie verbarg diese Gefühle gut. Sie hatte vielleicht nie geliebt, aber von den Männern, die sie geliebt hatten, kannte sie die Symptome und wußte, daß es besser war, sie nicht offen zu zeigen. Ihr kam der Gedanke, daß sie versuchen sollte, ihn zu verführen – sie wußte noch, wie das Spiel ging: ein bestimmtes Lächeln, eine leichte Berührung – aber etwas in ihr hielt sie davon ab.

Nie zuvor war sie eines Mannes so wenig sicher gewesen. Sie wußte nicht, ob er sich zu ihr hingezogen fühlte oder ob sie für ihn nur eine Freundin unter anderen war. Würde ihr das genügen? Manchmal glaubte sie ja. Freundschaft hatte ihr doch bisher genügt, warum nicht auch in Zukunft?

Sie sehnte sich danach, mit ihm allein zu sein, aber sie waren fast immer von Leuten umgeben. Es gab keinen Ort, wo sie ungestört sein konnten. Im Schwesternheim konnten sie sich nicht sehen, weil dort, abgesehen von Vätern und Brüdern, keine Männerbesuche erlaubt waren, und bei Ash gaben sich die Freunde die Klinke in die Hand. Häufig war Thelma Voss da, und Iris war sich der Herausforderung im Blick der jungen Frau bewußt, wenn diese sie mit ihren trotzigen, dunklen Augen anstarrte.

Die Momente zu zweit waren Kostbarkeiten – eine Stunde im Piccadilly-Kino oder ein Spaziergang durch Whitechapel im launischen Frühlingswind. Ein kurzes Mittagessen in einem Café oder, das schönste von allem, ein Tanztee in dem schäbigen kleinen Hotel, sie in seinen Armen, das Gesicht abgewandt, damit er nicht sehen konnte, wie glücklich sie war. Aber sie fragte sich, wie lange sie das durchhalten konnte. Die ständige Täuschung zermürbte sie allmählich. Ihn nur ja nichts wissen lassen, nur ja nichts ahnen lassen. Sie hatte sich einmal vor ihm gedemütigt, sie würde nicht riskieren, daß es ein zweites Mal so weit kam. Aber sie sehnte sich danach, ihn zu berühren, sein Gesicht mit ihren Händen zu umschließen, ihre Lippen auf die seinen zu legen. Sie sehnte sich danach, von ihm in den Arm genommen und geküßt zu werden, und die Hitze ihrer Sehnsucht überraschte sie.

Manchmal war sie wütend darüber, daß sie sich in ihn verliebt hatte. Lieber wäre sie die andere Iris geblieben, die Iris, die stets die Oberhand hatte, die immer das Rennen machte.

Wenn das die Liebe war, sagte sie sich, dann war nicht viel von ihr zu halten.

Mit dem Fortschreiten der Schwangerschaft rundete sich Mariannes Leib wie eine reifende Frucht, und ihre Glieder wurden voll und schwer. Die Hitze ermüdete sie, und sie kreuzte auf der Suche nach Schatten und Abkühlung zwischen Veranda, Banyanbaum und Gartenhaus. Das Haus und der Garten waren ihr Universum geworden; sie unternahm keine Ausflüge mehr über die Pflanzung oder ins Dorf. Vier Wochen vor dem Geburtstermin schwollen ihre Hände und Füße stark an, und sie bekam ihre Ringe nicht mehr auf die Finger. Sogar der kurze Weg zum Gartenhaus erschöpfte sie – in zweitausend Metern Höhe war die Luft dünn, und es mangelte an Sauerstoff. Das Kind drückte gegen ihre Rippen und ihren Magen, und es bereitete ihr Mühe, zu essen und zu atmen. Nachts, in ihrem Bett, konnte sie keine bequeme Lage finden; ihr Körper fühlte sich aufgequollen und fremd an, beschwert von dem Kind. Wenn sie in den frühen Morgenstunden wach lag, verwischte das Moskitonetz die Konturen eines grünen Geckos, der über die Zimmerdecke huschte, und sie hörte von draußen raschelnde Bewegung im Urwald, sachten Flügelschlag und Schritte in der Dunkelheit.

Es hatte seit Wochen nicht geregnet. Eines Morgens wurde Marianne von krachendem Donner geweckt. Lang züngelnde Blitze durchzuckten den Himmel, aber obwohl sich die Wolken verfinsterten und anschwollen, regnete es nicht. Sie saßen beim Frühstück auf der Veranda, als Mr. Salter zum Haus geritten kam, um Lucas zu melden, daß drüben in Glencoe der Blitz eingeschlagen hatte und das Unterholz in Flammen stand. Lucas packte Hut und Peitsche und befahl, sein Pferd zu satteln.

Marianne war den ganzen Tag rastlos, nicht in der Lage, sich mit irgend etwas länger zu beschäftigen. Immer noch zuckten Blitze über den tiefhängenden, trockenen Himmel, und in der heißen, reglosen Luft lag eine Spannung, als würde gleich etwas Gewaltiges geschehen. Als Lucas am frühen Abend nach Hause kam, waren seine Haut und seine Kleider schwarz. Seine Augen glitzerten in der Maske aus Schmutz und Schweiß, die sein Gesicht bedeckte.

Marianne ging ihm auf die Veranda entgegen. »Habt ihr das Feuer gelöscht?«

Er nickte und rief nach Nadeshan, der auf die Veranda herausgelaufen kam. Er gab dem Jungen seinen Tropenhelm und setzte sich, um sich von ihm die Stiefel ausziehen zu lassen. »Bring mir was zu trinken, verdammt noch mal«, sagte er kurz. »Beeil dich.«

Nadeshan rannte ins Haus zurück.

»Wir haben die Hälfte der neuen Sträucher verloren«, sagte Lucas.

»Auf dem Stück Land, das ihr gerade gerodet hattet? Das tut mit leid, Lucas.«

»Die ganze Arbeit, in Rauch aufgegangen!« Er stand auf und trat ans Verandageländer. Mit der Faust schlug er auf das Holz. »Der Boden ist so trocken wie Zunder. Wir brauchen Regen.«

Nadeshan kam mit einem Tablett. Auf dem Weg zu Lucas stolperte er in seiner Hast über eine Holzdiele, Flasche und Glas rutschten vom Tablett und zersprangen auf dem Boden. Lucas stieß einen wütenden Fluch aus und gab dem Jungen eine Ohrfeige, daß dieser zu Boden stürzte.

Ein zweiter Diener kam mit einem frischen Glas und einer neuen Flasche Gin aus dem Haus gestürzt. Nadeshans Gesicht war auf einer Seite knallrot, und seine Finger begannen zu bluten, als er hastig und ohne achtzugeben die Glasscherben auflas.

Nachdem die Dienstboten im Haus verschwunden waren, sah Lucas Marianne an. »Was ist los?«

»Lucas –« Sie konnte kaum sprechen vor Entsetzen.

Er kniff die Augen zusammen. »Antworte mir, Marianne. Was ist los?«

»Du hast ihn geschlagen. Du hast Nadeshan geschlagen.«

Er lachte. »Lieber Gott, du wirst mir doch jetzt keine Moralpredigt halten.«

»Lucas, er ist noch ein Kind.«

»Er ist ein Dienstbote«, entgegnete Lucas schroff. »Ein ungeschickter, nachlässiger Dienstbote.«

»Dienstboten schlägt man nicht. Das tut man einfach nicht.«

»Jesusmaria! Jeder gibt seinen Dienstboten mal eine Ohrfeige.«

»Arthur hätte niemals einen Dienstboten geschlagen.«

Sein Blick verfinsterte sich. »Ach ja, dein heißgeliebter Arthur. Wenn du wüßtest, wie satt ich den heiligen Arthur habe!« Er griff wieder nach der Flasche. Geringschätzig verzog er den Mund. »Wie es mir in England auf die Nerven gegangen ist, mir ständig deine Ergüsse über deinen vollkommenen Ehemann anhören zu müssen.« Er kippte den Inhalt seines Glases auf einmal hinunter. »Ein Glück, daß er gestorben ist, bevor ihr Zeit hattet, euch gegenseitig auf die Nerven zu gehen.«

»Wie kannst du so etwas Gemeines sagen!« rief sie. »Das höre ich mir nicht an. Du bist müde. Oder betrunken. Nein, das muß ich mir nicht anhören.«

Aber er packte sie beim Handgelenk, um sie am Gehen zu hindern. »Bleib hier. Du gehst jetzt nicht. Mir hat unser Gespräch gerade Spaß gemacht.«

Als sie versuchte, sich loszureißen, trat er ihr mit einer schnellen, geschmeidigen Bewegung in den Weg. »Ich habe gesagt, du bleibst, Marianne. Es ist ungezogen, mitten im Gespräch wegzugehen, weißt du das nicht? Worüber haben wir uns gerade unterhalten? Ach ja, über Arthur! Den Gatten mit dem Heiligenschein.«

Sie spürte die Hitze seines Atems. »Laß mich sofort los.« Ihre Stimme zitterte. »Laß mich los, Lucas.«

»Warum können wir nicht über Arthur sprechen? Wir haben doch in England endlos von ihm geredet. Los, Marianne, fang an!«

Er hielt ihr Handgelenk so fest, daß es schmerzte, aber sie ließ sich nichts anmerken. »Nein!«

»Warum nicht?« Er packte noch fester zu.

»Weil ich –« Sie geriet ins Stocken.

»Weil du ihn geliebt hast?«

»Ja.« Sie zwang sich, ihm in die harten, hellen Augen zu blicken. »Weil ich ihn geliebt habe.«

Er ließ sie los. Zitternd suchte sie Halt am Verandageländer. Lucas nahm sein Glas und setzte sich wieder. »Dein Fehler ist«, sagte er, während er in den halbdunklen Garten hinausstarrte, »daß du immer noch an Märchen glauben willst, Marianne. *Liebe*! Weißt du immer noch nicht, daß es die nicht gibt?«

Sie entgegnete zornig: »Natürlich gibt es sie!«

Er schüttelte den Kopf. »Was du für deinen heiligen Ehemann empfunden hast, das war Lust und nicht Liebe.«

»Das ist nicht wahr –«

»O doch. Es gibt nur die Lust und den Eigennutz. Sonst nichts. Das sind die zwei Dinge, die uns alle antreiben.«

»Nein –«

»Nein?« wiederholte er höhnisch. »Dann beantworte mir nur eine Frage, Marianne. Hast du mich aus *Liebe* geheiratet?«

Sie war gebannt vom Blick dieser glitzernden grauen Augen, hypnotisiert wie das Kaninchen von der Schlange. Und wieder lachte er. »Natürlich nicht«, sagte er leichthin. »Du hast dir gar nichts aus mir gemacht. Du hast mich geheiratet, weil du zu den Frauen gehörst, die zu schwach sind, um allein zurechtzukommen, die immer einen Mann brauchen, von dem sie zehren können. Aber laß dir eines sagen, Marianne: Ich habe dich auch nicht geliebt. Ich habe dich nie geliebt. Das ganze Süßholz, das ich raspeln mußte, bevor du mich ›erhört‹ hast« – er verzog angewidert das Gesicht –, »es war eine Qual. Manchmal mußte ich mich betrinken, um das Zeug über die Lippen zu bringen.«

Ihr war, als bräche etwas in ihr auseinander. Dennoch

schaffte sie es zu fragen: »Warum hast du mich dann geheiratet?«

»Was glaubst du wohl?«

»Meines Geldes wegen?«

»Richtig. Weshalb sonst?«

Sie sagte: »Dann passen wir ja gut zusammen.«

»*Du* zu *mir* passen?« Er lachte wieder. »Schau dich mal genau an, wenn du das nächste Mal vor einem Spiegel stehst. Versuch, dich so zu sehen, wie du wirklich bist.« Er beugte sich vor, um sich ein weiteres Mal einzuschenken. Dann sagte er scharf: »Und jetzt geh. Du langweilst mich.«

Sie ging in ihr Zimmer. Sie wußte, daß sie einen furchtbaren Fehler gemacht hatte: Sie hatte einen grausamen Mann geheiratet, der von Liebe nichts wußte. Gleich morgen würde sie aus Blackwater fortgehen. Sie holte eine Reisetasche heraus und begann zu packen, doch plötzlich überwältigten sie Schwäche und Erschöpfung, und sie mußte sich auf dem Bett niedersetzen. Sie würde morgen packen, sagte sie sich. Ja, sie würde morgen packen.

Das von Lucas so grob mißhandelte Handgelenk tat ihr weh. Gleichzeitig wurde sie eines anderen Schmerzes gewahr, eines dumpfen, periodischen Ziehens im Kreuz, das sie schon im Lauf des Tages immer wieder einmal gespürt hatte, das jetzt aber plötzlich viel stärker geworden war. Sie drückte die Hand in den Rücken. *Es gibt nur die Lust und den Eigennutz.* Aber das stimmte nicht. Lucas war vielleicht nicht fähig zu lieben, aber Arthur hatte sie geliebt, und sie hatte ihn geliebt. Daran konnte nichts etwas ändern.

Sie legte sich aufs Bett. Angegriffen von Schock und Schmerz, schlief sie ein. Erst der Gong zum Abendessen weckte sie. Die Schmerzen waren schlimmer geworden, sie umklammerten jetzt ihren Leib wie ein Schraubstock. Sie blieb auf dem Bett liegen, schob sich nur noch ein Kissen in den Rücken.

Draußen klopfte es, dann trat Rani ein. »Es ist Zeit zum Abendessen, *dorasanie*.«

»Ich habe keinen Appetit.« Wieder dieser ziehende Schmerz. Sie schnappte nach Luft und sagte ängstlich: »Ich glaube, mir fehlt etwas, Rani.«

Rani kam ans Bett. Sie legte ihre schmale, braune Hand auf Mariannes Bauch. »Alles in Ordnung, *dorasanie*. Das Baby kommt, weiter nichts.«

»Das Baby?«

»Schauen Sie, *dorasanie*.« Sie ergriff Mariannes Hand führte sie zu ihrem Bauch. Sie spürte, wie ihr Leib unter einer Welle starken Schmerzes hart wurde. »Das Baby wird bald geboren. Heute nacht vielleicht.«

Sie wollte hinausgehen. Marianne hielt sie fest. »Laß mich nicht allein, Rani.«

»Ich sage dem Herrn Bescheid. Er holt den Arzt.« Rani lächelte ihr zu. »Dann ich komme zurück.«

Sie war allein. Die Erinnerung an den Streit verblaßte, in den Hintergrund gedrängt vom gnadenlosen Rhythmus der Wehen. Nach einer Weile hörte sie Hufgetrappel. Es verklang schnell in der Nacht. Rani kam wieder herein. Sie massierte Marianne den Rücken und gab ihr eine bitterschmeckende Flüssigkeit zu trinken. Danach ließ der Schmerz eine Zeitlang nach. Der Regen, der mit dem Einbruch der Dunkelheit eingesetzt hatte, trommelte immer heftiger auf das Blechdach der Veranda, je später es wurde. Endlich hörte sie wieder Pferdehufe, dann Schritte und Stimmen – die von Lucas und Dr. Scott –, die sich dem Haus näherten.

Dr. Scott untersuchte sie, tastete und drückte, tat ihr Unsägliches an, so daß sie versuchte, ihn wegzustoßen. »Aber, aber, Mrs. Melrose«, sagte er auf seine gönnerhafte Art, »so beruhigen Sie sich doch.« Sie verlor alles Zeitgefühl und nahm nur noch die Schmerzen wahr, die kamen und gingen, und das Prasseln des Regens auf dem Verandadach. Rani hatten sie hinausgeschickt, obwohl sie darum gebeten hatte, sie bleiben zu lassen, und in einer Regenpause hörte sie Dr. Scott leise sagen – zu Lucas vermutlich: »Sie scheint erschöpft zu sein. Wenn es nicht vorwärtsgeht, muß ich ihr Chloroform geben.«

Mitten in Schmerz und Erschöpfung fand sie in sich den Kern aus kaltem, hartem Stahl wieder, den sie seit Arthurs Tod in sich trug, und schwor sich, daß sie die Geburt ihres Kindes miterleben, daß sie dasein und ihm bei jedem Schritt seines Wegs in die Welt helfen würde.

Ihr Sohn wurde am frühen Morgen des folgenden Tages geboren. Sie schrie laut, als eine heftige Wehe sie ergriff, und im selben Moment verließ das Kind ihren Leib.

Sie bestand darauf, daß sie ihn ihr in die Arme legten, obwohl sie zu schwach war, um ihn zu halten. Liebe auf den ersten Blick: das zweite Mal, daß sie ihr begegnete. Tiefblaue Augen sahen sie flüchtig an, und sie war auf ewig an ihn gebunden.

Es regnete immer noch. Kurz bevor sie einschlief, schaute sie zum Fenster hinaus auf die Veranda und sah Lucas mit seinem Sohn auf dem Arm. Sie sah, wie er eine Hand in den Regen hinaushielt und dann mit seinen Fingerspitzen die Stirn des Kindes berührte, als salbte er es mit dem Atem Ceylons.

In einem kalten, regnerischen Mai wurde Ash krank. Sein Aussehen – blaß und dünn, die Augen dunkel umrandet – erschreckte Iris. »Nur ein bißchen Husten«, erklärte er, als sie ihn besuchte. »Lästig.«

»Warst du beim Arzt?«

»Es ist nur eine Bronchitis. Hab ich schon öfter gehabt.«

»Du solltest besser für dich selbst sorgen. Bronchitis ist nicht auf die leichte Schulter zu nehmen. Man kann daran sterben, falls du das nicht wissen solltest.«

»Ich habe nicht die Absicht zu sterben.«

»Da bin ich aber froh. Nein, im Ernst.« Sie musterte ihn mit scharfem Blick. »Hast du überhaupt etwas gegessen in den letzten Tagen?« Sie zog die Türen der Küchenschränke auf, fand einen Kanten Brot und ein Stück Käse, das schon hart geworden war.

»Ich habe keinen Hunger.«

»Wenn du nicht ißt, wirst du nicht gesund.«

»Bitte sei nicht böse, Iris. Du hast keine Ahnung, wie beängstigend du bist, wenn du böse bist.«

»Ich bin nicht böse. Ich mache mir nur Sorgen um dich.«

»Thelma kümmert sich rührend um mich. Sie führt jeden Tag den Hund aus.«

Iris stocherte im Kamin herum, wo unter einem Haufen Asche noch etwas Glut schwelte. »Es ist eiskalt hier drinnen.«

»Ich habe blöderweise keine Kohlen mehr.«

Sie seufzte. »Ich nehme an, du hast sie verschenkt.«

»Mark Collins' Frau hat gerade Zwillinge bekommen. Mark war krank und konnte deshalb nicht arbeiten gehen. Darum –« Er begann wieder zu husten.

Sie holte ihm ein Glas Wasser. »Setz dich hin. Trink. Und sei still.«

»Tyrannin«, krächzte er.

Iris machte den Kamin sauber und ging zur Kohlenhandlung, wo sie mit viel gutem Zureden einen der Angestellten dazu bewegen konnte, ihr einen Sack Kohlen zu Ashs Wohnung zu tragen. Als das Feuer brannte, ging sie einkaufen und besorgte Suppenfleisch, ein Hühnchen und Gemüse.

Ash kam in die Küche. »Was kochst du?«

»Gemüsesuppe. Und Rinderbouillon. Warum lächelst du.«

»Iris Maclise *als Köchin!*«

»Ich weiß«, sagte sie. »Es ist noch gar nicht so lange her, da wußte ich kaum, was ein Herd ist. Aber es hat etwas sehr Beruhigendes.« Und so war es. Ashs Haus war gemütlich trotz aller Unordnung. Es gab Bücher, ein Klavier, ein paar schöne alte Möbel und Teppiche. Merkwürdig, wie etwas so Alltägliches so vollkommen erscheinen konnte. Und wie wunderbar, daß sie einmal ganz allein waren – ohne die Horden von

Freunden, die Ash zu jeder Tages- und Nachtzeit heimsuchten.

Vorsicht, Iris, gefährliches Terrain, mahnte sie sich. Du befindest dich auf gefährlichem Terrain. »Als ich damals im Mandeville anfing«, sagte sie leichthin, »sagte die Oberschwester, ich solle den Patienten ihre Bouillon kochen. Ich hatte keine Ahnung, wie das ging, und habe einfach ein Stück Fleisch ins Wasser geworfen und stundenlang kochen lassen. Das Zeug war natürlich nicht zu genießen. Die Oberschwester hätte mir am liebsten den Kragen umgedreht.«

»Was hat dich eigentlich dazu gebracht?«

»Wozu? Die Bouillon zu ruinieren?«

»Nein, Krankenschwester zu werden natürlich.«

»Mir ist nichts Besseres eingefallen.« Sie stellte fest, daß es eine Erleichterung war, die Wahrheit einzugestehen. »Außerdem konnte ich es nicht aushalten, daß Marianne vor mir heiratete. *Ich* war doch die Älteste. *Ich* war doch die Hübscheste. Also hätte *ich* zuerst heiraten müssen. Und dann erlaubte Vater auch noch, daß Eva auf die Kunstakademie geht! Mir war klar, wie es weitergehen würde.«

»Deine Mutter –«

»Genau! Ich wäre die Daheimgebliebene geworden, die sich um die Mutter kümmert. Du siehst also, noble Ambitionen haben da überhaupt keine Rolle gespielt. Und – bist du jetzt enttäuscht von mir, Ash?«

»Sollte ich das sein?« Er warf einen Blick in den Topf. »Das kocht ja ganz schön. Soll ich was tun?«

»Hier. Rühr ab und zu mal um.« Sie drückte ihm einen Holzlöffel in die Hand. »Du hast mich mal für ziemlich – na ja, für ziemlich hohl gehalten, oder?«

»Wirklich? Wie gemein von mir.«

»Du hast durchblicken lassen, ich hätte nur dekorativen Wert.«

»Hast du auch. Aber nicht nur.«

»Du hattest schon recht«, sagte sie mit einem Seufzen. »Damals wollte ich nichts weiter als eine gute Partie machen, meinen Märchenprinzen heiraten, der mich möglichst noch hoch zu Roß entführen sollte.«

Er stand an den Herd gelehnt und beobachtete sie aufmerksam. »Und du bist ihm nicht begegnet? Du hast deinen Märchenprinzen nie getroffen?

Ich bin ihm vor vier Jahren begegnet. Ich fiel ihm zu Füßen, und er hob mich auf und verband meine verletzte Hand mit seinem Taschentuch. Die Worte langen ihr auf der Zunge, sie war nahe daran, sie auszusprechen und auf die Konsequenzen zu pfeifen, aber sie erinnerte sich der Wunde, die er ihr damals im Garten von Summerleigh beigebracht hatte, und wußte, daß sie das kein zweites Mal würde ertragen können. Deshalb sagte sie statt dessen: »Du kennst mich doch, Ash. Ich bin sehr wählerisch.«

»Lieber Himmel, ja, da hast du recht. Und so störrisch wie ein Maulesel –«

»He, das ist eine Unverschämtheit. Du bist auch nicht gerade der einfachste Mensch der Welt.«

»Ich? Ich mache doch überhaupt keine Umstände!«

»Du bist genauso wählerisch wie ich.«

»Wieso? Du beschuldigst mich doch immer, zu nachlässig zu sein. Sogar meine Kleider –«

»Na ja, Kleidergeschmack hast du wirklich keinen.«

»Und mein Essen –«

»Man braucht ja nicht nur von Brot und Käse zu leben.«

Er begann zu husten. Als er wieder sprechen konnte, sagte er: »Ich weiß das wirklich zu schätzen, Iris. Ich weiß, wie knapp deine Freizeit ist. Das ist sehr lieb von dir.«

»Ich versuche nur zu helfen«, erklärte sie streng, »weil alleinlebende Männer offenbar nicht imstande sind, für sich selbst zu sorgen.«

»Ach, und ich hatte gehofft, du hättest einen Narren an mir gefressen.«

Die Stille schien zu knistern. Er wollte gerade etwas sagen, da klopfte es draußen. Iris, die nicht wußte, ob sie über die Störung erleichtert oder ärgerlich war, ging hinaus, um zu öffnen.

Thelma Voss stand vor der Tür. Als sie Iris erkannte, erlosch ihr Lächeln. »Ach, Sie sind's.« Ihr Blick schweifte forschend über Iris. »Ich wollte den Hund zum Spazierengehen abholen«, sagte sie. »Aber vielleicht möchten Sie ja –«

»Nein, nein.« Nimm diesen stinkenden alten Köter ruhig mit, dachte Iris boshaft. »Er wartet schon auf Sie.« Sie ließ Thelma ins Haus.

Seit sechs Monaten arbeitete Eva bei einem kleinen Verlag in der Nähe des Red Lion Square. Calliope Press gehörte einer Frau namens Paula Muller, schlank, dunkel, elegant. Ihre Eltern waren beide tot, und sie hatte die alleinige Sorge für ihre zwölfjährige Schwester. Der Verlag war auf die Veröffentlichung von Memoiren, Reiseberichten und Lyrik von Frauen spezialisiert. Die Bücher wurden sehr sorgsam hergestellt, mit der Handpresse gedruckt, elegant gebunden und mit kleinen Lithographien versehen. Paula überwachte den Druck und die Illustration, während Eva für nahezu alles andere zuständig war: Buchhaltung, Redaktion, Korrekturlesen, Inventur, sowie Telefondienst und Korrespondenz mit Autoren, Lieferanten und Buchhändlern.

Immer wieder bot Paula Eva Illustrationsarbeiten an, aber die lehnte stets ab. Seit der Trennung von Gabriel hatte sie nicht mehr gemalt. Der Quell, aus dem einst ihre Lust am Malen gesprudelt war, schien versiegt zu sein. Sie fürchtete schon, sie würde nie wieder einen Stift oder Pinsel zur Hand nehmen.

Sie war bei Mrs. Wilde ausgezogen und hatte eine Mansardenwohnung in einem Reihenhaus nur wenige Straßen vom Verlag entfernt gemietet. Die Wohnung hatte drei kleine Zimmer und einen ebenso kleinen Dachgarten. Sie renovierte sie selbst, riß die nikotingelben Tapeten von den Wänden und strich diese in Terrakotta, einem weichen Jadegrün und einem zarten Rosa mit einem leichten Stich ins Violett. Sie fertigte Vorhänge, Kissenbezüge und Bettüberwürfe an und fand auf Straßenmärkten, was ihr noch fehlte – eine marokkanische Messinglampe mit einem Schirm aus farbigem Glas, Schränke und kleine Tische, die sie abschmirgelte und neu lackierte. Sie kaufte ein Kochbuch und lud ihre Freunde zum Essen ein. Manchmal gingen Köstlichkeiten aus ihren Küchenexperimenten hervor, manchmal war das Ergebnis nicht zu genießen. Endlich stand sie wirklich auf eigenen Füßen, und sie genoß es.

Von Zeit zu Zeit lud einer der Buchhändler oder Vertreter, mit denen sie zusammenarbeitete, Eva zum Essen oder ins Theater ein, aber sie lehnte jedesmal höflich ab. Im Vergleich zu Gabriel wirkten sie einfach zu langweilig und eindimensional.

Seit Anfang des Jahres eine weitere Gesetzesvorlage zum Wahlrecht abgeschmettert worden war, die wenigstens einer beschränkten Zahl von Frauen das Stimmrecht garantiert hätte, hatte die WSPU ihre Kampagne zur Gewalt gegen Eigentum verstärkt. Briefkästen wurden in Brand gesetzt und Pakete, die Phosphor enthielten, per Post versandt, wobei es verschiedentlich vorkam, daß sie schon auf den Postämtern explodierten. Es kam zu einer Reihe von Angriffen auf Gebäude, Golfplätze und Eisenbahnzüge.

Am neunzehnten Februar explodierte schließlich eine Bombe vor dem noch im Bau befindlichen neuen Haus des Kanzlers David Lloyd George. Es gab keine Verletzten, aber der direkte Angriff auf das Eigentum eines prominenten Kabinettsmitglieds empörte die Regierung, die darauf im Parlament das Gefangenengesetz (vorübergehende Freilassung wegen angegriffener Gesundheit) durchboxte. Dieses Gesetz, das bald schon allgemein das Katz-und-Maus-Gesetz genannt wurde, gestattete die vorübergehende Freilassung von Gefangenen im Hungerstreik, sobald sich jedoch eine Frau von den Folgen des Hungerns hinreichend erholt hatte, mußte sie ins Gefängnis zurück. Im Sommer 1913 wurde das Leben vieler Kämpferinnen für das Frauenwahlrecht zu einem nicht endenden Kreislauf von Inhaftierung, Hunger, Zwangsernährung, Freilassung und neuerlicher Inhaftierung.

Eines Abends lud Eva Lydia, May Jackson und eine weitere Mitstreiterin, Catherine Sutherland, zum Essen ein. Catherine hatte nicht lange zuvor Sylvia Pankhurst besucht, die zweite Pankhurst-Schwester, eine Freundin George Lansburys und Keir Hardies, die gerade aus der Haft entlassen worden war. »Ich habe sie kaum erkannt«, rief sie. »Ihr Zahnfleisch hat überall geblutet von diesem entsetzlichen Stahlding, das sie einem in den Mund schieben, und ihr Hals war innen ganz eitrig von dem Schlauch, den sie schlucken mußte. Ihre Augen waren blutunterlaufen, und ihr könnt euch nicht vorstellen, wie dünn sie war. Ein Strich!«

Eva wußte, daß Catherine und May manchmal mit Steinen warfen und Fenster einschlugen; Catherine hatte einmal sogar Benzin in einen Briefkasten gegossen und es angezündet. Hin und wieder begleitete Lydia die beiden, aber sie tat es nur selten, da sie, wie Eva wußte, Todesangst davor hatte, eingesperrt zu werden. Eva hatte bis jetzt bei diesen Unternehmungen noch nicht mitgewirkt. Auch aus ganz praktischen Gründen nicht – Catherine und May hatten Vermögen und brauchten nicht zu arbeiten wie Eva und Lydia. Sie verfügten über genug freie Zeit, um wochentags Fenster einzuwerfen oder Abgeordnete mit Eiern zu bombardieren. Aber Eva war sich bewußt, daß ihre Zurückhaltung tiefere Gründe hatte. Es war nicht die Angst vor dem Gefängnis wie bei Lydia – sie war ziemlich sicher, daß sie es hätte ertragen können, eingesperrt zu werden, auch wenn es natürlich furchtbar gewesen wäre. Nein, etwas anderes hielt sie davon ab, sich an den aktiven Protesten zu beteiligen.

Seit einiger Zeit machte Catherine, der ihre Zurückhaltung aufgefallen war, immer wieder Bemerkungen darüber. »Wenn friedliche Proteste nichts bewirken«, erklärte sie Eva kalt, »wie soll man sich dann gegen die Tyrannei wehren, wenn nicht durch Aufstand und Kampf?« Dann zitierte sie Christabel Pankhurst: *Man wird den Frauen das Stimmrecht nur zugestehen, wenn sie all den selbstsüchtigen und apathischen Leuten, die ihnen im Weg stehen, die Hölle heiß machen.*

Bin ich selbstsüchtig und apathisch? fragte sich Eva. Oder bin ich, was noch schlimmer wäre, ein Feigling? Sie fürchtete, daß es genau das war. Körperliche Gewalt hatte ihr immer angst gemacht. Sie konnte kein Blut sehen. Aber konnte sie sich weiter im Hintergrund halten und vor der Gewalt verstekken, während andere Frauen Gefangenschaft und Folter für eine Sache auf sich nahmen, an die sie selbst auch glaubte? Sie spürte, daß ihre Position immer unhaltbarer wurde.

Catherine schrieb Eva einen Brief, in dem sie für den Samstag nachmittag ein Treffen in Catherines Wohnung im West End vorschlug. Der Text war pointiert. »Wenn Dir die Sache so wichtig ist, wie Du immer behauptest, solltest Du Worte in Taten umsetzen.«

Am Samstag morgen war Eva immer noch unschlüssig, als sie beim Einkaufen in der Oxford Street plötzlich Gabriel auf der anderen Straßenseite entdeckte, unverwechselbar in seinem schwarzen Mantel, mit dem langen Schal und dem Schlapphut. Seit dem Abend ihrer Trennung hatte sie bewußt alle Orte gemieden, an denen sie Gefahr lief, ihm zu begegnen, und jetzt konnte sie den Blick nicht von ihm losreißen, während ihr die Sehnsucht fast das Herz abdrückte. Sie war sich der trostlosen Leere ihres Lebens ohne Gabriel schmerzlich bewußt. Sie konnte das ändern, sie brauchte nur über die Straße zu laufen. Er würde sie nicht zurückweisen, er war kein nachtragender Mensch. Und wenn sie schon kein Liebespaar mehr sein konnten, warum dann nicht wenigstens Freunde? Sie trat an den Rand des Trottoirs und wartete auf eine Lücke im Verkehr.

Doch noch während sie zu Gabriel hinüberschaute, sah sie eine Frau in Schwarz und Grün, die ihm durch das samstägliche Gedränge entgegenlief. Gabriel winkte und rief Ruby Bailey etwas zu, dann breitete er die Arme aus, fing sie auf und wirbelte sie herum. Als die beiden sich küßten, kehrte ihnen Eva voll Scham, Wut und Haß den Rücken. Die Wut war am stärksten; sie hätte Ruby Bailey mit Wonne in das glatte, lachende Gesicht geschlagen.

Statt dessen ging sie auf dem kürzesten Weg zur U-Bahnstation. Lydia und May waren schon da, als sie in der Charles Street bei Catherine ankam. »Gut«, sagte Catherine statt einer Begrüßung bei ihrer Ankunft. »Ich war mir nicht sicher, ob du kommen würdest.« Sie drückte Eva eine Handvoll Steine für die Manteltaschen in die Hand.

Mit klopfendem Herzen machte sich Eva zusammen mit den anderen auf den Weg zur Regent Street. Sie war sicher, daß jeder das Klacken der Steine in ihren Manteltaschen hören konnte. Die Taschen waren so stark ausgebeult, daß ganz gewiß jemand darauf aufmerksam würde. Und was geschah, wenn sie die anderen im Stich ließ? Wenn ihre Steine ihr Ziel nicht trafen? Sie hatte keinerlei Vertrauen in ihre Zielsicherheit. Was, wenn sie festgenommen wurde? Was würde ihr Vater sagen?

Dann hatten sie die Regent Street erreicht, und Catherine sagte in demselben kalten, nüchternen Ton: »Wenn ich das Zeichen gebe, wirfst du das Fenster da bei Liberty's ein, Eva. Wenn du es geschafft hast, läufst du weg, so schnell du kannst. Kümmere dich nicht um uns. Lauf einfach!«

Dann rief Catherine: »Jetzt!«, und Eva grapschte mit eiskalten, linkischen Händen nach den Steinen, schwang den Arm und schleuderte die Steine auf das Fenster. Die meisten verfehlten ihr Ziel und sprangen über das Trottoir, daß die Leute auseinanderstoben. Jemand begann laut zu schimpfen; mehrere Frauen schrien. Eva dachte an Gabriel, die Freude in seinem Gesicht, als er Ruby Bailey bemerkt hatte, und kramte ein paar weitere Steine aus ihrer Tasche, schleuderte sie mit Wut. Diesmal gab es ein lautes Krachen, und gleich darauf öffneten sich in der Glasscheibe Sprünge, die sich vom Punkt des Aufpralls aus sternförmig ausbreiteten, bis das Fenster zersprang und die ausgestellten Gegenstände – Teller, Uhren, eine japanische Vase – von Scherben überschüttet wurden.

Einen Moment lang stand sie wie angewurzelt, den Blick starr auf das zerbrochene Fenster gerichtet. Dann riß sie der schrille Ton aus der Pfeife eines Polizisten aus der Trance, und sie begann zu laufen, mitten durch das Menschengewühl. Jemand packte sie am Arm; sie riß sich los. Jemand anderer schrie ihr wütend hinterher. Als sie hastig über ihre Schulter nach hinten blickte, sah sie in der Menge einen Polizeihelm wippen, der rasch näher kam. In Panik rannte sie in eine Seitenstraße, die von kleinen Läden gesäumt war. Sie begann müde zu werden; die Wut und der Mut, die sie getragen hatten, verflogen. Als sie sich das nächste Mal umschaute, war der Polizist nur noch fünfzig Meter entfernt.

Direkt vor ihr war ein Modegeschäft. Sie sprang hinein. Die Verkäuferin, die am Verkaufstisch stand, hob den Kopf. Sie musterte Eva, sah, daß sie völlig aufgelöst war, bemerkte das grün-rot-weiße Band an ihrem Revers. Der Pfiff aus der Trillerpfeife des Polizisten war sehr laut. Einen entsetzlichen Moment lang glaubte Eva, die Verkäuferin würde sie hinauswerfen, aber dann sah sie, daß die Frau ihr bedeutete, an den Verkaufstisch zu treten.

»Ziehen Sie Ihren Mantel aus«, flüsterte sie. »Schnell!«

Eva schlüpfte hastig aus ihrem Mantel, und die Verkäuferin stopfte ihn in ein Fach unter dem Tisch. »Er kommt«, flüsterte sie. »Hier!« Sie packte Eva beim Arm und zog sie hinter die Ladentheke. Als die Tür aufgestoßen wurde und der Polizist in den Laden trat, sagte die Frau mit lauter Stimme zu Eva: »Und die Spitzenbänder da müssen Sie auch noch sortieren, Miss Smith. In der Schublade hat es ja ausgesehen wir Kraut und Rüben, als ich das letzte Mal hineingeschaut habe.«

Der Polizist sah sich aufmerksam um, dann hob er grüßend

die Hand zum Helm und ging wieder. Die Tür fiel hinter ihm zu.

Eva zitterten die Knie so heftig, daß sie sich auf den hohen Hocker hinter dem Verkaufstisch setzen mußte. »Ich weiß nicht, wie ich Ihnen danken soll, Miss –«

»Price. Florence Price. Denken Sie sich nichts, mir hat's Spaß gemacht, denen eins auszuwischen. Hier, nehmen Sie das so lange« – Florence Price suchte eine Jacke und einen Hut heraus – »darin erkennt Sie keiner. Sie können ja morgen oder übermorgen vorbeikommen und Ihre Sachen wieder abholen.«

Eva fuhr nach Hause. Sie machte Feuer, aber ihr wurde nicht warm. Sie empfand keine Spur von Stolz auf das, was sie getan hatte, nur den ersten Anflug eines tiefen Widerwillens. Sie sah die Vase im Schaufenster von Liberty's vor sich, ein wunderschönes Stück in Blau, Grün und Gold, wie sie umgekippt und in Scherben gegangen war. Sie erinnerte sich der Furcht in den Gesichtern der Frauen auf dem Trottoir, wie sie aufgeschrien hatten vor Schreck und ihre Kinder an sich gezogen hatten. Sie erinnerte sich an ein kleines Mädchen, vielleicht sechs Jahre alt, das vor Angst ihr Gesicht in den Rock der Mutter gedrückt und geweint hatte. Sie wurde sich bewußt, daß sie am Waschbecken stand und ihre Hände schrubbte, als könnte sie so den Schmutz der Ereignisse dieses Nachmittags loswerden.

Unten läutete es, und sie ging hinunter, um aufzumachen. May Jackson stand vor ihr.

»Ich wollte nur sehen, wie es dir geht. Ob du heil nach Hause gekommen bist.«

»Ja, alles in Ordnung. Wo sind Catherine und Lydia?«

»Sie sind beide festgenommen worden.«

»O Gott –«

»Lydia wollte davonlaufen, aber ein Mann hat ihr ein Bein gestellt, und da ist sie gestürzt.«

»Was geschieht jetzt mit ihnen?«

»Catherine kommt ganz sicher ins Gefängnis. Es ist nicht

ihre erste Straftat. Sie wird natürlich in den Hungerstreik treten.«

»Und Lydia?«

»Wenn sie sich einverstanden erklärt, die gerichtlichen Auflagen zu beachten und die öffentliche Ordnung nicht mehr zu stören, könnte ihr das Gefängnis erspart bleiben. Es kommt auf den Polizeirichter an.«

»Sie wird sich doch damit einverstanden erklären?«

»Ich hoffe es.«

»Die Galerie –«

»Um die Galerie kümmere ich mich«, sagte May energisch. »Ich verstehe zwar überhaupt nichts von Kunst, aber ich werde das schon hinkriegen.«

Als Eva wieder nach oben ging, mußte sie an Lydia denken, klug und elegant und mit einer so tiefen Angst vor abgeschlossenen Räumen. Die Wohnung erschien ihr sehr still, sehr leer. Sie dachte an Gabriel – aber sie dachte sowieso die ganze Zeit an ihn. Er war immer da, immer in ihren Gedanken. Wenn sie jetzt auf die Beziehung mit ihm zurückblickte, tat sie es mit einem Gefühl der Scham und der wachsenden Überzeugung, sich billig verkauft zu haben. Sie konnte nicht genau sagen, an welcher Stelle sie es versäumt hatte, zu sich selbst zu stehen, aber sie wußte, daß es so war. Sie hatte stillschweigende Hinnahme mit Freiheit verwechselt und sich damit selbst herabgewürdigt.

Sie hatte so viel für Gabriel riskiert. Es war reines Glück, daß sie nicht schwanger geworden war und ein uneheliches Kind zur Welt gebracht hatte, für das sie nicht einmal richtig hätte sorgen können; mit dem sie Schande über sich und ihre Familie gebracht hätte. Die heimliche Beziehung zu Gabriel war ein dauernder Betrug gewesen. Sie hatte ihre Familie belogen, sie hatte Sadie betrogen, sie hatte ihr Talent verraten. Gab es irgendeine Rechtfertigung für Betrug und Verrat? Gab es irgendeine Rechtfertigung für Gewalt? Sie war sich nicht mehr sicher.

Sie hatte die Orientierung verloren und wußte nicht, ob sie ihren Weg je wiederfinden würde. Sie konnte nur versuchen, sich und ihren Überzeugungen treu zu sein, ganz gleich, wie andere darüber dachten. Eine erhebende Schlußfolgerung war das nicht. Allein in ihrer kleinen Wohnung, erschienen ihr ihre Überzeugungen recht armselig, ein schwacher Trost für das, was sie verloren hatte. Geblieben war ihr nur der Schmerz, der seit Monaten da war und vielleicht nie wieder vergehen würde.

Es war August, eine Zeit im Jahr, die Iris nie gemocht hatte. Im Spätsommer staute sich die Hitze in den engen Straßen und kleinen, hoch ummauerten Hinterhöfen im East End, die Luft war verpestet von dem fauligen Gestank über den Docks, der vom drückenden Wetter noch verstärkt wurde. Neben den Kais häuften sich Abfälle und Müll im schlammigen, graubraunen Wasser.

Die Hitze machte jeden müde und gereizt. Als Iris in ihrer Vormittagspause auf dem Markt einkaufte, beobachtete sie zwei Frauen, die sich mit wutverzerrten Gesichtern um eine billige Bluse zankten, die sie beide gleichzeitig an einem Stand entdeckt hatten. Während sie schimpften und sich gegenseitig schubsten und pufften, feuerten die Umstehenden sie mit lauten Rufen an.

Im Schwesternheim war die Stimmung beinahe ebenso unerträglich wie auf der Straße. Iris kam sich vor wie in einer Schlangengrube inmitten all der kleinlichen Eifersüchteleien und Boshaftigkeiten, die da ausgetauscht wurden. Es war der grauenvolle Inbegriff all dessen, was sie am Zusammenleben mit einer großen Gruppe Frauen immer verabscheut hatte. Zwei ehemals engbefreundete Lernschwestern hatten sich überworfen und ihre Freunde in zwei tuschelnde, feindliche Parteien aufgespaltet. Iris hielt sich von allem fern. Sie floh in den Garten, wo der Rasen gelb und ausgedörrt war und grauer Staub auf den Rosenblättern lag. Von einem Sitzplatz zum anderen wechselnd, versuchte sie der Sonne zu entkommen.

Dann brachen unter den Schwestern die Röteln aus. Die Betroffenen wurden zur Behandlung in eine Klinik für fieberhafte Erkrankungen in Südlondon gebracht. Da nun im Mandeville Personal fehlte, mußte Iris häufig für eine abwesende Kollegin einspringen und eine zusätzliche halbe Schicht arbeiten. Mit dem Verstreichen der Wochen bemächtigte sich ihrer eine schleppende Müdigkeit. Sie hatte das Gefühl, ständig Kopfschmerzen zu haben, und wegen der Hitze schlief sie nachts schlecht. Zwischen Gereiztheit und einer beschämenden Weinerlichkeit einerseits und einem Gefühl völliger Distanziertheit andererseits schwankend, erledigte sie die ihr so vertrauten Aufgaben mechanisch und in einem Zustand, der geistiger Erstarrung gleichkam. Sie sehnte sich nach – sie wußte selbst nicht, wonach sie sich sehnte. Nach Änderung. Nach einem Wetterumschwung. Nach kühlen Wäldern und grünen Feldern. Nach einem Ausweg aus der Mattigkeit, die sie lähmte. Sie sehnte sich nach Ash und einem Wort von ihm, daß sie nicht nur eine unter vielen Freunden und Freundinnen war, daß sie ihm mehr bedeutete als Thelma Voss.

Ash war auf dem Heimweg von der Arbeit, als er hinter sich eine dünne Stimme hörte. »Mister! Mister!« Ein kleiner Junge schoß durch den Verkehr über die Straße und packte ihn mit schmutziger Hand am Ärmel. »Mister!«

»Was ist denn, Eddie?«

»Irgendwas ist mit unserer Janie. Sie ist krank, glaub ich. Sie kann nicht aufstehen. Sie müssen mitkommen, Mister.«

Ash folgte Eddie eine Seitenstraße hinunter. Eddie Lowman – sieben oder acht Jahre alt, schätzte Ash, unterernährt, ein zu klein gebliebenes Kind mit einem alten Gesicht wie so viele Kinder im East End – war eines von neun Geschwistern. Die Lowmans gehörten zu den Ärmsten der Armen. Bert Lowman, Eddies Vater, war Gelegenheitsarbeiter; Eddies Mutter konnte man manchmal sehen, wie sie auf den Straßen Holzabfälle sammelte, um sie zu bündeln und als Anzündholz zu verkaufen. Die Familie lebte in einem schmalen Reihenhaus mit drei Zimmern und Küche in der übelsten Gegend von Whitechapel.

Selbst Ash, der geglaubt hatte, die Armut im East End zu kennen, war entsetzt, als er das Haus sah. Die wenigen Möbelstücke waren vermutlich selbst für die Pfandleihe zu schäbig und heruntergekommen. Auf den Böden lagen keine Teppiche, die Fenster hatten keine Vorhänge. Ein schaler, durchdringender Geruch, bei dem Ash sogleich an Ungeziefer dachte, durchzog das Haus. Fliegen glitten brummend an den schmutzigen Fensterscheiben auf und nieder.

Ein kleines Mädchen in einer zerrissenen Kittelschürze stand mit dem Daumen im Mund in der sogenannten Wohnstube und starrte Ash mit großen Augen an. In einer Ecke lag ein Säugling auf einer fleckigen Decke auf dem Boden. Urin quoll aus dem durchweichten Packen Lumpen, in den das Kind eingewickelt war. Bei dem Geruch in dem stickigen, ungelüfteten Raum drehte sich Ash der Magen um.

»Wo ist Janie?« fragte er den Jungen.

»Oben.«

In einem Zimmer lag ein junges Mädchen von vielleicht fünfzehn oder sechzehn Jahren auf einer schmutzigen Matratze.

»Ist sie tot, Mister?« flüsterte Eddie.

Ash legte seine Finger an Janies Hals. Er spürte schnellen, sprunghaften Pulsschlag. »Nein, Eddie, sie ist nicht tot.«

Auf dem Boden neben der Matratze standen eine Flasche billiger Gin und ein Röhrchen mit Tabletten. Er wußte, was für Tabletten es waren, noch ehe er das Etikett gelesen hatte: *Dr. Pattersons Spezialtabletten – ein altbewährtes Mittel bei Unpäßlichkeiten jeder Art.* Ein Abortivum, eine Mixtur aus Mutterkorn und Blei, das die Frauen im East End einzunehmen pflegten, um eine ungewollte Schwangerschaft abzubrechen. Er wälzte Janie auf die Seite für den Fall, daß sie sich übergeben sollte, und sie ließ ein leises Schnarchen hören.

Unten fiel krachend eine Tür zu, eine laute Stimme schallte durchs Haus, dann kam jemand die Treppe heraufgepoltert. »Das ist mein Vater«, flüsterte Eddie und verschwand mit einem Hechtsprung unter einem Haufen schmuddeliger Dekken.

Ash kannte Bert Lowman vom Hörensagen – ein Bulle von einem Mann, ein Trinker, ein Raufbold, ein Kerl, mit dem nicht gut Kirschenessen war. Die Tür flog auf, Bert Lowman stand leicht schwankend auf der Schwelle. Er starrte Ash an.

»Was zum Teufel tun Sie hier?«

»Eddie hatte Angst, daß Ihrer Tochter etwas fehlt.«

»Unserer Janie?« Lowman schlurfte durch das Zimmer. Ash roch den Alkohol in seinem Atem. »Haben Sie sich an unserer Janie vergriffen, hä?«

»Nein, Mr. Lowman, ich –«

»Ihre Sorte kenn ich.« Lowman ballte die Fäuste. »Lassen Sie ja Ihre dreckigen Pfoten von meiner Janie, sonst kriegen Sie's mit mir zu tun –«

Ein Schlag traf Ashs Kinn. Ash taumelte und stürzte. Während Lowman von der Wucht seines eigenen Schlags aus dem Gleichgewicht gerissen wurde, schaffte es Ash, sich hochzurappeln und aus dem Zimmer zu stolpern, die Treppe hinunter und auf die Straße hinaus.

Er schmeckte Blut. Das Taschentuch auf die Wunde gedrückt, rannte er, so schnell es ging, nach Hause. Auf der Straße starrten die Leute ihn an, er fühlte sich erschreckend unsicher auf den Beinen. Endlich in seiner Küche, hielt er den Kopf unter den Kaltwasserhahn. Er hörte, wie die Wohnungstür geöffnet wurde und Thelma rief: »Ash? Bist du da?«

»In der Küche.« Er hatte Mühe, die Worte halbwegs verständlich hervorzubringen.

Thelma kam herein. »Mrs. Clark ist bei Vater. Da hab ich mir gedacht, ich könnte den Hund ausführen –« Sie starrte ihn erschrocken an.

»Es ist nicht so schlimm, wie es aussieht.«

»Na, da bin ich aber froh«, sagte sie trocken. »Was ist passiert?«

»Bert Lowman hat zugeschlagen.«

»Du hast dich geprügelt?«

»So kann man es eigentlich nicht nennen.« Er suchte in einer Schublade nach einem Lappen, um das Blut aufzufangen. »Er hat mir eine verpaßt, weil er glaubte, ich hätte es auf seine Tochter abgesehen. Dann ist er in seinem Suff umgefallen, und ich bin schleunigst abgehauen.«

»Seine Tochter?«

»Janie. Strähniges Haar und schiefe Zähne.«

»Du solltest dich von den Lowmans fernhalten. Jeder weiß, daß es mit denen nur Ärger gibt.«

»Ich hatte nicht vor –« Er brach ab und sah auf seine Uhr. »Iris!« sagte er. »Ich bin mit ihr verabredet.«

»Aber dein Gesicht, Ash. Setz dich hin.«

»Ich kann nicht. Ich bin sowieso schon zu spät –«

»So wird Miss Maclise dich sicher nicht sehen wollen.«

Sein Rasierspiegel stand auf dem Kaminsims. Er schaute mit zusammengekniffenen Augen hinein und stöhnte. »Nein, wahrscheinlich nicht.«

»Komm, ich mach das ein bißchen sauber.« Sie drückte ihn auf einen Stuhl hinunter.

Unter dem Spülstein waren Mull und Desinfektionsmittel. Thelma tupfte sein Gesicht ab. Er zuckte zusammen. Sie sagte: »Du hast Miss Maclise gern, stimmt's, Ash?«

»Ja. Ja, stimmt.«

Sie runzelte die Stirn. »Es ist nicht allzu schlimm. Nur ein kleiner Riß. Aber morgen hast du ein blaues Auge. Seid ihr nur Freunde, du und Miss Maclise, oder steht ihr euch näher?«

Er war plötzlich froh, daß Thelma da war, daß endlich jemand da war, den er um Rat fragen konnte. Er überlegte schon seit Ewigkeiten, wie er sich Iris gegenüber verhalten sollte, ob er seinen Mut zusammennehmen und mit ihr sprechen sollte oder nicht. »Vor Jahren«, sagte er, »hatte ich eine Chance bei Iris, aber ich habe sie verspielt.«

»Und das tut dir jetzt leid?«

»Ja. Lieber Gott, ja.«

»Hast du es ihr gesagt?«

Er schüttelte den Kopf und bedauerte die Bewegung sofort. »Ich weiß nicht, wie sie jetzt zu mir steht. Es ist so schwer zu sagen. Manchmal denke ich, sie mag mich. Manchmal denke ich, sie hätte ihre Meinung geändert, aber dann –«

»Inwiefern ihre Meinung geändert?«

»Na ja, sie hat vor einiger Zeit einmal gesagt, sie wäre froh, daß wir niemals mehr als Freunde sein würden.«

»Einer Frau wie ihr«, sagte Thelma, »laufen die Männer bestimmt scharenweise hinterher. Meine Schulfreundin Lily Watson war bildhübsch. Irgendwann sagte sie, sie hätte es satt, daß die Männer sich alle um sie rissen. Sie wollte nur noch in Ruhe gelassen werden.«

Er erinnerte sich an das Fest in Summerleigh, an Iris, von Männern umschwärmt. *Es ist doch nur ein Spiel, Ash*, hatte sie zu ihm gesagt. Die Liebe war für Iris Maclise immer nur ein Spiel gewesen. Vielleicht war es auch heute noch so. Voller Zweifel sagte er: »Ich wollte eigentlich mit ihr sprechen und ihr sagen, was ich für sie empfinde. Sehen, wie sie darauf reagiert.«

»Das würde ich an deiner Stelle nicht tun, Ash. Vielleicht vertreibst du sie damit. Dann würdest du sie nicht wiedersehen. Und das willst du doch nicht, oder?«

»Nein«, sagte er, von Mutlosigkeit erfaßt. »Nein, natürlich nicht.«

»Dann warte lieber, bis du sicher bist.« Thelma richtete sich auf und trat einen Schritt zurück. »So! Fertig! Du siehst gar nicht übel aus.«

Iris stand auf der Treppe vor dem Krankenhaus und wartete auf Ash. Als er nach einer Viertelstunde immer noch nicht da war, ging sie zu ihm nach Hause. Die Wohnungstür war angelehnt, sie trat ein. Aus der Küche hörte sie Thelma Voss' Gelächter.

»Iris!« rief Ash, als er sie sah.

Erschrocken sagte sie: »Dein Gesicht!«

»Das ist nicht so schlimm, Miss Maclise.« Thelma Voss packte Mull und Desinfektionsmittel weg.

»Laß sehen.« Iris strich mit den Fingerspitzen über Ashs Gesicht, um eventuelle Knochenbrüche zu ertasten.

»Sehen Sie? Ich habe die Wunde gesäubert. Dieser Bert Lowman ist ein fürchterlicher Kerl. Ich habe dir gesagt, du sollst ihm aus dem Weg gehen, stimmt's?« Thelmas Hand ruhte besitzergreifend auf Ashs Schulter.

Wenig später trafen einer nach dem anderen Ashs Freunde ein – unter ihnen der rothaarige Charlie mit der Stupsnase. Thelma Voss saß in der Zimmerecke und streichelte das struppige Fell des Hundes. Sie sprachen über Politik. Hin und wieder erregte eine Bemerkung Iris' Aufmerksamkeit. *Großbritannien hat Angst, daß die Deutschen seine Handelswege bedrohen. Wir müssen doch das Empire schützen ... Österreich-Ungarn und Serbien lassen nur mal ihre Muskeln spielen, weiter nichts ... Erinnert ihr euch an das Spiel, das wir in der Schule immer gespielt haben – wer zuerst zwinkert? ... Die Deutschen bauen einen Haufen riesiger Schlachtschiffe. Wir möchten aber lieber allein die Schlachtschiffe haben ...*

»Ein kurzer, zackiger Krieg wär vielleicht ganz lustig.« Charlie rieb sich die Hände.

»Wie kannst du so etwas sagen?« rief Thelma.

Charlie hob sein Glas zum Toast. »Auf König und Vaterland«, sagte er. »Willst du nicht mit mir darauf trinken?«

»Ach, halt die Klappe, Charlie.«

»Immer diese schlechte Laune ...«

Thelma nahm den Hund an die Leine und ging. Knallend schlug sie die Tür hinter sich zu.

»Das nennt man Temperament!« sagte Charlie und zwinkerte Iris zu. »Haben Sie auch soviel Temperament, Miss Maclise?«

»Vor allem ein sehr reizbares.« Sie sah ihn kalt an. »Besonders wenn ich es mit ungehobelten jungen Männern zu tun habe.«

Ein halbes Dutzend polnische Arbeiter trafen, mit Wodkaflaschen bewaffnet, ein. Ein arbeitsloser Maurer kam vorbei, weil er für die Nacht ein Bett suchte. Sein vergrämtes Gesicht hellte sich auf, als Ash ihm das Sofa anbot. Iris beobachtete Ash eine Zeitlang, während die polnischen Arbeiter in ihrer schönen, unverständlichen Sprache sangen, dann sammelte sie einige leere Gläser ein und trug sie in die Küche.

Thelma Voss war zurück. Sie stand am Spülstein und spülte das Geschirr. »Ich hab mir gedacht, ich mach das lieber gleich«, sagte sie aufgebracht, »sonst lassen sie doch nur alles stehen. Sie fressen ihm noch die Haare vom Kopf. Ehrlich. Ich bringe ihm hin und wieder was aus dem Laden mit, aber ich darf nicht zuviel einpacken, sonst merkt's mein Vater.« Sie drehte sich nach Iris um. »Vielen von denen ist er doch völlig gleichgültig. Die nutzen ihn nur aus.«

Thelmas Blick war eine einzige Herausforderung.

»Aber Ihnen ist er nicht gleichgültig, nicht wahr, Miss Voss?« sagte Iris.

»Nein, mir ist er nicht gleichgültig. Er ist einer der besten Menschen, die ich kenne. Ich will nichts von ihm, verstehen Sie. Ich erwarte nichts von ihm. Im Gegensatz zu einigen von dieser Bande. Wenn's hier nichts mehr zu holen gibt, suchen sie sich den nächsten Dummen, der was zu essen springen läßt und ihnen ein Bett für die Nacht gibt.«

Iris trocknete einen Teller. »Vielleicht wird Ash gern gebraucht.«

»Vielleicht.« Thelmas verächtlicher Blick blieb an Iris haften. »Und Sie, Miss Maclise? Was brauchen Sie von ihm?«

»Ash und ich sind nur alte Freunde.« Doch sie spürte, daß sie rot wurde.

Von Thelmas nassen Händen tropfte Seifenschaum auf den Boden; sie ließ Iris nicht aus den Augen. »Ash schafft es einfach nicht, jemanden zu enttäuschen. Ich sag ihm immer wieder, er soll nicht so dumm sein, aber er hört nicht auf mich. Man kann es nicht allen recht machen. Manchmal wollen die Leute Dinge von einem, die man nicht geben kann.«

Einen Moment blieb es still. Dann sagte Iris: »Was wollen Sie mir eigentlich sagen, Miss Voss?«

»Daß er Sie nicht liebt. Und Sie auch niemals lieben wird.«

Iris stockte der Atem. »Das können Sie doch gar nicht wissen«, entgegnete sie leise.

»Aber ich kenne *ihn*. Und ich weiß, daß Sie ihm leid tun. Das ist der einzige Grund, warum er sich weiter mit Ihnen trifft.«

»Nein –«

»Doch. Er hat es mir selbst gesagt. Sie tun ihm genauso leid wie all die anderen, die ständig was von ihm wollen.«

Thelmas Worte trafen sie wie Messerstiche. »Ich glaube Ihnen nicht.«

»Er möchte Sie nicht verletzen.« Thelmas Stimme hatte einen leisen, hypnotischen Ton. »Er hat mir erzählt, daß früher einmal etwas zwischen Ihnen war. Und dann hat er Sie abgewiesen, nicht wahr, Miss Maclise?«

Es erschütterte sie bis ins tiefste, daß Ash Thelma die Geschichte ihrer Demütigung erzählt hatte. Sie mußte ihre ganze Kraft und ihre ganze Selbstbeherrschung aufbieten, um erwidern zu können: »Was wollen Sie mir wirklich sagen?« fragte sie. »Daß Ash *Sie* liebt?«

Thelma lachte bitter. »Sie kennen ihn offensichtlich überhaupt nicht. Nein, mich liebt er natürlich nicht. Jedenfalls noch nicht. Die da drüben liebt er.« Sie wies zum Nachbarzimmer. »Er liebt die Rumtreiber, die ihm die Speisekammer leer fressen, die Schmarotzer, die sich die Taschen mit seinen Briketts füllen, ehe sie verschwinden. Begreifen Sie denn nicht, daß er dieses Gesindel uns beiden immer voranstellen wird – mir, obwohl ich alles für ihn tun würde, und Ihnen, obwohl Sie so hübsch sind. Sehen Sie das denn nicht?«

Doch, ja, sie sah es ganz deutlich und sagte sich, daß sie blind gewesen sein mußte.

Thelma wandte sich wieder dem Spülbecken zu. »Sie haben die Wahl, Miss Maclise. Sie können hierbleiben und sich Ihr Stück von ihm nehmen genau wie die anderen. Oder Sie können die ganze Geschichte abschreiben und neu anfangen. Nur schieben Sie es nicht zu lange hinaus. Ich würde es *so* machen, wenn ich aussehen würde wie Sie und mir die Kleider leisten könnte, die Sie sich leisten. Ich würde ihn vergessen und mir jemand anderen suchen.«

Sie trocknete ihre Hände, dann warf sie das Tuch auf das Abtropfbrett und ging ins andere Zimmer hinüber. Die polnischen Arbeiter hatten wieder zu singen angefangen; ein leises, trauriges Lied von Liebe und Verlust.

Er wird Sie niemals lieben. Sie tun ihm leid. Entsetzlich, ein Gegenstand des Mitleids zu sein. Iris hätte sich am liebsten unbemerkt aus dem Haus gestohlen, aber Ash sah sie zur Tür gehen und bestand darauf, sie nach Hause zu bringen. Sie redete den ganzen Weg unaufhörlich, schnell, lebhaft, künstlich munter, und wehrte seine Versuche, ein Gespräch zu beginnen, ab. Vor dem Krankenhaus drückte sie ihm einen flüchtigen Kuß auf die Wange und eilte davon. Sein verwundeter Blick folgte ihr durch den Garten.

In dieser Nacht schlief sie kaum. Auf der Station war sie am nächsten Morgen gereizt und zerstreut. Irgendwann kam sie aus der Teeküche und hörte Schwester Dickens mit einem der Patienten schimpfen, der seinen Tee auf den frischen Laken verschüttet hatte. »Herrgott noch mal«, rief sie gereizt. »Die paar Tropfen Tee!«

Alle im Saal erstarrten. Schwester Dickens' Gesicht, halb empört, halb ungläubig, reizte Iris beinahe zu lachen. Beinahe. Schwestern widersprachen nie, stellten nie das Urteil einer dienstälteren Kollegin in Frage. Schwestern sagten: *Ja, Schwester* oder: *Nein, Schwester*, je nachdem, was angemessen war.

Am späten Nachmittag wurde sie ins Büro der Oberschwester gerufen. Auf dem Weg durch die Krankenhauskorridore kämpfte Aufmüpfigkeit mit Beklemmung. Sie hatte recht getan, etwas zu sagen, Schwester Dickens war ein alter Drache. Es war ihr gleich, wenn sie sie vor die Tür setzten; sie hatte ohnehin genug von diesem Krankenhaus. Doch die Schande, das Gefühl, versagt zu haben, so kurz nach dem, was sie am Abend zuvor von Thelma gehört hatte, das würde schwer zu ertragen sein.

Miss Stanley bat sie herein, als sie klopfte. Iris blieb stehen und wartete, bis die Oberschwester mit Schreiben fertig war. Endlich hob diese den Kopf und sagte: »Ich höre von Schwester Dickens, daß Sie sich respektlos benommen haben, Schwester.«

»Es tut mir leid, Oberschwester«, murmelte Iris.

Miss Stanley legte den Füller aus der Hand und richtete ihren kalten blauen Blick auf Iris. »Normalerweise ist Respektlosigkeit ein Entlassungsgrund.«

»Es wird nicht wieder vorkommen, Oberschwester.«

»Was ist das für ein Vorbild für die Lernschwestern?«

»Aber Schwester Dickens ist so unfreundlich zu den Patienten! Der arme Mr. Knowles – er kann doch nichts dafür, daß seine Hände zittern!«

Miss Stanleys Mund wurde schmal. »Ist es Ihre Aufgabe, eine Vorgesetzte zurechtzuweisen, Schwester?«

Der flüchtige Trotz brach zusammen. Iris senkte den Blick. »Nein, natürlich nicht, Oberschwester.«

»Ich bin wirklich sehr enttäuscht von Ihnen, Schwester Maclise.«

So viele Jahre der Arbeit, dachte sie niedergeschlagen, die Demütigungen, die Erschöpfung – und alles nur, um dann Knall auf Fall entlassen zu werden, weil sie wie eine unbedarfte

Lernschwester gemeint hatte, ihren eigenen Senf dazugeben zu müssen.

Miss Stanley sprach noch immer. »Ich weiß, daß Sie alle in letzter Zeit unter großem Druck gestanden haben. Diese vermaledeite Epidemie!« Sie warf Iris einen scharfen Blick zu. »Sie werden mir doch nicht krank, Schwester? Sie sehen sehr blaß und müde aus.«

»Nein, Oberschwester. Ich habe die Röteln schon hinter mir.«

Wieder musterte Miss Stanley sie mit ihren kalten blauen Augen. »Sagen Sie mir eines, Schwester, fühlen Sie sich wirklich wohl hier?«

Plötzlich war sie den Tränen nahe. »Ich weiß nicht«, flüsterte sie. »Ich habe mich eigentlich immer wohl gefühlt.«

»Wenn sich daran etwas geändert hat, sollten Sie sich vielleicht überlegen, ob Sie hier am richtigen Platz sind.«

»Sie entlassen mich?« Ihre Stimme zitterte.

»Ich werde Ihnen ein gutes Zeugnis geben. Ich bin überzeugt, der heutige Zwischenfall ist Überanstrengung zuzuschreiben. Er braucht nicht weiter erwähnt zu werden.«

Iris hörte Miss Stanleys letzte Worte kaum. »Aber hier ist mein *Zuhause*!« rief sie heftig.

»Ein Krankenhaus ist ein Arbeitsplatz«, entgegnete Miss Stanley bestimmt. »Wenn eine Schwester sich als ungeeignet erweist, hat sie keinen Platz mehr bei uns.« Ihr Ton wurde etwas weicher. »Als Sie damals zu uns ans Mandeville kamen, bezweifelten manche Kolleginnen Ihre Eignung, aber ich habe immer an Sie geglaubt. Ich habe gleich gespürt, daß Sie den Mut und das Durchhaltevermögen besitzen, die man in der Krankenpflege braucht. Nun glaube ich, Sie müssen sich weiterentwickeln. Sie sind über uns hinausgewachsen. Es ist weniger eine Frage des Könnens als der Persönlichkeit. Die Arbeit im Krankenhaus entspricht manchen Pflegerinnen mehr als anderen. Unsere weniger konventionellen Pflegerinnen stellen mitunter fest, daß ihnen eine andere Arbeitssphäre mehr liegt.«

Miss Stanley griff zu ihrem Füllfederhalter. »Sie können jetzt gehen.«

Sie konnte nicht ins Schwesternheim zurück; sie mußte hinaus aus dem Krankenhaus. Als sie die Treppe hinunterlief, sah sie, daß Ash auf sie wartete. Bitterer Zorn packte sie, daß er Thelma Voss von ihnen erzählt hatte, daß er sie nicht liebte. Sie sagte scharf: »Du kommst auch einfach, wann es dir paßt.«

Er sah sie verblüfft an. »Gestern abend –«

Sie rannte über die Straße, Bremsen quietschten. Er lief ihr nach. »Iris! Hör mir doch zu. Ich wollte mich wegen gestern entschuldigen. Die ganzen Leute – ich hatte keine Ahnung, daß sie kommen.«

Der Markt schloß gerade. Abfälle und matschige Früchte füllten die Rinnsteine, und die Stände wirkten billig, schäbig. Sie fragte sich, was sie hier tat, an diesem häßlichen Ort, sie, die immer die schönen Dinge geliebt hatte. »Du hättest sie wegschicken können, Ash«, sagte sie kalt.

»Ja, da hast du recht.«

Sie sah ihn nach Worten suchen – nach Worten vermutlich, die die arme, bemitleidenswerte Iris Maclise ein wenig trösten würden. »Ist ja auch egal«, sagte sie. »Es war eben nur ein verschwendeter Abend für mich.« Sie lachte schrill. »Du weißt ja, wie langweilig ich Politik finde. Ich wäre woandershin gegangen, wenn ich gewußt hätte, daß mir so etwas blüht.«

»Woanders?«

»Ins Theater – zum Tanzen...« Sie hörte Thelma Voss: *Er liebt Sie nicht; er wird Sie nie lieben.* Und auf einmal wußte sie, was sie tun mußte. Sie mußte den Grund ihres Elends austreiben, sie mußte ihn mit der Wurzel herausreißen und wegwerfen.

Sie drehte sich heftig nach ihm um. »Was glaubst du denn, wie ich mir die Zeit vertreibe, wenn du zu tun hast, Ash? Glaubst du, ich sitze in meinem Zimmer und schmachte dir hinterher?«

Er wurde rot. »Nein, natürlich nicht.«

»Richtig.«

»Iris, ich wollte doch nicht sagen –«

»Ich habe genug Freunde.«

»Etwas anderes habe ich nie geglaubt.«

»Es ist mir nie schwergefallen, jemanden zu finden, der mit mir tanzen geht.«

Sein Blick wurde kalt. »Nein, das glaube ich gern.«

Sie schwiegen beide.

»Der alte Kasten da hinten« – sie blickte über die Straße zurück zu dem Backsteinbau des Krankenhauses, und ein starkes Gefühl aus Liebe, Trauer und Groll überflutete sie – »ich bin froh, wenn ich dem endlich den Rücken kehre.« Sie schob ihr Kinn vor. »Ich habe beschlossen, hier aufzuhören.«

Sein Gesicht wurde hart. »Ist das ein plötzlicher Entschluß?«

»Keineswegs. Ich denke schon seit Ewigkeiten darüber nach.«

»Davon hast du gar nichts gesagt.«

»Nein?« Sie gingen zwischen den Marktständen hindurch. Iris tat so, als sähe sie sich einen Ballen Baumwollpikee an. »Ich habe wahrscheinlich einfach nicht daran gedacht.«

»Und was hast du vor?«

»Vielleicht gehe ich erst mal eine Weile nach Hause.« Sie zuckte mit den Schultern. »Oder ich suche mir etwas als private Pflegerin. Das ist leichtere Arbeit als die ewige Schufterei auf den Stationen.« Der Ausdruck seiner Augen hätte sie beinahe ins Wanken gebracht, aber sie blieb gnadenlos. »Das mußt du doch verstehen, Ash. Ich kann nicht bis an mein Lebensende hierbleiben. Immer derselbe Trott – dieselben Leute – du kennst mich. Ich langweile mich nicht gern.«

»Und ich langweile *dich* nicht gern«, entgegnete er kurz. »Du hast dich klar *ausgedrückt*, Iris. Ich hoffe, du wirst glücklich. Was auch immer du tust, ich wünsche dir Glück.«

Dann ging er. Es gab einen Moment, da wäre sie ihm nachgelaufen, aber sie gestattete es sich nicht. Statt dessen ging sie zurück ins Schwesternheim und legte sich mit geschlossenen Augen auf ihr Bett, trostlos.

12

GEORGE HATTE WEISSBLONDE HAARE, dunkelblaue Augen und ein hinreißendes glucksendes Lachen. Er lachte über alles – ein Chamäleon, das einen Ast entlanghuschte, eine goldene Litze an Ranis Sari, die blaue Trompetenblüte einer Purpurwinde. Wenn er wirklich einmal weinte, wiegte Marianne ihn auf den Armen und sang ihm sein Lieblingslied. Dann lachte er wieder, und die Tränen waren nur noch glitzernde Tröpfchen auf seinen Wangen.

Mit sechs Monaten konnte er allein sitzen, und mit sieben begann er, auf die Unterarme gestützt, umherzurobben. Irgend etwas erregte seine Aufmerksamkeit – das leuchtende Grün eines Geckos, der an der Sockelleiste klebte, oder eine Messinglampe, die in der Sonne blitzte –, und schon schob er los, lachend und aufgeregt. Als er einen Monat später das Krabbeln gelernt hatte, war nichts mehr vor ihm sicher. Marianne und Rani hatten vom Tag seiner Geburt an in seinem Bann gestanden, und jetzt flitzten sie ihm unermüdlich durch Haus und Garten hinterher, immer in Erwartung einer kleineren oder größeren Katastrophe. Marianne sah plötzlich überall Gefahren: Da waren der steile Abfall der Terrassen zum Garten, die Kohlen im Feuer oder eine Schlange, die sich durch das Gras schob und nach einem drallen kleinen Bein züngelte.

Er war natürlich das schönste und gescheiteste Kind, das je geboren worden war. Nur eisern geübte taktvolle Zurückhaltung hielt Marianne davon ab, diese Entscheidung all den Damen mitzuteilen, die in Blackwater zu Besuch kamen. Sie könnten ohnehin nicht umhin, es zu bemerken, dachte sie bei sich. Obwohl sie den Gästen höfliche Komplimente über ihre Kinder machte, stand für sie fest, daß keines ihrem George das Wasser reichen konnte.

Als George sechs Monate alt war, fuhren sie nach Nuwara Eliya und ließen ihn fotografieren. Marianne kleidete ihn in ein weißes Spitzenkleidchen, setzte ihm aber nichts auf den Kopf, um die lichte Wolke des blaßgoldenen Haars nicht zu verdekken. Sie schickte Abzüge an ihre Schwestern in England, die ihr mit ihren Antworten nur bestätigten, was sie schon wußte: George war ein vollkommenes Kind.

Jeden Tag ging sie mit ihm in den Garten hinaus, ihr Paradies, sein Reich. Sie zeigte ihm den Banyanbaum und ließ ihn die Blätter streicheln, die größer waren als sein Kopf. Er reckte die Ärmchen nach den Bananen, die oben in den Palmen hingen, und nach den Blumen in den Rabatten, er wälzte sich im dicken grünen Gras, während Marianne mit scharfem Auge nach Ameisen und anderen stechenden Insekten Ausschau hielt. Mit ihm auf dem Arm spazierte sie die schmalen gewundenen Wege entlang, die sich zwischen den Bäumen hindurchschlängelten. Wenn irgendwo ein Vogelruf erschallte, riß George die Augen auf und schaute sich aufgeregt um. Hoch oben fiel das Sonnenlicht glitzernd durch das Netzwerk von Ästen und Laub. Den wilden Bienen, die in Schwärmen um die kugelförmigen Stöcke hingen, ging Marianne aus dem Weg und drückte George jedesmal fest an sich, wenn sie ein Rascheln im Unterholz hörte. *Ich werde dich immer beschützen*, flüsterte sie ihm zu. *Mein geliebter kleiner Junge, ich werde dich immer beschützen.*

Nach Georges Geburt war sie in ihrem Entschluß, Lucas zu verlassen, unsicher geworden. Wohin sollte sie sich auch wenden? Sie hätte vielleicht zu Clare gehen können, aber höchstens für einige Wochen. Und dann? Ihr wäre nur England geblieben. Der Gedanke an die lange, umständliche Reise von Blackwater nach Colombo und die weit längere Seereise von Colombo nach Southampton, die sie ganz allein mit dem kleinen Kind hätte auf sich nehmen müssen, schreckte sie ab. Der Gedanke an die Schande und das Stigma der Scheidung war noch abschreckender. Eine Frau wurde über ihre Beziehung zu einem Mann definiert: Sie war Tochter, Geliebte, Ehefrau. Wenn sie Lucas verließ, war sie nichts. George würde die Schande genauso zu spüren bekommen wie sie. Selbst verfemt zu werden, würde sie vielleicht ertragen können, aber wie würde ihr zumute sein, wenn die Leute auch George mieden? Nein, sagte sie sich, da war es klüger, das Beste aus der Situation zu machen.

Durch die Ehe mit Lucas war ihr George geschenkt worden. Für ihn würde sie Lucas' gelegentliche Wutausbrüche und gemeine Ausdrucksweise über sich ergehen lassen. In den Briefen an ihre Schwestern erzählte sie amüsante kleine Anekdoten aus ihrem Leben und schilderte Georges Schönheit und Intelligenz. Sie hatte es immer meisterlich verstanden zu verbergen, wie es wirklich in ihr aussah. Sie verriet keinem, daß Lucas zu ihr gesagt hatte: *Ich habe dich nie geliebt.*

Sie glaubte fest daran, es schaffen zu können. Schließlich hatte jeder von ihnen seinen eigenen Bereich, sie die Kindererziehung und den Garten, er die Pflanzung und die Fabrik. Im Haus hielten sie sich an einen unsicheren Waffenstillstand.

Sechs Wochen nach Georges Geburt kam Lucas in ihr Schlafzimmer. Jetzt war ihr seine Berührung widerwärtig; einmal, als sie aus ihrem Bett aufstand, merkte sie, daß er sie betrachtete, einen abschätzigen Ausdruck im Blick. Bald danach hörte sie wieder die Schritte in der Nacht und sah die Gestalt in Scharlachrot, die zu den Kulihütten hinauflief. Sie empfand eine Mischung aus Erleichterung und Schuldgefühlen. Sie wußte, daß sie sich ihren Pflichten als Ehefrau entzog, doch diese blaßgrauen Augen, die sie einmal interessant, ja, engelhaft gefunden hatte, machten ihr jetzt angst.

Aber Lucas war Georges Vater. Sie waren durch das Kind miteinander verbunden, sie und Lucas. Und Lucas liebte seinen Sohn; sie konnte das Verlangen in seinen Augen erkennen, wenn er sich über das Kinderbettchen neigte. Sie lernte, vorsichtig mit ihm umzugehen, seine neuralgischen Punkte zu erkennen und ihm aus dem Weg zu gehen, wenn er trank. Besser, sich jedes Wort genau zu überlegen, bevor man mit ihm sprach; besser, ihm aus den Augen zu bleiben, wenn man dieses dunkle Glitzern in seinem Blick erkannte.

Aber die Neugier ließ sie nicht los. *Mir hat das Kind leid getan... George Melrose war immer ein schwieriger Mensch,* hatte Anne Rawlinson gesagt. Was hatte sie damit gemeint? Marianne stellte sich Lucas vor, gerade vier Jahre alt, von seiner Mutter verlassen, ganz allein mit seinem Vater und den Dienstboten. Sie stellte sich vor, welche Verletzungen dieser Vertrauensbruch der Mutter hinterlassen haben mußte. Was für ein Mensch war Lucas' Vater gewesen? Launisch und dem Alkohol allzusehr zugetan, die meiste Zeit abwesend, weil er sich um die Pflanzung kümmern mußte. Ein kalter Mann, ein Mann, der, tief getroffen vom Verrat seiner Ehefrau, nicht fähig gewesen war, Liebe zu zeigen.

An einem Sonntag nachmittag kamen die Rawlinsons zu Besuch. Während die Männer nach dem Mittagessen bei Gin und Arrak auf der Veranda sitzen blieben und George seinen Mittagsschlaf machte, zeigte Marianne Anne Rawlinson den Garten. Die Kosmeen blühten, rosarote und weiße Blütenköpfe, von Wolken feingefiederter Blätter umhüllt. »Clare Barlow hat mir letztes Jahr die Samen geschenkt«, berichtete Marianne. »Ich bin ziemlich stolz, daß sie sich so gut entwikkelt haben.«

»Und die Rosen!« Anne Rawlinson neigte sich tiefer, um an einer Blüte zu riechen. »Bildschön.«

Marianne warf einen hastigen Blick zur Veranda zurück. Als sie sah, daß Mr. Rawlinson und Lucas außer Hörweite waren, sagte sie: »Sie haben mir doch erzählt, daß Lucas' Mutter die Rosen gepflanzt hat, nicht wahr, Anne?«

»Jede einzelne, ja.«

»Und den übrigen Garten auch?«

»Das war alles Urwald und Busch, bevor Sarah hierherkam. Das muß man ihr wirklich lassen. Sie hat hier wahre Wunder vollbracht.«

»Haben Sie sie gut gekannt?«

Anne Rawlinson schürzte die Lippen. »Nein, ich denke, keiner von uns hat Sarah *gut* gekannt. Sie war ja nur wenige Jahre hier, das dürfen Sie nicht vergessen. Und sie hat nie hierhergepaßt. Sie war eine frivole Person – unverbesserlich kokett.«

»Und an Ihren Mann, Lucas' Vater, erinnern Sie sich an den?«

»An George?« Sie gingen weiter, entfernten sich noch ein Stück von der Veranda. »Als Sarah weg war, hat George ein Einsiedlerleben geführt. Er kam kaum noch in den Klub – der war damals allerdings auch eher bescheiden, nur eine Hütte mit einem Lehmboden. Das Leben war damals härter – oft sah man wochenlang kein weißes Gesicht.«

»Was war er für ein Mensch?«

Anne Rawlinson blickte mit kritischer Miene abwärts, riß ein Blatt ab und rieb es zwischen Finger und Daumen. »Ihre ›Gloire de Dijon‹ hat Mehltau, Marianne.«

»War er jähzornig?«

Das gequetschte Blatt fiel zu Boden.

»George Melrose war ein Mann alter Schule«, erklärte Anne Rawlinson. »Er und sein Vater haben Blackwater aus dem Nichts aufgebaut. Sie haben Tag und Nacht gearbeitet, und es gab keine Arbeit, die sie nicht auf sich genommen hätten. Ich bewundere so etwas. George hatte Rückgrat. Das ist heute selten geworden. Von den Jüngelchen, die von den Teegesellschaften hergeschickt werden, rennt doch die Hälfte innerhalb von sechs Monaten wieder zurück nach England, weil sie das Klima nicht vertragen oder die Einsamkeit – oder die schwere Arbeit.«

»Aber Lucas' Vater war nicht so?«

»George hat durchgehalten.« Anne hielt inne, um sich wieder eine Rose anzusehen. Sie senkte die Stimme, ihr Ton bekam etwas Vertrauliches. »Aber nachdem Sarah ihn verlassen hatte, ist er nie wieder der alte geworden. Er hat Sarah vergöttert. Er hat dieses Haus für sie gebaut, er hat sie diesen Garten anlegen lassen. Er hat die Rosen eigens aus England kommen lassen und allen möglichen anderen Firlefanz – Wäsche und Gläser und Abendkleider aus Paris. George hat ihr jeden Wunsch erfüllt. Er konnte sein Glück, diese Frau erobert zu haben, wahrscheinlich einfach nicht fassen, und hat wohl immer gefürchtet, daß sie ihm eines Tages durchbrennen würde. Er hat sie verwöhnt. Er hat sie nach Strich und Faden verwöhnt.«

Wieder schaute Marianne zur Veranda zurück, bevor sie sagte: »Es war sicher sehr schlimm für Lucas' Vater, als seine Frau ihn verließ?«

»Er hat sich völlig von seiner Umwelt abgekapselt. Wir haben alle versucht, mit ihm Kontakt zu halten, aber das war nicht einfach. Die Plantagen liegen so weit auseinander, und George hat einen nicht gerade mit offenen Armen aufgenommen. Er hatte seine eigene Art, einen wissen zu lassen, wann man nicht willkommen war.« Sie hatten das andere Ende des Gartens erreicht, wo der Hang beinahe senkrecht zum tief unten liegenden Tal abfiel. Obwohl sie so weit von der Veranda entfernt waren, sprach Anne Rawlinson im Flüsterton weiter. »Einmal hat er Davey Scott das Ohr versengt, als der nach Blackwater kam und George keine Lust auf Gesellschaft hatte. Er hat mit dem Gewehr auf ihn geschossen.«

»Er hat auf einen Menschen geschossen?«

»George Melrose war ein guter Schütze. Die Kugel ist genau dahin gegangen, wohin sie sollte. Und Davey hat kapiert, das können Sie mir glauben. Er hat George nicht mehr besucht. Wir anderen auch nicht.«

»Und Lucas?«

»Wie gesagt, wir haben uns ferngehalten. Aber es hat Gerüchte gegeben.«

»Was für Gerüchte?«

Diesmal schaute Anne Rawlinson erst zum Haus zurück, ehe sie antwortete. »Es hieß, George Melrose schlüge seinen Sohn.«

»Er schlüge ihn?«

»Ja.« Marianne, die völlig entsetzt war, glaubte, einen Schimmer Mitgefühl in Anne Rawlinsons verblaßten blauen Augen zu erkennen.

»Jungen brauchen natürlich Disziplin. Als meine drei klein waren, haben sie von mir auch des öfteren eins hinter die Ohren bekommen. Aber George Melrose ging zu weit. Er hat mit dem Stock geschlagen. Nach dem Motto, gelobt sei, was hart macht. Schwäche war ihm ein Greuel. Auch bei seinem eigenen Sohn.« Anne Rawlinson zog an einer Luftwurzel, die sich um den Ast eines Baums geschlungen hatte. »Sie müssen diese Würgerfeige zurückschneiden lassen, Marianne, sonst nimmt sie im Nu überhand. Wenn Sie dem Unkraut nicht zu Leibe rücken, macht es Ihnen Ihren Garten kaputt.« Sie runzelte die Stirn. »Ich glaube, als Sarah fort war, verachtete George sich dafür, daß er sie geliebt hatte. Er war ein starker Mensch und sah das als seine einzige Schwäche an, seine Achillesferse sozusagen.«

»Liebe ist doch nicht Schwäche!«

»Nein? Vergessen Sie nicht, daß George sein ganzes Leben dem Bemühen geweiht hatte, die Plantage zu – *beherrschen*. Er konnte es sich nicht leisten, Schwäche zu zeigen. Wenn man diesen Fehler begeht, nutzen das die Dienstboten und die Kulis sofort aus, und der Dschungel holte sich das Land zurück, das man so mühsam urbar gemacht hat. Es muß ein Schock für George gewesen sein zu entdecken, daß er sein eigenes Herz nicht beherrschen konnte.« Anne Rawlinson warf das Stück Luftwurzel den Hang hinunter, wischte sich die Hände und sagte bedächtig: »Es gibt ein Muster in der Familie Melrose. Lucas' Vater George war ein Einzelkind wie Lucas auch. Seine Mutter ist jung gestorben, an einem Fieber, glaube ich – damals gab es hier oben noch viel Malaria. George ist also vom Vater allein großgezogen worden, genau wie später Lucas.«

Voller Sorge dachte Marianne: Wenn das meinem George geschehen sollte, wenn ich nicht hiersein sollte, um ihn zu beschützen. Mein George, den mein Mann nach seinem Vater genannt hat, der ihn schlug. »Hat denn niemand versucht, ihm Einhalt zu gebieten und zu verhindern, daß er Lucas prügelt?« fragte sie.

»Am besten, man mischt sich nicht ein«, erwiderte Anne Rawlinson energisch. »Man soll sich niemals zwischen einen Mann und seine Frau drängen oder einen Vater und sein Kind, sage ich immer.«

»Aber irgend jemand wird doch –«

»Wir hier draußen halten zusammen. So überleben wir. George war einer von uns. Und wie ich sagte: Es waren nur Gerüchte. Wer weiß, ob überhaupt etwas Wahres daran war.«

Die Männer waren aus ihren Sesseln aufgestanden und kamen über den Rasen auf sie zu. Anne Rawlinson sagte leise zu Marianne: »Ich habe George ein paar Wochen nach Sarahs Verschwinden besucht. Er hatte im Garten ein großes Feuer gemacht, und ich habe gesehen, wie er alles ins Feuer geworfen hat, was Sarah gehörte: ihre Kleider, ihre französischen Spitzen, ihre Seifen und Parfums. Jede Fotografie und jedes Bild von ihr. Sogar ihr Gartenwerkzeug. Es war, als wollte er jede Spur von ihr auslöschen. Vielleicht war er deshalb so aggressiv gegen das Kind, weil er sie in ihm erkennen konnte.«

Dann hob sie die Stimme. »Ich hoffe, Sie haben Ihre Rosen gut mit Pferdemist gedüngt, Mrs. Melrose. Pferdemist ist für Rosen das Beste, was es gibt. Wenn Sie nicht genug haben, kann ich gern dafür sorgen, daß Ihnen eine Fuhre geschickt wird.«

An einem Sonntag abend kam James nicht nach Hause. Joshua schwankte zwischen Ärger und Besorgnis. Clemency schlief schlecht, von Gedanken an Eisenbahnunglücke und plötzliche Fiebererkrankungen gepeinigt. Beim Frühstück am Morgen war die Stimmung düster und gespannt. Joshua las auf eine gereizte Art seine Zeitung, und Aidan stellte in lautem und befriedigtem Ton fest, daß James zu spät in die Firma kommen würde.

James erschien schließlich zum Mittagessen. Auf Clemency wirkte er erschöpft. Er, der sonst immer tadellos gekleidet war, sah ungepflegt und zerknittert aus. Schweigend setzte er sich an seinen Platz, als Edith die Suppe auftrug. Einen Moment blieb es still, und Clemency begann zu hoffen, James werde gleich eine plausible Erklärung präsentieren, da sagte ihr Vater: »Und wie würdest du diese Tageszeit nennen, James?«

»Tut mir leid, Vater, ich wurde aufgehalten.«

»Ach, aufgehalten?« wiederholte Joshua ironisch. Alle beugten sich über ihre Suppe, um ihn nicht ansehen zu müssen. »Und darf man fragen«, sagte Joshua mit ausgesuchter Höflichkeit, »was dich aufgehalten hat?«

James nuschelte: »Nichts Wichtiges. Die Züge –«

»Du läßt also zu, daß ›nichts Wichtiges‹ dich deiner Familie und deiner Arbeit fernhält?«

James wurde rot. »Ich wollte nicht –«

»Was war denn so unwichtig? Ein Abend im Restaurant, nehme ich an. Oder vielleicht ein Kartenspiel?«

James' Gesicht verschloß sich. »Ich habe nicht gespielt, falls du das andeuten willst.«

»Deine Mutter war krank vor Sorge.«

»Das tut mir leid. Ich wollte Mutter nicht ängstigen. Wenn wir ein Telefon hätten –«

»Ach, du erwartest wohl, daß wir uns hier im Haus auf deinen eigentümlichen Lebenswandel einstellen?«

»Nein, Vater.« James starrte in seine Suppe. »Ich verspreche, es wird nicht wieder vorkommen.«

»Louisa Palmer hat gestern in der Kirche nach dir gefragt, James«, warf Aidan ein.

Joshua streute Salz in seine Suppe. »Wenn du zu lange wartest, wird ein anderer sie dir wegschnappen. Verübeln würde ich es ihr nicht.«

James hob den Kopf und sah seinen Vater fest an. »Vater, ich werde Louisa Palmer nicht heiraten. Das habe ich dir bereits gesagt.«

Die beiden Männer fixierten einander. Joshuas Blick war wütend, der von James trotzig. »Es wird höchste Zeit, daß du eine Familie gründest«, sagte Joshua. »Worauf wartest du eigentlich?«

James senkte den Blick. »Auf nichts. Es ist nur – ich suche mir meine Frau selbst aus, wenn es soweit ist.«

Niemand wollte einen zweiten Teller Suppe. Clemency schickte Edith in die Küche, das Hauptgericht zu holen. Joshua schnitt gerade den Hammelbraten auf, und sie nahmen sich alle vom Gemüse, als Aidan sagte: »Rickett verlangt jetzt von uns zwei Shilling mehr für den Sack Kohlen, Vater.«

Joshua hieb seine Gabel in eine Scheibe Fleisch. »Das hättest du mir sagen müssen, James. Ich habe dich ausdrücklich gebeten, auf die Kohlenpreise zu achten.«

»Wollte ich ja auch. Ich hab's vergessen.«

»*Vergessen*?« Joshua war wütend. »Du weißt, wie knapp wir dieses Jahr kalkulieren müssen. Wir können froh sein, wenn wir keine Verluste machen.«

»Ich habe schon mit ein paar anderen Kohlenhändlern gesprochen, Vater«, mischte sich Aidan wieder ein. »Bei Earle bekommen wir vielleicht einen besseren Preis, wenn der Auftrag groß genug ist.«

»Ich bleibe heute länger in der Firma«, sagte James gepreßt, »und hole die Stunden nach, die ich versäumt habe.«

Joshua sah seinen ältesten Sohn an, blaß, mit dunklen Schatten unter den Augen. »Du willst länger in der Firma bleiben?« sagte er mit Verachtung. »Du siehst aus, als würdest du gleich einschlafen. Du solltest aufhören, Raubbau mit deiner Gesundheit zu treiben.«

»Ja, Vater.«

»Du bist der Älteste. Wenn ich einmal nicht mehr bin, ist das alles hier deins. Du solltest immer daran denken, daß du große Verantwortung trägst, James.«

James verlor die Beherrschung. »Ich denke daran! Ich denke ständig daran. Wirf mir nicht vor, ich würde meine Pflichten vernachlässigen!«

Joshua schlug mit der Faust auf den Tisch, daß die Teller klirrten. »Untersteh dich, mich anzuschreien. Zu träge, um rechtzeitig zur Arbeit zu kommen! Soll das den Leuten ein Vorbild sein?«

»Ich habe gesagt, daß es mir leid tut.« James' plötzlicher Zornausbruch war schon wieder vorbei. Seine Stimme war leise und beherrscht. »Und es war nicht Trägheit.«

»Was war es dann?«

»Das ist meine Angelegenheit.«

»Meine, solange du unter meinem Dach lebst.«

James stand auf. Alle Farbe war aus seinem Gesicht gewichen. »Ja«, sagte er ruhig. »Dann ist es vielleicht Zeit, daß ich in Zukunft nicht weiter unter deinem Dach lebe. Ich weiß selbst nicht, warum ich die Entscheidung so lange aufgeschoben habe.«

Er ging aus dem Zimmer. Clemency lief ihm nach. »James, du darfst nicht gehen. Vater hat es nicht so gemeint. James!«

Er lehnte sich an die Wand und schloß die Augen. Dann schüttelte er den Kopf. »Ich habe genug, Clem.«

Sie war den Tränen nahe. »James, bitte –«

Ein flüchtiges, künstliches Lächeln. »Es ist besser so. Auch für dich, Clemency. Du mußt doch unsere ständigen Streitereien bis obenhin satt haben.«

»Aber wohin willst du denn jetzt gehen?«

»Ich suche mir eine Unterkunft.«

»James, Vater hat das nicht gewollt.« Sie weinte jetzt ganz offen. »Er ist nur wütend, weil er Angst um dich hatte.«

»Er hält nicht viel von mir. Er ist enttäuscht von mir.« James' Ton war bitter.

»Nein! Du bist ihm ungeheuer wichtig. Deswegen ist er auch so – darum sagt er diese Dinge –«

»Vielleicht ist er ja auch mit Recht enttäuscht von mir«, murmelte James, als er sich abwandte. »Manches von dem, was ich getan habe – ich bin wirklich nicht stolz darauf.«

Als Clemency wieder ins Speisezimmer kam, war nur noch Aidan da. Auf drei Tellern wurde das Essen kalt.

»Vater ist ins Arbeitszimmer gegangen«, sagte Aidan. »Er will keinen Nachtisch.«

Mit plötzlicher Gereiztheit sagte Clemency: »Und du bist auch keine Hilfe. Schüttest noch Öl ins Feuer, wenn sowieso schon alles schlimm genug ist.«

Sie sah, wie er zusammenzuckte. Dann entgegnete er leise: »Ich bin besser als James. Besser in der Arbeit.« In seinen Augen gewahrte sie eine Leidenschaft, die man bei ihm selten erlebte. »James ist die Firma lange nicht so wichtig wie mir, aber Vater sieht das nicht.«

Ohne James erschien ihr das Haus stiller, still und unlebendig. Bei Ivors Konzert am Mittwoch nachmittag erwartete Clemency von der Musik die gewohnt besänftigende Wirkung, aber ihre Stimmung hob sich nicht, und zum erstenmal hatte sie das Gefühl, daß die Triller und Arpeggios des Cembalos ihre Nerven eher reizten als beruhigten. Sie ging nach dem Ende des Vortrags nicht gleich zu Ivor, sondern beobachtete ihn eine Weile, wie er inmitten seiner Verehrerinnen saß und strahlend ihre Bewunderung und ihre Kuchen entgegennahm.

Später gingen sie zu ihrer Teestube. Schneeregen durchnäßte sie. Ivor fröstelte. »Scheußlich. Und sich vorzustellen, daß das noch *Monate* so gehen wird. Ich hasse den Norden.«

Sie ergriff seine Hand. Seine Finger waren kalt. »Wir wären uns nie begegnet, wenn du nicht hier heraufgezogen wärst.«

»Das stimmt.« Er sah sie lächelnd an. »Selbst die schlimmste Situation hat noch ihre guten Seiten.«

In der Teestube bestellte Ivor Tee und Kuchen. Clemency

war aufgefallen, daß er in der letzten Zeit ein wenig füllig um die Mitte geworden war; der viele Kuchen wahrscheinlich.

Er starrte mit trüber Miene zum Fenster hinaus. »Mein Gott, schau dir das doch an.« Häuser und Bäume standen in tristem Grau und Braun. »Dabei könnte man an den schönsten Orten leben. London fehlt mir wahnsinnig.« Er seufzte. »Wenn Rosalie nicht wäre …«

»Wenigstens hast du schon mal woanders gelebt.«

»Aber dann wegzumüssen …« sagte er ernst. »Etwas zu haben und es dann zu verlieren, das macht die Sehnsucht um so schmerzhafter.«

Clemency stellte die Teekanne mit einem Knall auf den Tisch. »Ich werde wohl mein ganzes Leben in Sheffield sitzen. Das macht mir ja auch nichts aus – es ist schließlich mein Zuhause –, aber zuzusehen, wie die anderen alle gehen, das macht mir was aus. Alle meine Schwestern sind weg, Philip ist im Internat, und James ist jetzt auch ausgezogen. Aidan wird wahrscheinlich demnächst irgendein reiches Mädchen heiraten – ganz bestimmt hat er das vor, er redet ja die ganze Zeit von reichen Erbinnen – und dann ist er auch fort, und ich bin ganz allein.«

»Clemency«, sagte Ivor mit entsetzter Miene. »Du Arme!« Er kramte in seiner Tasche und gab ihr sein Taschentuch.

»Ich werde nie Kinder haben, wo ich doch Kinder so liebe! Das ist das schlimmste dabei, Ivor. Daß ich niemals Kinder haben werde.«

»Na ja, da würde ich jetzt mal noch nicht die Flinte ins Korn werfen«, meinte er gutmütig. »Wie alt bist du, Clemency?«

Sie schniefte. »Fast einundzwanzig.«

»Na also! Da hast du ja noch massenhaft Zeit.«

Seine braunen Augen waren voller Anteilnahme. Sie schneuzte sich. »Macht es dir etwas aus, daß du keine Kinder hast, Ivor?«

»O nein.« Er zündete zwei der kleinen schwarzen Zigaretten an, die er gern rauchte, und reichte ihr eine. »Ich kann Kinder nicht ausstehen. Mir reicht es schon, sie unterrichten zu müssen. Sie machen nichts als Unordnung im Haus.«

»Oh.« Sie hatte immer angenommen, Rosalies Krankheit wäre schuld daran, daß sie und Ivor keine Kinder hatten. Ihr schönster Traum, der Traum von einem Leben mit Ivor und ihren gemeinsamen Kindern in einem idyllischen Häuschen, geriet ins Wanken.

»Und außerdem«, fuhr er fort, »sind Kinder furchtbar teuer. Das Schulgeld und die Arztrechnungen.« Er seufzte. »Wir haben im Moment schon so genug zu kämpfen. Rosalies verflixter Onkel läßt einfach nicht los – nicht, daß ich dem armen alten Mann den Tod wünsche, aber ich meine, wenn man so schwer krank ist, was soll das Ganze dann noch...« Er drückte ihre Hand. »Bitte mach nicht so ein trauriges Gesicht, Clemency, Liebes. Ich kann es nicht sehen, wenn du traurig bist. Du bist sonst immer so vergnügt.«

»Na klar. Mit mir kann man Pferde stehlen«, sagte sie mit plötzlicher Bitterkeit. »Ich glaube, die meiste Zeit merkt überhaupt keiner, ob ich da bin oder nicht. Die denken alle, der Haushalt läuft von selbst. Wenn ich nur etwas täte, was wirklich Bedeutung hat, so wie du, Ivor.«

»Oh, wünsch dir das lieber nicht«, murmelte er. »Talent ist eine *Qual*.«

Einige Tage später kehrte James nach Summerleigh zurück. Es war ganz leicht zu bewerkstelligen gewesen, nachdem Clemency sich die Sache einmal überlegt hatte. Sie ging einfach zuerst zu ihrem Vater und dann zu James und sagte jedem, daß der andere ihn schrecklich vermisse. Eine Weile beruhigten sich die Fronten, ihr Vater gab sich große Mühe, James gegenüber taktvoll zu sein, und James bemühte sich, seinem Vater keinen Anlaß zu Ärger zu geben.

Als Clemency im folgenden Monat zum Nachmittagskonzert ging, fand sie die Damen alle in großer Aufregung im Salon vor. Von Ivor und seinem Cembalo war nichts zu sehen.

Hier und dort schnappte sie im gedämpften Stimmengewirr einen Gesprächsfetzen auf.

»Ganz plötzlich in der Nacht –«

»– keine Zeit mehr, den Arzt zu holen –«

»Der arme Junge, wie wird er damit fertig werden?«

Mrs. Braybrooke trat zu ihr. »Clemency«, sagte sie, »haben Sie es schon gehört? Es ist wirklich traurig. Die arme Rosalie Godwin ist tot. Sie ist in der vergangenen Nacht gestorben.«

Sechs Wochen nach Rosalie Godwins Tod lieh sich Clemency den Wagen ihres Vaters und fuhr in die Hügel hinaus. Sie war vorher noch nie so weit gefahren und hatte neben sich auf dem Sitz vorsorglich eine Straßenkarte liegen. Ein herrliches Gefühl von Freiheit erfüllte sie, als sie die Stadt hinter sich ließ. Nebel hing in den Bergen, und sie spähte scharf konzentriert durch das Grau.

Nachdem sie in Hathersage angehalten hatte, um nach dem Weg zu fragen, folgte sie einer schmalen, gewundenen Straße einen Hang hinauf. Das Haus, in dem Ivor lebte, war groß und aus Stein gebaut. Eine Zypresse beschattete den Eingang.

»Clemency!« rief er, als er ihr die Tür öffnete. Er war in Hemdsärmeln und wirkte etwas verlottert. »Das ist aber eine Überraschung! Du bist extra den langen Weg hier herausgefahren! Das ist großartig von dir. Bei mir schaut's leider ein bißchen wüst aus«, fügte er hinzu, als sie ihm durch einen düsteren Korridor folgte.

Im Wohnzimmer lagen überall Papiere verstreut. »Ich suche verzweifelt nach der Rechnung für die Kohlen«, erklärte er. »Heute morgen bekam ich einen Brief von unserem Händler – einen ziemlich barschen Brief –, daß die Rechnung für das letzte Vierteljahr noch nicht bezahlt sei. Aber ich bin sicher, Rosalie hat sie bezahlt. Sie war in diesen Dingen unheimlich gewissenhaft.«

»Es hat mir so leid getan, als ich das von Rosalie hörte, Ivor.«

»Lieb von dir.« Er kramte in einem Stapel Unterlagen. »Ach ja, die arme Rosalie, aber weißt du, am Ende war es einfach grauenvoll. Ich glaube, es war auch für sie eine Erlösung.«

»Es muß schrecklich für dich gewesen sein. Hast du meinen Brief bekommen?«

»Ja, ich danke dir, Clem.«

Ihr Blick fiel auf ein Blatt Papier auf einem Lehnsessel; sie reichte es Ivor. »Ist das vielleicht die Rechnung, die du suchst?«

»O ja!« Er strahlte. »Wie hast du die nur so schnell gefunden?«

»Ich habe immer auf einen Brief von dir gewartet«, sagte sie.

Sein Gesicht bekam etwas Gehetztes. »Ich hatte soviel zu tun. All das lästige Zeug, das es da zu erledigen gibt! Briefe und Anrufe an Leute, die einen überhaupt nicht interessieren.«

»Ja, natürlich. Ich habe mir nur Sorgen um dich gemacht.«

»Weißt du, es war wirklich schlimm. Die Beerdigung –«

»Hat da alles geklappt?«

»O ja. Aber es war grauenhaft kalt in der Kirche. Ich hatte Angst, ich würde mir eine Erkältung holen.«

»Ach, Ivor, du Armer.« Sie drückte ihm die Hand, und er lächelte dankbar.

»Die Rechnungen und der Haushalt waren immer Rosalies Sache.« Er wirkte gereizt. »Jetzt kommt eine Frau aus dem Dorf und kocht und putzt für mich, aber nachmittags hat sie keine Zeit, weil sie ihre alte Mutter betreuen muß. Man versteht das natürlich, aber manchmal hätte man doch gern eine Tasse Tee…«

»Soll ich dir eine machen, Ivor?«

»Wirklich? Würdest du das tun? Oder« – er holte eine Flasche aus einem Schrank – »vielleicht ist dir ein Schluck Sherry lieber. Der Sherry ist meine Rettung, seit Rosalie tot ist, da hat man nicht immer erst die Umstände mit der Kocherei und dem Geschirr.«

Er goß zwei Gläser Sherry ein. Als Clemency ihr Glas geleert hatte, füllte er es auf. Ihr war ein bißchen, als schwebte sie auf Wolken, und sie war sich nicht sicher, ob es am Sherry lag oder an der Freude darüber, hier, in seinem Haus, mit Ivor allein zu sein.

Sie saßen auf dem Sofa, dem einzigen Möbel, das nicht mit Briefen und Akten beladen war. Er hielt ihre Hand. Als sie sich an ihn schmiegte, legte er den Arm um sie, und sie ließ den Kopf an seine Schulter sinken. »Weißt du eigentlich, daß wir noch nie so lange miteinander allein waren, Ivor? Wir hatten immer nur höchstens eine Stunde für uns.«

»Tatsächlich? Das war mir gar nicht so bewußt. Dann ist das jetzt ja wunderbar.«

Sie fühlte sich so beschwingt, daß sie sich in seinen Armen herumdrehte und ihn auf die Wange küßte.

»Setz dich auf meinen Schoß, Clem«, sagte er. »Rosalie hat immer gern bei mir auf dem Schoß gesessen.«

Sie bemühte sich, vorsichtig zu sein, schließlich war er eher schmächtig und sie recht robust, aber der Sherry hatte sie tolpatschig gemacht, und er ließ einen unterdrückten Aufschrei hören, als sie auf seinen Schoß plumpste. Dann küßte er sie, jeder Kuß eine dieser flüchtig hingehauchten Liebkosungen von Mund zu Mund, die sie so mochte, und dann begann er, ihre Bluse aufzuknöpfen. »Du hast doch nichts dagegen?« fragte er, plötzlich in Sorge, und sie schüttelte den Kopf. Er streichelte und küßte sanft ihren Busen und schob eine Hand ihr Bein hinauf unter ihren Rock. Seine Finger krochen unter den Saum ihrer marineblauen Unterhose, und wieder bekam er dieses besorgte Gesicht: »Hast du auch wirklich nichts dagegen?« Wortlos, ungewiß, was er von ihr wollte, schüttelte sie den Kopf. Er atmete ziemlich heftig, sein Kinn kratzte auf ihrer Haut, als er sie küßte, und sie mußte unwillkürlich an eine Muskatreibe denken. Dann schlängelte er sich plötzlich unter ihr hervor und fuhr sich mit wildem Blick durch die Haare.

»Du mußt es mir ehrlich sagen, wenn du es nicht willst,

Clem«, sagte er. »Aber weißt du, ich habe so lange nicht mehr... Rosalie konnte mir keine richtige Frau sein – ihre Krankheit, verstehst du...«

Sie hatte keine Ahnung, wovon er sprach, aber sie wandte sich ihm mit ausgebreiteten Armen zu. »Ich möchte nur, daß du glücklich bist, Ivor. Du weißt doch, wie sehr ich dich liebe.«

»Liebe Clemency.« Dann sprang er irgendwie auf sie, vergrub sein Gesicht an ihrem Busen, zog ihr den Schlüpfer herunter und drang mit einem Stoß in sie ein. Sie stieß einen kleinen Schrei aus, den er nicht zu hören schien. Sie schrie noch einmal, lauter jetzt, und als sie abwärts blickte, sah sie, daß sein Gesicht ganz verzerrt war – ob vor Lust oder vor Schmerz, konnte sie nicht sagen.

Bald danach rollte er von ihr herunter, und sie zog verstohlen ihre Kleider zurecht, während er zwei seiner kleinen schwarzen Zigaretten anzündete und ihr eine reichte. *»Danke dir«*, sagte er. »Das war so lieb von dir, Clem, meine Süße. Du hast mich wahnsinnig aufgemuntert.«

Sie blieben noch eine Weile auf dem Sofa und rauchten schweigend. »Ziehst du jetzt weg, Ivor?« fragte sie dann.

Er sah sie verblüfft an. »Ob ich wegziehe?«

»Ich dachte, du wirst vielleicht nach London zurückgehen.«

»Hm, ja, vielleicht.« Er schürzte die Lippen. »Aber weißt du, es ist wirklich ärgerlich. Ich habe dir doch von Rosalies Onkel erzählt.«

»Von dem reichen in Hertfordshire?«

»Ja. Heute morgen habe ich von seinem Anwalt die Nachricht bekommen, daß er gestorben ist.«

Noch ein Tod in der Familie, dachte sie. Der arme Ivor. »Aber das ist ja schrecklich!«

»Ja, nicht wahr?« Er schnippte die Asche von seiner Zigarette in eine Untertasse. »Es ist zum Wahnsinnigwerden. Hätte Rosalie nur noch sechs Wochen durchgehalten!«

Sie starrte ihn verständnislos an. »Wie meinst du das?«

»Jetzt erbt Rosalies Vetter das ganze Geld, nicht ich. Ich bin ja kein Blutsverwandter, und das ist das entscheidende. Da wartet man jahrelang, und dann stirbt sie ganz einfach ein paar Wochen zu früh.«

Sie betrachtete forschend sein vertrautes, zartgeschnittenes Gesicht und fragte sich, wie sie das nennen sollte, was sie in den dunkelbraunen Augen wahrnahm. Ärger vielleicht. Oder Groll. Nein, weder noch. Er sah einfach aus, als wäre er persönlich beleidigt.

Sie bemerkte, daß die Knöpfe an ihrer Bluse noch offenstanden, und schloß sie eilig. Ihr tat der Kopf weh, und etwas Warmes, Klebriges haftete unangenehm an der Innenseite ihrer Schenkel. In Ivors Badezimmer wusch sie sich, richtete ihre Kleider und kämmte sich die Haare. Sie fragte sich, ob das, was sie gerade getan hatten, das war, was Ehepaare in ihrer Hochzeitsnacht taten. Wenn ja, dann war ihr schleierhaft, warum so viele Mädchen so versessen aufs Heiraten waren.

Sie ging wieder nach unten.

»Und ich habe dir nicht einmal etwas zu essen angeboten«, sagte Ivor. »Möchtest du vielleicht ein Stück Kuchen, Clemency?«

Sie schüttelte den Kopf. »Ich glaube, ich fahre jetzt besser nach Hause.«

»Ich fange nach Weihnachten wieder mit den Nachmittagskonzerten an. Ich weiß, das ist ziemlich früh, aber die gute Mrs. Braybrooke meinte, es würde mir helfen. Es ist wirklich nett von ihr, sich so zu sorgen.«

»Ich dachte, du würdest dein Konzert schreiben, Ivor. Jetzt, wo du Zeit hast.«

Er seufzte. »Ach, meine Konzentration läßt leider arg zu wünschen übrig. Diese finsteren Gedanken... Und dann die Jahreszeit – in dieser Zeit des Jahres kann ich nie richtig arbeiten. So kalt und unfreundlich.«

Sie küßte ihn auf die Wange. »Auf Wiedersehen, Ivor, du Lieber.«

»Liebste Clemency.« Er sah sie voller Zuneigung an. »Fahr vorsichtig, ja? Die Hügel hier – die steilen Straßen…«

Auf der Rückfahrt nach Sheffield hielt sie auf der Höhenstraße über den Hochmooren an, wo gewaltige Findlinge wie Riesenmurmeln auf den Hängen verstreut lagen. Selbst wenn sie noch gewollt hätte, sagte sie sich, hätte sie Ivor niemals heiraten können. Mutters wegen nicht und aus vielen anderen Gründen nicht. Wer sollte sich um Vater kümmern, wenn sie nicht da war? Wer würde dafür sorgen, daß eine Kanne mit heißem Tee auf ihn wartete, wenn er aus der Firma nach Hause kam? Und wer würde dem Mädchen Anweisung geben, das Feuer in seinem Arbeitszimmer anzuzünden, damit er dort nach dem Abendessen ungestört sitzen und rauchen konnte? Wer würde schlichten, wenn es in der Familie Streit gab? Wer würde die Einkaufslisten für den Lebensmittelhändler, den Fleischer und den Fischhändler schreiben? Wer würde darauf sehen, daß man in der Wäscherei Vaters Kragen richtig stärkte? Sie hatte ihre feste Rolle in dieser Familie und konnte sie nicht einfach niederlegen, ohne den Zusammenhalt zu gefährden. Und wenn sie auch vielleicht die unbedeutendste Maclise war, wenn sie auch niemals schön oder klug oder großartig oder heldenhaft sein würde, so war sie doch *unentbehrlich*.

Was Ivor betraf, so wußte sie jetzt, daß etwas, was für sie von ungeheurer Bedeutung gewesen war, für ihn eine eher untergeordnete Rolle gespielt hatte. Gewiß, sie hatte an seinem Leben teilgehabt, aber eben nur am Rande. Sein leuchtender Mittelpunkt war sie nie gewesen. Aber ganz gleich, was für Fehler er hatte, sie konnte ihm nichts nachtragen, konnte nicht einmal bedauern, was sie an diesem Nachmittag getan hatten, denn Ivor hatte sie es zu verdanken, daß sie eine klarere Einsicht in ihre eigene Situation gewonnen hatte. Zuneigung, Schuld- und Pflichtgefühl hatten Ivor an Rosalie gebunden, wie diese gleichen Gefühle sie noch immer an ihre Mutter banden. Ivors Zuneigung, auch wenn es nie Liebe gewesen war, hatte ihr die Möglichkeit gegeben, ihr Selbstvertrauen wiederzugewinnen, und ihre Liebe zu ihm hatte sie – auch wenn es dieser Liebe, wie sie jetzt erkannte, an Leidenschaft gefehlt hatte – daran erinnert, daß sie tiefer Gefühle fähig war und Liebe brauchte.

Lucas ging daran, die höchstgelegenen und unwegsamsten Regionen seines neuen Landbesitzes zu roden, dort, wo die Bergwand beinahe senkrecht zu einer Spitze emporragte, die die Wolken durchstach. Wenn er mittags nach Hause kam, war sein helles Haar dunkel gefärbt vom Schweiß, und der rotbraune Staub auf seiner Haut vertiefte deren natürliche Sonnenbräune.

Er hatte es gern, wenn Marianne George zu ihm brachte, während er trinkend und rauchend auf der Veranda saß. »Wie geht es ihm heute?«

»Er ist ein bißchen quengelig. Wahrscheinlich kommt gerade ein Zahn durch.«

»Komm zu mir, George.« Lucas winkte seinem Sohn.

George hatte vor kurzem zu laufen angefangen. Er watschelte über die Veranda zu seinem Vater. Die Pistole, die Lucas immer bei sich trug, um nicht von Schlangen oder Tigern überrascht zu werden, lag auf dem niedrigen Tisch neben ihm. George streckte den Arm nach dem schimmernden Perlmuttkolben aus.

»Nein«, sagte Lucas. »Nicht anfassen.«

George schob schmollend die Unterlippe vor und trat ein, zwei Schritte weg. Nadeshan kam mit einer Katastrophenmeldung aus der Küche auf die Veranda heraus. Marianne eilte hinein, um mit dem Küchenjungen zu sprechen: Obst zum Nachtisch sei völlig in Ordnung, sagte sie, wenn der Pudding nicht fest geworden sei. Es lägen noch einige reife Mangos in der Speisekammer. Als sie zur Veranda zurückkehrte, hörte sie Lucas in scharfem Ton sagen: »Ich habe gesagt, du sollst das nicht anfassen!« und sah, wie er George von hinten hart auf die Beine schlug. Im ersten Moment riß George überrascht die

Augen auf, dann ließ er sich plötzlich fallen und begann herzzerreißend zu weinen. Marianne nahm ihn sofort auf den Arm, die Dienstboten verschwanden im dunklen Inneren des Hauses.

»Du hast ihn geschlagen«, fuhr sie Lucas empört an.

»Er muß lernen zu gehorchen.«

»Lieber Gott, Lucas, er ist elf Monate alt!«

»Er muß von Anfang an Disziplin lernen.« Lucas knipste das Ende seiner Zigarre ab. »Sonst wird es später nur um so härter für ihn.«

Sie war so wütend, daß sie nicht sprechen konnte. Lucas wirkte völlig unerschüttert in seiner Ruhe. »Am besten bringst du ihn ins Bett«, sagte er ruhig. »Er muß lernen, daß Eigensinn ihn nicht weiterbringt.«

Im Kinderzimmer wiegte sie George in ihren Armen und redete leise tröstend auf ihn ein, bis sich die Spannung in seinem kleinen Körper löste und das Schluchzen nachließ. Als sie sah, daß er eingeschlafen war, legte sie ihn in sein Bettchen. Seine Beine hatten rote Male von Lucas' harter Hand.

Marianne strich sich automatisch über Kleid und Haar und ging ins Speisezimmer. Erst als sie mit dem Essen fertig und die Dienstboten entlassen waren, sagte sie leise und mit einer Stimme, in der mühsam beherrschter Zorn zitterte: »Wenn du George noch einmal schlägst, verlasse ich dich, Lucas. Das verspreche ich dir. Ich lasse nicht zu, daß du ihm weh tust. Wenn du ihn noch einmal anrührst, gehe ich zurück nach England und nehme ihn mit. Und du wirst ihn nie wiedersehen, so wahr ich hier stehe.«

Einige Tage später kam Ralph Armitage zu Besuch. Am Abend beim Essen unterhielten er und Lucas sich über Geschäftliches. Von den Teepreisen führte das Gespräch schließlich zu den Schwierigkeiten mit dem neuen Stück Land.

»Uns bleiben immer noch ungefähr hundert Morgen, die gerodet werden müssen. Wir brauchen länger, als ich erwartet habe.« Lucas füllte die Gläser neu auf.

Armitage rülpste. »Aber davon werden Sie sich doch nicht unterkriegen lassen, Melrose.«

»Nein, bestimmt nicht. Ich lasse mich von nichts – und niemandem – unterkriegen. Aber das Terrain ist schwierig zu bearbeiten.« Er lächelte dünn. »Man könnte sagen, das war die Mitgift meiner Frau. Dreihundertfünfzig Morgen schwieriges Terrain. Dafür habe ich in unserem guten alten England Monate der Langeweile ertragen. Habe ich Ihnen mal von meiner Reise ins Mutterland erzählt, Armitage? Von den endlosen Teegesellschaften, wo verwöhnte und überfütterte Frauen sich über die Mißstände im Land ausließen, von den faden Abendessen, wo ich mit zwanzig hohlköpfigen Müßiggängern am Tisch sitzen mußte –«

Marianne hatte genug. »Wie bissig du sein kannst, Lucas! Wie kritisch allem und jedem außer dir selbst gegenüber!«

Sein Lächeln sah aus wie ein Zähnefletschen. »Nun, das ist doch immerhin etwas, was wir gemeinsam haben, Marianne. Den kalten, kritischen Blick. Das Haus, in dem wir uns zum erstenmal begegnet sind, der Landsitz der Merediths, Rawdon Hall – gib es zu, du hast es so scheußlich gefunden wie ich. Ich habe es dir am Gesicht angesehen. Darum bist du mir ja aufgefallen. Ich habe sofort gesehen, daß du die einzige im Saal warst, die dachte wie ich.« Er wandte sich Ralph Armitage zu. »Tja, rührende Geschichten von ersten Begegnungen«, sagte er ironisch.

»Hm«, brummte Armitage und bedeutete dem *boy* mit einem Fingerschnalzen, ihm noch vom Reis und vom Kompott zu bringen.

»Ich kann Ihnen nicht sagen, wie froh ich war, wieder nach Hause zu kommen.« Unter gesenkten Lidern hervor sah Lucas Marianne an. »Aber möglicherweise sehnst du dich ja vielleicht nach England, meine Liebe?«

»Ja, manchmal fehlt es mir«, sagte sie kurz.

»Warum?«

»Weil ich es liebe. Ich liebe meine Heimat.«

»Faszinierend.« Lucas' Augen glitzerten. »Dann sag mir doch, Marianne, was du am englischen Charakter am meisten bewunderst. Die Überheblichkeit vielleicht, mit der der Engländer den Angehörigen der unterworfenen Völker gegenübertritt?«

»Natürlich nicht. Kein vernünftiger Mensch –«

»Seine Gier? Seine Neigung, sich zu nehmen, was ihm gefällt? Oder glaubst du, die Briten hätten das ceylonesische Hochland von den ansässigen Bauern, die es einmal bewirtschaftet haben, *gekauft*? Wenn ja, dann täuschst du dich, meine Liebe, wir haben es ihnen mit Gewalt genommen und dann an den Höchstbietenden verschachert.«

Er will mir den Boden unter den Füßen wegziehen, er will mir den Glauben an alles, was mir wichtig ist, rauben, dachte sie. Wehr dich, Marianne. Laß ihm nicht einfach alles durchgehen. »Selbst wenn das stimmt«, entgegnete sie, »haben wir dafür doch auch Ceylon vieles gegeben. Die Straßen, die Eisenbahnen –«

»Da hat sie recht, Melrose«, mischte sich Ralph Armitage ein und schaufelte den letzten Rest seines Puddings in sich hinein. Wäre sie nicht zugegen gewesen, dachte Marianne angewidert, hätte er wahrscheinlich die Schüssel ausgeleckt. Als er fertig war, lehnte er sich mit gespreizten Beinen auf seinem Stuhl zurück, so daß das geöffnete Jackett über seinem überhängenden Bauch auseinanderfiel. Er drohte Lucas spielerisch mit dem Finger. »Vergessen Sie nicht, daß die Briten diesem verdammten Land hier die Zivilisation gebracht haben.«

»Es gab schon eine singhalesische Kultur, als unsere Vorfahren noch ewig streitende heidnische Stämme waren. Im Norden gibt es hier Überreste alter Städte mit großen Gärten, Brunnen und Bewässerungsanlagen. Sie wurden gebaut, als deine Vorfahren noch in den Ruinen verlassener römischer Villen herumgekrochen sind und etwas zu essen gesucht haben, Marianne, und meine sich blau angemalt und in Tierfelle gekleidet haben.«

Lächelnd lehnte sich Lucas zurück. »Dein Glaube an den unvergleichlichen Edelmut deines Heimatlandes ist zwar ganz rührend, aber leider völlig fehl am Platz. Nicht, daß ich irgend etwas ändern wollte. Es muß immer Gewinner und Verlierer geben, und ich bin entschlossen, zu den Gewinnern zu gehören. Natürlich habe ich dem Empire einiges zu verdanken. Wäre mein Großvater brav in Schottland geblieben, dann wäre ich heute nichts weiter als ein verarmter Schafzüchter.« Er winkte Nadeshan, die Gläser aufzufüllen. »Tja, das ist etwas, was ich mit deinem früheren Ehemann gemeinsam habe, nicht wahr, Marianne? Auch die Leightons haben ihr Vermögen den Kolonien zu verdanken.« Ein irritiertes Stirnrunzeln. »Nur – bitte, berichtige mich, wenn ich mich irre – stammt der Reichtum der Familie Leighton aus trüberen Quellen, soweit ich unterrichtet bin.«

Sie starrte ihn an. »Ich weiß nicht, was du meinst.«

»Würdest du sagen, daß dein geliebter Arthur ein guter Mensch war, Marianne?«

»Aber natürlich.«

»Die Geschäfte der Familie Leighton – hilf mir auf die Sprünge, Marianne.«

»Sie haben eine Reederei«, sagte sie kurz.

»Und davor?«

»Zuckerhandel. Aber ich verstehe nicht –«

»Ah ja, Zuckerhandel«, sagte er langsam. »Mit anderen Worten, die Leightons haben ihr Geld mit Sklavenarbeit gemacht.«

»Nein –«

Er riß übertrieben die Augen auf. »Aber das muß dir doch klar gewesen sein!«

Es war ihr nicht klar gewesen. Wenn sie ehrlich war, hatte sie an eine solche Möglichkeit nie gedacht. »Ich habe nicht darüber nachgedacht –«

»Nein«, murmelte er. »Das scheint eine Angewohnheit von dir zu sein. Was glaubst du denn, wer auf den Zuckerplanzungen die Arbeit getan hat? Schwarze Sklaven natürlich, die man mit Gewalt aus ihren Dörfern in Afrika entführt und in wahren Höllenschiffen über den Atlantik transportiert hat. Hat Arthur es nie für nötig gehalten, das zu erwähnen?«

»Nein«, flüsterte sie.

»Soll ich dir mal erzählen, was die Zuckerpflanzer mit ihren Sklaven gemacht haben? Wie sie die Frauen vergewaltigt haben? Wie sie sie aufgehängt und ausgepeitscht haben?«

»Lassen Sie's gut sein, Melrose«, brummte Ralph Armitage. Seine wäßrigen blauen Augen flackerten. »Lassen Sie's gut sein.«

Einen Moment blieb es still. Dann lachte Lucas. »Verzeihen Sie, ich wollte lediglich auf eine allgemein ethische Frage hinaus. Kann jemand aus dem Leiden anderer Gewinn schlagen und dennoch als guter Mensch betrachtet werden?«

»Keiner von uns kann sich seine Vorfahren aussuchen, Lucas«, fuhr sie ihn an und sah, wie sich sein Gesicht verschloß. Innerlich triumphierte sie, ihre Worte hatten ihn getroffen.

Ralph Armitage sagte vage: »Na ja, das ist nun mal der Lauf der Welt. Wir und die Schwarzen, meine ich. Einer wird immer oben sein, und warum dann nicht wir, ha, ha, ha?«

»Ich sehe nicht ein, warum immer einer oben sein muß. Warum eine Rasse die andere beherrschen soll –«

»Du meine Güte, Marianne, spar dir dieses Sonntagsschulgewäsch. Nicht mal von dir hätte ich so was erwartet.« Lucas verzog höhnisch den Mund. »Natürlich hat Ralph recht. Wenn wir nicht die Oberhand hätten, säßest du jetzt nicht hier. So einfach ist das. Oder würdest du vielleicht lieber in den Kulihütten leben?«

Sie dachte an die Holzhütten mit den Wellblechdächern und die tamilischen Frauen, die sich selbst, ihre Kinder und ihre Kleider zusammen mit allen anderen am Bach zu waschen pflegten. Sie dachte an den fortgesetzten unangenehmen Mangel an Komfort und Intimität. »Nein«, murmelte sie.

»Dachte ich mir's doch.« Wieder lächelte er. »Wenn wir nicht brutal sind, sind wir schwach. Wir alle – ich, Ralph, sogar dein heiliger Arthur – haben etwas von der Bestie in uns.«

»Nein!« Aber sie mußte an die Postkarten denken, die sie in Arthurs Schublade gefunden hatte, mit den Bildern dieser drallen nackten Mädchen mit den einfältigen, leeren Gesichtern.

Lucas hob sein Glas. »Trinken wir auf meine Frau. Zum Dank dafür, daß sie mir das Glencoe-Land gekauft hat.«

Die Männer stießen an. »Trinken Sie nicht, Mrs. Leighton?« fragte Ralph Armitage.

Marianne schüttelte den Kopf.

»Mein Frau hält nichts davon, sich gehen zu lassen. Sie ist immer sehr korrekt, nicht wahr, Marianne? Sogar hier draußen im Urwald. Trotzdem habe ich das bessere Geschäft gemacht, meinen Sie nicht auch, Ralph?«

»Was?« fragte Armitage verwirrt.

»Die Ehe für das Land«, sagte Lucas.

»Oh! Ja. Zweifellos.« Ralph Armitages verständnisloser Blick blieb an Marianne haften. »Sie sind ein Glückspilz, Melrose.«

»Gefällt Ihnen meine Frau?«

»Sie würde jedem Mann gefallen, der nicht gerade ein kalter Fisch ist.« Armitage neigte sich Marianne zu. Sein breites Gesicht war hochrot, sein Lächeln voll lüsterner Bewunderung. Sie wich zurück.

»Sie hat nur einen Fehler.« Marianne stand halb auf. Lucas sah sie an. »Du gehst nicht, Marianne. Setz dich wieder hin. Unser Gast ist noch beim Essen.«

Seine Stimme hatte einen warnenden Unterton. Marianne sank wieder auf ihren Stuhl. Als er sich ihr zuwandte, sah sie die Nacht in seinem Blick.

»Meine Frau ist kalt«, sagte er. »Habe ich Ihnen das schon gesagt, Armitage?«

»Äh? Was?« Mit glasigem Blick schaute Armitage auf. Er

lachte verlegen. »Na, das geht mich ja wohl kaum etwas an, alter Junge.«

»Seit der Geburt unseres Kindes ist fast ein Jahr vergangen. Lange genug, finden Sie nicht?«

Mit hämmerndem Herzen schaute Marianne um sich. »Lucas! Die Angestellten –«

Er schickte sie mit einer kurzen Geste hinaus, und sie erkannte, daß sie einen Fehler gemacht hatte. Als die Dienstboten weg waren, fühlte sie sich noch mehr allein. Ihr war eiskalt, und ihre Nerven waren bis zum äußersten gespannt.

»Es stört dich doch nicht, wenn ich unsere kleinen Probleme mit einem alten Freund bespreche, Marianne?« murmelte Lucas. »Ich dachte, Ralph hätte uns vielleicht einen Vorschlag zu machen. Oder sogar – ha, das ist ein großartiger Gedanke – praktische Hilfe. Da du *mich* ja offenbar nicht anziehend findest. Vielleicht ist dir Armitage lieber.«

Marianne erstarrte. Ralph Armitage riß ungläubig die Augen auf. Um Lucas' Mund spielte ein Lächeln. »Sie sagten doch, daß sie Ihnen gefällt, Ralph.«

»Guter Gott!« sagte Armitage, bei dem jetzt auf den Schock die Begierde folgte.

So weit würde er doch nicht gehen! Sie war kaum fähig, den Gedanken zu formulieren. »Lucas, bitte«, flüsterte sie. »Hör auf, ich bitte dich.«

In der Stille hörte sie das Sirren einer Mücke und von draußen einen Vogelruf. Dann brach Lucas die Spannung.

»Du lieber Himmel, was denkt ihr beide denn? Ich hüte meine Besitztümer wie meinen Augapfel, das wißt ihr doch. Ich müßte schon sehr, sehr böse auf dich sein, Marianne, um dich mit einem anderen zu teilen. So, jetzt lauf, und laß uns unsere Ruhe.«

Ihre Hände zitterten so heftig, daß sie kaum den Knauf an ihrer Zimmertür drehen konnte. Drinnen ließ sie sich zu Boden fallen. Dann fuhr sie unvermittelt in die Höhe, griff nach dem Schlüssel und sperrte ab.

Jedes Knarren einer Diele, jedes noch so leise Klirren einer Fensterscheibe ließ sie in dieser Nacht aufschrecken. Zum erstenmal machte die ceylonesische Nacht ihr angst. Ihre Geräusche, der Flügelschlag eines Vogels, der Schrei eines Affen, schienen ihr das Chaos des Urwalds ins Zimmer zu tragen. Was hatte Mr. Salter gesagt? *Man kann es sich nicht vom Leib halten – es läßt einen nie in Ruhe.*

Erst gegen Morgen schlief sie endlich ein. Als sie schließlich aufstand, wartete Lucas auf der Veranda. Sie schaute sich nach Ralph Armitage um, aber der war nicht mehr da.

»Er ist weg. Ich habe ihn weitergeschickt«, sagte Lucas. »Er ist ein Idiot. Und lästig dazu.« Sein Ton war trocken und kalt. Er sah, dachte sie, so erschöpft aus, wie sie selbst sich fühlte. Dann sagte er langsam: »Du hast mir gedroht, Marianne. Ich mag es nicht, wenn man mir droht.«

Sie senkte den Kopf, sprechen konnte sie nicht.

»Wir werden bestens miteinander auskommen, solange wir einander aus dem Weg gehen. Das siehst du doch wohl ein, nicht wahr?«

»Ja, Lucas«, stieß sie flüsternd hervor.

»Also, keine Drohungen mehr, daß du mich verlassen willst. Und ich will nie wieder – nie wieder! Verstanden? – ein Wort davon hören, daß du mir George wegnehmen wirst.«

Sie nickte stumm. Er lächelte. »So, und wo ist jetzt mein Sohn?«

13

Im Winter 1913/14 hatte Ash oft das Gefühl, es ginge alles zu schnell, gerate rasend außer Kontrolle, drohe auseinanderzubrechen und vor seinen Augen zu zerfallen. In Irland, wo sich Sir Edward Carsons Unionisten zum Kampf gegen die Irish Volunteers unter Führung von Eoin MacNeill rüsteten, drohte der Bürgerkrieg. Eine militärische Konfrontation schien unausweichlich zu sein. Waffen und Munition fanden ihren Weg zu beiden Parteien. Im März weigerte sich eine in Ulster stationierte Brigade der britischen Armee, gegen Landsleute anzutreten.

Die Proteste der Frauenrechtlerinnen wurden noch erbitterter. Emmeline Pankhurst wurde festgenommen, als nach einer Rede, die sie in Glasgow gehalten hatte, Unruhen ausbrachen. Wenig später zerschnitt die Suffragette Mary Richardson aus Rache das Bild der Rokeby Venus in der Nationalgalerie. Es entbehrte nicht einer gewissen Logik, fand Ash: der glatte, nackte Körper der Odaliske, die männliche Vorstellung weiblicher Vollkommenheit, von einer Frau entweiht, die etwas anderes wollte, etwas Neues.

Im Hintergrund war, wie fernes Donnergrollen, das Rumoren anderer, gefährlicherer Entwicklungen zu vernehmen: Serbiens Streben nach Autonomie; der verzweifelte Kampf der zerfallenden Donaumonarchie um die Bewahrung ihrer Einheit; Deutschlands zunehmende militärische Stärke; das Wiederaufflammen von Frankreichs altem Haß auf den mächtigen Nachbarn und Großbritanniens wachsende Sorge um sein Empire, das dringend als Abnehmer der Produkte aus den

Baumwollspinnereien in Lancashire und der Stahlwerke in Yorkshire gebraucht wurde, seine hochgradige Empfindlichkeit allem gegenüber, was eine Bedrohung der Handelswege nach Indien bedeuten könnte. Ein gefährliches Gemisch, dachte Ash mit Unbehagen; ein Gemisch, bei dem wahrscheinlich ein Funke genügte, um die Explosion herbeizuführen.

Er selbst hatte andere Sorgen, die ihn unmittelbarer betrafen. Am meisten bedrückte ihn natürlich die Sache mit Iris. Sie hätte ihm nicht deutlicher zu verstehen geben können, daß er ihr nichts bedeutete. Während der ganzen ersten Hälfte des Winters packte ihn eine schwarze, alles verzehrende Wut, wenn er an sie dachte. Zum Teil galt die Wut ihm selbst, dafür, daß er so dumm gewesen war zu glauben, sie brächte ihm tiefere Gefühle entgegen. Zum Teil war sie mit Eifersucht auf den unbekannten Dummkopf gemischt, dem sie jetzt den Kopf verdreht hatte.

Im November wurde sein Vormund krank. Von nun an fuhr er jeden Freitagabend mit dem Zug nach Cambridge, um an den Wochenenden für Emlyn da sein zu können. Nach einigen Monaten kam er sich vor wie ein Jongleur, der eine ungeheuer schwierige Nummer zu bewältigen hatte, eine Vorführung, wie man sie vielleicht im Hippodrom zu sehen bekam, bei der Teller kreisten und gleichzeitig bunte Reifen durch die Luft flogen. Es mußte einfach etwas schiefgehen. Seine Arbeit, Emlyn, seine politischen und pädagogischen Arbeitskreise – niemals hätte er das alles zugleich schaffen können, dachte er oft, wenn Thelma nicht gewesen wäre. Sie führte an den Wochenenden, wenn er nicht in London war, den Hund aus. Sie half ihm an kalten, regnerischen Abenden, Flugblätter zu verteilen. Sie brachte Tüten mit Obst und Gemüse aus dem Laden mit, wenn er wieder einmal vergessen hatte, etwas einzukaufen.

Sein Vormund starb im April 1914. Nach der Beerdigung gab es in Emlyns Haus in Grantchester noch ein Mittagessen für die Trauergäste, bevor sie sich einer nach dem anderen verabschiedeten. Ash gab der Haushälterin und dem Mädchen den Rest des Tages frei. Als alle weg waren, ging er in den Garten hinaus. Die Luft war frisch, gelb nickten die Narzissen im Wind, und die Äste der immergrünen Sträucher raschelten leise.

Er ging zum Fluß hinunter, wo die Brise kleine Wellen aufpeitschte und die tief herabhängenden Zweige der Trauerweiden ins dunkle Wasser tauchte. Er erinnerte sich an den Tag, an dem er hier angekommen war. Er war acht Jahre alt gewesen und hatte gerade seine Eltern verloren. Er hatte nicht um sie getrauert, weil er sie kaum gekannt hatte; sie waren immer auf Reisen gewesen, um ihn hatten sich Kinderfrauen und Erzieherinnen gekümmert. Er hatte keine Angst vor der tiefgreifenden Veränderung in seinem Leben gehabt und die Eisenbahnreise nach Cambridge, die Droschkenfahrt nach Grantchester und seine Ankunft in dem großen, weitläufigen Haus als ein großes Abenteuer erlebt. Trotz seiner Einsamkeit war er glücklich gewesen. Emlyns Geduld und Toleranz waren grenzenlos gewesen. Es war für einen Junggesellen, der schon in den Vierzigern war, etwas Außergewöhnliches gewesen, ein Zeugnis unglaublicher Großherzigkeit, aus alter Zuneigung zu einem ehemaligen Freund dessen Kind bei sich aufzunehmen. Ash strich sich mit den Fingern über die Augenlider und spürte die Nässe seiner Tränen.

In der Rückschau schien ihm, als hätte er als kleiner Junge nur vor wenigen Dingen Angst gehabt. Mehr als einmal wäre er beinahe in der Granta ertrunken; er hatte sich bei einem Sturz vom Dach des Gartenhauses einen Arm gebrochen, später einen Knöchel, als er von einer Mauer gefallen war. Nicht einmal die Gespenster, die er damals im Haus geglaubt hatte, hatten ihm angst machen können. Aber in den Wochen, nachdem er von Emlyns bevorstehendem Tod erfahren hatte, hatte er gespürt, wie Furcht von ihm Besitz ergriffen hatte. Während er durch das Haus streifte, gelang es ihm nicht, ein tiefes Gefühl der Einsamkeit abzuschütteln. Im Zwielicht zeigten sich dunkle Schatten in den Zimmerecken, ein Schimmelfleck auf der Tapete, die fadenscheinige Armlehne eines Sessels. Jetzt waren auf einmal Gespenster da: In einem fernen Korridor schlug eine Tür zu, der Knall erschreckte ihn. Es fehlte etwas; die Leere drückte ihn nieder.

Er fuhr nach London zurück, nahm sein Alltagsleben wieder auf. Seine Arbeit, seine Versammlungen und seine Freunde nahmen die Tage und die Abende in Anspruch, so daß ihm keine Zeit zum Nachdenken blieb. Trotzdem mußte er trinken, um nachts schlafen zu können, und manchmal, wenn er früh am Morgen erwachte, wenn auf der Straße draußen nichts zu hören war als der schwerfällige Hufschlag des Pferds, das den Milchwagen zog, war sie wieder da, die Furcht, die er nicht benennen konnte.

Eines Abends kam Thelma vorbei. »Bist du allein, Ash?«

»Fred und Charlie waren da, aber ich habe sie weggeschickt.«

Sie schien plötzlich Zweifel zu bekommen. »Soll ich lieber auch wieder gehen?«

Er schüttelte den Kopf. »Nein, natürlich nicht.«

Sie folgte ihm in die Küche. »Unsere Nachbarin ist bei Vater. Sie machen ein Puzzle. Ich hasse Puzzlespiele. Es ist doch blöd, etwas erst zu zerstören und es dann wieder zusammenzusetzen. Was soll das?«

Er bot ihr Tee an, doch sie sagte: »Ich hätte lieber davon etwas.« Auf dem Tisch stand eine Flasche Scotch.

Er goß ihr etwas ein. Ihm fiel auf, daß sie Puder und Lippenstift aufgelegt hatte und unter dem Mantel ein grünes Kleid trug, das die Farbe ihrer Augen zur Geltung brachte.

»Mußt du wieder nach Cambridge zurück?« fragte sie.

»Ja, ziemlich bald schon. Da gibt's noch eine Menge zu ordnen.«

»Es ist deprimierend, die Sachen von jemandem durchzugehen, der gerade gestorben ist. Ich weiß noch, wie ich die Sachen von meiner Mutter aussortiert habe – das war, als würde ich Teile von ihr in den Müll werfen.«

»Ja, genauso ist es. Ich wollte eigentlich gleich nach der Beerdigung das meiste erledigen, aber es war so einsam im Haus. Ich sollte dieses Wochenende wieder hinfahren.«

»Wohnt da noch jemand?«

»Nur die Haushälterin.«

»Und was wird aus dem Haus?«

»Es gehört jetzt mir. Emlyn hat es mir hinterlassen. Ich werde mir wohl überlegen müssen, was ich damit anfangen will.«

Sie musterte ihn scharf. »Hast du vor, dorthin zu ziehen? Nach Cambridge?«

»Ich habe mich noch nicht entschieden. Vielleicht.«

»Ist es ein schönes Haus?«

»Wunderschön. Sehr ruhig. Direkt am Fluß.«

»Ist es groß?«

Er nickte. »Ziemlich groß, ja.«

»Ich versteh gar nicht, was du da noch überlegen mußt«, platzte sie heraus, »wenn du die Möglichkeit hast, in so einem Haus zu leben.«

»Entschuldige.« Er schämte sich plötzlich, als er den Flicken auf dem Ellbogen von Thelmas Mantel sah und die abgestoßenen Kappen ihrer sauber geputzten Schuhe. »Ich habe mich wohl angehört wie ein verwöhnter Fratz.«

Sie stand mit dem Rücken zu ihm am Spülstein und schaute durch das Fenster zu den rußgeschwärzten Mauern der Häuser gegenüber. Nach einem Schweigen sagte sie: »Nein, *ich* muß mich entschuldigen. Wie komme ich dazu, dich anzufahren, wo du es gerade so schwer hast.« Sie drehte sich nach ihm um und lächelte. »Ich fände es nur schrecklich, wenn du fortgingst, Ash.«

»Ach ja, die Gegend hier würde mir fehlen.«

»*Du* würdest mir fehlen.« Und dann küßte sie ihn. Ihre Lippen streiften seine Wange, dann seinen Mund. Leise sagte sie: »Würde ich dir auch fehlen, nur ein kleines bißchen?«

Er hatte plötzlich einen ganz trockenen Mund. Es schien so

lange, so endlos lange her zu sein, daß er das letzte Mal eine Frau geküßt, in den Armen gehalten hatte. Der Winter war von Krankheit und Tod gezeichnet gewesen; er mußte mit jemandem zusammensein, der jung und lebendig war, der ihm das Gefühl geben konnte, noch am Leben zu sein. Irgend etwas in seinem Inneren warnte ihn, aber sie hatte sich schon an ihn gedrängt, und er spürte den weichen Druck ihrer vollen Brüste an seinem Körper und roch den Duft ihrer Haut und ihres Haars. Sie zog ihre Fingerspitzen seinen Rücken hinauf, und er empfand ein wohliges Schaudern. »Natürlich würdest du mir fehlen«, flüsterte er.

»Zeig es mir. Zeig mir, wie sehr ich dir fehlen würde, Ash. Küß mich richtig. Nur einmal.« Sie lächelte. »Du bist mir was schuldig, Ash. Für die ganzen verflixten Flugblätter.«

Ihre Lippen waren weich und einladend, ihre Zunge suchte die Öffnung seines Mundes. Sie schlängelte sich aus ihrem Mantel und ließ ihn zu Boden fallen. Dann begann sie, die Knöpfe an ihrem Kleid zu öffnen. »Du solltest dein Gesicht sehen!« rief sie lachend. »Ist schon gut. Ich hab's schon mal gemacht. Charlie und ich, wir wollten eigentlich heiraten.«

Das grüne Kleid fiel auf den Mantel. Er sah die satte Rundung von Brüsten und Hüften, die schmale Einbuchtung der Taille, den zentimeterbreiten Streifen weißer Haut zwischen Schlüpfer und schwarzen Strümpfen. »Ich mag dich sehr, Ash«, sagte sie und hatte wieder den vertrauten trotzigen Blick in den Augen. »Wahrscheinlich sollte ich das nicht sagen. Als Frau darf man einem Mann ja nicht sagen, wie gern man ihn hat. Aber mir ist das egal. Du brauchst keine Angst zu haben. Es ist nicht so, daß ich dich abgöttisch liebe oder so was. Ich möchte nur ein bißchen Spaß haben.« Ihr Gesicht wurde weich, und sie breitete die Arme aus. »Komm schon. Den Rest machst du. Du willst doch, oder?«

Ja, er wollte. Sein Verlangen nach ihr verdrängte jeden anderen Gedanken. Anfangs stellten sich seine Finger ungeschickt an, als er daranging, die verzwickten Verschlüsse von

Unterröcken, Hemd und Korsett zu öffnen. Dann aber übernahmen Instinkt und Begierde die Führung, und er wußte genau, was er wollte. Als er ihre Schenkel auseinanderdrückte, um in sie einzudringen, beherrschte ihn nur der Trieb, sein Verlangen zu stillen.

Er schlief tief und fest in dieser Nacht. Am Morgen, als er erwachte, erinnerte er sich der vorangegangenen Ereignisse mit einem Gefühl der Ungläubigkeit. Nachdem sie sich angezogen und frisch gemacht hatte, hatte Thelma gesagt: »Ich geh jetzt besser nach Hause, sonst macht Vater sich Sorgen.« Dann hatte sie ihn allein gelassen.

Zwei Tage später klopfte es abends bei ihm. Ein Mann in einem abgewetzten Mantel stand vor der Tür. Er hob die Hand grüßend an die Mütze, als er Ash sah. »Entschuldigen Sie die Störung, Mister, aber mir hat jemand gesagt, daß Sie vielleicht einen Happen zu essen für mich haben.«

»Wenn Ihnen Brot und Käse reichen, Mr. ...?«

»Hargrave. Frank Hargrave. Ich wär für alles dankbar.« Er fröstelte. »Würden Sie mich wohl einen Moment reinlassen, Mister? Ich hab die letzten Nächte im Freien geschlafen. Ich bin durchgefroren bis aufs Mark.«

Ash führte Hargrave ins Wohnzimmer und ließ ihn vor dem Feuer zurück, während er in die Küche ging, um Brot und Käse einzupacken. »Hier.« Er gab Hargrave das Päckchen.

»Gütigsten Dank, Sir.« Hargrave, der schon auf dem Weg zur Haustür war, tippte sich wieder an die Mütze.

»Ich gebe Ihnen die Adresse von zwei Herbergen.« Ash suchte Stift und Papier. »Sie sind nicht gerade so fein wie das Ritz, aber –«

Er hörte die Haustür zufallen. Hargrave war gegangen. Ash sah mit zusammengekniffenen Augen auf seinen Schreibtisch hinunter. Sein Füllfederhalter hätte dasein müssen; er hatte am Schreibtisch gearbeitet, als der Mann geklopft hatte. Vielleicht war er hinuntergefallen, er bückte sich, um nachzusehen. Als er sich wieder aufrichtete, merkte er, daß der Füllfederhalter nicht das einzige war, was fehlte. Das Glas auf dem Kaminsims, in dem er das Kleingeld aufbewahrte, war jetzt leer. Emlyns Foto war vom Bücherregal verschwunden, vermutlich wegen des silbernen Rahmens gestohlen. Seine Jacke hing über der Stuhllehne, hastig schob er die Hand in die Tasche und stellte fest, daß auch seine Brieftasche weg war.

Auch sein Fotoapparat stand nicht mehr am gewohnten Platz in der Ecke des Zimmers. Dieser Mistkerl hatte seinen Fotoapparat gestohlen. Voller Wut stürzte er auf die Straße hinaus. In der Ferne konnte er Hargrave erkennen, der mit dem Fotoapparat über der Schulter die Aldgate High Street hinaufging. Er begann zu laufen.

Hargrave drehte sich herum, als er die Schritte hörte.

»Geben Sie mir meine Sachen zurück«, verlangte Ash.

Der andere lächelte. »Tut mir leid. Kommt nicht in Frage.« Der bettelnde weinerliche Ton war wie weggeblasen, ebenso die devote Haltung.

»Ich sagte, *geben* Sie mir die Sachen!«

Hargrave schien zu überlegen. »Das hier können Sie haben. Ist zu schwer. Hab keine Lust, das durch die Pfandleihen zu schleppen. Fangen Sie!«

Er warf den Fotoapparat absichtlich so, daß Ash ihn nicht erreichen konnte. Ash hörte Glas splittern, Metall scheppern, als er auf das Straßenpflaster aufschlug.

»Sie Schwein!«

Hargrave spie aus. »Willst du das andere Zeug auch noch? Dann hol's dir doch.« Ein Messer blitzte. Hargrave trat einen Schritt näher. »Die anderen haben mir erzählt, bei dir ist was zu holen.« Das Messer tänzelte. »Du wärst ein leichtgläubiger Trottel, haben sie gesagt.«

Er zweifelte nicht, daß Hargrave das Messer mit Vergnügen benutzen würde. Er war allein, die Türen in der Nähe hatten sich geschlossen, die Passanten das Weite gesucht. Furcht mischte sich in seinen Zorn, und er sagte: »Behalten Sie das verdammte Zeug.« Hargraves höhnisches Gelächter begleitete ihn, als er sich bückte und sorgsam die Einzelteile des zerbrochenen Fotoapparats auflas.

Zum erstenmal seit er in sein Haus gezogen war, sperrte er von innen ab. Dann schenkte er sich ein großes Glas Scotch ein. *Ein leichtgläubiger Trottel*! Hargraves spöttische Worte hingen ihm nach, als er den beschädigten Fotoapparat untersuchte.

Er erinnerte sich an den Tag, an dem er Iris gezeigt hatte, wie man fotografierte. Er dachte an die blühenden Bäume im Obstgarten von Summerleigh und die weißen Kleider mit den farbigen Schärpen. Später hatte er die vier Schwestern fotografiert. Er erinnerte sich an Iris' Blick, der ihn herauszufordern schien, sie zu erobern.

Er mußte wieder an seine erste Begegnung mit ihr denken, als sie ihm den Hügel hinunter auf ihrem Fahrrad entgegengesaust war. Ihr Rock war zu einer rosafarbenen Wolke gebläht gewesen, und das blonde Haar hatte ihr Gesicht wie Sonnenglanz umrahmt. Sie war für ihn das schönste Mädchen gewesen, das er je gesehen hatte. Und daran hatte sich nichts geändert.

Mit einem Aufstöhnen ließ er sich auf seinen Stuhl fallen und stützte den Kopf in die Hände. Er hätte gern gewußt, ob Iris eine innere Distanz bei ihm gespürt hatte, diese innere Verschlossenheit, in der Kinder sich üben, die niemanden haben, keine Eltern oder Geschwister, und die bis ins Erwachsenenalter meinen, allein zurechtkommen zu müssen. Waren das wirklich Freunde, diese Leute, mit denen er sein Haus bevölkerte? Oder benützte er sie nur, um die Stille zu bannen? Hatte er, dem Nähe nichts Vertrautes war, Intimität gemieden und weniger riskante Beziehungen vorgezogen? Ende des Jahres würde er dreißig werden, und er hatte weder Frau noch Kind, weder Eltern noch Geschwister. Er wußte, daß die Melancholie, die ihn seit Emlyns Tod beschwerte, der Angst entsprang, daß er sich in zwanzig oder dreißig Jahren umsehen und allein dastehen würde.

Die Sache mit Thelma machte ihn zornig auf sich selbst, und er bedauerte, daß er es so weit hatte kommen lassen. Auch sie hatte er benützt. Sie den Hund ausführen zu lassen war etwas ganz anderes, dachte er voller Verachtung, als mit ihr ins Bett zu gehen. Er liebte sie nicht. Er liebte Iris, vermißte sie, sehnte sich nach ihr. Er mußte es riskieren und ihr die Wahrheit bekennen, mußte ihr sagen, daß er sie liebte und begehrte. Er mußte um sie kämpfen, er mußte wissen, ob er zu lange gezögert hatte.

Abends schloß Marianne ihr Zimmer ab. Nur für den Fall.

Aber er kam nicht. Manchmal glaubte sie, sie müsse sich die kaum verschleierte Drohung eingebildet haben. Manchmal glaubte sie, sie müsse sich getäuscht oder Lucas' Worte falsch aufgefaßt haben. Irgendwie war sie in letzter Zeit oft so durcheinander. Dinge, an die sie einmal felsenfest geglaubt hatte – ihr Heimatland, Arthurs guten Charakter, ihre eigene Integrität –, schienen ihr fraglich geworden zu sein.

Clare Barlow besuchte sie. Sie setzten sich in den Garten unter den Banyan und sahen den Kindern beim Spielen zu. Es war ein strahlender Tag, der blaue Himmel wolkenlos, Bäume und Blumen wie von Licht übergossen. »Ich gehe nach England zurück«, sagte Clare. »Ich habe es immer wieder hinausgeschoben, die Mädchen drüben auf die Schule zu schicken, das geht jetzt nicht mehr. Und ich habe beschlossen, mit ihnen in England zu bleiben. Das wollte ich Ihnen sagen, Marianne. Daß ich nicht zurückkomme.«

Die Sonne schien durch das Geäst das Banyanbaums und sprenkelte Clares Gesicht mit Licht und Schatten. »Ich habe sonst keinem Menschen etwas davon gesagt«, fügte sie hinzu. »Nicht einmal den Mädchen – sie würden es bestimmt ausplaudern. Aber ich weiß, daß ich mich auf Ihre Diskretion verlassen kann.« Sie sah plötzlich traurig aus. »Ich will nicht sagen, daß meine Ehe mir nichts bedeutet, das wäre nicht wahr, aber ich hoffe, daß es auf diese Weise, wenn ich einfach nicht zurückkomme und Johnnie kein allzu großes Theater macht, nicht so schlimm wird. Es kann natürlich sein, daß Johnnie auf einer Scheidung bestehen wird, obwohl ich hoffe, es ihm um der Mädchen willen ausreden zu können. Aber wenn er trotzdem darauf beharrt, werde ich ihm keinen Vorwurf machen. Er hat mich immer gut behandelt und verdient es wahrscheinlich nicht, daß ich ihn so verlasse. Aber ich liebe ihn nicht mehr, Marianne. Das ist die Wahrheit. Der Gedanke, Tausende von Meilen von meinen Töchtern getrennt zu sein, ist mir unerträglich. Der Gedanke an die Trennung von Johnnie hingegen ist – na ja, die Vorstellung ist nicht allzu schlimm.«

Sie zündete sich eine Zigarette an und rauchte eine Weile, ohne etwas zu sagen, während ihr Blick langsam umherschweifte. »Ich werde das alles hier vermissen«, sagte sie leise. »An Tagen wie dem heutigen kann man sich gar nicht vorstellen, daß einen etwas von hier forttreiben könnte.«

Als sie ging, drückte sie Marianne an sich und sah sie dann aufmerksam an. »Ihnen geht es doch gut hier, nicht wahr?«

Sätze bildeten sich in ihrem Kopf. Eine Sekunde lang glaubte sie, sie könnte sie aussprechen. *Ich habe Angst vor Lucas*, hätte sie sagen können. *Er hat einen grausamen und unberechenbaren Zug, der mir angst macht,* aber dann rief eines der kleinen Mädchen, und Clare sagte mit einem schnellen Lächeln: »Ich weiß, daß Sie zurechtkommen. Sie sind eine Kämpfernatur, stimmt's, Marianne?«

Der Ochsenwagen zog davon, verschwand hinter der Straßenbiegung. Während Marianne langsam ins Haus ging, faßte sie einen Vorsatz: Wenn ihre Ehe bis zu dem Zeitpunkt, da George mit sieben oder acht Jahren zur Schule mußte, nicht besser geworden war, würde sie mit ihm in England bleiben. Der Entschluß brachte ihr ein gewisses Maß an Erleichterung: Es gab einen Fluchtweg, ein absehbares Ende der Qual.

Iris hatte den Winter hindurch als Pflegerin bei einer Familie gearbeitet, die in Hampshire auf dem Land lebte. Ihre Patientin, Mary Wynyard, befand sich im letzten Stadium der Lungentuberkulose. Da die Krankheit hochansteckend war und frische Luft angeblich heilend wirkte, mußte Mary die letzten Monate ihres Lebens in einer Holzhütte verbringen, in sicherer Entfernung von dem Haus, in dem ihr Mann und ihre Kinder lebten. Es zerriß Iris das Herz, wenn sie mit ansah, wie Mary, in Decken gepackt, vor der Hütte saß und mit sehnsüchtigen Blicken dem Spiel ihrer Kinder zusah.

Im Frühjahr starb Mary. Iris erklärte sich bereit zu bleiben, bis es dem verwitweten Charles Wynyard gelang, eine Haushälterin zu finden.

Eines Morgens, als Iris mit den Kindern in der Küche Lebkuchenmänner backte, schaute sie zufällig aus dem Fenster und sah Ash den Gartenweg heraufkommen.

Die fünfjährige Mary-Jane sagte: »Da kommt ein Mann.«

Charles warf einen Blick aus dem Fenster. »Er sieht nicht aus wie eine zukünftige Haushälterin.«

»Nein«, sagte Iris. »Das ist Ash.« Das Herz schlug ihr bis zum Hals. »Ich meine, das ist ein Freund von mir.«

»Du hast die Knöpfe vergessen!« rief Mary-Jane lachend.

»Liebling!« mahnte Charles freundlich und sagte dann, an Iris gewandt: »Gehen Sie ruhig Ihren Freund begrüßen, Iris. Mary-Jane und ich machen hier Ordnung. Und fühlen Sie sich nicht verpflichtet, ihn sofort mit uns bekannt zu machen – der arme Kerl muß ja nicht gleich mit einer Horde mehlbestäubter Wynyards konfrontiert werden.«

Sie ging hinaus. Die Schürze fiel ihr erst ein, als sie zur Haustür hinaustrat. Sie riß sie herunter und stopfte sie zusammengeknüllt unter den Garderobentisch im Vestibül.

»Iris«, rief er, als er sie sah.

»Ash! So eine Überraschung.« Sie gab ihm einen Kuß auf die Wange.

»Störe ich? Hast du zu tun?«

»Ich war gerade beim Backen.« Er sah sie so unverwandt an, daß sie fragte: »Habe ich Mehl auf der Nase?«

Er schüttelte den Kopf.

Heiter sagte sie: »Wir dachten, du wolltest dich als Haushälterin bewerben.«

»Als Haushälterin?«

»Mr. Wynyard, mein Arbeitgeber, hat gerade eine Anzeige aufgeben, weil er jemanden für die Kinder braucht, und es haben sich schon einige vorgestellt. Sie tragen alle Schwarz, das Höchste der Gefühle ist ein Sträußchen künstliche Kirschen am Hut.«

Er hob die Hände zum Kopf. »Damit kann ich leider nicht dienen.«

Sie lächelte. »Hüte überhitzen den Kopf und tun dem Gehirn nicht gut.«

»Das weißt du noch? Emlyn, mein Vormund, hat das immer gesagt.«

»Wie geht es ihm?«

»Er ist vor drei Wochen gestorben.«

Er sah müde und traurig aus. »Ach, Ash, das tut mir leid. Kam es ganz plötzlich?«

Er erzählte ihr von Emlyns Krankheit und Tod. Sie berührte leicht seinen Arm. »Wie hast du mich eigentlich gefunden?«

»Ich habe Eva gefragt. Sie sagte mir, daß deine Patientin vor kurzem gestorben ist.«

»Ja. Das war wirklich traurig. Die arme Mary. Und schlimm für Charles und die Kinder.«

Sie hatte keine Ahnung, warum er gekommen war. Sie dachte an den vergangenen Sommer, an die Hitze damals und an Thelma Voss' Worte: *Er liebt Sie nicht. Er wird Sie nie lieben.* Obwohl sie schon seit einiger Zeit begonnen hatte, an Thelmas Version der Dinge zu zweifeln, fürchtete sie immer noch, daß ihre Worte im wesentlichen die Wahrheit trafen.

»Wollen wir ein Stück spazierengehen?« fragte sie. »Wir können in den Wald gehen, der ist um diese Jahreszeit eine Pracht.«

Buschige Raine wilder Glockenblumen säumten den Weg

durch den Wald, der sich ihnen als eine Komposition aus dem lichten Grau der Buchenstämme, dem Kobaltblau der Blumen und dem hellen Grün der jungen Gräser darbot.

Er sagte: »Als du aus London weg bist – das kam so plötzlich …«

»Hm, ja. Für mich auch.«

Er sah sie erstaunt an. »Aber du sagtest doch, du hättest dich schon lange mit dem Gedanken getragen.«

»Das war geschwindelt. Um meinen Stolz zu retten.«

Er runzelte die Stirn. »Das verstehe ich jetzt nicht.«

»Ich bin aus dem Mandeville-Krankenhaus entlassen worden, Ash. Wegen Respektlosigkeit.«

Er riß die Augen auf, dann lachte er. »Du meine Güte! Was hattest du denn angestellt?«

Sie erzählte ihm von Schwester Dickens. »Aber ich hatte sowieso genug vom Krankenhaus«, erklärte sie. »Und jetzt, da ich Zeit hatte, darüber nachzudenken, weiß ich, daß die Oberschwester recht hatte. Ich hatte wirklich nicht das geringste Verlangen, den Rest meiner Tage dort zu verbringen.« Sie zwang sich, ihm in die Augen zu sehen. »Aber an dem Tag – das war einer der Gründe, warum ich so mißmutig war.«

»*Einer* der Gründe?« fragte er.

Noch immer scheute sie davor zurück, sich zu öffnen und neuerlicher Verletzung auszusetzen. Darum wechselte sie das Thema. »Ich muß bald weg hier. Ich habe Charles versprochen zu bleiben, bis er jemanden für die Kinder findet, aber dann gehe ich.«

Hoch oben in den Ästen sang eine Schwarzdrossel, und sie wünschte, er würde sagen – ja, was sollte er ihr sagen? Sie hatte in diesen letzten Monaten viel Zeit gehabt, sich darüber Gedanken zu machen, was sie gern von ihm hören würde. Und letztlich lief es immer auf die Worte »Ich liebe dich« hinaus.

Aber er sagte nur: »Und was hast du vor, wenn du hier weggehst?« In ihr begann etwas zu sterben.

»Das weiß ich noch nicht«, antwortete sie scheinbar unbekümmert. »Vielleicht gehe ich eine Weile nach Hause. Oder ich suche mir eine neue Stellung. Ich könnte auch nach Frankreich gehen, zu Charlotte. Eine Pause täte mir sicher ganz gut.«

»Ah ja.« Er starrte irgendwo in die Ferne, wo das gewittrige Blau der Glockenblumen mit dem Braun des Waldbodens verschmolz.

»Ash«, sagte sie, »warum bist du hergekommen?«

»Ich wollte sehen, wie es dir geht.«

»Und das ist alles?« fragte sie mit leiser Stimme. Daß er ihr immer noch so weh tun konnte! Am liebsten hätte sie ihm mit Fäusten auf die Brust getrommelt.

Aber da sagte er: »Nein, das ist nicht alles. Es gibt ein paar Dinge, die ich wissen möchte. Und die *du* wissen mußt. Diese Idioten, die dir ständig hinterherlaufen – unmöglich kannst du einem von ihnen auch nur halb soviel bedeuten wie mir. Ganz gleich, wie reich und gutaussehend und weiß der Himmel was noch sie sind, sie würden dich innerhalb einer Woche zu Tode langweilen, das weiß ich mit Sicherheit. Ich bin vielleicht nicht das, was du dir unter einem Liebhaber vorstellst, Iris, aber ich liebe dich. Ich werde dich nicht daran hindern, nach Frankreich zu gehen, wenn du das wirklich willst, aber ich werde auch nicht lockerlassen. Niemals. Ganz im Gegenteil –«

»Was hast du da eben gesagt?« fragte sie leise.

»Daß ich nicht versuchen werde, dich aufzuhalten, wenn du wirklich nach Frankreich willst.«

»Nein, nicht das. Das andere. Daß du mich liebst.«

»Ach so, ja.« Er runzelte die Stirn. »Es stimmt, ich liebe dich. Seit einer Ewigkeit. Und deshalb bin ich hergekommen. Um zu fragen, ob du mich vielleicht wenigstens ein bißchen magst.«

»Nein«, antwortete sie mit ernster Miene. »Kein bißchen.« Ein solcher Kummer lag in seinem Blick, daß sie es nicht übers Herz brachte, ihn noch länger zu necken. »Ach, Ash, ich mag dich nicht ein *bißchen*, ich mag dich *wahnsinnig* gern. Eigentlich verstehe ich das gar nicht – du bist überhaupt nicht der

Mann, in den ich mich verlieben wollte. Du ziehst dich so gräßlich an, und wir haben ganz unterschiedliche Dinge im Kopf und –«

»Pscht!« sagte er und hinderte sie mit einem Kuß am Weitersprechen.

Marianne war im Garten, als sie schnellen Hufschlag hörte. In einer Wolke roten Staubs preschte Mr. Salter auf das Grundstück, warf die Zügel einem Pferdeknecht zu und sprang aus dem Sattel. »Mrs. Melrose«, rief er laut. »Es hat einen Unfall gegeben. Oben auf dem Glencoe-Land. Mr. Melrose ist verletzt. Sie bringen ihn im Wagen hierher.«

Sie sah, daß er ihre Bestürzung für Angst hielt. Die junge Ehefrau, die sich um ihren verletzten Mann sorgt. Er klopfte ihr leicht auf den Arm. »Das wird schon wieder. Machen Sie sich keine Sorgen. Er ist hart im Nehmen. Es sieht nur ein bißchen übel aus, darum wollte ich Sie lieber vorwarnen.«

»Was ist denn passiert?«

»Sein Pferd hat gescheut, als eine Schlange aus dem Gebüsch kam. Sie waren dabei, das obere Stück Land zu roden. Er muß mit dem Kopf auf einen Stein geschlagen sein, als er vom Pferd stürzte.«

Wenn er tot ist, bin ich frei, schoß es ihr durch den Kopf, aber sie schob den Gedanken sofort beiseite. Mr. Salter ritt weiter, um Dr. Scott zu holen. Marianne wies die Dienstboten an, Wasser aufzusetzen, und schickte sich an, ein Laken in Streifen zu reißen, die man zum Verbinden nehmen konnte. Als sie das Rumpeln des Wagens auf dem Weg hörte, lief sie hinaus.

Man hatte Lucas, der neben der Kopfverletzung offensichtlich ein gebrochenes Handgelenk hatte, ein Tuch um den Kopf gewunden, das mittlerweile blutdurchtränkt war. Die Männer trugen den Bewußtlosen ins Schlafzimmer, wo Marianne ihn mit Hilfe eines Dienstboten entkleidete und versuchte, die Blutungen aus der Wunde am Kopf zu stillen. Als Dr. Scott eintraf, kam Lucas stöhnend und mit flatternden Lidern wieder zu Bewußtsein.

Dr. Scott tastete mit kurzen, plumpen Fingern Lucas' Schädel ab. »Gebrochen scheint mir da nichts zu sein. Aber er hat sicher eine Gehirnerschütterung.«

Er nähte die klaffende Wunde und schiente den gebrochenen Arm. Später, als er mit Marianne bei Curry und Reis im Speisezimmer saß, sagte er: »Der Arm ist in sechs, sieben Wochen wieder heil. Das Knie hat auch etwas gelitten, aber das ist nicht weiter schlimm. Wirklich ernst ist die Kopfverletzung. Solche Kopfverletzungen haben es in sich, Mrs. Melrose. Er wird vielleicht eine Weile brauchen, um sich davon zu erholen. Zuerst wird er Fieber bekommen. Da helfen kalte Kompressen, und ich lasse Ihnen auf jeden Fall ein Beruhigungsmittel da. Machen Sie sich nur keine Sorgen, er wird bald wieder kerngesund sein.«

In der folgenden Woche bekam Lucas hohes Fieber. Marianne saß an seinem Bett und kühlte ihm die heiße Haut, während er sich in wilden Träumen hin und her warf. Als das Fieber den höchsten Stand erreichte, wurde er von Schüttelfrösten gebeutelt; einmal fuhr er mitten in der Nacht in die Höhe und starrte mit weit aufgerissenen, angstvollen Augen in eine Ecke des Zimmers, als könnte er dort etwas Entsetzliches erkennen, was für Marianne unsichtbar war. Während sie Lucas pflegte, fühlte sie sich oft in die Zeit zurückversetzt, als sie an Arthurs Bett gewacht hatte. Unwillkürlich wartete sie darauf, daß sich plötzlich die verräterischen bläulichen Verfärbungen unter der Haut zeigen, der Geruch des Wundbrands sich bemerkbar machen würde. Wartete darauf, den Mann, den sie fürchten gelernt hatte, genauso zu verlieren wie damals den Mann, den sie geliebt hatte.

Aber er starb nicht. Später dachte sie, daß ihm der Starrsinn und die Hartnäckigkeit, die ihn trieben, den Kampf selbst mit dem unwirtlichsten Land aufzunehmen, die Kraft verliehen hatten, Fieber und Schmerz zu besiegen.

Als Marianne eines Morgens zehn Tage nach dem Unfall in sein Zimmer kam, fand sie ihn halb angekleidet vor, verbissen bemüht, sich ein Hemd über den Kopf zu ziehen.

»Lucas, was tust du da?«

»Wonach sieht es aus? Ich versuche, in dieses gottverdammte Hemd zu kommen.«

»Dr. Scott hat gesagt –«

»Zum Teufel mit Dr. Scott.« Er sah sie wütend an. »Was stehst du da herum? Willst du mir nicht helfen?«

»Aber dein Arm – ich müßte den Ärmel aufschneiden.«

»Dann tu's. Und beeil dich, Herrgott noch mal!« Schwankend stand er auf.

»Wenn du so leichtsinnig bist«, sagte sie scharf, »bekommst du wieder Fieber. Willst du das?«

»Lieber Gott, Marianne –« Sie hörte die Wut in seiner Stimme und wich einen Schritt zurück. Aber er lachte nur rauh und ließ sich auf die Bettkante fallen. »Du brauchst keine Angst vor mir zu haben«, knurrte er. »Ich könnte keiner Fliege etwas zuleide tun.« Er drückte fest die Augen zu. Sein Gesicht war wie Asche unter der Sonnenbräune. »Die Plantage –«

»Mr. Cooper und Mr. Salter kümmern sich um alles.«

»Cooper ist faul, und Salter ist ein Träumer. Wenn man die beiden länger allein läßt, kriegen die Blätter die Kräuselkrankheit, und der Rückschnitt findet nicht statt.« Ärgerlich sah er zu der Schlinge hinunter, in der sein Arm lag. »Das ist eine echte Pechsträhne, verdammt noch mal. Manche von den Kulis sind überzeugt, daß auf der Glencoe-Pflanzung ein Fluch liegt. Wußtest du das, Marianne? Der alte Macready hat sich zu Tode gesoffen, und ich habe nichts als Ärger und Verdruß, seit ich sie gekauft habe. Erst das Feuer – und jetzt das.« Er lachte geringschätzig. »Ein Fluch – das ist natürlich Quatsch, aber ein- oder zweimal habe ich mich tatsächlich bei der Frage ertappt, ob sie nicht recht haben.«

Er jonglierte linkshändig mit seinem Zigarettenetui. Marianne zündete ihm ein Streichholz an. »Ich muß mir die Bücher ansehen. Sie liegen in meinem Büro.«

»Ich bringe sie dir.«

»Dieses verdammte Zimmer«, sagte er unvermittelt. »Man kommt sich vor wie in einem Gefängnis.«

»Soll ich Velu und Raju bitten, dir auf die Veranda zu helfen? Dort ist es vielleicht kühler.«

»Und ich will George sehen.« Sein Blick war voller Sehnsucht.

Einige Tage später zwang er sich, auf einen Stock gestützt, im Garten umherzugehen. Seine Invalidität machte ihn gereizt und ungeduldig. Einmal schleuderte er die Schale voll Suppe, die Nadeshan ihm brachte, zu Boden. »Was soll diese Pampe«, schimpfte er. »Bring mir etwas Anständiges zu essen, verflucht noch mal.« Er bestand darauf, die Mahlzeiten im Speisezimmer, am Tisch sitzend, einzunehmen, obwohl man seinem starren, schweißnassen Gesicht ansah, was für Schmerzen er litt. Seine Hilfsverwalter mußten sich dreimal am Tag zum Rapport bei ihm melden. Er saß stundenlang auf der Veranda und sah George mit derselben konzentrierten Aufmerksamkeit beim Spiel zu, die er Mr. Coopers und Mr. Salters Berichten widmete.

Eines Nachts erwachte Marianne von einem lauten Schrei, der unmenschlich wie das Heulen eines Wolfs die Nacht zerriß. Sie zündete eine Kerze an und lief in den Korridor hinaus. Ein zweiter Schrei, und ihr sträubten sich die feinen Härchen im Nacken.

Vor Lucas' Zimmertür blieb sie stehen. Sie mußte ihren ganzen Mut zusammennehmen, um zu klopfen. »Lucas, ich bin's, Marianne«, sagte sie und drehte den Türknauf.

Im ersten Moment erkannte sie gar nichts. Das ganze Zimmer schien in Schwärze getaucht zu sein. Dann sah sie ihn im Bett sitzen. Als er zu ihr hinaufschaute, erkannte sie das Entsetzen in seinen Augen.

»Er ist hier«, flüsterte er.

»Wer, Lucas? Wer ist hier?«

»Er.« Seine Stimme war voller Angst. »Mein Vater.«

Sein starrer Blick war in die Dunkelheit gerichtet. Ein Schauder der Furcht überrann sie, und sie mußte sich zusammennehmen, um sich nicht umzudrehen und in der Dunkelheit nach einem Gespenst zu suchen. »Nein, Lucas«, sagte sie ruhig. »Er ist nicht hier.«

»Aber ich habe ihn gehört.«

»Das war wahrscheinlich ein Tier im Garten. Oder einer der Angestellten.« Sie zündete die Petroleumlampe an.

Er zwinkerte und schüttelte sich ein wenig. Dann sah er auf die Uhr. »Vier Uhr morgens«, murmelte er. »Die Teufelsstunde. Da kommt er immer zu mir.«

»Leg dich wieder hin, Lucas. Es war nur ein Alptraum.«

Er drückte mit den Fingerspitzen gegen seine Stirn. »Mein Kopf – warum tut er nur so verdammt weh?«

»Soll ich dir eine Tablette holen?«

»Nein«, sagte er scharf. »Da träume ich nur. Hol mir lieber was zu trinken.«

Im Speisezimmer stand eine Flasche Arrak. Sie sah, wie seine Hand zitterte, als er das Glas zum Mund führte. Dann sah er sie an. »Du! Du bist immer noch hier. Was machst du hier?«

»Ich dachte –« Sie stockte.

»Du dachtest, ich will nicht allein sein?«

»Ja«, antwortete sie leise.

»Du täuschst dich. Ich brauche niemanden. Weder dich noch sonst jemanden.« Die Lider halb gesenkt, beobachtete er sie. »Hast du es immer noch nicht begriffen, Marianne?«

»Was denn?«

»Daß es Schwäche ist, andere zu brauchen.« Er leerte sein Glas. »Andere zu brauchen macht einen schwach.«

Eines Tages kam Thelma vorbei. Ash öffnete ihr mit schlechtem Gewissen, weil er ihr seit jenem Abend aus dem Weg gegangen war.

»Hallo, Ash.« Ihr Blick blieb kurz an einem Stapel Bücher hängen, einem Bild an der Wand, während sie im Wohnzimmer umherging. Sie wirkte nervös, und ihre Haut kam ihm krankhaft bleich vor. »Ich habe dich lange nicht gesehen«, sagte sie.

»Ich war viel weg.«

»Um den Haushalt von deinem Vormund aufzulösen?«

Er wußte, daß er sie nicht belügen durfte. »Ja, das auch. Aber am Wochenende war ich bei Iris.«

»Miss Maclise?« Ein Stirnrunzeln und ein schneidender Unterton.

»Wir hatten einander aus den Augen verloren.« Sie beobachtete ihn scharf. Er sagte so behutsam er konnte: »Thelma, du hast mich einmal gefragt, ob Iris und ich einander nahestünden. Damals war das nicht der Fall, aber das hat sich jetzt geändert.«

Zu seiner Überraschung lachte sie schrill. »Ha, das könnte peinlich werden.«

»Wie meinst du das?« Obwohl er sich dafür haßte, fügte er hinzu: »Ich hoffe, du hast nicht geglaubt – ich hoffe, ich habe bei dir keinen falschen Eindruck erweckt –«

Er sah die Wut in ihrem Blick, als sie sich ihm zuwandte. Aber gleich war sie wieder erloschen, so daß er sich fragte, ob es nur seine Einbildung gewesen war. »Es tut mir leid«, sagte er schwach.

»Wirklich, Ash?« Ihre Stimme war hart. »Dafür ist es leider ein bißchen spät.«

»Wie meinst du das?« fragte er wieder.

Sie schwieg mit gerunzelter Stirn, als müßte sie überlegen. Dann sagte sie: »Weil wir leider ein kleines Problem haben.«

Seltsam, wie sich am Ende alles gefügt hatte. Seltsam, wie die Liebe ihr einfach in den Schoß gefallen war und alles verwandelt hatte. Als Ash ihr vor einem Monat seine Liebe erklärt hatte, war es gewesen, als hätte jemand ein magisches Licht entzündet, das alles in die herrlichsten Farben tauchte.

Iris war wieder in Summerleigh. Ash besuchte sie an den Wochenenden, während der Woche half sie Clemency im Haushalt und las ihrer Mutter vor. Manchmal saß sie auch nur im Garten, einen Roman oder einen Berg Wäsche zum Flicken neben sich im Gras. Es kam ihr vor, als hätte es solche Zeiten der Untätigkeit ewig nicht mehr gegeben. Nachdem Ash ihren Heiratsantrag abgelehnt hatte, war sie, das erkannte sie jetzt ununterbrochen gerannt, hatte ihre Tage mit Aktivität gefüllt, um möglichst wenig nachdenken zu müssen. Trotzdem bedauerte sie nichts, was in diesen Jahren geschehen war. Sie wußte, daß die Zeit im Mandeville-Krankenhaus sie geweckt, sie verändert hatte. Aber es war auch schön, zur Abwechslung faul in einem Liegestuhl zu liegen und sich die Sonne ins Gesicht scheinen zu lassen.

Am Freitag abend kam Ash wieder nach Summerleigh. Iris sah den Schimmer eines blauen Kleids, als Clemency ihm zeigte, wo sie saß. Sie lief ihm entgegen und küßte ihn. »Ash! Wie schön, daß du so früh kommst. Ich habe massenhaft zu erzählen. Hast du meinen Brief bekommen? Ich habe mir gedacht, wir könnten heute abend vielleicht ins Theater gehen – wir werden allerdings Clem mitnehmen müssen, sonst regt sich Vater wieder über die Schicklichkeiten auf, aber das stört dich doch nicht, oder?«

»Iris«, sagte er, »ich muß mit dir reden.«

Sein Gesicht war sehr ernst, in seinen Augen schien etwas erloschen zu sein. Sie bekam plötzlich Angst. »Ash, was ist los?«

Er sah sich um. Edith war dabei, die Wäsche von der Leine zu nehmen; Clemency schlug einen Tennisball gegen die Wand. »Gibt es einen Ort, wo wir ungestört sind?«

Sie gingen in den Obstgarten. Ein Sturm hatte einige Tage zuvor die Blüten von den Bäumen gefegt, jetzt lagen sie im

Gras, und das Rosa wurde langsam braun. »Ash«, sagte sie, »du machst mir angst.«

In seinem Gesicht zuckte es. »Ich wünschte, es wäre nicht passiert. Alles, nur das nicht.«

»Alles, nur was nicht?«

»Ich wollte dich bitten, mich zu heiraten. Ich wollte dich heute fragen, ob du meine Frau werden willst.«

Trotz der Wärme des Tages wurde ihr innerlich kalt. »Du *wolltest*?«

»Ja.«

»Und jetzt tust du es doch nicht?«

»Ich *kann* nicht.« Seine Stimme war tonlos.

Dann sagte er ihr, warum er sie nicht heiraten konnte, sondern Thelma Voss zur Frau nehmen mußte. Weil Thelma ein Kind von ihm erwartete. Iris hatte das Gefühl, sie stünde neben sich und beobachtete aus weiter Ferne ihre Reaktion, wie sie ihm zuerst nicht glaubte, dann, angesichts der tiefen Scham in seinem Blick, den unausweichlichen Schluß zog: Thelma hatte gesiegt.

Nach einer Weile hörte sie ihn davongehen. Als er weg war, ließ sie sich auf einen umgestürzten Baum sinken. Irgendwann kam Clemency und setzte sich zu ihr. Als ihre Schwester ihre Hand ergriff, konnte Iris die Tränen nicht unterdrücken, obwohl sie die Augen sehr fest zudrückte.

Die Wunde am Kopf verheilte zu einer roten Narbe, die sich seitlich über sein Gesicht zog, aber die Kopfschmerzen blieben – Schmerzen von einer hämmernden Intensität, die Lucas trieben, sich mit einer Flasche Arrak in seinem Zimmer einzusperren und sie mit Alkohol zu betäuben. Trotzdem nahm er die Arbeit auf der Pflanzung wieder auf und kam mittags erschöpft und weiß bis in die Lippen vom rauhen Gang des Pferds auf dem steinigen Pfad zurück.

Wenn Marianne gehofft hatte, die Krankheit würde Lucas weicher machen, ein Verständnis für die Schwächen anderer bei ihm wecken, hatte sie sich getäuscht. Als wollte er sich beweisen, daß er so unverwüstlich war wie eh und je, trieb er sich selbst und alle, die für ihn arbeiteten, noch rücksichtsloser an als zuvor. Sie fällten die letzten Bäume auf den Hängen der Glencoe-Pflanzung und setzten Elefanten ein, um die Stämme herunterzubringen. Marianne sah die Flammen aus den rotbraunen Wunden der Erde aufsteigen, als sie das Unterholz abbrannten.

Lucas' Jähzorn wurde schlimmer, vielleicht infolge der Kopfverletzung. Geschichten wurden ihr zugetragen – einer der Kulis war beim Roden schwer vom Feuer erwischt worden und Lucas erlaubte ihm nicht, zu den Hütten zurückzukehren, sondern bestand darauf, daß er weiterarbeitete; Lucas hatte in einem Wutanfall Mr. Cooper mit seinem Stock geschlagen. Einmal, als Marianne die Dienstboten untereinander reden hörte, erfuhr sie, daß sie Lucas einen neuen Namen gegeben hatten: *paitham dorai.* Als sie Rani fragte, was das heiße, senkte Rani den Blick und flüsterte: »Verrückter Herr, *dorasanie*. Es heißt ›verrückter Herr‹.«

Die Kopfschmerzen trieben ihn, mehr zu trinken, um den Schmerz zu bannen, und der Alkohol hatte immer schon den Teufel in ihm geweckt. Im Haus war eine Stimmung, als warteten sie alle nur auf das Losbrechen des Gewitters. Das Klappern von Lucas' Stock auf dem Fußboden genügte, um alle mit lähmender Furcht zu erfüllen. Die Dienstboten waren ungeschickt beim Servieren des Essens und vergossen Soße auf das Tischtuch; wenn Marianne nach dem Abendessen im Wohnzimmer saß und im dämmrigen Licht, das Lucas bevorzugte, nähte, gerieten ihre Stiche zu groß, zu unregelmäßig, ihr Mund war trocken, und ihr Herz schlug viel zu schnell.

Sie begann, beinahe ohne sich selbst einzugestehen, was sie da tat, regelmäßig einige Rupien vom Haushaltsgeld für sich zu behalten und ganz hinten in einer Schublade zu verstecken. In ihrem Zimmer legte sie hinter verschlossener Tür ihren Schmuck auf dem Bett aus: den Diamantring, den Arthur ihr zur Verlobung angesteckt hatte – nein, den würde sie niemals verkaufen; sie packte ihn weg. Die Mondsteine, die Saphire, die Armbänder und Medaillons. Den Ring mit der Perle und den Amethysten von Großtante Hannah, den ihre Schwestern ihr geschickt hatten. Wenn sie jetzt an ihre Schwestern dachte, war ihr immer, als würde es ihr das Herz zerreißen vor Sehnsucht und Schmerz.

Eines Morgens erwachte sie mit einem Anflug von Kopfschmerzen. Sie hatte schlecht geschlafen, von beunruhigenden, lebhaften Träumen gequält. Beim Frühstück hatte sie kaum Appetit, und als sie später mit George an ihrer Seite im Garten arbeitete, wurde sie schnell müde und ging schließlich erschöpft wieder ins Haus.

Lucas kam zum Mittagessen nach Hause. Der Anblick von Fleisch und Gemüse widerte Marianne an. Sie spürte, daß er sie beobachtete. Er trank die ganze Mahlzeit hindurch. Messer und Gabel drohten ihren fiebrigen Händen zu entgleiten; sie hob ihr Glas und stellte es wieder nieder, weil sie fürchtete, sie würde es fallen lassen.

»Muß das sein?« fragte er plötzlich. »Mußt du so in deinem Essen herumstochern?«

»Entschuldige.«

»Entschuldige!« machte er sie mit schriller Stimme nach. »Lieber Gott, du blökst wie ein Schaf, Marianne.«

Sie schluckte. Der Hals tat ihr weh. »Ich bin nicht sehr hungrig.«

»Hörst du das, Nadeshan? Ich werde mit dem Koch sprechen müssen. Der *dorasanie* schmeckt sein Essen nicht. Vielleicht sollte ich einen neuen Koch nehmen.«

»Das wollte ich damit nicht sagen – am Essen ist nichts auszusetzen –«

»Dann iß es!« Er war aufgestanden und stellte sich neben sie, halb über sie gebeugt, eine Hand auf der Rückenlehne ihres Stuhls. »Iß es, Marianne«, wiederholte er leise.

»Ich kann nicht.«

Er packte ihre Gabel und stieß sie in den Reis. »Iß!«
»Bitte, Lucas –« Sie spürte die Tränen in ihren Augen.
»Ich habe gesagt, du sollst essen!«
Irgendwie schaffte sie es, den Reis zu schlucken.
»Weiter!«
Aus dem Augenwinkel konnte sie Nadeshan erkennen, stumm, mit Angst in den Augen. Sie wußte, daß sie vor einem Abgrund standen, wenn sie eine falsche Bewegung machte oder das falsche Wort sagte, würde etwas Unbeschreibliches geschehen. Sie begann zu essen. Ein-, zweimal meinte sie, ihr drehe sich der Magen um, und sie mußte ihre ganze Willenskraft zusammennehmen, um das Essen Gabel um Gabel hinunterzuwürgen.
Als ihr Teller leer war, richtete Lucas sich auf und entfernte sich von ihr. »Gut«, sagte er lässig. »Warum ein solches Theater um ein paar Löffel Reis?«
Er ging hinaus. Sie blieb am Tisch sitzen, bis sie ihn wegreiten hörte. Dann stand sie sehr langsam auf. Sie mußte sich an der Tischkante festhalten.
Sie holte eine Reisetasche aus der Abstellkammer. In ihrem Zimmer legte sie die Tasche aufs Bett und öffnete sie, steckte Arthurs Ring an und verstaute ihren restlichen Schmuck. Dann Strümpfe, Unterwäsche, Röcke und Blusen. Einen warmen Pullover und eine Jacke; in England konnte es kalt sein. Das Bündel Geldscheine aus dem Versteck in der Schublade; sie setzte sich aufs Bett und versuchte zu zählen. Ihre Finger gerieten durcheinander, genau wie die Zahlen in ihrem Kopf. War eine Rupie mehr oder weniger wert als ein Shilling? Wie viel kostete eine Eisenbahnfahrkarte nach Colombo? Wie lange hatten sie damals von Colombo nach Blackwater gebraucht? Drei Tage, glaubte sie – zu lang, viel zu lang. Es mußte schneller gehen. Er würde ihr folgen – und was würde er tun, wenn er sie einholte? Sie schauderte.
Sie ging ins Kinderzimmer. George machte seinen Mittagsschlaf. Sie betrachtete ihn einen Moment lang. Die langen

Wimpern bildeten Schatten auf der runden rosigen Wange. Er lag völlig entspannt, beide Arme locker über dem Kopf. Sie begann Schubladen zu öffnen, nahm Hosen, Mäntel, Pullover heraus. Windeln. Sie brauchte Windeln. Wie viele sollte sie mitnehmen? Ein Dutzend – zwei? Sie hatte keine Ahnung. George wurde immer von Rani gewickelt.

Sie hörte ein Geräusch hinter sich und fuhr mit klopfendem Herzen herum. Rani stand in der Tür. Ihr Blick fiel auf das Kleiderbündel in Mariannes Arm.

»Dorasanie …« Sie stockte.

»Mach die Tür zu.«

Rani gehorchte. »Ich gehe«, flüsterte Marianne. »Ich gehe zurück nach England.« Rani sah sie groß an. »Ich muß. Ich habe Kleider für George, aber keine Windeln. Wo sind die Windeln?«

Rani öffnete einen Wäschekorb und nahm ein Bündel dünner weißer Tücher heraus. »Sie brauchen zu essen, *dorasanie*.«

»Ja. Natürlich.«

»Ich hole etwas.« Rani eilte aus dem Zimmer.

Marianne nahm die Kindersachen mit und schob sie in die Reisetasche. Ihr war ein wenig schwindlig, und sie hatte das Gefühl, der Boden schwankte unter ihren Füßen.

Als Rani zurückkam, hatte sie ein kleines, in ein Tuch eingeschlagenes Bündel dabei. »Sag Nadeshan, er soll den Ochsenwagen bringen lassen«, sagte Marianne. »Und bitte weck George und kleide ihn an.«

Hut und Sonnenschirm. Die Sonne brannte stark heute. Sie rief Nadeshan und befahl ihm, die Reisetasche auf die Veranda zu tragen. Rani kehrte mit George zurück. Marianne ging auf die Veranda, um zu warten. Es wäre leichter gewesen, dachte sie, wenn sie nicht so müde gewesen wäre. Sie konnte nicht verstehen, woher diese Müdigkeit kam.

Der Ochsenkarren wurde vor das Haus gefahren. Der Pferdeknecht stieg vom Wagen und verneigte sich vor ihr. Dann bemerkte er das Kind und die Reisetasche. In seinen Augen flackerte etwas auf; er trat einen Schritt zurück und begann, auf Marianne einzureden. Sie hatte zwar in der Zeit in Blackwater ein wenig Tamil gelernt, aber dem schnellen Fluß seiner Rede konnte sie nicht folgen. Der Knecht deutete auf den Karren und schüttelte den Kopf.

Marianne schaute sich gehetzt um. »Nadeshan – Rani – was sagt er?«

»Er sagt, Rad ist gebrochen – er sagt, Karren kann heute nicht fahren. Es tut ihm sehr leid.«

Sie starrte den Wagen an. »Aber das Rad sieht doch ganz normal aus...«

Zu ihrem Entsetzen kletterte der Pferdeknecht schon wieder auf den Karren und fuhr davon.

»Nein!« schrie sie. »Komm zurück!«

Der Karren holperte weiter den gebogenen Weg entlang. Einen Moment stand sie da und sah ihm verzweifelt nach, dann riß sie George an sich, den bis jetzt Rani auf dem Arm gehalten hatte, und ergriff die Reisetasche. Das Gewicht des Kindes und die Tasche behinderten sie, als sie dem Karren nachlief. Als sie die Stallungen erreichte, war der Knecht schon dabei, den Tieren das Joch abzunehmen. Dann verschwand er in der Dunkelheit des Stalls.

Sie machte sich zu Fuß auf den Weg. Sie kannte ihn, war den Bergpfad oft gefahren, wenn sie zum Basar oder zum Klub gewollt hatte. Bis zur Straße konnten es nicht mehr als zwei Meilen sein; wenn sie sich beeilte, würde sie den Bahnhof erreichen, bevor Lucas zum Abend nach Hause zurückkehrte.

Der schmale Pfad zog sich in einer Folge von Haarnadelkurven die Bergflanke entlang. Teesträucher bedeckten die Hänge, so weit das Auge reichte. Die Frauen auf den Feldern starrten Marianne an, als sie vorüberkam. Sie hielt sich auf der Innenseite des Wegs, voll Furcht vor dem Abgrund, voll Furcht, daß irgendwo dort auf den Feldern Lucas sein und sie sehen, auf der Flucht ertappen könnte.

Den Sonnenschirm warf sie weg, sie konnte ihn neben George und der Tasche nicht auch noch tragen. Sie hielt George dicht an sich gedrückt, um ihm mit ihrem Körper Schatten zu spenden und ihn so vor einem Hitzschlag zu schützen. Wenn sie nur reiten gelernt hätte, dachte sie. Arthur hatte sich oft genug erboten, ihr Unterricht zu erteilen. Aber sie hatte vor Pferden immer Angst gehabt. Jetzt verfluchte sie ihre Feigheit.

Steine stachen durch die dünnen Sohlen ihrer Schuhe. Sie überquerte eine Holzbrücke, unter der eine Schlucht gähnte. Als sie hinunterblickte, wurde ihr schwindlig, und sie schwankte. So eindringlich wie nie zuvor war sie sich der Fremdheit dieses Landes bewußt, der Gefahren, die sie umgaben – von der Hitze bis zu den wilden Tieren und giftigen Insekten –, ihrer Angst, daß sie sich verlaufen könnte und den richtigen Weg nicht wiederfinden würde.

George begann leise zu wimmern. Sie setzte sich auf einen Felsbrocken am Straßenrand und gab ihm von dem Zuckerwasser zu trinken, das Rani eingepackt hatte. Danach drückte sie ihm einen Keks in die Hand, an dem er kauen konnte. Als sie sich wieder aufraffte, kam ihr die Tasche noch schwerer vor als zuvor. Von Zeit zu Zeit war sie einer seltsamen Realitätsverschiebung gewahr und fragte sich, ob sie träumte, ob dies ein Alptraum war, aus dem sie gleich erwachen würde, um sich im Bungalow von Blackwater wiederzufinden. Sie wollte diesen Bungalow nie wiedersehen. Sie wußte, daß sie schon längst hätte gehen sollen, damals, als Lucas krank gewesen war und ihr nicht hätte folgen können.

Sie ging weiter. Am Himmel kreiste ein Adler. Auf einem kleinen Flecken Gras, dort, wo der Pfad einen Knick machte, graste eine an einen Baum gekettete Kuh. Sie kam an einem Straßenschrein vorüber, der an einem Bach errichtet war. Weiße Bänder hingen an ihm herab. Rani hatte ihr erzählt, daß die weißen Bänder für einen frisch Verstorbenen standen. Sie schauderte und wandte den Blick ab. Der Weg unter ihren Füßen schien endlos zu sein, ihr war, als wäre sie seit Ewigkeiten auf den Beinen. Das Gewicht der Tasche hing schwer an ihrem Arm, die Griffe drückten sich in ihre Finger. Einmal kniete sie am Wegrand nieder und benetzte ihr Gesicht mit kaltem Wasser aus einem Bach. Sie wollte sich nur noch niederlegen, die Augen schließen und schlafen. Aber wenn sie das tat, würde George hier allein umhertappen und womöglich den Berg hinunterstürzen. Um es sich leichter zu machen, öffnete sie die Reisetasche, nahm ihren Schmuck, ihr Geld und ein paar Sachen von George heraus und stopfte alles in das Bündel, das Rani ihr mitgegeben hatte. Sie ließ die Tasche auf dem Weg stehen und ging weiter.

Sie erkannte, daß sie die Stelle erreicht hatte, wo der Weg in die Straße einmündete, und machte halt, während sie sich zu erinnern suchte, in welcher Richtung sie weitergehen mußte. Licht glitzerte auf den wogenden Weiten der Teefelder.

Sie hörte das Rumpeln eines Ochsenkarrens, der sich näherte. Lucas! dachte sie in höchster Angst. Aber nein, Lucas war Reiter; Lucas blickte mit Verachtung auf die herab, die sich in einem Ochsenkarren fortbewegten.

Der Karren fuhr langsamer und hielt an. Anne Rawlinson schaute herunter. »Mrs. Melrose! Was um alles in der Welt tun Sie hier?« Sie stieg aus dem Wagen. »Mein liebes Kind, Sie sehen ganz erschöpft aus. Kommen Sie, lassen Sie mich Ihnen helfen.«

Sie nahm ihr George ab. »Würden Sie mich zum Bahnhof bringen?« flüsterte Marianne.

»Zum Bahnhof?«

»Ich muß einen Zug erreichen. *Bitte!*«

»Ganz wie Sie wollen, Kind.«

Anne Rawlinson half ihr in den Wagen. Als er sich in Bewegung setzte, sank Mariannes Kopf an die Verdeckstreben, die Augen fielen ihr zu. Dann und wann hoben sich kurz ihre Lider, und sie sah den weiten blauen Himmel und die grünen Teefelder. »Sind wir schon am Bahnhof?« fragte sie, und Anne Rawlinson sagte: »Gleich, Kind. Gleich sind wir da.«

Endlich hielt der Ochsenkarren an. Marianne öffnete die Augen. Sie sah den Banyan, den Rosengarten, den Bungalow. »Nein! Nein! Sie haben mir versprochen –« Ihre Stimme schwoll zu einem heiseren Schrei.

»Lucas!« rief Anne Rawlinson. »Lucas, sind Sie da? – Kommen Sie, mein Kind, quälen Sie sich nicht. Lucas! He, *boy*! Lauf und hol deinen Herrn. Mach schnell! Sag ihm, daß er nach Hause kommen muß, seine Frau hat Fieber und ist sehr krank.«

Sie versuchte wegzulaufen, rannte stolpernd über den Rasen. Aber ihre Beine trugen sie nicht, und sie fiel ins Gras. Ihr letzter klarer Gedanke, bevor sie das Bewußtsein verlor, war, daß sie zu lange gewartet hatte, daß sie ihm nun niemals entkommen würde.

Ash nahm die Vorbereitungen zur Hochzeit mit einer Art verbissener Entschlossenheit in Angriff. Wenn er schon alles andere so hoffnungslos verpfuscht hatte, wollte er wenigstens Thelma und dem Kind gerecht werden. Sie würden heiraten, sobald das Aufgebot bestellt war.

Dann brachte jemand einen Brief von Thelma im Büro vorbei, in dem sie ihn bat, mittags zu ihr in den Laden zu kommen. Sie stand draußen auf dem Trottoir auf einem Hocker und befestigte Zwiebelgirlanden an der Markise, als er eintraf. »Ah, da bist du ja«, sagte sie.

»Du wolltest mich sprechen?«

»Ja.« Sie sprang vom Hocker. »Ich will dich jetzt doch nicht heiraten, Ash.«

Er starrte sie fassungslos an. »Aber das Kind –«

»Ist von Charlie.«

»Wie? Ich verstehe nicht –«

»Es ist ganz einfach.« Sie warf einen schnellen Blick in den Laden, um sich zu vergewissern, daß ihnen niemand zuhörte. »Ich wußte schon, daß ich schwanger bin, bevor ich mit dir angefangen habe.«

Er brauchte einen Moment, um zu begreifen, dann sagte er langsam: »Heißt das, du hast ganz *bewußt* –«

»Ja, so kann man sagen. Es war eine Art Rückversicherung, denke ich. Außerdem wollte ich unbedingt, daß du mich liebst. Aber hinterher wurde mir klar, daß ich es doch nicht kann. Bis du mir erzählt hast, daß du bei *ihr* warst –«

Er sah sie verständnislos an.

»Bei Miss Maclise«, erklärte sie ungeduldig. »Du hast mich so wütend gemacht. Meinetwegen hätte es jede andere sein können, nur sie nicht. Sie hat doch wirklich alles, oder? Sie schaut toll aus, sie hat Geld, sie kommt aus einer guten Familie. Warum sollte sie dich auch noch bekommen? Warum sollte nicht ich zur Abwechslung mal Glück haben und einen anständigen Mann kriegen mit einem schönen Haus, in dem Vater gut untergebracht wäre, und Geld genug, daß ich nicht weiter in so einer Bude hier arbeiten muß?« Thelma hieb hart auf die Tastatur der Registrierkasse, um sie zu öffnen. »Nach der Heirat und nach der Geburt wollte ich einfach sagen, es wäre ein Siebenmonatskind.« Sie lachte kurz auf. »Wenn es natürlich Charlies rote Haare bekommt, hätte ich einiges zu erklären gehabt. Ja, Ash, das wollte ich wirklich tun. Nicht sehr nett, oder?«

»Aber du hast es dir anders überlegt.«

»Ich konnte es nicht. Ich dachte, ich könnte, aber es ging nicht. Ich weiß, daß du mich nicht liebst. Ich sehe es in deinen Augen.«

Erwartete sie Mitgefühl von ihm? Im Augenblick konnte er sie nur verachten. »Also für ein Haus und ein bißchen Geld –«

»Ach, sei nicht so vernagelt. Es ging um dich.«

»Aber du hast doch gesagt – du sagtest, daß du mich nicht liebst.«

»Hab ich das gesagt? Tja, lügen konnte ich immer schon gut.« Ein bitteres Lächeln. »Genauso wie ich mir immer vorgelogen habe, daß es mir nichts ausmacht, daß ich nicht hübsch bin. Aber für dich, Ash, für dich wäre ich so gern hübsch genug gewesen.« Sie zählte das Kleingeld, steckte die sechs Pence in einen Stoffbeutel. »Ich habe mich entschieden, Charlie zu heiraten. Er tut's schon für mich.« Sie sah plötzlich todtraurig aus. »Das schlimme ist, daß ich dich so sehr liebe. Ich möchte, daß du glücklich bist. Auch wenn das heißt, daß ich dich ihr überlassen muß. Du kannst mich hassen, wenn du willst, Ash, ich weiß, ich habe es verdient.«

Einige Wochen später blieb Ash auf seinem Weg durch Whitechapel vor einem Zeitungsstand stehen, um die Schlagzeilen zu lesen. Erzherzog Franz Ferdinand, Thronfolger Österreich-Ungarns, war von einem neunzehnjährigen bosnisch-serbischen Nationalisten namens Gavrilo Princip ermordet worden. Er war sich eines tiefen Erschreckens bewußt, einer plötzlichen Gewißheit, daß sein Optimismus, sein Glaube an Höherentwicklung und Fortschritt Irrtum gewesen waren. Er erinnerte sich, wie Iris zu ihm gesagt hatte: *Ich glaube, es ist unmöglich, das Leben anderer zu ändern.* Er hatte ihr damals widersprochen. Würde er das heute auch noch tun? Was hatte er denn in den Jahren seines Lebens im East End erreicht? Nichts, dachte er, fast nichts. Er hatte einmal etwas bewegen wollen, doch selbst in diesem kleinen Quadrat des Elends, in dem er lebte, hatte er kaum etwas bewegt. Die Armut und die Ungerechtigkeit, die er täglich miterlebte, waren so groß, daß es eines Ereignisses von erschütternden Ausmaßen bedurft hätte – einer Revolution vielleicht oder eines gewaltigen Feuers, das all die schmutzigen, von Ungeziefer verseuchten Reihenhäuser verschlungen hätte –, um überhaupt eine Veränderung herbeizuführen.

Doch das alles schien zu diesem Zeitpunkt weit weniger wichtig zu sein als die Tatsache, daß er durch eigene Dummheit die Frau verloren hatte, die er liebte. »Kopf hoch, Meister, so schlimm kann's gar nicht sein«, sagte der Zeitungsverkäufer vergnügt mitten in sein Grübeln hinein, und er kramte in seiner Tasche nach Kleingeld, kaufte eine Zeitung und machte sich auf den Heimweg.

Marianne war sechs Wochen krank. Als das Fieber sie endlich aus den Klauen ließ, waren ihre Arme und Beine streichholzdünn. Wenn sie die Hand ans Licht hielt, konnte sie die Form der Knochen erkennen, die gegen ihre Haut drückten.

An ihrem ersten fieberfreien Tag stand sie mühsam auf. Die wenigen Schritte bis zum Toilettentisch kosteten sie ungeheure Anstrengung. Als sie in den Spiegel blickte, sah sie, daß man ihr die Haare abgeschnitten hatte. Mit mageren Fingern griff sie sich in die kurzen dunklen Büschel. Sie sah aus wie ein Gespenst, fand sie, ein Schatten der früheren Marianne.

Als Rani das nächste Mal ins Zimmer kam, sagte sie: »Ich muß George sehen. Würdest du ihn mir bitte bringen, Rani?«

Rani kam ein paar Minuten später ohne das Kind zurück.

»Wo ist George?« Eine schreckliche Furcht bemächtigte sich Mariannes. »Ist er auch krank?«

»Nein, nein«, sagte Rani. »Es geht ihm sehr gut.« Aber sie wich Mariannes Blick aus.

»Rani, was ist los? Sag es mir?«

»Er bei seiner *ayah*.«

»Bei seiner *ayah*? *Du* bist doch seine *ayah*.«

Rani schüttelte den Kopf. »Er hat neue Ayah. Ist gekommen, als Sie krank waren, *dorasanie*.«

Am Abend kam Lucas.

»Wo ist George?« fragte sie leise.

Er sah sie finster an. »Ich hätte nicht gedacht, daß du dich mir widersetzen würdest. Das hätte ich dir nicht zugetraut.«

»Ich möchte George sehen.«

»Ama wird ihn zu dir bringen.«

»Ama?«

»Georges neues Kindermädchen. Ich habe sie engagiert, als du krank warst. Rani ist nicht vertrauenswürdig.« Er schüttelte den Kopf. »Einfach davonzulaufen ... das war sehr dumm von dir, Marianne. Du siehst wohl ein, daß das alles ändert. Jetzt weiß ich, daß ich dir nicht trauen kann. Deshalb wird sich von jetzt an Ama um George kümmern.«

Sie krallte die Finger in die Bettdecke und versuchte, sich aufzurichten, aber sie fiel kraftlos ins Kissen zurück. »Nimm ihn mir nicht weg, Lucas. Bitte tu das nicht – ich werde tun, was du willst – ich werde alles tun...«

»Du kannst ihn weiterhin sehen, wenn du dich benimmst.« Er ging zur Tür. »Du kannst aber auch gehen, wenn du willst. Ob du gehst oder bleibst, ist für mich jetzt ohne Belang.«

»Und George?« flüsterte sie.

»Ich lasse mir meinen Sohn nicht von dir wegnehmen.« Er kam noch einmal an ihr Bett. Seine hellen Augen waren ohne Ausdruck, als er sagte: »Ich verfolge dich bis ans Ende der Welt, wenn du ihn mir wegnimmst. Du kannst gehen, wohin du willst, ich werde dich immer finden. Kehrst du nach England zurück, folge ich dir dorthin. Ich beobachte deine Familie und deine Freunde. Und bei der ersten Unachtsamkeit, die du dir erlaubst, nehme ich ihn dir weg. Und dann siehst du ihn nie wieder.«

Er ging hinaus und schloß die Tür hinter sich. Es war dämmerig; die Nacht kam, brach rasch herein, spülte Schatten ins Zimmer, füllte die Nischen und Winkel mit Dunkelheit. Sie drückte ihr Gesicht ins Kissen und weinte um George, den sie verloren hatte.

14

Eva erinnerte sich an ein Spiel, das sie gespielt hatten, als sie Kinder gewesen waren. An einem Winterabend waren die Schwestern in die Mansarde von Summerleigh hinaufgegangen und hatten alle Dominospiele zusammengesucht, die die Familie Maclise besaß – Spiele in zerdrückten, halb zerrissenen Schachteln, Spiele, bei denen Steine fehlten oder so abgenützt waren, daß man die Farbe der Punkte kaum noch erkennen konnte –, und hatten die Steine in langen Reihen und großzügig geschwungenen Bögen gruppiert. Marianne, die geduldigste von ihnen, hatte sie aufgestellt. Eva erinnerte sich, wie kalt und düster es in der Mansarde gewesen war und wie Marianne, deren Finger weiß vor Kälte waren, jeden einzelnen Stein in genau der rechten Entfernung vom nächsten aufgestellt hatten, so daß der eine, wenn er umstürzte, den anderen mitreißen mußte. Iris, die Älteste, hatte darauf bestanden, den ersten Stein umzustoßen. Eva hatte zugesehen, wie die Dominosteine in einer schwarzen Wellenbewegung, die sich durch die ganze Mansarde fortpflanzte, einer nach dem anderen umgefallen waren, bis keiner mehr stand.

An diesen lang vergangenen Abend mußte sie im Sommer und im Herbst 1914 oft denken. Ende Juli erklärte Österreich-Ungarn unter dem Vorwand der Ermordung des Thronfolgers Serbien den Krieg. Wenig später machte Rußland mobil. Dann forderte Deutschland mit einem Ultimatum das neutrale Belgien auf, seinem Heer den ungehinderten Durchzug zu gestatten. Daraufhin stellte Großbritannien, der Verbündete Frankreichs, seinerseits ein Ultimatum: Deutschland müsse die Neutralität Belgiens respektieren. Dieses Ultimatum wurde mißachtet, und am vierten August erklärte Großbritannien zunächst Deutschland den Krieg und etwas mehr als eine Woche später Deutschlands Verbündetem Österreich-Ungarn. Das britische Expeditionskorps setzte über den Ärmelkanal, um den deutschen Vorstoß aufzuhalten, doch die Deutschen überrumpelten Belgien und Nordfrankreich in Eilmärschen und trieben die Briten, auf der linken Flanke der Franzosen, beinahe bis in die Vororte von Paris. Binnen kurzem standen sich die beiden Armeen bei Mons und dann an der Marne gegenüber. Als sich das Ende des Jahres näherte und eine rasche Lösung des Konflikts weiterhin nicht in Sicht war, verschanzten sich beide Heere in Schützengräben, die sich von der Schweizer Grenze durch Nordfrankreich bis zum Ärmelkanal zogen.

Eva beobachtete ungläubig und mit wachsendem Entsetzen, wie die finsteren Schatten des Krieges das Antlitz Europas immer weiter verdunkelten. Neben ihrem Abscheu darüber, daß ihr Heimatland sich überhaupt auf diesen Krieg eingelassen hatte, empfand sie einen tiefen Widerwillen dagegen, den Krieg in ihr Leben eindringen zu lassen. Der Anblick der fahnenschwenkenden Menschenmassen am Trafalgar Square und in der Pall Mall, der Plakate, die Englands Frauen aufforderten, ihre Ehemänner, Brüder und Söhne in den Krieg zu schicken, widerte sie an. Die öffentlichen Bekundungen von Patriotismus, die überall im Land an der Tagesordnung waren, weckten nichts als Verachtung bei ihr, und sie kaufte eigensinnig nur das an Lebensmitteln, was sie täglich brauchte, während andere mit Panikkäufen die Regale der Lebensmittelgeschäfte leerten.

Ihre Überzeugung, sich aus dem Krieg heraushalten zu können, hielt nicht einmal so lange wie die allgemeine Überzeugung der Leute, daß spätestens Weihnachten alles vorbei sein würde. Bei Ausbruch des Krieges hatte die Regierung das Gesetz zur amtlichen Registrierung von Ausländern eingeführt, das allen Personen, die Bürger einer feindlichen Nation waren, vorschrieb, sich bei einer Polizeidienststelle zu melden. Eines Nachts verwüstete, vermutlich von Zeitungsberichten über deutsche Greueltaten aufgehetzt, eine wütende Menge die Redaktionsbüros der Calliope Press. Paula Muller, die Verlegerin, war deutscher Herkunft, aber schon als junges Mädchen mit ihren Eltern nach England gekommen. Am Morgen nach dem Überfall kehrte Eva die Glasscherben auf und half Paula dabei, so viele beschädigte Bücher und Manuskripte wie möglich zu retten. Einige Tage später erhielt Paula einen anonymen Brief, der ihr und ihrer jüngeren Schwester Gewalt androhte, falls sie in England bleiben sollten. Paula schloß ihren Verlag und kehrte nach Deutschland zurück.

Lydia bot Eva Teilzeitarbeit in der Galerie an. Eva nahm an, obwohl sie insgeheim vermutete, daß auch die Galerie bald schließen würde. Kunst und Schönheit schienen in der neuen Welt, die durch den Krieg geschaffen wurde, wenig Platz zu haben.

Der Krieg begann auf ganz merkwürdige, unvorhergesehene Weise auch ihre Familie in Mitleidenschaft zu ziehen. Iris, die den Sommer in Frankreich bei ihrer Freundin Charlotte verbracht hatte, nahm bei ihrer Rückkehr nach London einen Posten als Pflegerin in einem Armeelazarett an. Das unglaublichste aber war – wie Clemency Eva schrieb –, daß eines Morgens ihre Mutter aus ihrem Bett aufgestanden war und, nachdem sie sich angekleidet und mit der Familie gefrühstückt hatte, verkündet hatte, sie beabsichtige, Unterrichtsseminare in Erster Hilfe und häuslicher Pflege zu organisieren. Mrs. Catherwood, hatte sie angefügt, habe ihr erzählt, Mrs. Hutchinson habe vor, solche Seminare zu leiten, was absolut lächerlich sei. Mrs. Hutchinson sei auf diesem Gebiet ungetrübt von jeder Sachkenntnis, während sie, Lilian Maclise, in den Jahren ihrer Krankheit unendlich viel über Krankenpflege gelernt habe. Als hätte ihre Mutter, um gesund zu werden, nur zu dem Schluß kommen müssen, sie habe Besseres zu tun, als im Bett zu liegen. Als wäre die Krankheit früher einmal interessant für sie gewesen, jetzt aber nicht mehr. »Und dann«, schrieb Clemency, »habe ich Mutter gefragt, wie es ihr geht, und sie sagte, sie habe sich in ihrem Leben nie besser gefühlt. Glaubst Du, sie ist wirklich wieder gesund, Eva? Ist das möglich?«

Von jetzt an wird sich Ama um George kümmern. Ama war halb Schottin, halb Singhalesin. Ihr Vater war Soldat gewesen, wie Rani Marianne zuflüsterte, und ihre Mutter die Tochter eines Ladenbesitzers in Kandy. Der Vater hatte die Familie verlassen, die Mutter war gestorben. Rani sagte nichts darüber, wie Lucas Ama gefunden hatte. Vermutlich hatte er sie in irgendeiner Hintergasse in Kandy entdeckt und gekauft, als er mit dem gleichen Gespür, das ihm sagte, wann ein bestimmtes Teefeld erntereif war, ihre außergewöhnliche Schönheit erkannt hatte. Ama war klein und zierlich, sie hatte eine honighelle Haut und bewegte sich mit der Geschmeidigkeit einer Katze. Ihre grünen, goldgesprenkelten Augen betrachteten alles – das Haus, die Angestellten und Marianne – mit einem Ausdruck der Geringschätzung.

Ama ließ Marianne niemals mit George allein. Sie fütterte den Jungen, sie badete ihn, und sie schlief nachts bei ihm im Zimmer. Wenn Marianne George auf den Schoß nahm, setzte sich Ama mit gekreuzten Beinen zu ihnen, zog sich zum Schutz gegen die Sonne den seidenen Sari über den Kopf und ließ sie nicht aus den Augen. Marianne mochte mit George gehen, wohin sie wollte, Ama folgte. Geräuschlos auf bloßen Füßen, so daß Marianne, wenn sie sich umdrehte, erstaunt war, sie zu sehen. Marianne spürte, daß Ama, die sich mit Hilfe ihres Verstands und ihrer Schönheit aus Elend und Armut emporgekämpft hatte, sie verachtete. Vor einer Frau, der alles in den Schoß gefallen war und die das alles aus Torheit verspielt hatte, konnte sie keinen Respekt haben. Im Schatten der Veranda streichelte sie mit kleinen beringten Fingern die goldbestickte Borte ihres Saris. Marianne sah sie nur lächeln, wenn sie die schlanken Arme hob und zusah, wie die goldenen Reifen auf ihre Handgelenke hinunterfielen.

Von jetzt an wird sich Ama um George kümmern. Marianne lernte schnell, was das bedeutete. Sie durfte ihren Sohn morgens nicht wecken und abends nicht zu Bett bringen. Sie durfte ihn vormittags und nachmittags je zwei Stunden sehen und ihm vor dem Schlafengehen eine Geschichte vorlesen. »Das dürfte ja wohl Zeit genug sein, um ihn die Buchstaben und die Zahlen zu lehren«, sagte Lucas zu ihr. »Und bringe ihm Manieren bei, Marianne – ich werde nicht dulden, daß ein unerzogener Flegel aus ihm wird.«

Sie erhob keinen Widerspruch. Sie wußte, wenn sie sich nicht fügte, konnte Lucas ihr den Umgang mit George jederzeit ganz verbieten. Es brach ihr das Herz, wenn sie Ama mit George im Kinderzimmer sitzen sah, Ama, die selbst noch ein halbes Kind war und die ihn nicht liebte. Diese zierlichen, spitz zulaufenden Finger konnten grob und achtlos sein, wenn sie George in sein Jäckchen halfen oder ihm die Haare bürsteten. Diese melodische Stimme konnte schrill und scharf werden, wenn George widerspenstig war. Diese beringte kleine Hand schlug schnell zu, wenn er weinte. Nach einer Weile hörte George auf zu weinen, vielleicht weil er Amas Gleichgültigkeit spürte. Wenn er jetzt zu Marianne kam, drückte er seinen Kopf an ihre Brust und hielt sich an ihr fest. Er hatte früher nie geklammert. Und er hatte viel häufiger gelächelt.

Sie blieb nach der Krankheit lange matt. Noch Wochen nachdem sie das erste Mal aufgestanden war, ermüdete sie der kurze Weg vom Bungalow zum palmengedeckten Gartenhaus.

»Unterleibstyphus«, erklärte Dr. Scott, während er ihren Puls und ihre Temperatur prüfte. »Da haben Sie wirklich Pech gehabt, Mrs. Melrose – so schwere Fälle haben wir hier oben in den Bergen dieser Tage nur noch selten.« Er empfahl viel Ruhe und verschrieb Tropfen für die Nacht.

Manchmal hatte sie das Gefühl, sie wäre eingeschlafen und

in einer anderen Welt wiedererwacht. So vieles hatte sich verändert. Der Garten war in den Wochen ihrer Krankheit wieder verwildert. Kriechpflanzen umschlangen die Rosen, und in den Blumenbeeten wucherte das Unkraut. Sie ließ es wachsen, ihr fehlten die Kraft und der Wille, dagegen zu kämpfen. Sie stellte sich vor, Kamelien, Bougainvillea und Hibiskus brächen unter dem Rasen hervor und überzögen langsam das Metalldach des Bungalows. Ein Jahr – fünf, zehn –, und der Urwald hätte Blackwater zurückerobert.

Während sie schlief, war auf der anderen Seite der Welt ein Krieg ausgebrochen. Meine Familie, dachte sie, meine Geschwister! Eines Nachmittags, als sie in ihrem Zimmer ruhte, hörte sie durch das offene Fenster die Stimmen der Rawlinsons, die auf der Veranda von Schlachten und Blockaden sprachen.

Auch sie selbst hatte sich verändert. Sie war stark abgemagert, ihr Haar kurz, ihre Augen lagen wie mitternachtsblaue Seen in dem blassen, eingefallenen Gesicht. In sich trug sie jetzt die schreckliche Gewißheit, geschlagen zu sein, sie hatte allen Kampfeswillen verloren. Ihre Erinnerungen an die Flucht waren Bruchstücke aus Alpträumen von einem endlosen Weg und beängstigenden Abgründen. Erst nach einiger Zeit fiel ihr ihr Schmuck ein. Sie suchte in ihrem Zimmer, öffnete jede Schublade, kramte verzweifelt in den hintersten Ecken der Schränke. Sie fand nichts, weder Halskette noch Armband. Nicht lange danach bemerkte sie an Amas zierlichem Finger den kleinen Ring mit der Perle und den Amethysten, den ihre Schwestern ihr geschickt hatten – den Ring, der einmal Großtante Hannah gehört hatte.

Der letzte Hoffnungsschimmer erlosch. Was konnte sie ohne Geld und ohne den Schmuck, den man ihr geraubt hatte, noch tun? Sie versank in dunkler Hoffnungslosigkeit, tief beschämt von ihrer Erniedrigung. Sie wußte, daß sie selbst ihre Demütigung herbeigeführt hatte, und erkannte nun deutlich, daß Lucas sie gewählt hatte, als nach dem Tod seiner Mutter seine Erwartungen auf ein Erbe nicht erfüllt worden waren. Er hatte sie ihres Geldes wegen geheiratet und weil sie jung genug gewesen war, ihm den Sohn zu gebären, den er als Erben für sein Lebenswerk, Blackwater, brauchte. Ihre Begegnung in London war kein Zufall gewesen; er hatte sich ihre Londoner Adresse wahrscheinlich von den Merediths oder ihren Freunden beschafft. Er hatte ihre Schwäche und ihr Bemühen, die Lücke zu füllen, die Arthurs Tod in ihrem Leben gerissen hatte, schamlos ausgenützt. Das Verständnis und die Anteilnahme, die er in London gezeigt hatte, waren nichts als Maske gewesen, um sie zu täuschen. Iris hatte sie gewarnt, aber sie hatte nicht auf sie gehört. Kaum in Ceylon zurück, hatte er mit ihrem Geld das Glencoe-Land gekauft, und nach Georges Geburt war sie für ihn völlig unwichtig geworden. Er hatte sie gründlich hereingelegt. Sie hatte ihm alles gegeben, was er wollte; er hatte ihr alles genommen, was ihr wichtig war.

Sie aß wenig, hatte keinen Appetit. Ihr war, als lebte sie in einem dunklen Traum, in dem ihre Hände zu ungeschickt zum Nähen waren und ihre Gedanken zu verschwommen, um klar zu sehen. Wenn Besuch kam – was immer seltener geschah, da Lucas' zunehmend unberechenbares Verhalten die Leute abschreckte –, versteckte sie sich oft im Haus, berief sich auf ihre schwache Gesundheit, ihr schlechtes Aussehen. Wenn sie in den Spiegel schaute, dachte sie: So würdest du mich nicht lieben, Arthur. Die Nacht war ihre Zuflucht, der Geschmack von Dr. Scotts Tropfen auf ihrer Zunge und das herrliche Versinken in Dunkelheit.

In der Stille ihres Schlafzimmers, hinter geschlossenen Vorhängen, schrieb sie ihrem Vater. Die Wörter eilten gehetzt und verzweifelt über das Papier. *Ich habe Angst um meinen Sohn … meine Ehe ist eine Lüge … Ich habe kein Geld … Du mußt mich hier herausholen, Du mußt mich nach Hause holen.* Wenn sie sicher war, daß weder Ama noch Lucas in der Nähe waren, gab sie den Brief dem Postkuli und drückte ihm ein paar Annas in die Hand. Eine Woche später schrieb sie einen zweiten Brief, nur für den Fall, daß der andere ihren Vater nicht erreicht hatte. Und dann noch einen, als Glücksbringer. Eine Woche, schätzte sie, würde der Brief bis Colombo brauchen, vier Wochen, um mit dem Schiff nach England zu gelangen. Vielleicht auch länger wegen des Krieges. Sie zählte die Tage.

Aus Wochen wurden Monate. Immer wenn der Postkuli vom Basar zurückkam, sah sie ihm mit klopfendem Herzen, fast verrückt vor Hoffnung entgegen.

Eines Tages bemerkte sie, daß Lucas sie beobachtete.

»Was gibt's denn, Marianne? Worauf wartest du?«

»Auf nichts.« Ein Schauder der Furcht. »Gar nichts.«

»Lügnerin!« Er ging hinaus, und als er gleich darauf zurückkam, hatte er etwas in der Hand. »Du hast auf eine Antwort auf die hier gewartet, richtig?« Mit einer schnellen Bewegung packte er sie bei den Haaren und hielt ihr die Papiere, die er in der Hand hatte, vor die Augen. Mit Entsetzen erkannte sie, daß es die Briefe waren, die sie ihrem Vater geschrieben hatte.

»Du beleidigst mich, Marianne«, sagte er. »Wie kannst du mich nur für so dumm halten? Meine Angestellten gehorchen mir, auch wenn meine Frau es nicht tut.« Er schleuderte die Briefe zu Boden. Dann zerrte er sie zum Schreibsekretär, nahm Papier heraus und drückte ihr eine Feder in die Hand. »So. Jetzt schreib!«

»Nein«, flüsterte sie.

»Nein? Überleg dir gut, was du sagst, Marianne. Vielleicht glaubst du, wenn du nichts von dir hören läßt, werden dein Vater und deine Brüder kommen und dich holen? Du armes, dummes Ding. England befindet sich im Krieg, hast du das vergessen? Ich bezweifle, daß deine Familie dieser Zeit viele Gedanken an dich verschwendet. Sie hat drückendere Sorgen. Weißt du nicht, wie viele Engländer schon gefallen sind? Vielleicht sind deine Brüder bereits tot. Dein Vater wird um sie trauern und nicht an dich denken.«

Sie weinte.

»Und laß dir ja nicht einfallen«, fuhr er fort, »dich bei unseren Bekannten über schlechte Behandlung zu beschweren. Die werden dir gar nicht zuhören. Die halten dich sowieso schon für – na, sagen wir mal, *labil*. Dafür habe ich gesorgt.« Er legte ihr die Hand auf die Schulter, und sie zuckte zusammen. Während er mit dem Daumen ihren Nacken streichelte, sagte er leise: »Also, du wirst jetzt deinem Vater einen Brief schreiben, Marianne, und ihm mitteilen, daß du krank warst, jetzt aber wieder gesund bist. Daß du glücklich bist und daß das Kind wächst und gedeiht. Etwas in dieser Richtung.« Seine Hand glitt langsam von ihrer Schulter unter ihre Bluse und blieb schließlich auf ihrer Brust liegen. Sie saß starr vor Abscheu. »Wenn du nicht schreibst, Marianne, könnte es mir einfallen, dich an die Pflichten zu erinnern, die du schändlich vernachlässigst. Deine Pflichten als Ehefrau.«

Sie schrieb den Brief. Am nächsten Tag brachte Ama George nicht zu ihr. Vom Garten aus beobachtete sie ihn beim Spielen auf der Veranda. Sie hörte ihn weinen und sah, wie Ama ihn schlug. Alles trieb sie, durch den Garten zu laufen und George an sich zu reißen, Ama zu ohrfeigen und mit aller Kraft, die sie besaß, zu Boden zu stoßen. Aber sie zwang sich, ruhig weiterzugehen, den Rundweg um den Garten herum.

Im dichten Schatten der Bäume setzte sie sich, erschöpft von ihrem Zorn. Im Gebüsch hinter ihr raschelte etwas, und als sie den Kopf drehte, erkannte sie Rani. Rani kauerte hinter ihr nieder und ergriff ihre Hand.

»Sie haben jetzt das, *dorasanie*.« Mariannes Faust wurde geöffnet, etwas in ihre Hand gelegt. »Ich habe ihn Ihnen weggenommen, als Sie krank waren. Habe ihn für Sie aufgehoben.« Dann war Rani schon wieder verschwunden, eilte auf gewundenen Wegen zurück zur Dienstbotenunterkunft.

Marianne öffnete ihre Hand. Funkelnd lag da der Diamantring, der Ring, den Arthur ihr im Wintergarten von Summerleigh angesteckt hatte.

Sie hörte seine Stimme. *Auf immer und ewig. Ich werde dich immer lieben. Über den Tod hinaus, wenn es sein muß.* Seine Stimme war so klar, als wäre er hier, als stünde er an diesem Höllenort direkt neben ihr. Sie schaute sich um, erwartete beinahe, ihn unter dem Flammenbaum und dem Eukalyptus zu sehen. Die Blätter zitterten leise, als wäre jemand vorübergegangen.

Den Ring in der Hand, blieb sie sitzen und erinnerte sich. Sie öffnete den Verschluß des silbernen Kettchens, das sie um den Hals trug, schob den Ring darüber und versteckte ihn sorgfältig unter ihrer Bluse. Dann setzte sie ihren Rundgang durch den Garten fort. Sie fühlte sich steifgliedrig und alt, als sie vor einem Blumenbeet niederkniete. Aber sie begann, langsam zunächst, das Unkraut herauszuziehen, die neuen Triebe auszudünnen und mit zitternden Händen die Rosen aus der Umschlingung der Kriechpflanzen zu befreien.

An einem Oktobertag traf sich James mittags mit Eva, die direkt aus der Galerie kam. Sie aßen in den Cottage Tea Rooms auf dem Strand. Auf dem Rückweg zu Evas Wohnung sagte James plötzlich: »Ich muß etwas mit dir besprechen, Eva.«

Sie befanden sich auf der Höhe eines kleinen, von einem Eisengitter umzäunten Parks und gingen hinein. Drinnen setzten sie sich auf eine Bank, James zündete zwei Zigaretten an und reichte Eva eine. »Ich versuche schon seit Ewigkeiten, den Mut zu finden, mit jemandem zu reden, aber ich hab's nie geschafft. Aber jetzt *muß* ich. Ich gehe nämlich an die Front.«

Ihr Herz schien einen Schlag auszusetzen. »James! Nein! Bitte nicht.«

»Eva, ich muß gehen. Alle meine Freunde sind schon draußen. Und ich will auch. Ich hätte mich schon vor Wochen freiwillig gemeldet, wenn nicht –« Er brach ab. »Eva, ich kann nicht einfach zuschauen, wie alle anderen an die Front gehen, während ich in einem Büro herumsitze. Wie gesagt, ich habe mich gemeldet. Ende nächster Woche muß ich abreisen. Da beginnt die Ausbildung.«

Erst Paula, jetzt James, dachte sie niedergeschlagen. Wer wird der nächste sein? »Hast du es Vater schon gesagt?« fragte sie.

Er schüttelte den Kopf. »Noch nicht, nein.«

Sie dachte an den schlichten, unkomplizierten Patriotismus ihres Vaters und sagte langsam: »Ich glaube nicht, daß er dir böse sein wird. Er wird wahrscheinlich stolz auf dich sein.«

»Weil ich mich freiwillig gemeldet habe? Nein, da wird er sicherlich nichts dagegen haben. Aber gegen das andere.«

»Welches andere?«

James zog etwas aus der Tasche. »Das hier. Ich kann es ihm nicht sagen. Aber irgend jemandem muß ich es jetzt anvertrauen.«

Er hielt ihr eine Fotografie hin. Sie zeigte eine junge Frau mit einem kleinen Kind. »Wer sind die beiden?«

»Das ist meine Frau Emily. Und das ist Violet, meine Tochter.«

Eva starrte auf das Bild der hübschen blonden Frau und des kleinen Mädchens im weißen Spitzenkleid hinunter. »Ich verstehe nicht, James«, sagte sie.

»Ich habe Emily im März 1911 geheiratet. Violet ist im Oktober desselben Jahres zur Welt gekommen.«

Sie sah ihn ungläubig an. »Du bist seit 1911 verheiratet?«

»Ja.« Sein Mund war eine schmale Linie grimmiger Entschlossenheit.

»Seit dreieinhalb Jahren? Und hast keinem von uns etwas davon gesagt?«

James nickte.

Eva hatte eine plötzliche Erinnerung. Mit zusammengekniffenen Augen sah sie sich das Bild noch einmal an. »Ich habe dich einmal mit ihr gesehen«, rief sie. »Es ist Jahre her. Ihr kamt aus einem Varietétheater in Whitechapel.«

»Ich habe Emily in einem Varieté kennengelernt. Sie ist ganz vernarrt ins Theater.«

»Aber« – sie hatte immer noch Mühe, es zu begreifen – »James, warum um alles in der Welt hast du uns nichts davon gesagt?«

Mit einem Stöhnen drückte er den Kopf in seine Hände. »Ich wollte ja, aber ich konnte nicht. Immer wieder wollte ich reinen Tisch machen, und jedesmal hab ich's vermasselt. Ich war zu feige. Ich hatte Angst davor, es Vater zu berichten.« Er hob den Kopf und schaute sie an. »Aber jetzt weißt du es. Verachtest du mich, Eva?«

Sie drückte seine Hand. »Unsinn. Weshalb sollte ich dich verachten?«

»Weil ich euch alle so lange hinters Licht geführt habe.« Er sah sie voll ängstlicher Besorgnis an. »Du nimmst es mir wirklich nicht übel?« Er lehnte sich auf der Parkbank zurück und stieß einen tiefen Seufzer aus. »Du hast keine Ahnung, was für eine Riesenerleichterung es ist, endlich mit jemandem sprechen zu können.«

»Liebst du sie? Liebst du Emily?«

»Ich bete sie an.« Er lächelte. »Gleich als ich sie das erste Mal sah, war ich hingerissen von ihr. Sie ist so unaffektiert – sie hat überhaupt nichts von dieser Zimperlichkeit und Ziererei, die so viele Mädchen haben. Sie versucht nie, einen hereinzulegen, einen dazu zu bringen, Sachen zu sagen, die man gar nicht sagen wollte.«

Sie dachte: Dreieinhalb Jahre! Und das Kind war im Oktober 1911 geboren... »Du hast Emily geheiratet, weil sie das Kind erwartete?« fragte sie.

»Ja.« Er wurde rot. »Aber das war nicht der wahre Grund – ich wußte vom ersten Moment an, daß sie die Frau meines Lebens ist.«

»Trotzdem verstehe ich es immer noch nicht, James. Natürlich wäre Vater zuerst an die Decke gegangen, aber dann –«

»Emily hat als Modistin gearbeitet, als ich sie kennengelernt habe. Sie ist in Stepney geboren. Nicht gerade das, was Vater für seinen ältesten Sohn vorschwebte, der einmal die Firma übernehmen soll, oder, Eva?«

»Nein. Sicher nicht.« Sie betrachtete ihren Bruder, während sie noch immer versuchte, sich die Tragweite dessen klarzumachen, was er ihr soeben gestanden hatte. »Das muß ja furchtbar für dich gewesen sein«, sagte sie. »Ständig mit so einem Geheimnis herumzulaufen. Wie hast du das nur geschafft?«

»Manchmal wäre es beinahe nicht mehr gegangen. Ich habe Emily und Violet ein Haus in Twickenham gemietet. Es ist nichts Besonderes, aber ich bin gern dort. Ich war so glücklich, als wir geheiratet haben. Es war schön – spannend. Ich fand es richtig angenehm, ein Geheimnis vor der Familie zu haben. Du weißt ja selbst, wie es zu Hause zugeht, wie da jeder seine Nase in die Angelegenheiten der anderen hineinsteckt. Aber als dann das Kind zur Welt kam, wurde alles verdammt kompliziert. Und obwohl ich wußte, daß ich reinen Tisch machen sollte, habe ich es immer wieder aufgeschoben, und je länger ich es aufgeschoben habe, desto schwieriger wurde es natürlich, mit der Sprache herauszurücken. Kannst du dir das vorstellen? ›Ach, übrigens, ich habe ganz vergessen zu erwähnen, daß ich eine Frau und ein Kind habe, Vater.‹« James schüttelte den Kopf. »Als er dann anfing, mich ständig zu drängen, Louisa Palmer zu heiraten…«

»Deswegen verbringst du also die Wochenenden immer in London?«

»Ja, um mit ihnen zusammenzusein. Violet ist jetzt drei. Sie wird bald anfangen, Fragen zu stellen. Warum ihr Papa nicht jeden Abend nach Hause kommt wie andere Papas, und ähnliches. Und Emily – weißt du, daß die Nachbarn sie schneiden, Eva? Natürlich nur, weil wir ihnen die Wahrheit nicht sagen können. Sie glauben, Emily wäre meine Geliebte. Es macht sie sehr unglücklich.« Sein Blick hatte sich getrübt. »Und immer ist da die Angst, etwas könnte passieren. Letztes Jahr bekam

Violet Scharlach. Ich hatte Angst um sie, deshalb bin ich ausnahmsweise erst am Montag nach Summerleigh zurückgekommen, und es gab einen fürchterlichen Krach. Damals war ich beinahe soweit, auf die Konsequenzen zu pfeifen und es Vater zu sagen.« Er sah sie mit hoffnungsloser Miene an. »Aber was wäre dann geworden? Wenn Vater mich ohne einen Penny an die Luft gesetzt hätte, was wäre dann aus Emily und Violet geworden?«

»Aber jetzt mußt du es ihm sagen.«

»Nein. Ich kann nicht. Ich habe es dir nur gesagt, weil einer es wissen muß. Falls mir etwas passiert – wenn sie mich nach Frankreich schicken ...«

»James!« sagte sie heftig. »Rede nicht so.«

»Versprich mir eines, Eva.« Er sah sie bittend an. »Versprich mir, daß du dich um Emmie und Violet kümmerst, wenn ich nicht zurückkomme.«

»Natürlich«, sagte sie widerstrebend. »Wenn du es so willst.«

»Hier ist ihre Adresse.« Er gab ihr einen Zettel.

»James.« Sie versuchte es noch einmal. »Du mußt mit Vater sprechen.«

»Ich kann nicht.« Er wandte sich ab. »Ich weiß, es ist dir gegenüber nicht fair, Eva. Im Grunde habe ich jetzt mein Geheimnis einfach dir aufgebürdet.«

Sie dachte an ihren Vater und Katharine Carver und faßte einen Entschluß. »Vielleicht wird Vater es gar nicht so schlimm finden, wie du fürchtest«, sagte sie bedächtig.

»Wie kommst du darauf?«

»Keiner von uns ist vollkommen, James. Vielleicht wird Vater Verständnis haben.«

»*Vater* ist vollkommen«, sagte er bitter. »Vater hätte nie so gehandelt wie ich. Er hätte sich nie in so eine unmögliche Situation gebracht.«

»Das stimmt nicht, James. Ich werde dir jetzt mal eines von *meinen* Geheimnissen beichten ...«

Als sie später zurückdachte, beunruhigte es sie, daß er ihre

Worte nicht so aufgenommen hatte, wie sie erwartet hatte. Sie hatte geglaubt, wenn sie James von ihrem Vater und Katharine Carver erzählt, würde er begreifen, daß ihr Vater nicht der Heilige war, für den er ihn offenbar hielt. Aber anstatt erleichtert zu sein, war James schockiert gewesen. Nein, dachte sie, schlimmer noch, er war entsetzt gewesen, als hätte die Entdeckung, daß auch sein Vater gesündigt hatte, ihn bis in seine Grundfesten erschüttert.

Zwei Tage später, als Eva gerade zur Arbeit in der Galerie gehen wollte, läutete es. Der Telegrammbote brachte ihr ein Telegramm von Clemency: »Vater krank stop Bitte komm nach Hause.«

Ihr Vater war am Vortag in der Firma zusammengebrochen, hörte Eva, als sie in Summerleigh eintraf. Mr. Foley hatte der Familie berichtet, daß James bei seinem Vater im Büro gewesen sei. Kurz nachdem dieser wieder gegangen war, hatte Mr. Foley ein lautes Geräusch im Büro gehört und war sofort hinübergelaufen. Er hatte seinen Chef bewußtlos auf dem Boden liegend vorgefunden. Dr. Hazeldene hatte eine Überbelastung des Herzens diagnostiziert. James habe seitdem keiner von ihnen gesehen, fügte Clemency beunruhigt hinzu. Er war nicht nach Hause gekommen, und Aidan hatte ihr erzählt, daß er auch nicht in der Firma gewesen war.

Am Abend suchte Eva ihren Vater in seinem Zimmer auf und setzte sich an sein Bett. Es tat ihr weh, ihn, der ihr immer vital und unverwüstlich erschienen war, so hilflos und geschwächt zu erleben.

»Ich bin's, Vater«, sagte sie leise. »Eva.«

»Eva, mein Kätzchen.« Seine Hand bewegte sich auf der Bettdecke; sie ergriff sie und hielt sie in der ihren. Dann sagte er unruhig: »Die Firma – das wird eine einzige Katastrophe – ich habe noch keinen Tag versäumt...«

»Darüber darfst du dir jetzt keine Sorgen machen, Vater. Aidan kümmert sich um alles.«

»Nein! Aidan darf nicht …«

Mit großer Anstrengung setzte er sich auf. Seine Lippen waren blau. Eva bekam Angst und sagte schnell: »Ich spreche gleich morgen mit Mr. Foley, Vater. Er wird dafür sorgen, daß alles glattläuft, ich verspreche es dir.« Joshua legte sich wieder hin und schloß die Augen.

Am folgenden Morgen fuhr Eva mit dem Fahrrad zur Firma. In der Nacht hatte es geregnet, und im Hof, zwischen Kohlehaufen und abgelegten Schmelztiegeln, glänzten große Pfützen. Das Donnern der Preßlufthämmer, das Rattern der Maschinen und die lauten Stimmen der Arbeiter mischten sich wie immer zu ohrenbetäubendem Lärm.

Mr. Foley stand hinter seinem Schreibtisch auf, als sie in sein Büro kam.

»Miss Eva. Wie geht es Ihrem Herrn Vater?«

»Dr. Hazeldene war heute morgen ganz zufrieden mit ihm. Aber es ist schrecklich, ihn so zu sehen.« Er bat sie, Platz zu nehmen, und sie setzte sich. »Mein Vater sorgt sich um die Firma, Mr. Foley. Deshalb bin ich hergekommen.«

»Ich kann ihm heute abend nach der Arbeit die Zahlen vorbeibringen, wenn das eine Hilfe wäre. Nichts zu Heftiges, damit es ihn nicht anstrengt, nur so viel, daß er beruhigt ist.«

»Danke«, sagte sie erleichtert und fügte hinzu: »Ich wollte noch wegen einer anderen Sache mit Ihnen sprechen, Mr. Foley. Aber nicht hier …«

Er schaute auf die Uhr. »Ich mache um diese Zeit meistens eine kleine Pause, um einen Happen zu essen. Ich gehe gern zum Kanal hinunter und sehe mir die Schiffe an. Möchten Sie mitkommen?«

Sie hatten das Werk ein Stück hinter sich gelassen, als sie sagte: »Mein Vater schien sich Aidans wegen zu sorgen. Er wollte nicht, daß Aidan während seiner Abwesenheit die Geschäfte führt.«

»Ihr Herr Vater und Mr. Aidan sind nicht immer einer Meinung.«

»Geschäftlich?« fragte sie, und Mr. Foley nickte.
»Mr. Aidan hat andere Vorstellungen davon, wie man die Firma führen sollte. Man könnte sagen, er ist – nüchterner als Ihr Herr Vater.«
»Meinen Sie, er ist ein härterer Geschäftsmann?«
Er antwortete nicht, aber er widersprach auch nicht. Unfähig, es länger vor sich herzuschieben, fragte sie: »Hatten mein Vater und James Streit, Mr. Foley?«
»Das kann ich nicht sagen, Miss Maclise –«
»Sie müssen mir die Wahrheit sagen, bitte!«
Ein kurzes Schweigen, dann sagte er: »Ja. Es gab Streit.«
»Schlimm?«
»Ziemlich schlimm, ja.«
Sie blieb plötzlich stehen und rief: »Dann war es meine Schuld.«
»Aber nein, das ist doch Unsinn. Wie kommen Sie denn auf diese Idee?«
»Doch, Mr. Foley, ich weiß es.«
»Ihr Vater und Mr. James hatten eine Auseinandersetzung, ja. Ich habe ein paar Worte aufgeschnappt – es ließ sich gar nicht vermeiden. Ich fürchte, die halbe Firma hat es gehört.«
»Was haben Sie gehört?«
»Das würde ich lieber nicht –«
»Bitte!«
»Nun gut.« Sie waren am Kanalbecken angekommen und setzten sich auf einen Stoß leerer Paletten zwischen Holzstapeln und Bergen von Eisenstangen auf dem Kai. »Ihr Vater hat Mr. James vorgeworfen, er habe der Familie Schande gemacht«, sagte er.
»Ach, und ich dachte, er würde es verstehen!« rief sie.
»Was verstehen?«
Sie schüttelte den Kopf. »Das kann ich Ihnen nicht sagen. Aber in meiner Familie gibt es eine Menge Geheimnisse, Mr. Foley.«
Lastkähne bahnten sich ihren Weg durch das Durcheinan-

der von kleineren und größeren Booten auf dem Kanal. Sie fragte sich, wie sie zwischen so vielen Hindernissen ihren Kurs halten konnten, wie sie es fertigbrachten, mit keinem der anderen Schiffe zusammenzustoßen und in dem schlammigen dunklen Wasser zu versinken.

»Falls es Ihnen ein Trost ist«, sage er, »Ihre Familie ist nicht die einzige, in der es Geheimnisse gibt. Und ich glaube nicht, daß die Geheimnisse Ihrer Familie schlimmer sind als die in meiner Familie.«

»Wer weiß?« entgegnete sie bitter.

Er zog ein in Papier eingeschlagenes Butterbrotpäckchen aus der Tasche und öffnete es. »Hier. Nehmen Sie eins.«

»Ich habe keinen Hunger«

»Sie müssen aber etwas essen.«

Sie griff zu.

»Ich habe Ihnen ja erzählt, daß mein Vater ein Spieler war«, sagte er. »Er hat seinen gesamten Besitz verspielt und noch einiges mehr. Als ihm klar wurde, daß er vor dem Bankrott stand, hat er sich erhängt.«

Mit einem Ruck hob sie den Kopf und sah ihn an. Sein Blick blieb fest, als er sagte: »Ich erzähle Ihnen das nicht, um Sie zu schockieren, sondern damit Sie vielleicht Ihre Familie in einem besseren Licht sehen können. Ganz gleich, was in Ihrer Familie geschehen ist, etwas so Ehrloses kann es nicht sein.«

»James und mein Vater haben wegen etwas gestritten, das ich James erzählt habe«, sagte sie leise. »Deshalb ist mein Vater krank geworden.«

»Sie hatten sicher Ihre Gründe.«

»Ich dachte, es würde helfen.«

»Manche Geheimnisse kann man für sich behalten, andere nicht. Sie sollten sich überlegen, welcher Kategorie Ihre Geheimnisse angehören.«

Sie dachte nach. »Vor ein paar Tagen hat James mir gesagt, daß er sich freiwillig an die Front gemeldet hat.«

»Viele Männer haben das getan. Wir haben dadurch eine ganze Reihe unserer besten Arbeiter verloren.«

»Dann hat er mir noch etwas anderes gestanden. Er mußte es sagen, weil er in den Krieg ziehen wird. Das verstehe ich. Aber ich verstehe wirklich nicht. warum man es geheimhalten sollte – dazu ist es viel zu wichtig, zu bedeutsam. Außerdem hat James ja nichts Unrechtes getan. Jedenfalls im *eigentlichen Sinne* nicht.« Sie hielt inne und senkte die Stimme. »Aber ich habe James etwas über meinen Vater verraten, und jetzt denke ich, daß ich das vielleicht besser gelassen hätte.« Sie warf ein paar Krümel auf die Erde, und sofort war eine Schar Spatzen da. »Erinnern Sie sich noch an den Tag – ach Gott, es ist eine Ewigkeit her –, als ich mein Fahrrad verloren hatte und Sie es mir wiedergebracht haben?«

»Natürlich erinnere ich mich.«

»Ich kann mir vorstellen, was Sie sich gedacht haben – diese dumme Gans, allein in so einer Gegend herumzulaufen.«

»Nein, ich habe nichts dergleichen gedacht«, sagte er, und überrascht erkannte sie etwas in seinen Augen, was sie niemals vermutet hätte. Um ihre Bestürzung zu verbergen, sagte sie hastig: »Wissen Sie, ich war gerade hinter ein Geheimnis gekommen und völlig außer mir. Ich war damals noch so naiv – ich hatte von nichts eine Ahnung.« Sie schwieg, unfähig, ihm in die Augen zu schauen. Dann sagte sie langsam: »Ich dachte, es spielte eine Riesenrolle. Jahrelang war ich meinem Vater furchtbar böse.«

»Und jetzt?«

»Und jetzt –«, sie seufzte, »jetzt scheint es mir nicht mehr so wichtig zu sein. Jeder macht Fehler, nicht wahr? Auch ich habe Fehler gemacht.« Sie hatte ihre Fassung wiedergefunden und konnte sich wieder ihm zuwenden und sagen: »Das muß ja schrecklich für Sie gewesen sein, Ihren Vater auf diese Weise zu verlieren.«

»Unsere Familiengeheimnisse ließen sich nicht verbergen«, sagte er bitter. »Wenige Tage nach dem Tod meines Vaters wußte ganz Buxton Bescheid. Es gibt ehemalige Freundinnen meiner Mutter, die seitdem kein Wort mehr mit ihr gesprochen haben. Meine ältere Schwester war damals verlobt, der Mann hat die Verlobung gelöst. Keine meiner beiden Schwestern hat geheiratet. Ich kann mich nur bemühen, den Schaden zu begrenzen – dafür zu sorgen, daß es meiner Familie möglichst gut geht, genau wie Sie sich nur bemühen können, Ihrem Vater zu helfen, damit er schnell wieder gesund wird, Miss Eva. Und versuchen, eine Aussöhnung zwischen ihm und Ihrem Bruder herbeizuführen.«

Sie wußte natürlich, wo James war. Am nächsten Tag setzte sie sich in den Zug und fuhr nach Twickenham.

James wohnte mit seiner Familie in einem von mehreren roten Backsteinhäusern nicht weit von der Themse. Rechts und links vom Weg, der durch den kleinen Vorgarten zur Haustür führte, blühten Herbststiefmütterchen. Eine Kletterrose, an der noch ein oder zwei Blüten hingen, rankte sich an einem Spalier in die Höhe.

James selbst öffnete ihr. Er war in Hemdsärmeln und Kordhose. »Hallo, Eva.« Er küßte sie. Dann sagte er unvermittelt: »Ich komme nicht zurück. Wenn du hier bist, um mich dazu zu überreden, bist du leider umsonst gekommen.«

»Vater ist krank, James.«

»O Gott.« Er schloß einen Moment die Augen und lehnte sich an den Türpfosten.

Am Ende des Korridors bewegte sich jemand, hörte zu. In dem Schatten konnte Eva eine Frau in einem violetten Kleid erkennen, die ein Kind auf dem Arm hielt.

»Was ist passiert?« fragte James.

»Dr. Hazeldene sagt, es sei sein Herz.«

»Ist es schlimm?«

»Mit viel Ruhe und guter Pflege sollte er wieder ganz gesund werden.«

Die Frau kam näher. Sie war schlank und blond, mit zarten,

ebenmäßigen Zügen. Das kleine Mädchen, das sie auf dem Arm hielt, war ihr wie aus dem Gesicht geschnitten. Sie berührte James' Arm. »James?«

»Emily.« Er sah sie lächelnd an. »Das ist meine Schwester Eva.«

»Wollen Sie nicht hereinkommen, Miss Maclise? Bei dieser Kälte ist es ungemütlich hier draußen.« Ein weicher Londoner Akzent.

Sie gingen ins Wohnzimmer. Emily bot Tee an, Eva nahm dankend an. James folgte seiner Frau in die Küche. Eva hörte sie mit gesenkten Stimmen miteinander sprechen. Dann kam James zurück.

»James«, sagte Eva schnell, »bitte komm mit mir zurück nach Summerleigh. Du brauchst ja nicht lange zu bleiben. Es geht doch nur darum, daß ihr euch wieder vertragt, du und Vater.«

»Ich kann nicht. Tut mir leid, Eva.«

»Aber James –«

»Es sei denn, Vater entschuldigt sich bei mir.«

»Du weißt, daß er sich nicht entschuldigen wird. Er entschuldigt sich doch nie.«

»Dann kann ich nicht mit dir zurückfahren.« Sein Gesicht spiegelte seine Entschlossenheit. »Es tut mir leid, daß es Vater nicht gutgeht, und es tut mir ehrlich leid, wenn ich der Grund dafür bin.« James warf einen schnellen Blick zur Küche, um sich zu vergewissern, daß seine Frau nicht in Hörweite war. »Aber ich kann ihm nicht verzeihen, was er zu mir gesagt hat. Mit was für Namen er Emily belegt hat – ich kann sie gar nicht wiederholen. Sogar Violet hat er beschimpft. Nein, ich kann das nicht verzeihen. So etwas läßt sich nicht einfach unter den Teppich kehren. Was ich so unerträglich finde, ist die Heuchelei dabei. Daß er es wagt, mich zu kritisieren, wenn er selbst mit dieser Frau ein Verhältnis hatte –« Sein Gesicht war weiß vor Zorn. »Vater sagte, er würde mich enterben, wußtest du das? Aidan wird zufrieden sein«, fügte er mit Bitterkeit hinzu.

»Er war ja immer schon der Meinung, ich stünde ihm im Weg. Ich –« Er brach ab, als Emily mit dem Teetablett ins Zimmer kam.

Nach dem Tee brachte Emily Violet zu Bett, und James begleitete Eva zum Bahnhof. Auf dem Bahnsteig versuchte sie es noch einmal. »Du könntest ihm doch schreiben, James. Nur einen Brief.«

Er schüttelte den Kopf. »Nein, Eva.«

Sie seufzte. »Aber ich kann doch den anderen von Emily und Violet erzählen«, sagte sie. »Emily ist schließlich unsere Schwägerin und Violet unsere Nichte.«

»Ja, natürlich.«

Ihr kamen die Tränen. »Ich halte das nicht aus, daß du weggehst, James. Dieser grausige Krieg –«

»Ach, kämpfen werde ich noch lange nicht.« Er lachte sie an. »Ich werde erst mal in einem Ausbildungslager herumsitzen und wieder lernen, wie man ein Gewehr zusammensetzt. Bis ich an die Reihe komme, ist der ganze Zauber wahrscheinlich längst vorbei.«

Ein gellender Pfiff, und weiße Dampfwolken kündigten den einfahrenden Zug an. Als sie in ihrem Abteil saß, dachte Eva: *Was wir aus unserem Leben machen! Wir lieben die falschen Menschen, wir streiten mit denen, die wir lieben, und sind dann zu stolz, um unsere Worte zurückzunehmen.*

Und doch kann uns die Liebe an den seltsamsten Orten begegnen. In einem Varietétheater voller Menschen oder auf einem Kai an einem Kanal. Wie falsch sie alle Mr. Foley gesehen hatten, langweilig und spießig war er in ihren Augen gewesen. Aber hinter dieser starren, düsteren Fassade verbarg sich ein gefühlvoller Mensch, der sich von alten Verletzungen noch nicht erholt hatte. Sie überlegte, ob es sie störte, daß Mr. Foley sie liebte, und merkte, daß sie nichts dagegen hatte. Er würde vermutlich nie mit ihr darüber sprechen, und außerdem brauchte sie gerade jetzt dringend einen Freund. Ihre Selbständigkeit, auf die sie immer so stolz gewesen war, hatte ein wenig gelitten, und da tat es gut zu wissen, daß jemand da war, an den sie sich wenden konnte.

Marianne ging jeden Tag ein Stück weiter. Einmal rund um den Garten von Blackwater, dann zweimal, dann dreimal, immer mit George auf dem Arm und Ama im Gefolge. Sie hörte Arthurs Stimme nie wieder so deutlich wie an jenem Morgen im Garten, aber manchmal spürte sie seine Präsenz.

Sie zwang sich zu essen. Reis, Fleisch, Gemüse, schluck es hinunter und kümmre dich nicht darum, daß dein Magen rebelliert. Ihre Röcke und Blusen hingen jetzt nicht mehr ganz so formlos an ihr herunter, und ihr Haar wuchs langsam nach. Sie nahm kein Schlafmittel mehr und hatte einen klareren Kopf und weniger Alpträume. Aber sie bewahrte Dr. Scotts Tropfen auf, hinten in einer Schublade versteckt. Nur für den Fall.

Sie wußte jetzt, daß sie Blackwater verlassen mußte, ganz gleich wie und ohne Rücksicht auf die Konsequenzen. Sie mußte George seinem Vater entreißen, denn wenn sie es nicht tat, würde Lucas seinen Sohn verderben, wie sein eigener Vater ihn verdorben hatte. Wenn er abends nach Hause kam, machte er sich einen Spaß daraus, George Wein trinken zu lassen, und amüsierte sich, wenn der kleine Junge angetrunken herumtorkelte oder mit Fäusten auf Ama eintrommelte. »Ach, mach nicht so ein Theater«, sagte er, wenn Ama das Kind wütend ausschimpfte. »Ist doch gut, wenn er ein bißchen Temperament zeigt. Er soll mir mal nicht so ein Schlappschwanz werden, wie seine Mutter es gern sähe.«

Sie sah mit Schmerz, wie die Saat der Verführung aufging. Manchmal war George herrisch und hochmütig, und Lucas lachte über seine Frechheiten Ama gegenüber, ja, stachelte ihn zu immer dreisterem Übermut an. An anderen Tagen war Lucas gereizt und ungeduldig, schlug ihn oder sperrte ihn in seinem Zimmer ein. Georges Verhalten wurde wie das seines Vater – unberechenbar. Bald zeigte er sich still und verschlossen, dann wieder jähzornig, zu heftigen Wutanfällen neigend.

Wenn sie in Blackwater blieben, würde George gewisse Dinge mit ansehen und sich an sie gewöhnen müssen. Wie sein Vater, von Ama umschlungen, auf der Veranda saß und sich von ihr liebkosen ließ. Wie er Ama grob davonjagte, wenn er genug von ihr hatte. Marianne wußte, daß Lucas Ama eines Tages leid sein würde, genau wie er Parvati und vermutlich auch Parvatis Vorgängerinnen leid gewesen sein mußte. Marianne vermutete, daß sich Ama dessen bewußt war und sie deshalb ihre goldenen Armreifen immer so gewissenhaft zählte.

Sie wußte, was aus ihrem einzigen Kind werden würde, wenn es bei Lucas blieb. In fünf Jahren, spätestens in zehn, würde sein Vater seine Seele zerstört haben. Ein paar Jahre später würde der weiche, zärtliche Junge verschwunden sein, verdrängt von einem skrupellosen und zynischen jungen Mann. Dann gäbe es keine Rettung mehr für ihn. Es kostete sie innere Kämpfe, ihre Wut und ihren Zorn zu beherrschen und die Fassade der Willenlosigkeit und Unterwürfigkeit aufrechtzuerhalten, um Lucas die Illusion zu geben, er könne sie verachten und als besiegt abtun. Das war ihre einzige Waffe – daß er in ihr keine Bedrohung sah. Nachts, allein in ihrem Zimmer, ballte sie die Fäuste und stellte sich vor, wie sie ihre Nägel durch Lucas' Gesicht zog. Oder ihm das Glas Wein entriß, aus dem er ihrem Kind zu trinken gab, und es am Boden zerschmetterte. Oder Schlimmeres, viel Schlimmeres.

Sie veränderte sich von neuem, wurde kälter, härter, Gefühlen gegenüber unzugänglicher, hatte nur noch ein einziges Verlangen, ihr Kind zu schützen. Sie zwang sich zurückzublicken, um zu verstehen, warum ihr letzter Fluchtversuch gescheitert war. Natürlich hatte der Knecht sich geweigert, sie zum Bahnhof zu fahren – die Angestellten in Blackwater hatten alle tödliche Angst vor Lucas. Und natürlich hatte Anne Rawlinson sie nach Blackwater zurückgefahren. *Wir hier draußen halten zusammen,* hatte sie ihr einmal erklärt.

So überleben wir. »Wir«, das hieß die Rawlinsons, Lucas und der Rest der besitzenden britischen Kolonie. Hier war *sie* die Außenseiterin.

Sie erkannte, daß sie Lucas niemals entkommen würde, wenn sie sich von anderen abhängig machte. Sie mußte fähig sein, ohne Hilfe zu überleben. Bei ihrem Fluchtversuch hatte sie nicht einmal selbst für ihr Kind vorsorgen können; sie hatte Rani fragen müssen, was sie an Kleidern und Nahrung für George mitnehmen sollte. Sie mußte allein fertig werden, vielleicht für den Rest ihres Lebens.

Sie machte wieder Listen, schrieb genau auf, was sie für George brauchen würde: zu essen und zu trinken für unterwegs; Kleider zum Wechseln; seinen Sonnenhut; sein Lieblingsspielzeug. Wenn niemand schaute, nahm sie ein Jäckchen an sich, das draußen zum Trocknen auf einem Busch lag, oder ein Mützchen, das auf der Veranda liegengeblieben war, und versteckte die Sachen unter ihrer Matratze. Sie beobachtete Ama so scharf wie diese sie, um sich mit dem täglichen Ablauf von Georges kleinem Leben vertraut zu machen. Mit seinen zwei Jahren, trug er tagsüber keine Windeln mehr. Bald, dachte Marianne bei sich, würde er groß und kräftig genug sein, um einen Teil des Bergpfads auf eigenen Füßen zu bewältigen. Die Vorstellung von ihr und George, einer Weißen mit einem Kind, auf dem langen Marsch von Blackwater ins Dorf, jedem, der sie sah, vermutlich einen neugierigen Blick und einen Kommentar wert, beunruhigte sie, aber sie sah keine Alternative. Sie wäre lieber nachts verschwunden, aber Ama schlief bei George im Kinderzimmer, und selbst wenn es ihr gelänge, George zu holen, während Ama bei Lucas war, sagte sie sich, würde Ama bei ihrer Rückkehr ins Kinderzimmer sofort Alarm schlagen. Ihr würde dann nicht genug Zeit bleiben, um den Bahnhof zu erreichen, bevor Lucas sie zurückholen konnte.

Was brauchte sie für eine Flucht? Geld natürlich. Der Verlobungsring, den Arthur ihr geschenkt hatte, war das einzige wertvolle Stück, das sie noch hatte; sie brauchte nicht lang, um sich zu seinem Verkauf zu entschließen. Aber wem konnte sie genug vertrauen, um ihn mit dem Verkauf des Rings zu beauftragen? Sie ging die Liste ihrer Bekannten durch. Dr. Scott und Ralph Armitage waren ganz in Lucas' Bann. Anne Rawlinson hatte sie schon einmal verraten. Blieben die Hilfsverwalter, Mr. Cooper und Mr. Salter. Mr. Cooper war faul und schwerfällig, einer, der stets den Weg des geringsten Widerstands ging. Mr. Salter – sie hatte einmal den Eindruck gehabt, daß Mr. Salter eine Schwäche für sie hatte.

Fortan beobachtete sie auch Mr. Salter. Ihr fiel auf, daß er schon seit einiger Zeit die Abende allein in seinem kleinen Haus verbrachte, anstatt wie früher mit Lucas in Blackwater zu trinken. Vermutlich hatte Lucas, der nicht nur zu Hause, sondern auch bei der Arbeit immer tyrannischer wurde, Mr. Salter einmal zu oft beleidigt und ihn sich damit, wie so viele andere, zum Feind gemacht.

Eine Möglichkeit boten noch die Händler und Lieferanten, die regelmäßig ins Haus kamen. Die *dhobi* und die Hausierer mit ihren Seidenstoffen und Spitzengeweben. Und Mr. da Silva, der jeden Monat in die Fabrik kam, um den Tee abzuholen und auf Ochsenkarren zum Bahnhof zu befördern. Als er diesmal kam, brachte er Marianne ein Blumensträußchen und George eine Süßigkeit mit. Sie sah, wie er Ama auf der Veranda zunickte. Mit seinen hellen bernsteinfarbenen Augen sah er Marianne freundlich an. »Sie sehen schmal aus, Mrs. Melrose«, sagte er. »Das nächste Mal bringe ich einen Kuchen mit, einen richtig großen Kuchen, und Sie müssen mir versprechen, ihn allein aufzuessen.«

Sie würde ihrer Berechnung nach mindestens zwei Stunden brauchen, um zum Bahnhof zu gelangen und dort den Zug zu nehmen. Eine Zeit zu finden, zu der weder Lucas noch Ama ihre und Georges Abwesenheit bemerken würde, war das größte Problem. Lucas war zwar den größten Teil des Tages draußen auf der Pflanzung, aber das waren auch die Zeiten, zu denen Ama immer bei George war.

Sie dachte an die tamilischen Feste bei Vollmond. Da kam die Arbeit auf der Plantage regelmäßig zum Stillstand, während die Kulis feierten und tanzten und ihren Göttern Opfer darbrachten. An diesen Tagen trank Lucas noch mehr als sonst, trank oft bis zu Besinnungslosigkeit.

Sie begann, ihre Sonntagsspaziergänge mit George an der Hand an Mr. Salters Haus vorbeizulenken. Ama tappte ihnen auf bloßen Füßen mürrisch hinterher, verärgert, daß sie in der heißesten Zeit des Tages ihren Lieblingsplatz auf der Veranda verlassen mußte. Mr. Salter winkte ihnen aus seinem Garten. Marianne fiel auf, wie seine Blicke immer wieder von ihr zu Ama flogen, wie sie der geschmeidigen Gestalt im Sari den Hang hinauffolgten.

Ein-, zweimal machte Marianne auf einem dieser Spaziergänge halt, um mit Mr. Salter zu plaudern. Ama blieb ein paar Schritte abseits, im Schatten ihres Sonnenschirms.

»Wir sehen Sie ja gar nicht mehr bei uns, Mr. Salter«, sagte Marianne. Wieder fiel ihr auf, daß sein Blick wie magisch angezogen zu Ama glitt, und in ihr erwachte eine treibende Unruhe, als er sich die Stirn wischte und sagte: »Ich gehe vielleicht Ende des Jahres nach Hause, Mrs. Melrose. Dieses Land hier – ich habe mich nie an das Klima gewöhnt. Ich dachte, das würde mit der Zeit kommen, aber das war ein Irrtum. Mir ist einfach die Kälte lieber. Man sollte es nicht glauben, aber ich habe eine Riesensehnsucht nach einem Wintertag in Edinburgh.«

Einmal brachte er ihnen Blumen aus seinem Garten. Einen Zweig Bougainvillea für Marianne und Lilien mit goldbestäubten Blüten für Ama. Sie bemerkte den Schweiß auf seiner Oberlippe, als seine Hand die von Ama streifte. Und das kokette Lächeln, das Amas volle rote Lippen umspielte.

»Sie werden uns fehlen, wenn Sie nach England zurückkehren, Mr. Salter«, sagte Marianne und dankte ihm. »Ohne Sie wird es hier recht öde werden. Der armen Ama werden die Tage im Haus lang. Ich glaube, sie vermißt die Stadt und die Geschäfte. Sie liebt die hübschen Dinge im Leben.«

Sie zählte die Tage bis zu Mr. da Silvas Rückkehr. Er hielt sein Versprechen und brachte ihr einen Kuchen mit Zuckerguß mit. Mit einem raschen Blick zum Haus vergewisserte sie sich, daß sie allein waren, dann ergriff sie seine Hand, um ihm zu danken, und schob ihm den Diamantring zu. »Sie müssen ihn für mich verkaufen«, flüsterte sie. »Bitte, Mr. da Silva. Und wenn –« Ama war mit George auf dem Arm ins Vestibül gekommen. Marianne meinte, sie müßte ersticken, so heftig klopfte ihr das Herz. Aber Mr. da Silva sagte heiter: »Das nächste Mal bringe ich dem Kleinen etwas mit, Mrs. Melrose. Eine Überraschung. Niemand darf wissen, was. Es soll unser Geheimnis sein.« Damit ging er.

Marianne kniete vor einem Blumenbeet nieder und begann blind, das Unkraut herauszureißen. »Ich mußte, Arthur«, flüsterte sie. »Das verstehst du doch, nicht? Ich mußte ihn verkaufen.«

Nach ihrer Trennung von Ash war Iris drei Monate lang mit Charlotte zusammen kreuz und quer durch Frankreich gereist, ehe sie nach Summerleigh zurückgekehrt war. Bei Kriegsausbruch hatte sie Sheffield wieder verlassen, um in einem Militärkrankenhaus in London zu arbeiten. In dieser ganzen Zeit war ihr bewußt, daß sie tief unglücklich war und unempfänglich für jedes Gefühl. Sie hatte die Schönheit der französischen Städte und Schlösser, die sie und Charlotte besuchten, durchaus zu würdigen gewußt, aber innerlich berührt hatte sie sie nicht. Diese innere Verhärtung hatte die ihr vom Krieg abgenötigte Entscheidung, in den Krankenhausalltag mit all seiner Routine und strengen Disziplin zurückzukehren, erträglich gemacht.

Einmal traf sie sich abends mit Eva im Lyons Corner House auf dem Strand. Schneeflocken landeten auf den Fensterscheiben und rutschten am Glas abwärts. Iris, die den ganzen Tag Dienst gehabt hatte, bestellte Tee, Toast und einen Muffin. Während sie auf das Essen warteten, erzählte sie ihrer Schwester von dem Krankenhaus, in dem sie jetzt beschäftigt war. »Ich hoffe nur, ich werde nie Stationsschwester. Die haben alle einen Vogel – bei Schwester Leach müssen die Bettstellen dreimal am Tag abgestaubt werden. Ich weiß, daß Hygiene wichtig ist, aber *dreimal am Tag* staubwischen?« Sie sah Eva an und sagte unvermittelt: »Na komm schon, sag's.«

»Was denn?«

»Du hast doch etwas auf dem Herzen.« Eva sah man so etwas immer an. »Geht es um Vater?«

»Vater geht es besser. Er arbeitet wieder. Aber er hat sich verändert, Iris.«

»Vater war immer kerngesund, da ist so eine Krankheit natürlich ein Schlag für ihn. Also, was ist los? Machst du dir Sorgen um James? Oder um seine Familie?« Das klang seltsam; es fiel Iris immer noch schwer, sich James als Ehemann und Vater vorzustellen.

»Emily und Violet geht es gut. Ich war vor ein paar Tagen zum Essen bei ihnen. Und James hat mir eine Karte geschrieben. Bei ihm scheint alles in Ordnung zu sein.«

Der Tee wurde gebracht. Iris schenkte ein.

»Es geht um Marianne«, sagte Eva.

»Hast du von ihr gehört?«

»Ich habe vor kurzem einen Brief von ihr bekommen. Da stimmt etwas nicht, Iris, ich bin mir ganz sicher. Der Brief klingt so komisch.«

»Komisch?«

»Merkwürdig. So gar nicht nach Marianne. Jedenfalls nicht nach der, die wir kennen. Irgendwie anders. Als wär's ihr völlig egal, was sie schreibt und wem sie schreibt. So war Marianne doch nie. Sie hat sich immer für alles und jeden interessiert. Wenn überhaupt, sind ihr die Dinge eher zu nahe gegangen.«

»Sie hat sich nach Arthurs Tod verändert«, meinte Iris. »Man kann nicht erwarten, daß so etwas keine Spuren hinterläßt.«

»Nein, natürlich nicht. Aber dann habe ich die hier durchgelesen.« Eva nahm ein Bündel Briefe aus ihrer Handtasche. »Und Clemency hat mich ihre sehen lassen. Da steht im Grunde überhaupt nichts drin, Iris. Nur kleine Geschichtchen über George und den Garten und ein bißchen Gerede übers Wetter. Nichts von Bedeutung. Nichts über Marianne. Nichts darüber, wie es ihr geht. Ob sie glücklich ist oder nicht.«

»Was befürchtest du denn?«

»Ich weiß auch nicht.«

Bei der Erinnerung an Mariannes überstürzte Heirat war auch Iris beunruhigt. »Vielleicht ist die Ehe nicht glücklich«, sagte sie langsam. »Marianne hat ja immer alles mit sich selbst abgemacht – sie will vielleicht nicht zugeben, daß die Ehe gescheitert ist.«

»Und wir können überhaupt nichts tun! Dieser furchtbare Krieg...« Eva starrte mit zusammengezogenen Brauen finster in ihre Teetasse. »Ich hasse ihn. Er verzerrt alles. Hundertmal kann ich mir sagen, daß die Schönheit gerade jetzt im Krieg um so wichtiger ist – es ändert nichts daran, daß mir meine Arbeit in der Galerie läppisch und egoistisch vorkommt. Es macht mich wütend, daß ich etwas, das mir einmal alles bedeutet hat, heute in so einem Licht sehe. Ich hatte schon beschlossen, Krankenschwester zu werden wie du – lach nicht, Iris! –, und bin in eines von Mutters Erste-Hilfe-Seminaren gegangen, aber da ist mir sofort übel geworden, als ich das Blut sah, obwohl es nicht mal echtes war. Wie würde ich da wohl im Ernstfall reagieren?« Mit heftiger Bewegung riß sie ein Streichholz an, um sich eine Zigarette anzuzünden. »Darum habe ich mich jetzt entschieden, nach Hause zurückzugehen.«

»Eva!«

»Ich weiß.« Sie gestikulierte mit der Zigarette in der Hand. »Es wird wahrscheinlich unerträglich werden, und ich werde mich nach spätestens einer Woche nach London zurücksehnen. Ich war immer so stolz darauf, mein Geld selbst zu verdienen und auf eigenen Füßen zu stehen. Ich habe immer auf euch herabgesehen, Iris, auf dich, weil du anscheinend nur Kleider und Hüte im Kopf hattest, auf Marianne, weil sie eine brave Ehefrau wurde, und auf Clem, weil sie zu Hause geblieben ist. Aber jetzt bin ich diejenige, die zu nichts nütze ist. Dieser grauenvolle Krieg hat wirklich alles auf den Kopf gestellt.«

»Was willst du denn zu Hause tun?«

Eva seufzte. »Ich habe mir gedacht, ich könnte Vater in der Firma helfen. Ich kann ihm seine Briefe tippen, die Bücher führen, Anrufe erledigen. Lydia hat mir das alles beigebracht, und bei Paula im Verlag habe ich viel Erfahrung gesammelt. Jetzt, wo James weg ist und Vater noch nicht wieder richtig auf dem Damm, brauchen sie mich, Iris. Ich sehe das ganz deutlich.« Sie lächelte ein wenig mühsam. »Aber es fällt mir schwer, meinen Stolz hinunterzuschlucken und nach so vielen Jahren Unabhängigkeit in den Schoß der Familie zurückzukehren.«

»Tja, mit unserem Stolz haben wir alle Schwierigkeiten.«

»Das stimmt.« Eva kniff die Augen zusammen und blies einen dünnen Rauchfaden in die Luft. »Übrigens«, – sagte sie, »ich habe Ash getroffen.«

Iris stockte der Atem, aber sie erwiderte kühl: »Tatsächlich? Ich hoffe, es geht ihm gut.«

»Sehr gut. Er würde dich gern sehen.«

Iris wandte sich ab. »Ich glaube nicht, daß das gut wäre.«

»Er *ist nicht* verheiratet, falls es dich interessiert.«

Stille, während Iris den Schock zu verarbeiten suchte. »Ich wüßte nicht«, sagte sie dann, »wieso mich das interessieren sollte.«

»Ash hat mir nicht erzählt, was passiert ist, und ich habe auch nicht gefragt. Aber ich denke, du solltest mal die Möglichkeit ins Auge fassen, daß damals nicht alles so war, wie es für dich aussah.«

Zorn, Groll und Gekränktheit stritten miteinander. Und zu Iris' Bestürzung mischte sich die Hoffnung ein. Bestürzung deshalb, weil sie wußte, daß sie sich von neuem Schmerz und Enttäuschung aussetzte, wenn sie hoffte.

»Ash möchte dich sehen, Iris. Er hat mich gebeten, dir das zu sagen.«

»Ich kann nicht.«

»Natürlich kannst du.«

»Du weißt nicht –«

»O doch! Ich weiß, daß ihr euch gegenseitig sehr weh getan habt, du und Ash. Ich weiß aber auch, daß du glücklich sein könntest, wenn du dich dafür entscheidest. Wenn du verzeihen könntest.«

»Aber ich weiß nicht, ob ich das kann.«

»Wenn ich an Vater und James denke – wenn ich sehe, wie unglücklich sie sich machen, weil keiner von beiden verzeihen kann!« Eva beugte sich über den Tisch. »Du liebst Ash, und Ash liebt dich. So einfach ist das.«

»Wenn es das nur wäre –«

»Es *ist* einfach, glaub mir. Er liebt dich. Das habe ich gespürt, und ich weiß ein bißchen was von der Liebe. Ich weiß, wie man sich fühlt, wenn man liebt. Und ich kann dir sagen, daß Ash dich liebt, nach dem, wie er von dir spricht.« Eva hatte Tränen in den Augen.

Iris schwieg einen Moment, dann sagte sie: »Wer war es? Der Mann, den du geliebt hat? Ich habe mich manchmal gefragt, ob du mir vielleicht davon erzählst, aber das hast du nie getan.«

Eva lächelte unter Tränen. »Er war Maler – ein ziemlich bekannter sogar. Und er war verheiratet und hatte Kinder. Ich wollte ihn nicht lieben, aber ich kam nicht dagegen an. All die Dinge, von denen es immer hieß, wir sollten sie ja nicht tun ... tja, ich habe sie alle getan. Und seit ich mich getrennt habe, fühle ich mich wie amputiert.« Sie senkte den Blick und fügte leise hinzu: »Aber ich bereue nichts. Ich kann es nicht bereuen, obwohl ich weiß, daß es unrecht war, obwohl er mir so weh getan hat. Ich korrespondiere immer noch mit seiner

Frau. Er ist jetzt in Frankreich. Als Sanitäter. Kämpfen wollte er nicht.« Sie hob den Kopf und sah Iris an. »Manchmal weiß man, daß man nicht glücklich werden kann, ganz gleich, wie sehr man einen Menschen liebt. Aber ihr beide könnt glücklich werden, Iris, und du wärst dumm, wenn du die Chance verstreichen ließest. Schrecklich dumm.«

Es war ein kalter, feuchter Abend. Ash wartete vor dem Krankenhaus auf sie. Iris blieb einen Moment stehen, als sie ihn sah. Er hatte sie noch nicht bemerkt, und sie wollte sich prüfen. Er hatte sich verändert: Sein Haar war sehr kurz, und er trug Uniform. Darauf hatte Eva sie nicht vorbereitet.

Dann drehte er sich um und erkannte sie. In einem kurzen Augenblick peinlicher Verlegenheit schienen sie beide nicht zu wissen, ob sie sich küssen sollten oder nicht. Sie überbrückte ihn, indem sie sagte: »Ach du lieber Gott, die Heimleiterin beobachtet mich. Gib mir einen Kuß, Ash, einen brüderlichen Kuß, und ich mache ihr weis, du wärst James. Sie ist blind wie ein Maulwurf, und ihr habt beide helles Haar. Dann kannst du mit zu mir kommen.«

Seine Lippen streiften ihre Wange, und sie vermerkte – mit Erleichterung, oder war es vielleicht Hoffnungslosigkeit? –, daß sie nichts empfand. Sie entfernten sich vom Krankenhaus. Iris berührte leicht seinen Arm. »Ich hätte nie erwartet, daß du einmal Soldat wirst, Ash.«

Er lächelte ein wenig traurig. »Ich auch nicht.« Dann zuckte er mit den Schultern. »Aber ich fühlte mich irgendwie verpflichtet, weißt du. So viele von den Männern, die ich im East End kenne, haben sich freiwillig gemeldet – na ja, da fand ich, ich müßte mich auch melden. Und du, Iris«, fragte er dann. »Zurück im Krankenhaus ... ›Nie wieder‹, hast du damals gesagt.«

»Es ist auch fürchterlich«, sagte sie. »Alles wie gehabt – Stationsschwestern, die einen herumkommandieren, und nichts als Vorschriften. Aber die Männer auf meiner Station sind wirklich nett. Manche von ihnen sind noch so jung. Manchmal komme ich mir fast wie ihre Mutter vor.«

»Ich habe in meinem Bataillon ein paar Jungen, die erst sechzehn oder siebzehn sind. Sie haben ein falsches Alter angegeben, um genommen zu werden.«

»Wo bist du stationiert, Ash?«

»Im Moment bin ich noch im Ausbildungslager.«

»Wie James.« Sie dachte an die Verwundeten auf ihrer Station. »Gott sei Dank.«

Eine schwarze Katze flitzte über die Straße; ein halbes Dutzend Soldaten kam aus einem Pub. Er sagte: »Danke dir, daß du zu diesem Treffen bereit warst.«

»Eva hat mir erzählt, du hast gar nicht geheiratet«, sagte sie schroff.

»Nein.«

»Warum nicht?«

»Das Ganze entpuppte sich als großer Irrtum.«

»Und das Kind?«

»Das gab es.« Er machte ein finsteres Gesicht. »Aber es war nicht von mir.«

Wie sehr mußte Thelma Voss Ash begehrt haben, wenn sie sogar mit diesem uralten Trick versucht hatte, ihn einzufangen! »Hast du sie geliebt?«

»Ich habe sie gemocht. Und auch bewundert. Aber geliebt habe ich sie nicht, nein.«

»Aber du warst mit ihr im Bett?«

»Ja.«

»Und – hast du mich geliebt?«

»Ja.«

»Dann verstehe ich nicht, warum du mit Thelma geschlafen hast.«

Nach einer kleinen Pause sagte er: »Ich weiß nicht recht, wo ich anfangen soll. Jetzt um Verzeihung zu bitten, fände ich erbärmlich. Sogar der Versuch einer Erklärung käme mir arrogant vor – anzunehmen, daß es dich überhaupt interessiert.«

»Stille einfach meine Neugier.«

Er blieb im dämmrigen Licht einer Gaslaterne stehen. »Ich bin mit Thelma ins Bett gegangen, weil ich einsam war«, sagte er. »Weil ich zu dem Zeitpunkt glaubte, du liebst mich nicht. Weil ich wütend auf dich war. Und weil Thelma da war und du nicht.«

Na bitte, dachte sie, es tut überhaupt nicht weh. Sie konnte immer noch stehen und gehen und reden – sie konnte sogar lächeln. »Wir laufen anscheinend immer aneinander vorbei, Ash. Irgendwie empfindet der eine immer gerade anders als der andere.«

»Vielleicht bekennen wir uns auch nur nicht zu gleicher Zeit zu den gleichen Gefühlen.«

Sie spürte seinen forschenden Blick und schaute weg. »Warum wolltest du mich sehen, Ash?« Wieder berührte sie flüchtig seinen Arm in der khakifarbenen Uniformjacke. »Deswegen?«

»Ja, irgendwie schon. Nicht – nicht, um dir mit Rührseligkeit zu kommen, so nach dem Motto: ›Leb wohl, mein Schatz. Ich muß dich verlassen.‹ Es ist eher ein Bedürfnis, etwas zu klären. Nichts Unausgesprochenes zurückzulassen.«

Sie kamen an einem Café vorüber. »Bist du hungrig?« fragte er.

»Eigentlich nicht. Aber eine Tasse Kaffee vielleicht...«

Sie gingen hinein. Die warme Luft roch nach feuchten Handtüchern und süßem Kuchen. Eine Clique Fabrikarbeiterinnen in Kopftüchern und Schürzen, die an einem Tisch zusammensaß, machte einigen Soldaten auf der anderen Seite des Durchgangs schöne Augen.

»Ich fand dich immer so edel und gut«, sagte Iris. »So hilfsbereit, so großzügig, und alle mochten dich. Und gescheit warst du noch dazu. Und hattest so viel gelesen. Ich fand, du stündest haushoch über mir. Ich war nie edel und hilfsbereit. Vielleicht bin ich nur Krankenschwester geworden, um zu beweisen, daß ich so gut bin wie du.«

»Vielleicht war es gar nicht Edelmut und Güte. Vielleicht war es nur ein Mittel, die Zeit auszufüllen. Oder Nähe zu einem bestimmten Menschen zu vermeiden.«

»Vielleicht. Aber du hast meinem Leben eine andere Wendung gegeben, Ash, ob das nun deine Absicht war oder nicht. Und ich glaube – ich glaube, du bist hierhergekommen, um mich zu fragen, ob ich dich noch lieben kann. Die ehrliche Antwort darauf ist – ich weiß es nicht. Ich weiß es wirklich nicht. Aber selbst wenn, wird es nicht mehr so sein, wie es war, das weiß ich.«

Sie sah, wie er den Kopf senkte, als er ihre Worte aufnahm. Dann sagte er: »Nicht einmal heute kann ich dir sagen, wann ich angefangen habe, dich zu lieben. Ich weiß nicht, ob es in London oder in Sheffield war. Vielleicht schon, als ich dich damals auf dem Fahrrad den Hang herunterkommen sah. Ich weiß es nicht. Vielleicht bin ich also doch nicht so gescheit. Aber egal, eigentlich wollte ich dir nur sagen, daß ich dich liebe, Iris, und immer lieben werde, ganz gleich, was ich getan habe, ganz gleich, wie es ausgesehen haben mag.«

Na also, dachte sie, ich bin nicht in Tränen ausgebrochen. Weder vor Freude noch vor Schmerz. Es berührt mich ganz einfach nicht. Doch sie merkte, daß ihre Hände zu Fäusten zusammengekrampft waren, und als sie sie öffnete, waren in jede Handfläche vier verräterische rote Halbmonde eingegraben.

»Aber ich wollte noch aus einem anderen Grund mit dir sprechen«, fuhr er fort. »Ich habe nicht viele Menschen, denen ich schreiben kann – oder die mir schreiben werden. Keine Eltern, keine Geschwister, keine anderen Verwandten. Die meisten meiner Freunde sind selbst an der Front. Wenn ich nach Frankreich oder wer weiß wohin geschickt werde, wird das nicht – nicht sehr schön sein. Deshalb wollte ich dich fragen, ob ich dir schreiben darf, Iris, denn du bist doch meine liebste Freundin.«

Nur einen Moment der Unschlüssigkeit, dann wußte sie, wie

sie antworten würde, denn vielleicht würde er nicht zurückkommen. Vielleicht würde ihrem schönen, starken, großherzigen Ash das gleiche widerfahren wie den zerstörten Männern, die sie auf ihrer Station pflegte. Und das wäre schrecklich.

»Natürlich kannst du mir schreiben«, sagte sie.

15

Marianne verstaute das Geld, das sie von Mr. da Silva für ihren Verlobungsring bekommen hatte, in einer Tabaksdose und versteckte diese hinter einer losen Sockelleiste in ihrem Zimmer. Beim nächsten Sonntagsspaziergang, der sie an Mr. Salters Haus vorbeiführte, erzählte sie dem Hilfsverwalter, wie sehr Ama sich langweile, wie einsam sie sei, wie sehr sie alles Schöne liebe. Als sie wenige Tage später mehrere neue goldene Reifen an Amas Armen und Fesseln bemerkte, die stets verschwanden, bevor Lucas nach Hause kam, triumphierte sie innerlich.

Jeden Tag unternahm sie meilenweite Fußmärsche rund um den Garten oder die staubigen Wege der Pflanzung hinauf und hinunter. Sie mußte, sagte sie sich, dafür sorgen, daß sie zäh und kräftig wurde, damit der Weg zum Dorf sie nicht ermüden würde, damit sie eine lange Reise würde wagen können. Sie stahl alles, was ihr irgendwie von Nutzen sein konnte – einen aus Palmblättern geflochtenen Korb, eine Taschenflasche, ein Messer, ein Heftchen Streichhölzer –, nahm es ohne einen Funken Schuldgefühl an sich, versteckte es und sagte nichts, wenn einem der Dienstboten die Schuld am Verschwinden eines der Stücke gegeben wurde. Sie studierte Karten und Eisenbahnfahrpläne und kramte aus der kleinen Bibliothek in Blackwater alte Bücher hervor. Ein Buch über häusliche Krankenpflege, damit sie George würde betreuen können, wenn sie als einzige für sein Wohl verantwortlich sein würde, und ein kleines Handbuch, das vermutlich einer von Lucas' Vorfahren mit hierhergebracht hatte und dem der Leser entnehmen konnte, wie man Feuer machte, woran man erkannte, welche Schlagen giftig und welche harmlos waren. Sie las beide Bücher mit großer Aufmerksamkeit und prägte sich die Einzelheiten genau ein.

Vor Lucas verheimlichte sie diese Unternehmungen natürlich, aber von Zeit zu Zeit merkte sie, daß er sie argwöhnisch beobachtete. Einmal, als sie auf der Veranda an ihm vorüberging, packte er ihre Hand und sagte: »Du scheinst ja sehr zufrieden mit dir zu sein, meine liebe Frau. Wie die Katze, die von der Sahne genascht hat.« Sein Daumen bohrte sich tief in ihren Handteller, aber sie erlaubte sich keinen Laut. »Was hast du vor? Was für Intrigen schmiedest du?« murmelte er. »Gleich, was es ist, es wird dir nicht gelingen, das weißt du – mich wirst du nicht besiegen.«

Sie fuhren mit den Rawlinsons zu einem Picknick in die Hügel. Ein ausgefahrener Ziehweg führte in einen Mahagonihain. Wilde Bienen summten nicht weit über ihren Köpfen, und auf einer Lichtung schwebten wie vom Wind getragene Blütenblätter Tausende weiße Schmetterlinge über dem Gras. Marianne blickte ins Tal hinunter, wo grüne Felder und ein silbern glänzender See ausgebreitet lagen.

»Wie ich gehört habe, soll sich vor langer Zeit eine junge Frau hier das Leben genommen haben«, bemerkte Anne Rawlinson, als sie durch das Gras zur Bergkante gingen. »Sie hat sich hier von den Felsen gestürzt. Aus Liebe oder ähnlichem Unsinn.«

Am Abend ging Marianne zum Gartenhaus am Rand des Gartens von Blackwater und stieg auf die Holzplattform hinauf, um sich den Sonnenuntergang anzusehen. Als sie Schritte hörte, drehte sie sich um und sah Lucas herankommen. »Was für ein Blick«, sagte er leise und blieb, hinter ihr stehen. »Wegen dieses Blicks hat mein Großvater sein Haus hier gebaut. An klaren Tagen kann man das Meer sehen.«

Sie spürte den Druck seiner ausgestreckten Finger in ihrem Rücken. »Aber es geht tief hinunter.«

Rotgoldenes Sonnenlicht strömte über das Hügelland. Seine Finger waren wie mit Elektrizität aufgeladen. Eine kleine Verstärkung des Drucks; sie schwankte; tief unten schien der Talgrund zu zittern.

»Was für eine rührende Geschichte, die Anne Rawlinson uns heute nachmittag erzählt hat«, murmelte er. »Sich aus Liebe das Leben zu nehmen!«

Mit einer heftigen Bewegung drehte sie sich um. »Was willst du tun?« zischte sie. »Willst du mich töten, Lucas?«

»Gott, wie theatralisch. Das ist ganz überflüssig. Ich wollte dich nur warnen.«

»Mich warnen?«

»Dich zur Vorsicht mahnen. Du solltest sehr, sehr vorsichtig sein, meine Liebe. Und gehorsam.«

»Und wenn ich es nicht bin?«

»Das wirst du nicht wagen. Es steht schließlich eine Menge auf dem Spiel. Außerdem bist du von Natur aus gehorsam, nicht wahr, Marianne? Darum habe ich dich gewählt? Weil ich wußte, du würdest mir keine allzu großen Schwierigkeiten machen.«

Seine Hand fiel herab, er ging. Als er aus der Hütte hinaustrat, sagt sie verächtlich: »Was seid ihr Männer doch für Narren! Wie einfältig!«

Er blieb stehen und blickte zu ihr zurück. »Was soll das heißen?«

»Einzig nach dem äußeren Anschein zu urteilen. Einen Mangel an Körperkraft mit einem Mangel an Stärke anderer Art zu verwechseln.« Sie ging durch die Hütte auf ihn zu. »Hältst du mich für schwach, Lucas? Ich habe den einzigen Mann verloren, den ich je lieben werde. Ich habe meine Familie verlassen und bin um die halbe Welt gereist. Und ich habe ein Kind geboren. Das alles habe ich überlebt, und du hältst mich für schwach?« Sie schüttelte langsam den Kopf. »Falsch, mein Lieber. *Du* bist der Schwache.«

Er lachte kurz auf. »Ich?«

»Du hältst Liebe für Schwäche –«

»Das ist sie auch –«

»Aber du liebst George. Ich sehe es in deinen Blicken, Lucas. Auf deine eigene verdrehte Art liebst du ihn. Du magst ihm weh tun, doch du liebst ihn. Du liebst ihn, doch du kannst dich nicht dazu bekennen. Du kennst dich selbst nicht. Das ist Schwäche.«

»Was für einen Unsinn du redest, Marianne.« Aber sie erkannte einen Schatten der Unsicherheit in seinen Augen. »Liebe hat überhaupt nichts damit zu tun.«

»Ich habe dir schon einmal gesagt, daß wir zueinander passen. Du hast mich des Geldes wegen geheiratet, und ich habe dich geheiratet, weil ich mir ein Kind wünschte. Ich habe also, was ich wollte.«

Sein Mund verzog sich zu einem höhnischen Grinsen. »O ja, du bist ein berechnendes, hinterhältiges Luder, daran zweifle ich nicht. Alle Frauen sind so. Das habe ich schon vor langer Zeit gelernt.«

»Wenn ich berechnend und hinterhältig bin, dann weil du mich dazu gemacht hast.« Ihre Hände waren zu Fäusten geballt, als sie leise sagte: »Merk dir eines, Lucas, ich werde vor nichts zurückschrecken, wenn es darum geht, George zu schützen. Ich werde für ihn lügen, und ich werde für ihn stehlen. Und ich würde auch für ihn töten.«

Er begann, den Weg zum Haus hinaufzugehen. Unversehens drehte er sich um und sagte: »Ich auch, Marianne.« Er lachte laut. »Ich auch.«

Dann ging er, und sie blieb wie erstarrt zurück. Seine Drohung war eindeutig gewesen. Sie erinnerte sich, wie Anne Rawlinson im Garten einmal zu ihr gesagt hatte: *Es gibt ein Muster in der Familie Melrose. Lucas' Vater George war ein Einzelkind wie Lucas auch. Seine Mutter ist jung gestorben, an einem Fieber… George ist also vom Vater allein großgezogen worden, genau wie später Lucas.* Wenn ich sterbe, dachte sie mit Entsetzen, wenn ich sterbe, bleibt George mit Lucas allein…

Der erste aus Evas Bekanntschaft, der im Krieg fiel, war Mrs. Bradwells Enkel. Mrs. Bradwell war die Köchin in Summerleigh; Eva erinnerte sich, wie Norman, der nur einige Jahre jünger gewesen war als sie, als kleiner Junge immer in die Küche gekommen war. Er hatte Sommersprossen und eine Stupsnase gehabt, und Mrs. Bradwell hatte ihn ausgeschimpft, weil er die Puddingform mit den Fingern ausgeleckt hatte. Jetzt war Norman Bradwell tot, gefallen in der zweiten Schlacht bei Ypern im April 1915, zwei Tage vor seinem neunzehnten Geburtstag. Es war, dachte Eva später, als wäre in Mrs. Bradwell etwas erloschen, so still und farblos war sie geworden.

Das Patt an der Westfront hatte das Land in der selbstgefälligen Überzeugung seiner militärischen Überlegenheit erschüttert. Den Verlusten an der Front folgte im Mai eine Reihe anderer Schrecken: die Bildung einer Koalitionsregierung, in der Lloyd George das neugeschaffene Munitions- und Kriegsministerium übernahm, der Untergang des Ozeandampfers *Lusitania*, der von der deutschen Marine versenkt wurde und bei der tausendzweihundert Menschen ihr Leben verloren, und schließlich die Bombardierung Londons durch Zeppelin-Luftschiffe. Eine Cousine von Mrs. Catherwood ertrank beim Untergang der *Lusitania*; ein alter Schulfreund von Lydia, ein Soldat, mit dem Eva auf Festen in Lydias Wohnung ein-, zweimal getanzt hatte, starb in Gallipoli an der Ruhr. Jeden Tag graute ihr davor, in die Zeitung zu schauen. Sie ertappte sich dabei, wie sie hastig die Schlagzeilen überflog und betete, der Tag möge ohne ein weiteres grausiges Ereignis vorübergehen. Sie spürte das Näherrücken des Krieges. Ständig begleitete sie die Angst, daß er das nächste Mal sie oder die Menschen, die sie am meisten liebte, direkt berühren würde.

In diesem Frühjahr war sie nach Summerleigh zurückgekehrt. An dem Morgen, an dem sie London verließ, sah sie sich ein letztes Mal in ihrer Wohnung um. Die Zimmer waren leer, ihre Sachen alle schon wohlverpackt auf dem Weg nach

Summerleigh, aber als sie das Spiel des Sonnenlichts auf den Wänden sah, die sie mit eigener Hand gestrichen hatte, und den spiegelnden Glanz auf dem Fußboden, den sie so gewissenhaft geputzt und gebohnert hatte, wurde ihr der Verlust voll Trauer bewußt.

Anfangs war es zu Hause so schlimm, wie sie es sich vorgestellt hatte. Unzählige Male bedauerte sie ihren Entschluß, aus London weg – und wieder nach Sheffield zu gehen. Ihre Mutter konnte sie noch genauso in Rage versetzen wie früher, nur beherrschte jetzt nicht mehr ihre Krankheit das Haus, sondern ihre ehrenamtliche Arbeit als Organisatorin von Erste-Hilfe-Kursen und Seminaren in häuslicher Krankenpflege. Mahlzeiten wurden verlegt, Zimmer leergeräumt, damit Dr. Hazeldene den Damen aus Lilians Gruppe Vorträge halten oder Mutter sie darin unterweisen konnte, wie man gebrochene Glieder schiente oder Fieberpatienten behandelte. Abends strickten Eva und Clementine Pulswärmer und Schals für die Truppen. Eva fiel auf, daß ihre Mutter nicht strickte, sondern Briefe schrieb oder Stundenpläne ausarbeitete.

Doch der Krieg brachte auch eine langsame, aber merkliche Lockerung der Einschränkungen, die Eva immer so heftig gereizt hatten. So viele junge Frauen schlossen sich freiwilligen Hilfsorganisationen an, daß die ständige Beaufsichtigung junger Damen gar nicht mehr durchführbar war. In immer weiteren Kreisen wurde akzeptiert, daß wohlerzogene junge Damen allein reisten, auch wenn sie nicht verheiratet waren. Und es wurde auch nicht mehr erwartet, daß junge Frauen sich damit begnügten, Tennis oder Bridge zu spielen. Vielmehr wurden sie dazu aufgerufen, als Freiwillige in Krankenhäusern zu arbeiten oder sich Vereinigungen wie der *Women's Volunteer Reserve* oder der *Women's Legion* anzuschließen.

Clemency war der *Women's Volunteer Reserve,* kurz WVR, beigetreten, nachdem ihre Mutter sie eines Morgens angesehen hatte, als erinnerte sie sich gerade erst wieder ihrer Existenz, und dann gesagt hatte: »Clemency, findest du nicht, du solltest etwas *tun*?« Von diesem Augenblick an, dachte Eva, war Clemency frei gewesen. Sie sahen sie jetzt selten. Sie hatte die zwei Pfund für ihre khakifarbene WVR -Uniform bezahlt, einen Erste-Hilfe-Kurs belegt und eine Exerzierausbildung absolviert. Da sie autofahren konnte, hatte man sie gebeten, einen Posten als Fahrerin bei einer Mrs. Coles zu übernehmen, die die Ortsgruppe der WVR leitete und vor dem Krieg eine militante Frauenrechtlerin gewesen war. Clemency kutschierte Mrs. Coles zu Versammlungen und Spendenveranstaltungen in Sheffield und Umgebung. Mrs. Coles war nicht nur eine Funktionärin der WVR, sie gehörte außerdem dem Ausschuß des *National Relief Fund* an, einer Organisation, die sich bemühte, die infolge der rasant steigenden Preise für Lebensmittel auftretende Not zu lindern, indem sie Hilfspakete an die Bedürftigen verteilte und sie finanziell unterstützte. Clemency backte Kuchen und Plätzchen für Wohltätigkeitsbasare und durchsuchte den Speicher von Summerleigh nach ausrangierten Gegenständen, die sich auf solchen Veranstaltungen verkaufen ließen.

Auch Sheffields Industrie war vom Krieg in Mitleidenschaft gezogen. Viele Arbeiter hatten sich an die Front gemeldet und in den Fabrikhallen und Werkstätten große Lücken hinterlassen. Im Mai rückte ein städtisches Freiwilligenbataillon, das aus Studenten und Akademikern bestand, aus Sheffield ins Ausbildungslager aus. So viele Arbeitspferde waren zum Einsatz an der Front requiriert worden, daß ein Fabrikeigner seine Gußwaren von einem Zirkuselefanten durch die Straßen der Stadt befördern ließ.

Da die Nachfrage nach den Sägen, Feilen und Teilen für landwirtschaftliche Maschinen, die die Firma herstellte, gerade jetzt, zu Kriegszeiten, größer war denn je, mußte das Werk seine Produktion steigern. Eva hatte sich die Argumente für ihren Einstieg bei Maclise & Söhne genau überlegt, bevor sie ihrem Vater ihre Absicht unterbreitete: der Verlust von Facharbeitern infolge des Kriegs, James' Abwesenheit, die angeschlagene Gesundheit ihres Vaters. Aber die erwartete Auseinandersetzung blieb nur ein schwaches Echo dessen, was sie früher einmal gewesen wäre. Überraschend leicht gab Joshua nach. Zunächst bestand er darauf, daß Eva zu Hause arbeitete und seine gekritzelten Notizen in sauber mit der Maschine geschriebene Briefe verwandelte, aber schon bald mußte er – wenn auch widerwillig – anerkennen, wie tüchtig sie war, und erklärte sich damit einverstanden, daß sie in Zukunft ihren Arbeitsplatz in der Firma aufschlug. In den ersten Tagen wurde viel gegafft und getuschelt, aber mit der Zeit wurde sie für die Leute immer uninteressanter. Und schließlich war sie ja – wenn auch eine Frau – eine Maclise.

In James' Abwesenheit hatte Mr. Foley Aidans Arbeitsbereich übernommen, so daß Aidan jetzt das neue Unternehmen in der Corporation Street leiten konnte, während Eva Mr. Foleys Posten besetzte und die Assistentin ihres Vaters wurde. Rob Foley führte sie in den Schmelzraum, in die Gießerei und die Schleiferei, die Drechslerei, wo die Holzgriffe hergestellt wurden, in die Packräume und die Lagerhäuser. Er erklärte ihr das Ablagesystem ihres Vaters, das seit den Tagen ihres Großvaters unverändert war. Eva schrieb Briefe, verwaltete die Ablage, führte die Bücher, vereinbarte Termine mit Großhändlern und Exporteuren, trieb verspätete Zahlungen ein und spürte Kohle- oder Stahllieferungen nach, die den Weg nicht ins Werk gefunden hatten. Sie verhandelte mit Vertretern und Einkäufern, erledigte Anrufe und versorgte ihren Vater mit Tee und Kaffee.

Manchmal brummte ihr der Kopf. Das alles hier hatte kaum Ähnlichkeit mit der Arbeit in einem Verlag oder einer Kunstgalerie. Der Lärm, der Schmutz, der Qualm und der Kohlenstaub waren ein ständiger Reiz für Nerven und Sinne. Aber schon nach kurzer Zeit begann die Arbeit ihr Spaß zu machen. Es befriedigte sie, die Kisten mit den fertigen, in Wachspapier eingeschlagenen Feilen und Sägen in den Packräumen zu sehen, und es gefiel ihr, mit einer Nachricht oder Unterlagen für Aidan allein durch das Industriegebiet von Sheffield zu gehen. Sie bemerkte, daß die Arbeiter und Angestellten ihren Vater mochten und respektierten, Aidan dagegen fürchteten, der in dem Werk in der Corporation Street schaltete und waltete wie ein absolutistischer Herrscher. Voller Bestürzung stellte sie fest, daß Joshua nicht mehr die Kraft besaß, sich seinem Sohn entgegenzustellen. Als Aidan ein halbes Dutzend Leute entließ, weil ihre Arbeit, wie er behauptete, nachgelassen hatte – die Männer waren alt oder chronisch krank nach jahrelangem Kontakt mit Bleibädern und giftigen Dämpfen –, fehlte Joshuas Protesten die Überzeugung, als hätte er von vornherein erwartet, überstimmt zu werden. Als Aidan die Firmenpolitik änderte, um Einsparungen vorzunehmen, und lang eingeführte Vergünstigungen strich, sagte Joshua nur niedergeschlagen: »Daran ist ganz allein James schuld. Mich einfach so sitzenzulassen. Wie soll ich denn ohne ihn zurechtkommen?«

Ein Funke schien in Joshua erloschen zu sein, und es bedrückte Eva zu sehen, daß er nicht mehr den Schwung und die Energie besaß, für das Unternehmen zu kämpfen, dem er sein Leben geweiht hatte. Seine Krankheit und das Zerwürfnis mit James hatten ihm sämtlichen Elan geraubt. Es fehlte ihm plötzlich an Entschlußkraft und Durchsetzungsfähigkeit; zum erstenmal hatte er etwas von einem alten Mann. Manchmal saß er tatenlos am Schreibtisch und starrte trostlos ins Leere, wenn Eva in sein Büro kam.

Sie versuchte, ihn zu einer Aussöhnung mit James zu bereden. »James vermißt dich, Vater«, sagte sie eines Tages. »Da bin ich ganz sicher«, doch ihr Vater entgegnete verächtlich: »Wenn er mich vermißte, würde er mir schreiben. Aber nicht eine Zeile habe ich von ihm gekommen. Euch schreibt er, aber mir nicht.«

»Wenn du nur sagen würdest, daß es dir leid tut –«

»Wieso soll ich mich entschuldigen? Er hat uns doch alle getäuscht. Er hat uns dreieinhalb Jahre lang hinters Licht geführt. *Dreieinhalb Jahre!* Solche Hinterhältigkeit hätte ich ihm niemals zugetraut. Was ist denn das für ein Sohn, der so etwas vor seinem Vater geheimhält?«

»James hat dir nur deshalb nichts gesagt, weil er fürchtete, daß du böse werden würdest.«

»Da hat er verdammt richtig gefürchtet«, brummte Joshua.

»Du solltest Emily und Violet kennenlernen, Vater. Ich weiß genau, du wärst begeistert.«

»Niemals. Ich möchte ihre Namen in meinem Haus nicht hören, verstanden?«

Zornig über seine Unversöhnlichkeit, schrie Eva: »Ich verstehe nicht, warum du so stur bist! James hat nur geheiratet. Was gibt's daran bitte auszusetzen?«

Joshua schrie ebenso laut zurück. »Er hat seine Geliebte geheiratet, das gibt's daran auszusetzen. Eine verdamme Narrheit ist das!«

»Aber Vater –«

»Ich habe gesagt, was ich dazu zu sagen habe, und jetzt will ich nichts mehr davon hören. Es reicht, Eva!« Er hatte einen hochroten Kopf bekommen. Eva ließ es gut sein.

Mitte des Jahres wurde James' Bataillon nach Frankreich geschickt. Eva besuchte ihn während seines letzten Urlaubs. Sie machten einen Spaziergang auf dem Treidelpfad am Fluß. Violet rannte voraus, Emily lief ihr hinterher. James, der dem Wettlauf zusah, lächelte.

»Warum schreibst du Vater nicht einen kurzen Brief?« sagte Eva. »Nur ein paar Zeilen, bevor du abreist.«

»Nein.« Das Lächeln verschwand. »Ich kann nicht.«

»Aber im Streit fortzugehen ...«

»Du meinst, ich werde vielleicht nie wieder Gelegenheit haben, die Sache zu regeln? Wolltest du das sagen, Eva?« Er sah sie ernst an. »Glaub nicht, daß mir das nicht auch im Kopf herumgeht, aber was soll ich denn tun? Vielleicht sollte ich wünschen, ich hätte die Dinge anders angepackt, aber ich bereue nichts. Emily ist das Beste, was mir je zugestoßen ist.«

Sein Gesicht hellte sich wieder auf. Leise sagte er: »Als ich sie das erste Mal gesehen habe, saß sie im Theater ein paar Sitze weiter in der Reihe vor mir. Ich mußte sie immerzu ansehen. Keine Ahnung, was auf der Bühne passierte.« Er drehte sich nach ihr um. »Kannst du dir vorstellen, was das für ein Gefühl ist? Daß nichts auf der Welt etwas bedeutet außer diesem einen Menschen?«

Sie konnte nicht antworten. Sie versuchte schon lange, nicht mehr an Gabriel zu denken. Wenn sie in der Firma war und viel zu tun hatte, ging es ganz gut. Aber in ruhigen Momenten wie jetzt kam er ihr unweigerlich in den Sinn.

Kanalboote glitten vorüber; auf einem stand vorn im Bug ein schwarzweißer Hund und bellte. »Hast du Angst?« fragte sie James.

»Vor dem Einsatz in Frankreich? Nein.« Violet hatte ihren Ball ins Gebüsch neben dem Treidelpfad geworfen. James brach einen Holunderzweig ab und schlug eine Schneise in die Brennesseln, um ihn ihr wiederzuholen. »Ich habe nur um die beiden hier Angst. Emily meint, sie erwartet wieder ein Kind. Sie hatte bei Violet eine schwere Geburt. Ich mache mir Sorgen um sie. Du schaust doch ab und zu nach ihr, ja, Eva?«

»Natürlich.« Sie drückte seine Hand.

»Vielleicht ist der Krieg ja bis zur Geburt des Kindes schon vorbei.« Sein Gesicht war sehnsüchtig. »Vielleicht wird es diesmal ein Junge. Ich hätte gern einen Sohn.«

»War das nicht wunderbar zu entdecken, daß wir eine Schwägerin und eine Nichte haben?« sagte Clemency zu Iris. »Und Violet ist so niedlich.«

Iris nickte zerstreut. Sie saßen bei Gorringe's. Clemency hatte Mrs. Coles an diesem Morgen zu einer Versammlung nach London gefahren. Da Iris gerade ihren freien Tag hatte, hatten sie sich zum Tee verabredet.

»Wir sind eigentlich eine ganz schön unproduktive Bande«,

sagte Clemency, »wenn man bedenkt, daß wir sieben Geschwister sind, aber bis jetzt nur zwei von uns verheiratet sind und wir gerade mal eine Nichte und einen Neffen haben, den keiner von uns kennt. Würde mich interessieren, was der Grund dafür ist.«

»Vielleicht schreckt uns die Möglichkeit ab, daß wir auch sieben Kinder bekommen könnten«, scherzte Iris. Sie sah auf ihren Teller hinunter. »Möchtest du meinen Schinken haben, Clem? Meine Augen waren größer als der Magen.«

»O ja, bitte.« Sie tauschten die Teller. Clemency klappte ein Etui mit kleinen schwarzen Zigaretten auf. »Willst du eine?«

»Ich wußte gar nicht, daß du rauchst.«

»Ja, das ist eine schlechte Angewohnheit, die ich von einem Freund habe. Aber um darauf zurückzukommen« – sie runzelte die Stirn – »Ellen Hutchinson hat gerade ihre dritte Tochter bekommen. Louisa Palmer hat geheiratet – dabei hat sie ihren Mann erst sechs Wochen gekannt, Iris. Aber wenn man uns anschaut –«

»Drei alte Jungfern?« Sie begriff, daß es Clemency ernst war, und sagte: »Du heiratest bestimmt, das weiß ich. Und dann bekommst du mindestens zehn Kinder.«

Clemency schüttelte den Kopf. »Nein, ich heirate sicher nie.«

»Mutter geht es besser. Du brauchst ihr nicht den Rest deines Lebens zu opfern.«

»Es geht nicht um Mutter. Es geht um mich. Ich weiß, daß eine Ehe nichts für mich wäre.«

Iris wurde plötzlich bewußt, daß sie alle eigentlich immer nur wahrgenommen hatten, was Clemency nicht war – nicht hübsch, nicht besonders klug, nicht begabt –, wo ihnen doch hätte auffallen müssen, was sie alles war. *Sie* hatte jahrelang die Familie zusammengehalten. Ohne Clemencys Sinn für das Praktische und ohne ihre Wärme hätte es ein richtiges Zuhause nicht gegeben. Clemency besaß eine Stärke und eine Integrität, die den anderen unter ihnen vielleicht fehlten.

»Das kannst du doch gar nicht wissen«, sagte sie.

»Doch. Ich hätte nicht einmal Ivor heiraten können, und er war wirklich der hinreißendste Mann.«

Iris starrte sie an. »Ivor?«

»Er war ein Freund von mir. Ich denke, man könnte sagen, er war mein Liebhaber.«

»Dein *Liebhaber*?«

Clemency sah Iris kühl an. »Männer können auch Frauen lieben, die nicht hübsch sind, Iris. Und auch Frauen, die nicht hübsch sind, können lieben.«

»Entschuldige. So habe ich das nicht –«

»Doch, hast du. Ich sehe es dir an. Aber es war nicht nur so eine Verknalltheit.«

Iris gelang es, sich wieder zu fassen. »Wie war er?«

»Oh – er hat toll ausgesehen, war sehr begabt und wirklich lieb. Ich habe ihn vergöttert.«

»Triffst du dich noch mit ihm?«

Clemency schüttelte den Kopf.

»Was ist passiert?«

»Ich habe erkannt, daß ich ihm nicht soviel bedeutete wie er mir. Und als er mich küßte, war das so rauh und kratzig. Es war einfach so – na ja, als paßte da etwas nicht. Als versuchte man, ein Kleid anzuziehen, das einem zu klein ist. Es *paßte* mir nicht. Es hat mir nicht gefallen.« Sie zog ein Gesicht. »Und es muß einem doch gefallen, wenn man Kinder haben will, oder nicht?«

»Ich glaube nicht, daß allen Frauen dieser Aspekt der Ehe gefällt.«

»Aber es sollte ihnen gefallen, denke ich. Weißt du noch, Marianne und Arthur, wie die sich immer berührt haben. So sollte eine Ehe sein. Ich finde, einen Mann, den man am liebsten gar nicht anfassen würde, sollte man nicht heiraten. Und deshalb«, schloß sie traurig, »wird's für mich keine Kinder geben. Wo ich doch Kinder so sehr liebe.«

Wenig später trennten sie sich, Clemency mußte Mrs. Coles

nach Sheffield zurückchauffieren, und Iris wollte noch ein wenig bei Selfridge's bummeln, ehe sie sich am Victoria-Bahnhof mit Ash traf.

Aber die Seiden- und Satinstoffe, ja selbst die Herrlichkeiten in der Putzwarenabteilung konnten sie nicht begeistern wie sonst. Ein unangenehmer, ständig nagender Gedanke belastete sie, und er ließ sich nicht vertreiben, wie sehr sie auch versuchte, sich mit Spitzen und Perlenknöpfchen, mit Bändern und Seidenblumen abzulenken. Clemencys Worte gingen ihr unablässig durch den Kopf: *Wir sind eigentlich eine ganz schön unproduktive Bande.* Und sie selbst, dachte sie, war die unproduktivste von allen. Marianne hatte zweimal geheiratet und ein Kind. Eva hatte einen Liebhaber gehabt – einen Liebhaber zwar, der ihr unverkennbar das Herz gebrochen hatte, aber trotzdem. Selbst Clemency hatte geliebt. Nur sie selbst hatte immer Abstand gehalten, sich nicht berühren lassen, war allen Schwierigkeiten der Liebe aus dem Weg gegangen. Sie konnte nicht Ash allein die Schuld an der Entwicklung der Dinge geben. Sie erkannte nun, daß sie ihn jahrelang auf Distanz gehalten hatte. Und genau damit hatte sie ihn vermutlich Thelma in die Arme getrieben. Erst als es zu spät gewesen war, hatte sie es geschafft, den Sprung ins Vertrauen zu wagen und ihm ihre Liebe zu gestehen. Sie war neunundzwanzig Jahre alt, und sie sah klar, wie sie am Ende dastehen würde, wenn es ihr nicht gelang, die Härte und das Mißtrauen in sich, das sie unablässig vor den Risiken der Liebe warnte, zu überwinden. Während sie zwischen Tageshüten aus Filz und Abendhüten aus Taft umherging, kam ihr plötzlich ein schreckliches Bild von sich selbst als einer alternden Schönheit, die die Bewunderung der Männer immer noch für selbstverständlich hielt, die sich selbst jetzt noch kokett und schnippisch gab.

Sie schaute auf die Uhr. Sie mußte zu ihrer Verabredung mit Ash. In der U-Bahn spürte sie, wie groß ihre Angst war. Diese Angst war natürlich die Wurzel des Übels: Sie, die insgeheim immer stolz gewesen war auf ihre Furchtlosigkeit, auf die Tatsache, daß sie überhaupt nicht zimperlich war, wurde von ihrer Angst zu lieben und zu verlieren zurückgehalten.

Diese Angst ließ sie auch nicht los, als sie an der Sperre wartete. Hin und her gestoßen in der Menschenmenge, rundherum wogende Rauchwolken und das Fauchen des Dampfes, wußte sie noch immer nicht, was sie zu ihm sagen sollte. Sie kramte einen Penny aus ihrer Geldbörse und warf ihn in die Höhe – Kopf, ich liebe ihn, Zahl, ich warte, bis ich sicher bin –, aber genau in diesem Moment strömten die Fahrgäste aus dem eingelaufenen Zug, und die Münze ging unter Scharen eilender Füße verloren.

Dann sah sie ihn. Er kam den Bahnsteig herunter auf sie zu. Ein warmes Lächeln und ein Kuß auf die Wange, er sagte: »Wie schön, daß du kommen konntest, Iris«, und sie antwortete irgend etwas Leichtes, Unverbindliches.

Sie liefen die Treppe hinunter zum U-Bahnhof. Der Bahnsteig war voller Büroangestellter und Soldaten in Khakiuniformen. Man hörte das ferne Donnern des Zugs, und sie hatte plötzlich Todesangst, daß sie die Worte, wenn sie sie jetzt nicht fand, niemals finden würde und sie trotz ihrer Liebe einander auf immer fernbleiben würden.

Aber dann erkannte sie, daß sie die Worte gar nicht zu finden brauchte. Manchmal waren es gerade Worte, die einen trennten, voneinander fernhielten. Ein heftiger Luftzug kam auf, als der Zug in den Bahnhof einlief. Ash setzte sich in Bewegung. Sie legte ihm die Hand auf den Arm und hielt ihn fest. »Iris?« fragte er, und sie stellte sich auf Zehenspitzen und küßte ihn. Vorsichtig zuerst, dann aber, als sie das Licht in seinen Augen sah, sich von seinen Armen fest umschlossen fühlte und ihn seufzend ihren Namen flüstern hörte, schlug sie endlich alle Vorsicht in den Wind. Sie schloß die Augen und küßte und küßte ihn immer wieder, während sich die Menge um sie herum in zwei Ströme teilte.

Es galt einfach, die Zähne zusammenzubeißen und zu warten. Auf den richtigen Moment. Auf das Zusammentreffen verschiedener Dinge.

Lucas brachte George das Reiten bei. Er setzte den kleinen Jungen auf das Pony und führte dieses den Weg auf und ab. George hielt mit ängstlich aufgerissenen Augen die Zügel umklammert. Als das Pony, von einem Insekt irritiert, heftig den Kopf warf, begann George zu weinen. Als er es bei seiner nächsten Unterrichtsstunde wieder tat, sperrte Lucas ihn zur Strafe für seine Feigheit in seinem Zimmer ein. Marianne, die mit anhörte, wie sich Georges angstvolles Geschrei zu verzweifeltem Schluchzen dämpfte, wußte, daß sie nicht länger warten konnte.

Einige Tage später fand das Vollmondfest statt. Die Arbeit auf der Pflanzung kam zum Stillstand. Der *saami*, der tamilische Gott, wurde aus dem Tempel geholt und auf dem Rücken eines buntbemalten Holzpfaus in einem Festzug durch das Dorf getragen. Aus den Hütten der Kulis schallten die Trommeln, ein monotones Dröhnen, das die Erde erzittern ließ. Der Garten von Blackwater war an diesem Tag besonders schön, die Luft kristallklar, jedes Blatt und jede Blüte scharf umrissen. Von dem kleinen Schrein unter den Bäumen flatterten weiße Bänder. Wurde da ein Tod betrauert, oder wurde einer vorhergesagt? fragte sich Marianne.

Am Morgen spielte sie mit George im Garten. Als Ama ihn zum Mittagessen holte, setzte sie sich unter den Banyanbaum. Ihr Buch war aufgeschlagen, und ab und zu blätterte sie um, aber sie las nicht. Sie horchte und beobachtete. Sie bemerkte, was Ama offenbar entging, daß Lucas an diesem Tag besonders heftige Kopfschmerzen hatte. Sie sah es an seinem verkrampften Gesicht und seinen Bewegungen, die so vorsichtig waren, als fürchtete er, den Schmerz, der in seinem Schädel tobte, noch weiter anzufachen. Sie bemerkte, daß Ama ärgerlich und wütend war, daß sie Lucas gegenüber ungeduldig war und hochfahrend zu den Dienstboten. Ihr abwechselndes

Lamentieren und Schimpfen ging Lucas bald auf die Nerven, und er schüttelte sie grob. »Herrgott noch mal, Ama, willst du endlich mit dem Gejammer aufhören! Und dieser *Krach!* Wenn sie nur mit diesem verdammten Krach aufhören würden!«

Ama rannte ins Haus, ihre zierlichen Füße patschten auf dem nackten Boden. Lucas trank das ganze Mittagessen hindurch und aß kaum etwas. Nach der Mahlzeit kehrte er auf die Veranda zurück. Der Rauch seiner Zigarre stieg schnurgerade in die stille Luft auf. Der Holzfußboden der Veranda schien im Takt mit dem Rhythmus der Trommel zu vibrieren. Im Garten schleppte sich Ama lustlos von einem Flecken Schatten zum anderen und raffte sich ab und zu dazu auf, die Ringe an ihren Fingern und den glänzenden Fall ihres langen schwarzen Haars zu bewundern.

Zehn Minuten später verließ Marianne die Veranda unter dem Vorwand, ihr Stickzeug holen zu wollen. In ihrem Zimmer nahm sie aus den Tiefen der Schublade die Schlaftropfen, die Dr. Scott ihr verschrieben hatte. Sie verbarg das Fläschchen im Ärmel ihrer Bluse. Im Vestibül hielt sie Nadeshan auf, der gerade mit einem Tablett, auf dem eine Flasche Arrak und ein Glas standen, aus der Küche kam.

Sie nahm ihm das Tablett ab. »Ich bringe das dem Herrn. Du kannst zum Fest gehen, Nadeshan. Und bitte sag den anderen Angestellten, daß sie den Nachmittag frei haben.«

Als sie allein war, goß sie Arrak ein, zog das Fläschchen aus ihrem Ärmel, öffnete es und leerte es mit zitternder Hand in das Glas. Wenn er mich sieht, bringt er mich um, dachte sie. Dann versteckte sie das leere Fläschchen und trug das Tablett auf die Veranda hinaus.

Sie stellte es Lucas hin. Nachdem sie sich ein Stück weit entfernt von ihm niedergesetzt hatte, ergriff sie ihr Stickzeug und zwang sich, daran zu arbeiten. Keinesfalls durfte sie ihn beobachten. Sie durfte nichts tun, was aufgefallen wäre. Sie durfte ihn nicht ansehen, weil er dann die Wut und den Aufruhr in ihren Augen erkennen würde. Auf und ab bewegte sich die Nadel durch das Leinen. Eine Schlinge hier, ein Blütenblättchen dort. Wieviel hatte er getrunken? Es war doch bestimmt genug. Wie lange würde er schlafen? Vier Stunden vielleicht?

Der Schaukelstuhl aus Rohr knarrte leise, es roch nach Zigarrenrauch. Es war eine ganze Weile her, seit sie zuletzt das Klirren des Glases gehört hatte. Sie hob den Kopf und schaute.

Lucas' Augen waren geschlossen. Das leere Glas stand neben dem Stuhl. Der Stummel seiner Zigarre schwelte im Aschenbecher. Sie sagte seinen Namen, aber er wachte nicht auf.

Durch eine Seitentür schlüpfte sie aus dem Bungalow und lief den Weg hinunter zu Mr. Salter. Er saß mit einem Glas in der Hand auf der Veranda vor seinem Haus. »Die arme Ama«, sagte Marianne. »Sie möchte so gern zum Basar, aber es ist niemand da, um sie zu fahren.«

»Mr. Melrose –«

»Mr. Melrose hat Kopfschmerzen. Er schläft jetzt. Wahrscheinlich wird er den ganzen Nachmittag schlafen.«

Sie rannte zum Bungalow zurück. In ihrem Zimmer zog sie die Jalousien herunter, schloß die Vorhänge und breitete auf dem Bett ein großes Seidentuch aus. Darauf legte sie Georges Sachen, ihr Geld und die Kleinigkeiten, die sie gestohlen hatte. Dann ihre Bürste, ihren Kamm, Unterwäsche und die Fotografie von Arthur.

Sie ging in die Küche, Erklärungen auf der Zunge, als sie die Tür aufstieß. *Ich brauche eine Flasche schwachen Tee für das Kind… der* peria *hätte gern ein paar Kekse und etwas Obst…* Aber die Küchenräume waren leer, die Dienstboten fort, auf dem Fest, und sie konnte sich ungestört nehmen, was sie brauchte.

Zurück in ihrem Zimmer, legte sie die Flaschen und den Proviant zu den übrigen Sachen und band das Tuch zu einem

Bündel. Plötzlich hörte sie ein Geräusch und schaute sich um.

»Du Miststück!« stieß Lucas hervor. »Du elendes Miststück.« Er kam ein paar Schritte ins Zimmer.

Marianne war starr vor Schreck, aber sie nahm die Unsicherheit seiner Bewegungen war, das Taumeln seines großen Körpers, als er näher kam. Sein Blick, der von ihr zu dem Bündel auf dem Bett flog, war glasig, die Pupillen waren schwarze Punkte in der hellen Iris seiner Augen.

Der Bann brach, sie versuchte, zur Tür zu laufen, aber er packte sie, und seine Finger gruben sich tief in ihr Fleisch. »Du wolltest weg, wie? Schon wieder? Ich wußte doch, daß du was im Schilde führst, du Hexe.« Mit einer schnellen, zornigen Bewegung fegte er das Bündel mit den Kleidern und den Vorräten zu Boden. »Ich habe dir gesagt, du kannst ihn mir nicht wegnehmen. Niemals. Vorher bringe ich dich um.«

Seine Hände umfaßten ihren Hals, seine Daumen drückten auf ihre Luftröhre. Sie hörte das Geräusch ihres eigenen Atems, röchelnd in Todesangst. Ihre Ohren brausten, Finsternis trat vor ihre Augen. Blind schlug sie mit den Fäusten nach seinem Kopf. Die Schläge, die seinen schmerzenden Schädel trafen, wirkten wie ein Schock auf ihn. Er schrie auf, und seine Hände an ihrem Hals lockerten sich. Sie entwand sich seiner Umklammerung, er stolperte und verlor das Gleichgewicht. Während sie, krampfhaft nach Luft schnappend, dastand, eine Hand an ihrem Hals, die andere auf den Bettpfosten gestützt, stürzte er und schlug mit dem Kopf auf die Kaminumrandung aus Messing. Vornübergebeugt würgte sie mit geschlossenen Augen und kämpfte gegen die Bewußtlosigkeit, die sie zu umfangen drohte. Als sie sich so weit gefangen hatte, daß sie die Augen öffnen konnte, sah sie, daß Lucas aufzustehen versuchte. Seine Augen waren starr auf sie gerichtet und fixierten sie mit einem gequälten und zugleich wütenden Blick. Sie ergriff den erstbesten Gegenstand – ihre Handarbeitsschere – und schlug damit nach ihm.

Nach einer Weile merkte sie, daß er sich nicht mehr rührte. Er lag bäuchlings im offenen Kamin, die Beine gespreizt, die Arme auf den Bodenkacheln ausgebreitet. Ein dunkler Fleck in seinem hellen Haar wurde langsam immer größer.

»Lucas!« flüsterte sie, aber machte keine Bewegung, sprach kein Wort.

An allen Gliedern schlotternd, begann sie, ihre Sachen vom Boden aufzuheben. Immer wieder schaute sie zu Lucas hinüber, weil sie fürchtete, er würde erwachen und sich wie ein Rachegott vom Boden erheben. Aber er rührte sich nicht.

Plötzlich sah sie Rani an der Tür stehen. Die großen dunklen Augen waren auf Lucas gerichtet. »Der Herr ist tot?« flüsterte Rani.

»Ich weiß es nicht.« Ihre Stimme war rauh.

»Herrin muß fort. Jetzt gleich.«

Das sah sie ein. Aber ihre Hände zitterten so stark, daß sie das Bündel nicht verknoten konnte. Rani nahm es ihr ab und knüpfte es zu.

Herrin muß fort. Jetzt gleich. Als sie die Tür schloß, war es, als ließe sie Grauen und Wahnsinn dahinter zurück. Im Kinderzimmer weckte sie George und kleidete ihn an. Rani brachte ihr ein langes blaues Stück Stoff.

»Sie müssen das anziehen, Herrin.«

Ein Sari. »Ja«, flüsterte sie. »Natürlich.«

Rani half ihr beim Ankleiden. Perlen aus dem Basar um die Arme, ihr dunkles Haar in der Mitte gescheitelt und hinter die Ohren geschoben. Ihr Kopf bedeckt, ihre Füße bloß.

»Bitte sehr, *dorasanie*, sehen Sie sich an«, sagte Rani.

Marianne blickte in den Spiegel. Sie sah dunkelblaue Augen in einem weißen Gesicht. Die roten Male seiner Finger an ihrem Hals.

Den Stoff emporgeschwungen, um ihre Gesichtszüge zu beschatten, und die alte Marianne war verschwunden, für immer eine andere geworden. Im Spiegel zeigte sich eine fremde Frau aus einem fremden Land.

Sie nahm ihr Kind und ihr Bündel. Als sie aus dem Haus lief, war ihr, als hörte sie seine Schritte, seine flüsternde Stimme hinter sich, aber sie drehte sich nicht um.

James war in Nordfrankreich, auf dem Weg an die Front, als die Bombardierungen begannen. Im ersten Moment erfaßte ihn prickelnde Erregung, daß nun endlich, nach Tagen eintöniger Märsche auf staubigen weißen Straßen durch triste französische Dörfer, etwas geschehen würde, aber als das Getöse fortdauerte, sich über Stunden und Tage hinzog und immer lauter wurde, je näher sie der Front kamen, schien es sich in ihn hineinzubohren, und er bekam Kopfschmerzen und merkte, daß er ständig die Zähne zusammenbiß.

Im Schutz einer Scheune schrieb er an Emily.

Vielen Dank für die Kondensmilch und die Kerzen, die Du mir geschickt hast. Ich hatte fast nichts mehr. Und der Kuchen, den Du mit Violet gebacken hast, ist einfach köstlich. Sag Violet, daß sie im Kochen fast so gut ist wie ihre Mutter. Ein paar Zigaretten das nächste Mal wären schön, Liebling, wenn Du welche auftreiben kannst, und weiche Karamelbonbons. Die Nächte sind jetzt kalt hier. Wie ist es in London? Pack Dich nur immer schön warm ein, wenn Du an die Luft gehst. Und nimm das Geld, das ich in der Schublade gelassen habe, wenn Du Dir oder Violet einen neuen Mantel oder Handschuhe kaufen mußt. Mach Dir wegen des Geldes keine Gedanken und spar ja nicht an Dir. Der Glücksbringer, den Du mir geschenkt hast, ist mein größter Schatz. Ich trage ihn immer an meinem Herzen.

Mit einer Bewegung, die ihm zur Gewohnheit geworden war, klopfte er auf die Tasche, in der er das silberne vierblättrige Kleeblatt aufbewahrte, das Emily ihm zum Abschied geschenkt hatte.

Oft dachte er, wie ironisch es war, daß ausgerechnet er, der sich einmal nach Abenteuer und Heldentum gesehnt hatte, jetzt hier gelandet war. Damals hatte er auf das langweilige bürgerliche Leben geschimpft, jetzt wünschte er sich nichts sehnlicher als den ganz normalen häuslichen Alltag. Mit Freuden hätte er Abenteuer und Soldatenleben gegen einen Nachmittag im Park mit Violet eingetauscht oder gegen eine Nacht in Emilys Armen. Er wollte nur eines – überleben. Er mußte leben, für Emily und Violet und das ungeborene Kind.

Als er mit dem Brief fertig war, stellte er sich ans Tor der Scheune und rauchte eine Zigarette. Der Horizont leuchtete orangerot vor dem nachtschwarzen Himmel.

Als er am nächsten Morgen aus der Scheune hinaustrat, konnte er hoch oben am leuchtendblauen Himmel ein Flugzeug erkennen. James beobachtete es noch einen Moment, dann rief er seine Leute zusammen.

Die Spuren des Kriegs häuften sich, je weiter sie an diesem Tag marschierten. Sie kamen an zerstörten Wagen und Motorrädern vorüber, die am Straßenrand liegengelassen worden waren, und an einem Pferd, das mit aufgeschlitztem Bauch tot im Straßengraben lag. Bald sahen sie die ersten leichter Verwundeten, die, einen verletzten Arm stützend oder einen blutigen Lappen an den Kopf gedrückt, die nächste Erste-Hilfe-Station aufsuchten. Erst war es nur ein dünnes Rinnsal, aber bald wurde aus dem Rinnsal ein Strom. Dann kam die Dämmerung, und James sah die farbigen Lichtblitze, die das flache Land vor ihm erleuchteten, heller strahlen. Die Männer hatten aufgehört zu reden und zu singen, nur das schmatzende Geräusch der Stiefel im Schlamm war zu hören, das Klirren von Schnallen und Koppeln und das Donnern der Geschütze, ohrenbetäubend jetzt.

Als sie sich dem Dorf Loos näherten, behinderten die von zahllosen Bomben aufgerissenen Krater ihr Vorankommen. Immer wieder pfiffen Bomben durch die Luft, und sie warfen sich zu Boden, um nicht getroffen zu werden. Nach einer Weile waren ihre Uniformmäntel von Schlamm durchtränkt und schlugen hart gegen ihre Oberschenkel, so daß das Gehen schwerfiel. Hinter dem Hügel, ein gutes Stück entfernt noch, hing eine dicke graue Rauchwolke wie eine Nebelbank tief über dem Land.

Im flackernden Licht des Geschützfeuers konnten sie die Umrisse des zerstörten Dorfs erkennen, die geborstenen Mauern dachloser Häuser, gezackt wie abgebrochene Zähne. Aus den Trümmern ragte die Ruine eines Kirchturms. Dachbalken und Telegraphenmasten lagen verstreut wie abgebrochene Streichhölzer und dazwischen die Zeugnisse menschlichen Lebens, das es an diesem höllischen Ort einmal gegeben hatte: ein zerbeulter Kochtopf, ein Hühnerstall, aus dem das Stroh hervorquoll, eine mit einem Korken verschlossene Weinflasche.

Einer der Männer zündete sich eine Zigarette an, und im selben Moment schlug eine Kugel sirrend in eine Mauer ganz in der Nähe. Noch während sie in Deckung gingen, war das Sirren ein zweites Mal zu hören, und jemand schrie auf. Sie schickten den Verwundeten auf den Weg zur Erste-Hilfe-Station, dann legten James und sein Sergeant dem Heckenschützen, der sich in der Ruine einer Gastwirtschaft versteckt hatte, das Handwerk. James wußte nicht, ob sein Schuß oder der des Sergeant den feindlichen Schützen getroffen hatte, aber es war ein beklemmendes Gefühl, den Mann fallen zu sehen. Seltsam, dachte er später, nicht zu wissen, ob man zum erstenmal in seinem Leben einen Menschen getötet hatte.

Sie nächtigten in einem schlammigen Graben am Fuß des Hügels, den sie ihren Weisungen gemäß bei Morgengrauen stürmen sollten. Als James nach einer Nacht unruhigen, seichten Schlafs erwachte, fühlte er sich von einer kaum erträglichen Spannung erfaßt und sprach leise ein Gebet. Die ersten fünfzig Meter ihres etwa zweihundert Meter langen Wegs zu den deutschen Linien legten sie im Qualm der von ihren geworfenen Rauchbomben zurück, dann knatterten Maschinengewehre, und zunächst glaubte James, seine Männer hätten sich aus Angst vor dem Geschützfeuer in den Schlamm geworfen. Als er die deutschen Linien erreichte, entdeckte er, daß der Stacheldrahtverhau, der die Schützengräben umschloß, nicht, wie man ihnen in Aussicht gestellt hatte, von der britischen Artillerie niedergewalzt worden war. Auf der Suche nach einer Lücke rannte er die Stacheldrahtumzäunung entlang, als plötzlich ein Schlag seine Schulter traf und ihn zu Fall brachte.

Er fand sich in einem Bombenkrater wieder, Seite an Seite mit seinem Corporal, einem vierschrötigen kleinen Mann namens Browning. Als er zu den britischen Linien zurückschaute, sah er, daß seine Männer nicht, wie er geglaubt hatte, feige im Schlamm Deckung gesucht hatten, sondern von den Kugeln der Maschinengewehre niedergemäht worden waren. Und er sah noch mehr. Ein zerfetztes Bündel Stoff und Knochen am Rand des Kraters, in dem er die Überreste eines Menschen erkannte. Einen blonden Jungen, der mit ausgebreiteten Armen wie ein Gekreuzigter im Stacheldraht hing. Einen knienden Mann, der zu beten schien, nur daß ihm der Kopf fehlte.

Er und Browning paßten nicht ganz in den Krater. Obwohl sie sich dicht aneinandergedrängt zusammenkrümmten, hatten nur Köpfe und Körper Platz, die Beine ragten über den Rand des Lochs hinaus. Kugelhagel wühlte den Schlamm aus. James hörte Browning aufschreien, als ein Geschoß seinen Oberschenkel traf. Als die nächste Reihe britischer Soldaten mit aufgepflanzten Bajonetten stürmte, wurden die Männer vom Maschinengewehrfeuer gefällt, sobald sie aus ihren Gräben hervorkamen.

Nach einiger Zeit, als die Briten sich geschlagen gaben und ihren Angriff einstellten, versiegte das Geschützfeuer. In der quälenden Stille, die folgte, sah James aus den Löchern in diesem geschundenen Land Männer auftauchen, graubraune Männer, von oben bis unten mit Schlamm überzogen. Langsam krochen die Verwundeten zu den britischen Linien zurück. James schleppte seinen Corporal über die zweihundert

Meter Niemandsland zu den britischen Linien zurück, und die ganze Zeit hockte ihm die Angst im Nacken, aber die deutschen Soldaten feuerten keinen einzigen Schuß ab.

In den Zeitungsartikeln über die Schlacht bei Loos wurden die voreiligen Prophezeiungen eines glorreichen Siegs von einer nüchterneren Berichterstattung über den Ablauf der Ereignisse abgelöst. Die Liste mit den Namen der Gefallenen nahm sich wie eine schwarze Narbe auf der Titelseite der *Times* aus.

Eva hatte sich ein ganzes Sortiment abergläubischer Gewohnheiten zugelegt. Sie hütete sich vor einzelnen Elstern, ging nicht unter Leitern hindurch, lehnte es ab, Perlen oder Opale zu tragen. Bei jedem Klopfen an der Tür fuhr sie schreckhaft zusammen, so angespannt waren ihre Nerven. Am liebsten wäre sie überhaupt nicht mehr nach Hause gegangen, wo die Ängste der Familie sich zu sammeln schienen. Es ging ihr viel besser an ihrem Schreibtisch in der Firma, wenn sie Briefe tippte oder über den Rechnungsbüchern saß. Zu Hause ertappte sie sich dabei, daß sie immer wieder zum Fenster lief, und wenn sie den Telegrammboten die Straße herunterkommen sah, konnte sie vor Angst kaum noch atmen. Dann wandte sie rasch die Augen ab, als würde das Schicksal James verschonen, wenn sie nicht hinsah.

An einem Donnerstag gegen Abend kam es in der Schleiferei zu einem Unglücksfall. Eine der Frauen, die es eilig hatte, mit ihrer Arbeit fertig zu werden, weil sie nach Hause wollte, geriet mit der Hand in den Treibriemen einer Schleifscheibe. Da Joshua in London war, ließ Eva eine Droschke kommen, die die Verletzte ins Krankenhaus fahren sollte, und brachte die Frau selbst zum Wagen.

Sie schaffte es gerade noch in ihr Büro, bevor sie ohnmächtig wurde. Eine Hitzewelle überflutete sie, die so erstickend war, daß sie panisch am Kragen ihrer Bluse riß. Grünliche Nebelschwaden umwallten sie. Als nächstes nahm sie wahr, daß jemand sie schüttelte und ihren Namen rief. Als sie die Augen öffnete, erkannte sie Rob Foley. Draußen klopfte es kurz, dann trat eine der Frauen aus dem Packraum mit einem Glas in der Hand ein.

Rob Foley nahm es ihr ab und hielt es Eva an die Lippen. »Kommen Sie, trinken Sie einen Schluck.«

Es war Brandy. Scharf und billig aus dem nächstgelegenen Pub, vermutete sie, aber die Benommenheit ließ nach, und sie konnte sich aufsetzen. »Tut mir leid«, sagte sie. »Wie dumm von mir, ohnmächtig zu werden.«

»Ich lasse eine Droschke kommen, die kann Sie nach Hause fahren.«

»Nein.« Sie drückte die Fäuste auf die Augen, um die aufsteigenden Tränen zurückzudrängen. »Wie geht es ihr?« fragte sie. »Der Frau, die sich verletzt hat.«

»Sie wird es überleben.«

»Und ihre Hand –«

»Wahrscheinlich wird sie zwei Finger verlieren.«

»Oh –«

»Sie werden sie schon wieder zusammenflicken. Machen Sie sich keine Sorgen. Sie ist versorgt. So, und jetzt rufe ich einen Wagen.«

»Bitte, Mr. Foley«, sagte sie leise. »Ich möchte nicht nach Hause. Jedenfalls jetzt noch nicht.«

»Rob«, sagte er beinahe schroff. »Lieber Gott, nennen Sie mich doch einfach Rob.«

»Nur wenn Sie aufhören, mich Miss Eva zu nennen. Das ist so grausig viktorianisch.«

Er half ihr in einen Sessel. Sie suchte ihr Taschentuch heraus und schneuzte sich. »Sie entwickeln sich langsam zu meinem Dauerretter«, sagte sie.

Er machte ein verlegenes Gesicht. »Wollen Sie das nicht austrinken?« Er bot ihr noch einmal das Glas an.

»Ich hasse Brandy. Trinken Sie ihn.«

»Ich trinke nicht.«

»Nie?«

Er schüttelte den Kopf. »Wegen meines Vaters«, erklärte er. »Ich weiß, was Alkohol anrichten kann.«

»Sie rauchen wohl auch nicht?«

Er zog ein Zigarettenetui heraus, zündete zwei Zigaretten an und reichte ihr eine. Sie paffte eine Weile, dann sagte sie: »Ich möchte wirklich nicht nach Hause. Ich bin lieber hier. Hier ist die Angst nicht so schlimm.«

»Um Ihren Bruder?«

Sie biß sich auf die Lippe. »Eigentlich habe ich ständig Angst um James.«

»Wenn Sie noch nichts gehört haben –«

»Das wage ich gar nicht zu denken«, sagte sie heftig. »Ich habe Angst, daß etwas Schreckliches passiert, wenn ich mir so einen Gedanken erlaube.« Alle Leidenschaft verließ sie plötzlich, und sie fühlte sich schlapp und ausgepumpt. »Albern nicht? Reiner Aberglaube. Als könnte irgend etwas, was ich denke oder tue, James' Schicksal beeinflussen.«

»Meine Schwester Susan veranstaltet spiritistische Sitzungen. Sie ist überzeugt, daß sie mit den Toten sprechen kann. Frauen, die ihre Söhne an der Front verloren haben, kommen zu ihr. Wenigstens haben Sie sich noch nicht zum Ouija-Brett geflüchtet.«

»Aber ich kann verstehen, warum Leute das tun. Sie nicht? Auch wenn es Blödsinn ist. Ich kann an nichts anderes denken, wenn ich zu Hause bin. Ich kann mich nicht ablenken.«

»Was ist mit der Malerei?«

»Ich male seit Jahren nicht mehr.«

»Warum nicht?«

Sie zuckte mit den Schultern. »Weil ich festgestellt habe, daß ich nicht gut genug bin.«

»Das stimmt doch nicht«, widersprach er. »Die Zeichnung, die Sie von mir gemacht haben, wissen Sie noch…?«

»O ja, Sie waren wütend auf mich, weil ich einfach in den Schmelzraum gegangen war.«

»Ich habe sie behalten.«

»Ach, das war doch nur eine lumpige kleine Zeichnung.«

»Mir gefällt sie. Und Theresa, meiner Schwester, hat sie auch gefallen. Sie sagte, Sie hätten mich genau getroffen.«

»Ach, Porträts«, sagte sie geringschätzig. »Porträts kann jeder.«

»Sie können mir glauben, Eva, wenn ich versuchte, Ihr Porträt zu malen, würden Sie am Ende wahrscheinlich aussehen wie eine Runkelrübe oder ein Käfer.«

Sie lächelte. »Haben Sie keine künstlerische Seite?«

»Ich liebe Musik, aber ich spiele kein Instrument. Ich kann mich in ein Bild versenken, aber ich kann nicht malen. Und manchmal, wenn ich etwas Bestimmtes sagen möchte, kann ich es nicht ausdrücken.« Ein kurzes Schweigen. Sie hörte, wie sich die Männer und Frauen im Hof mit Zurufen voneinander verabschiedeten, bevor sie nach Hause gingen. »Aber Sie *können* zeichnen. Und so ein Talent sollten Sie nicht einfach brachliegen lassen. Wer zum Teufel hat Ihnen gesagt, Sie wären nicht gut genug?«

»Jemand«, antwortete sie leise, »jemand, den ich gut kenne.«

»Vielleicht hat er sich geirrt.«

»Das glaube ich nicht. Nein, ich bin sicher, er hatte recht. Im Grunde wußte ich es selbst. Wenn ich es nicht selbst tief im Inneren geahnt hätte, dann hätte ich ihm auch nicht geglaubt. Nein, in dieser Hinsicht bin ich mir ganz sicher. Wenn auch in manch anderer nicht.«

Er sah sie fragend an. »Nein?«

»Ich habe einmal gedacht, ich wüßte alles. Ich wußte, daß ich auf die Kunstakademie mußte, und ich wußte, daß ich eine große Malerin werden würde. Ich wußte, daß ich allein leben und nie, nie an jemanden gebunden sein wollte. Und jetzt?« Sie schaute sich im Büro um. »Jetzt sitze ich hier. Wenn mir einer gesagt hätte, daß ich einmal hier lande! Ich wollte, ich wäre wie Sie, Rob. So geradlinig.«

»Geradlinig? Oder spießig?«

»Nein. Überhaupt nicht spießig«, sagte sie und bemerkte ein Blitzen in seinen Augen, bevor er sich abwandte.

»Sie haben mich immer für spießig gehalten.«

»Ja, als ich ein dummer kleiner Backfisch war. Jetzt, wo ich eine reife Frau bin, weiß ich es besser.«

Er lachte und sagte plötzlich: »Würde es Sie ablenken, wenn ich Sie mit meiner Mutter und meinen Schwestern bekannt mache?«

»Oh, ich würde mich freuen, aber –«

»Ich fahre immer Freitag abends nach Hause. Sie könnten morgen zum Abendessen kommen. Ich würde Sie natürlich nach Sheffield zurückbringen.« Er runzelte plötzlich die Stirn. »Wie voreilig von mir. Sie haben sicher schon etwas anderes vor.«

Sie schüttelte den Kopf. »Nein. Ich habe nichts anderes vor. Ich komme gern, Rob.«

Wenn das Angst war, dann war es eine Angst, wie er sie bisher nicht kennengelernt hatte, dachte James. Es war nicht diese Verzagtheit, die einen vor einer Prüfung überfiel, und auch nicht diese erbärmliche Furcht, die er empfunden hatte, als er versucht hatte, seinen Mut zusammenzunehmen und Vater zu sagen, daß er verheiratet war. Die meiste Zeit war er nur hungrig und müde. Jede freie Minute nützte er aus, um sich zusammenzurollen und ein Nickerchen zu machen. Irgendwie war nie genug zu essen da. Alles, was Emily ihm in den beiden letzten Paketen geschickt hatte, war aufgezehrt. Er hatte es mit seinen Kameraden geteilt, die genauso hungrig waren wie er. Und jetzt, wo nichts mehr da war, träumte er von großen Weihnachtsessen und Picknicks und Abendessen im Savoy.

Er schrieb Emily, wann immer sich eine Möglichkeit ergab. Er war nie ein großer Briefeschreiber gewesen, aber wenn er seine Sätze an Emily richtete, so war das, als spräche er mit ihr. Oft dachte er an ihre gemeinsamen Jahre zurück. An den Tag ihrer ersten Begegnung, an die erste Zeit ihrer Liebe, an das erste Mal, als er mit ihr geschlafen hatte. Als sie ihm gesagt hatte, daß sie ein Kind erwartete, hatte sie geweint, weil sie geglaubt hatte, er werde sie verlassen. Statt dessen hatte er ihr einen Heiratsantrag gemacht. An ihrem Hochzeitstag hatte er ihr von einer Zigeunerin auf der Straße ein Sträußchen weißes Heidekraut zum Anstecken gekauft. Danach waren sie in das Haus in Twickenham gefahren, und er hatte sie über die Schwelle getragen. Sie war so leicht gewesen wie eine Feder. Später, als sie im Bett gelegen und sich geliebt hatten, hatte er mit der Hand die leichte Rundung ihres Bauchs gestreichelt und an das Kind gedacht, sein Kind.

Aber er wußte, daß er nicht mehr der Mann war, den Emily geheiratet hatte. Manchmal dachte er, seine Briefe seien nur eine andere Form von Täuschung, jener ähnlich, die er jahrelang geübt hatte, um Emily und Violet vor seiner Familie zu verstecken. Vor zwei Tagen hatte es zu regnen begonnen, und endlich schwiegen die Geschütze. Aber ihm war, als hörte er sie immer noch, ein endloses Echo, das die Geräusche des Regens nicht übertönen konnten. Manchmal fragte er sich, ob sie je wirklich schweigen würden. Immer wenn er die Augen schloß, sah er wie in einer Serie von Schnappschüssen Bilder von der Schlacht. Körper und Teile von Körpern. Pferdekörper und menschliche Körper. Männer, die er einmal gekannt hatte, Männer, mit denen er gelacht und gescherzt hatte, denen es die Köpfe weggerissen hatte und deren Gliedmaßen jetzt im Schlamm verrotteten. Konnte er je wieder der werden, der er einmal gewesen war? Tief im Inneren wußte er, daß das nicht möglich war. In seinen Träumen, in Zeiten der Ruhe verfolgte ihn, was er gesehen hatte. Er meinte spüren zu können, wie sich das Gift in ihm festgesetzt hatte, weit hartnäckiger als der Schlamm der Schützengräben.

Als er den Brief beendet hatte, mußte er mit ein paar Leuten hinaus, um den Stacheldraht rund um die Gräben zu prüfen. Es war eine dunkle, nebelige Nacht, der Mond von Regenwolken verdeckt, und er bemerkte die deutsche Patrouille eine Sekunde zu spät. Es wurde plötzlich sehr hell, und er vernahm ein lautes Krachen. Einen Moment lang glaubte er, die Bombardierungen hätten wieder angefangen. Er versuchte, die Hand zu heben, um die Brusttasche zu berühren, wo das Foto von Emily und das silberne Kleeblatt aufbewahrt waren, aber sein Arm gehorchte ihm nicht. Ihm war auf einmal kalt, und er konnte nichts sehen. Heftiger Zorn und eine große Sehnsucht nach Leben durchströmten ihn, und er empfand eine schreckliche Einsamkeit bei dem Gedanken, daß er seine Frau und sein Kind nie wiedersehen würde. Dann war es, als explodierte etwas in seinem Kopf, und er fühlte, wie er stürzte, in eine Tiefe, die kein Ende zu haben schien.

Joshua fühlte sich, als wäre er jeden Tag, seit Katharine sich von ihm getrennt hatte, ein kleines Stückchen von ihm gestorben.

Es war im Oktober 1914 gewesen. Ein gemeinsamer Bekannter von ihnen, der Eigentümer einer Eisengießerei, hatte ihr einen Heiratsantrag gemacht, und sie hatte ihn angenommen. »Liebst du ihn denn?« hatte er sie angeschrien, als sie es ihm gesagt hatte, und sie hatte ruhig geantwortet: »Er ist ein wohlhabender Mann, Joshua. Er ist Witwer, das heißt, er ist frei und kann mich heiraten. Ich habe zwei Töchter, für die ich in diesen entsetzlichen Zeiten ordentliche Ehemänner finden muß.«

Zwei Tage später hatte James ihm von seiner Frau und dem Kind erzählt. Rückblickend konnte Joshua erkennen, daß seine ungeheure Wut verschiedene Ursachen gehabt hatte. Da waren der Schmerz über den Verlust von Katharine und der Neid, daß James es sich hatte erlauben können, die Frau zu heiraten, die er liebte, was ihm verwehrt geblieben war; da waren das Bewußtsein, daß James' Betrug seinen eigenen spiegelte, und die Schuldgefühle, die dieser in ihm weckte, nicht zuletzt auch eine tiefe Gekränktheit darüber, daß James ihm, seinem Vater, nicht vertraut hatte, ihn offensichtlich nicht genug liebte, um sein Geheimnis mit ihm zu teilen.

Aber Wut war eine gefährliche Emotion, ansteckend und zerstörerisch. Im ersten Schock hatte er harte Worte gebraucht, und James hatte es ihm voll Zorn mit gleicher Münze heimgezahlt. Aber es war noch schlimmer gekommen, als er begriffen hatte, was die Beschuldigungen, die James ihm ins Gesicht schleuderte, zu bedeuten hatten. *Wie kommst ausgerechnet du dazu, mich zu kritisieren, du elender Heuchler du. Jahrelang hast du meine Mutter betrogen...* Joshua hatte seinem ältesten Sohn in die feindseligen Augen geblickt und hatte erkannt, daß James Bescheid wußte. Er war fassungslos gewesen, und in seiner Fassungslosigkeit hatte er getobt. In die Defensive gedrängt, hatte er sich rechtfertigen wollen – sich eine Geliebte zu nehmen, hatte er hochfahrend erklärt, sei etwas ganz anderes, als sie zu heiraten. Aber die Verachtung in James' Blick war nur tiefer geworden.

Seine Wut hatte noch Wochen gebrannt, nachdem James gegangen war. Wie konnte der Junge es wagen, ihm Heuchelei vorzuwerfen, wo er sich selbst so schäbig und hinterhältig verhalten hatte? Wieso konnte er nicht einsehen, daß er die Familie in Schande gestürzt hatte, indem er sein kleines Liebchen – eine Modistin, bei Gott, ganz sicher eine Mitgiftjägerin, kaum besser als eine gemeine Hure – geheiratet hatte? Wieso konnte er nicht einsehen, daß er mit einem einzigen fatalen Schritt das Lebenswerk seines Vaters und seines Großvaters zunichte gemacht und die ganze Familie Maclise in den Schmutz gezogen hatte?

Sie waren von ganz unten gekommen, die Maclises, dachte Joshua voll Bitterkeit, und wenn er erst tot war, würden sie wahrscheinlich wieder ganz unten enden. Seine Kinder waren ihm nichts als Enttäuschung und Last. Niemand konnte behaupten, daß Clemency eine Schönheit war, obwohl er selbst sie immer bezaubernd gefunden hatte, aber seine anderen Töchter waren jede auf eine andere Art schöne Frauen. Doch was hatten sie daraus gemacht? Die arme Marianne hatte ihren Mann verloren und sich dann, ohne die Proteste ihrer Familie zu beachten, an diesen schlangenäugigen Kerl gebunden, dem Joshua von Anfang an nicht über den Weg getraut hatte. Sie war immer in seinen Gedanken, eine ständig nagende Sorge. Keine seiner anderen Töchter hatte geheiratet oder es wenigstens bis zu einer Verlobung gebracht. Wenn er daran dachte, wie Iris und Eva, diese entzückenden jungen Frauen, ihre Jugend vergeudeten, packten ihn Zorn und Erbitterung.

Dann seine Söhne. James war ein Lügner und ein Narr. Philip war ein Schwächling. Und Aidan – für Aidan empfand er nur Mitleid und Abscheu. Er kannte Aidans eisernen Willen, seine Intelligenz, seinen Snobismus, seinen Starrsinn, seine Geldgier. Er wußte, was Aidan, wenn er die Chance dazu bekam, aus dem Unternehmen machen würde, das er und sein Vater in lebenslanger harter Arbeit aufgebaut hatten. Nach dem Streit mit James hatte Joshua nicht mehr den Willen aufgebracht, sich Aidan zu widersetzen, hatte gespürt, daß ihm die Macht entglitt. Aidan war jung und stark – er war keins von beiden mehr.

Wenn er an Lilian dachte, empfand er nichts als Müdigkeit und Resignation. Er wußte, daß es nicht recht war, Lilian mit Katharine zu vergleichen, aber er konnte einfach nicht vergessen, wie großzügig Katharine gewesen war, wie gütig und besorgt um ihn. Sie hatte es stets gemerkt, wenn er abgespannt oder bedrückt gewesen war, sie hatte es gespürt, wenn er in der Firma einen schweren Tag gehabt hatte. In Lilians Welt drangen solche Dinge niemals ein, ihre Welt drehte sich einzig um sie selbst.

Ach, Katharine – in Gedanken war er immer bei ihr. Er hatte so spät in seinem Leben nicht mehr mit Liebe gerechnet, jetzt verzehrte ihn die Sehnsucht nach dieser Frau. Er vermißte ihre Nähe, ihre Wärme, ihren Anblick.

Seine stärksten Gefühle waren nur noch Bedauern und Ernüchterung. Während die Schlacht bei Loos tobte, kam allmählich die Wahrheit über die Führung dieses Krieges ans Licht, und er erfuhr, daß das Land, das er liebte, Männer mit Bajonetten gegen Männer mit Maschinengewehren in den Kampf geschickt und den Einsatz von Chlorgas angeordnet hatte, das der Wind den eigenen Soldaten in die Gesichter geblasen hatte. Er wußte – jeder Eisenwarenfabrikant wußte das –, daß die Truppen nicht angemessen ausgerüstet waren, daß sie zuwenig Waffen und zuwenig Munition hatten. Sogar die Verpflegung war knapp. Sie hatten sich unbesonnen in einen Krieg gestürzt, auf den sie nicht vorbereitet waren und dessen Ausgang Politiker wie Generäle in ihrer Selbstgefälligkeit auf die leichte Schulter genommen hatten.

Die größte Ernüchterung jedoch erlebte er mit sich selbst, als er erkannte, wie töricht sein Stolz und seine Unversöhnlichkeit gewesen waren. Sobald ihm bei der Lektüre der Zeitungsartikel klar wurde, daß James' Regiment bei Loos kämpfte, wurden aller Zorn und aller Groll schlagartig von Furcht verdrängt. Er schrieb noch am selben Abend an James, einen ungeschickten, holprigen Brief, denn es war ihm immer schon schwergefallen, sich schriftlich auszudrücken. Er hielt wie sie alle nach dem Telegrammboten Ausschau und betete darum, lange genug zu leben, um James – wenn Gott es wollte – bei seiner Rückkehr in die Arme schließen zu können. Er wußte, daß sein Herz krank war, immer häufiger spürte er sein erschreckendes Hoppeln und den beklemmenden dumpfen Schmerz, der sich von seiner Brust bis in seinen Arm ausbreitete.

Eines Morgens, als er gerade zur Arbeit fahren wollte, klopfte es an der Haustür. Noch bevor Edith öffnete, wußte er es. Die anderen waren beim Geräusch des Türklopfers in den Korridor geeilt: Eva, Clemency, Aidan, Lilian. Als er die Furcht in ihren Gesichtern und ihr Zaudern sah, da ging er durch den Korridor zur Tür und nahm das Telegramm selbst in Empfang.

Atemlos und mit grauem Gesicht torkelte Joshua durch das Haus – wie ein großer verwundeter Stier, dachte Aidan. Es werde ein Gedenkgottesdienst für James abgehalten werden, erklärte er, zu dem James' Frau und Kind eingeladen würden. Sie würden selbstverständlich in Summerleigh wohnen. Lilian protestierte. Aufgebracht fauchte Joshua: »Sie werden hier wohnen, verstanden? Und du wirst sie freundlich empfangen. Sie sind alles, was von ihm geblieben ist.«

Er bestand darauf, daß Aidan nach London reiste, um Emily und Violet abzuholen und nach Sheffield zu begleiten. Soweit Aidan durch das schwarze Netz des Schleiers erkennen konnte, war Emily recht hübsch, wenn auch auf eine etwas gewöhnliche Art. Sie war sehr still, und wenn sie sprach, zitterte ihre leise Stimme. Aidan bemerkte, daß sie sich stets hastig verbesserte, wenn sie einen Fehler machte.

Während er mit Emily und Kind in dem Erste-Klasse-Abteil saß, vertrieb er sich die Zeit damit, im Geist seine Pläne für die Firma durchzugehen. James war tot. Vater war bei schlechter Gesundheit und würde sich gewiß bald vom Geschäft zurückziehen. Dann würde er endlich freie Hand haben. Erst einmal würde er das tote Holz ausschlagen – die Kranken, die Alten, die Faulen. Vaters Schwäche war immer seine Rührseligkeit gewesen – beim Durchsehen der Bücher hatte Aidan eine Liste mit den Namen alter Arbeiter entdeckt, denen sein Vater eine monatliche Rente bezahlte, um sie vor dem Armenhaus zu bewahren. Dann war da die alljährliche Feier von Großvater Maclise' Geburtstag – in den Werkstätten floß das Bier in Strömen, und es wurde kaum ein Handschlag getan. Und vor kurzem war Eva auch noch mit der hirnverbrannten Idee angekommen, einen Waschraum und einen Trinkwasserbrunnen für die Frauen bauen zu lassen – da wegen des Kriegs so viele Männer ausfielen, hatten sie ersatzweise mehr Frauen einstellen müssen. Absurd, diese Geldverschwendung, den Frauen hatte der Außenwasserhahn bisher ja auch gereicht. Das alles waren nur kleine Extravaganzen, aber sie summierten sich, sie minderten den Profit. Und wenn dann der rechte Moment gekommen war, würde er, wie Vater das schon vor Jahren hätte tun sollen, mit der Firma an die Börse gehen und kräftig expandieren. Der Krieg eröffnete Maschinenbauunternehmen wie J. Maclise & Söhne ungeahnte Möglichkeiten; der Krieg würde sie reich machen.

Seine Gedanken begannen abzuschweifen und wandten sich Dorothy Hutchinson zu. Dorothy war die jüngste der fünf Hutchinson-Schwestern. Sie war ein hübsches Mädchen, dunkle Haare, dunkle Augen, und temperamentvoll, aber dabei nicht schnippisch. Aidan kannte sie von Bällen und festlichen Diners, wo er häufig mit ihr getanzt hatte, außerdem vom Tennisplatz. Er dachte daran, ihr einen Heiratsantrag zu machen. Die Hutchinsons gehörten zu den besten Familien Sheffields, und Aidan war schon lange aufgefallen, daß bei ihnen immer alles einen Tick besser oder edler war als bei den Maclises – ihr Haus war opulenter eingerichtet, die Familie achtete mehr auf ihre gesellschaftliche Stellung, war sich der Bedeutung des äußeren Eindrucks stärker bewußt. Selbst jetzt noch schafften es die Hutchinsons, bei gesellschaftlichen Anlässen irgendwie mit einem oder zwei weißbehandschuhten Dienern aufzuwarten, wogegen man bei den Maclises mit der verhuschten Ruby vorliebnehmen mußte oder der ewig über ihre schlimmen Beine klagenden Edith. Eine Heirat mit Dorothy Hutchinson wäre ein erster Schritt auf dem Weg zu gesellschaftlichem Ansehen und Reichtum, die Aidans Ziel waren. Vater würde eine Verbindung mit der Familie Hutchinson gutheißen und ihm angesichts einer so hervorragenden Partie, wie James sie ihm schuldig geblieben war, seine Anerkennung nicht länger versagen können.

Doch Joshua überlebte seinen ältesten Sohn nur um sechs Wochen. Zwei Tage nach dem Gedenkgottesdienst versagte sein überfordertes Herz für immer den Dienst. Er starb in seiner Firma, nachdem er im Hof voller Pfützen und Kohlestaub zusammengebrochen war, unter dem Dröhnen der Hämmer und den Qualmwolken aus den Öfen. Als Aidan vom Tod seines Vaters erfuhr, riß ihm die Nachricht eine grauenhafte Wunde. Eine Leere tat sich ihm auf, von der er fürchtete, sie würde sich niemals füllen. Es war, als wäre ein mächtiger, unzerstörbarer Gott gefällt worden.

Er ließ den Leichnam seines Vaters, auf schwarzen Samt gebettet, nach Summerleigh zurückbringen. Die Pferde, die den Wagen zogen, waren mit schwarzen Schabracken und schwarzen Federbüschen geschmückt. Arbeiter und Arbeiterinnen stellten sich schweigend am Tor auf, als der Wagen hinausfuhr. Die Männer zogen die Mützen, die Frauen weinten.

Noch ein Begräbnis. Als bald danach Mr. Hancock, der Anwalt der Familie, das Testament verlas, erfuhr Aidan, daß James nicht, wie er geglaubt hatte, enterbt worden war. Vater hatte vielmehr sein Testament nach James' Tod geändert und eine Hälfte seines Vermögens Aidan hinterlassen, die andere James' Sohn, falls das Kind, das Emily erwartete, ein Junge werden sollte. Das Erbe des Kindes sollte bis zu dessen Volljährigkeit treuhänderisch verwaltet werden, und das ausgerechnet von Eva. Er hatte außerdem Emily einen Betrag zur Versorgung von James' Kindern vermacht.

Aidan tröstete sich damit, daß er sich einredete, das zweite Kind werde sicherlich wieder ein Mädchen werden, aber die innere Wunde heilte das nicht. Sein Vater hatte ihm nicht vertraut. Sein Mißfallen an ihm – Aidan – dauerte bis über seinen Tod hinaus.

Als im folgenden Monat das Telegramm mit der Nachricht eintraf, daß Emily einen Jungen geboren hatte, mußte Aidan in sein Zimmer hinauflaufen und sich voller Wut und Enttäuschung auf sein Bett werfen. Erst als ihm bewußt wurde, wie lächerlich sein Verhalten war, stand er auf, wusch und rasierte sich und legte seine besten Kleider an: schwarzer Rock, schwarze Krawatte, schwarzer Hut und schwarzer Schal, für Vater und James. Er würde in die Stadt fahren und in der Bar eines der besseren Hotels etwas trinken und dazu eine Zigarre rauchen.

In der Stadtmitte bemerkte er Dorothy Hutchinson, die draußen vor John Walshs stand. Er ging über die Straße und trat zu ihr. Er erwartete Worte der Begrüßung, des Beileids, der Anteilnahme, aber sie sagte nur: »Noch immer nicht in Uniform, Aidan?« und drückte ihm etwas in die Hand. Nachdem sie gegangen war, öffnete er seine Faust. Auf seinem Handteller lag eine weiße Feder.

16

Nach dem Tod ihres Bruders und ihres Vaters schien Clemency der lebendige Geist der Familie erloschen zu sein. Die Maclises waren geschrumpft, hatten an Glanz und Farbe verloren. Abends im Bett, wenn sie daran dachte, wie James sie das Autofahren gelehrt hatte oder wie ihr Vater sie zu Ivors Konzerten gefahren hatte, mußte sie weinen. Sie weinte ohne einen Laut, während ihr die Tränen aus den Augen rannen und es ihr das Herz abzuschnüren schien.

Im Frühjahr 1916 führte die Regierung die allgemeine Wehrpflicht ein. In den Straßen der Stadt wurden Plakate aufgehängt, die alle unverheirateten Männer in wehrpflichtigem Alter daran erinnerten, daß sie nunmehr die Pflicht hatten, sich zum Wehrdienst zu melden. In den Osterferien teilte Philip Clemency mit, daß er beschlossen hatte, sich sofort zu melden und nicht bis zum Abschluß des Schuljahrs damit zu warten. Als Clemency Einwände erheben wollte, sagte er mit einem Lächeln voll bitterer Ironie: »Hast du geglaubt, ich würde davonlaufen? Das habe ich früher immer getan, ich weiß, aber diesmal tue ich es nicht.«

»Aber, Phil, es wird eine Qual für dich werden!« rief sie.

»O ja, lustig wird es sicher nicht. Und ich werde mich die ganze Zeit völlig fehl am Platz fühlen, das weiß ich. Aber so viele ehemalige Schüler unseres Internats sind schon gefallen oder verwundet worden, Clem! Der Direktor verliest ihre Namen jeden Tag beim Morgengebet. Weshalb sollte ich eine Extrawurst gebraten bekommen? Weshalb sollte ich verschont werden? Mir ist schon klar, daß ich als Soldat nicht viel tauge.

Ich war schon in der Offiziersausbildung ein hoffnungsloser Fall – ich kann nicht in Reih und Glied marschieren und vergesse dauernd, wie ein Gewehr zusammengesetzt wird, doch ich werde mein Bestes tun. Kannst du das nicht verstehen?«

Aber er wurde von der Musterungsbehörde für nicht tauglich befunden. Er litt immer noch an Asthma, und seine Kurzsichtigkeit hatte sich im Lauf der Jahre verschlimmert. Clemency war tief erleichtert; sie erkannte jedoch auch, daß Philip, obwohl ebenfalls erleichtert, unter der Zurückweisung litt. »Ich wollte nützlich sein«, erklärte er ihr sichtlich verwirrt. »Was meinst du, was es mich gekostet hat, den Mut für diese rühmliche Tat aufzubringen, und dann wollen sie mich gar nicht haben!«

Eva hatte eine Idee. Sie schrieb an Sadie Bellamy, die in Wiltshire lebte, und Sadie antwortete postwendend, sie würde sich freuen, wenn Philip nach Greenstones käme und ihr auf dem Hof zur Hand ginge. Philip war immer schon sehr tierlieb gewesen, und die frische Luft konnte ihm nur guttun. Clemency und Eva brachten ihn zur Bahn. Clemency sah dem Zug nach, bis das weiße Taschentuch, das aus dem offenen Fenster von Philips Abteil flatterte, hinter einer Biegung verschwand. Wieder einer fort, dachte sie. Jetzt waren sie nur noch drei. Vor gar nicht langer Zeit waren sie noch zehn gewesen. Wieder war ihr, als schnürte es ihr das Herz ab.

Jeden Morgen warteten sie und Eva ungeduldig auf die Post und rissen dem Postboten die Briefe aus der Hand, sobald er klopfte. Briefe von Philip aus Greenstones voller Erzählungen von den Bellamy-Kindern und vom Hof. Briefe von Aidan aus einem Ausbildungslager im Norden Englands. Briefe von Iris, die jetzt in einem Lazarett in Etaples in Nordfrankreich arbeitete.

Aber keine Briefe von Marianne. Jeden Tag sahen sie in aller Eile die Umschläge durch, die der Postbote gebracht hatte, und suchten nach einem, der Mariannes Schriftzüge trug. Jeden Tag wurden sie enttäuscht. Sie hörten nichts, nicht einmal, nachdem sie Marianne von den beiden Todesfällen geschrieben hatten. Das nahm ihnen das letzte bißchen Hoffnung, daß Mariannes Schweigen auf etwas Geringeres zurückzuführen sein könnte als auf eine dramatische Änderung ihrer Lebensumstände. Obwohl sie kaum je darüber sprachen, wußte Clemency, daß sie jetzt alle um Mariannes Wohl fürchteten. Eines Abends schrieb Eva an den Gouverneur von Ceylon und bat ihn um Hilfe bei der Aufklärung des Schicksals ihrer Schwester. Clemency stand an ihrer Seite und sah ihr beim Schreiben zu. Nach dem Verlust von Vater und James schien das Leben grau, kalt und leer zu sein. Aber eine Schwester zu verlieren, dachte sie, wäre wie der Verlust eines Stückes ihrer selbst.

Sie wußten alle nicht mehr, wie es war, gute Nachricht zu erhalten. Von der Front kam keine, von dort jagte nur eine Schreckensmeldung die nächste. Im Januar wurden Zehntausende alliierter Soldaten, vor allem aus Australien und Neuseeland, von der Halbinsel Gallipoli nördlich der Dardanellen evakuiert, wo sie seit dem Frühjahr des vorangegangenen Jahres mit hohen Verlusten gekämpft hatten. Dieser Niederlage folgte im Mai die Seeschlacht im Skagerrak. Von klein auf hatte Clemency gelernt, daß die britische Marine unbesiegbar war; Großbritannien war die Herrscherin der Meere, daran war nicht zu rütteln. Doch die Verluste der Königlichen Marine waren weit höher als die der deutschen Flotte.

Anfang Juni ertrank Lord Kitchener, der Mann, der das Neue Freiwilligenheer geschaffen hatte, als sein Schiff auf eine Mine lief und unterging. Clemency las es in den Schlagzeilen, als sie in Sheffield beim Einkaufen war. Eine drückende Stille lag über den Straßen; in den Augen der Menschen erkannte sie ihre eigene Betroffenheit und Ungläubigkeit.

Ende Juni begannen die Briten, die deutschen Stellungen an der Somme unter Artilleriebeschuß zu nehmen. Es war ein Angriff von so gewaltigen Ausmaßen, daß die Erschütterungen durch die schweren Geschütze noch in London zu spüren waren. Am ersten Juli wurden einhundertzwanzigtausend Männer in die Schlacht geschickt. Die ersten Zeitungsberichte waren voller Siegesfreude. Dann wurden die Verlustzahlen bekannt. Ganze Bataillone, von denen viele aus Kitcheners Freiwilligen bestanden, waren ausgelöscht worden. Bei Ausbruch des Krieges hatten britische Gemeinden und Städte stolz ihre eigenen Bataillone, die sogenannten *pal's battalions*, aufgebracht, die sich nur aus Ortsansässigen zusammensetzten; jetzt, nach dem Gemetzel an der Somme, versanken diese Gemeinden und Städte in tiefer Trauer.

Das Bataillon der Stadt Sheffield war kurz nach Kriegsbeginn gebildet worden. Beim angeordneten Sturm auf das Dorf Serre waren die Soldaten mitten in Maschinengewehrfeuer geraten. Die Toten waren lauter Männer aus Sheffield, die in den Gießereien, Fabriken und akademischen Einrichtungen der Stadt tätig gewesen waren. Einige stammten aus Familien, mit denen Clemency bekannt war, so lange sie denken konnte. Oswald Hutchinson war tot, Alfred Palmer vermißt. Ronnie Cartherwood hatte schwere Verletzungen erlitten, als direkt neben ihm eine Granate explodiert war; der Arzt hatte seiner Mutter mitgeteilt, daß er wahrscheinlich blind bleiben würde.

Clemency besuchte Ronnie in dem Londoner Krankenhaus, in das man ihn aus Frankreich brachte, sobald er transportfähig war. Ein weißer Verband verhüllte den oberen Teil seines Kopfs; sein rechter Arm war unterhalb des Ellbogens amputiert. Am Bett neben der stillen, bleichen Gestalt sitzend, erinnerte sich Clemency, wie sie sich vor Jahren bei einem Fest in Summerleigh aus ihrem Zimmer nach unten geschlichen und heimlich zugesehen hatte, wie Ronnie voller Glückseligkeit mit Iris Walzer getanzt hatte.

Nach diesem ersten Besuch fuhr sie alle vierzehn Tage zu Ronnie ins Krankenhaus. Eines Tages, als sie auf der Fahrt nach London ganz allein in ihrem Abteil saß, öffnete in Northampton eine junge Frau die Tür.

»Sind die Plätze hier noch frei?«

Clemency bejahte, und die junge Frau, in schwarzem Kleid und schwarzem Hut mit Schleier, kam herein. nachdem sie sich gesetzt hatte, sagte sie zu Clemency: »Entschuldigen Sie, haben Sie etwas dagegen, wenn ich meinen Hut abnehme?«

»Aber keineswegs.«

Sie begann, die Hutnadeln herauszuziehen. »Ich fühle mich unter Hüten immer so eingepfercht, geht Ihnen das auch so? Besonders wenn es so heiß ist und man auch noch einen Schleier tragen muß.«

Sie nahm den Hut ab. Ihr glänzendes schwarzes Haar war im Nacken zu einer Rolle gedreht. Die schräg stehenden Augen leuchteten lichtbraun in dem milchweißen Gesicht. Clemency meinte, noch nie eine schönere Frau gesehen zu haben.

»Ich bin Ottilie Maitland«, sagte die junge Frau und bot Clemency die Hand.

»Ottilie!« wiederholte Clemency, nachdem sie sich ebenfalls vorgestellt hatte. »Was für ein schöner Name.«

»Ja, ich mag ihn ziemlich gern. Und Clemency ist auch sehr hübsch.« Ottilie neigte den Kopf leicht schräg und betrachtete Clemency abschätzend. »Ja, der Name paßt zu Ihnen. Möchten Sie vielleicht eine Tasse Tee?« Sie nahm eine Thermosflasche aus ihrer Reisetasche. »Michael hatte immer eine Thermosflasche Tee und ein Päckchen Ingwerkekse dabei, wenn er Bahn fahren mußte, und ich habe das von ihm übernommen. Er sagte stets, dann brauche man nicht um einen Platz im Speisewagen Schlange zu stehen.«

»Michael?«

»Er war mein Mann. Er ist vor vier Monaten in Frankreich an Lungenentzündung gestorben. Er war Hauptmann beim Garderegiment.«

Clemency gab ihrem Mitgefühl Ausdruck. »Wie lange waren Sie verheiratet?«

»Zwei Jahre. Ich habe ein Kind, einen kleinen Jungen. Er ist acht Monate alt. Um wen trauern Sie, Clemency?«

»Um meinen Vater und meinen Bruder James.« Unvermittelt fügte sie hinzu: »Ich lebe eigentlich in ständiger Angst um meine Familie. Ich kann mich einfach nicht davon befreien.« Ihre Offenheit war ihr plötzlich peinlich. »Entschuldigen Sie...«

Aber Ottilie sagte nur: »Nehmen Sie einen Keks« und hielt ihr die Schachtel hin. »Ich lebe praktisch von Keksen und Konserven. Es lohnt sich ja im Grunde gar nicht, für einen allein zu kochen. Wenn der Kleine einmal ein bißchen älter ist, können wir uns gemütlich zu zweit an den Tisch setzen, aber im Moment ißt er nur in Milch eingeweichtes Brot und Kompott.« Sie sah Clemency nachdenklich an. »Wenn Sie mal flüchten wollen, können Sie mich jederzeit besuchen.«

Clemency starrte sie verblüfft an.

Ottilie lachte. »Meine Kinderfrau schimpft immer mit mir. Sie behauptet, ich wäre unbesonnen. Aber ich weiß stets auf den ersten Blick, ob mir jemand sympathisch ist oder nicht, und bei Ihnen weiß ich, daß ich Sie mag, Clemency. Wozu also erst lange um den heißen Brei herumreden? Mein Haus wird Ihnen bestimmt gefallen. Es gefällt jedem. Es ist eine ziemliche Ruine, aber das macht ja nichts, nicht wahr? Ich möchte so gern, daß Sie meinen Kleinen kennenlernen. Man braucht Freunde in dieser traurigen Zeit, und Archie und ich kommen uns manchmal schon recht verloren vor.«

Ottilie lebte in Leicestershire in einem kleinen Herrenhaus, das mitten in einer einsamen Landschaft sanft gewellter Wiesen und Wälder stand. Die Zimmer hatten schiefe Wände, und Treppen und Korridore drehten sich in irreführenden Windungen. Das Eichenholz der alten geschnitzten Möbel war über Jahrhunderte mit Bienenwachs poliert, Sessel und Sofas hatten Bezüge aus fadenscheinigem Samt oder stockfleckigem Damast. Natürlich gebe es in Hadfield Gespenster, bemerkte Ottilie beiläufig zu Clemency, als sie eine dunkle, schmale Treppe hinunterliefen. »Aber ich sage mir immer, Gespenster sind wie Spinnen – wenn man sie in Ruhe läßt, lassen sie einen auch in Ruhe. Außerdem stelle ich mir vor, daß sie, genau wie Spinnen, das Haus sauberhalten.«

Draußen waren verwilderte Büsche und Hecken. »Das einzige, was in diesem Garten halbwegs gepflegt ist«, sagte Ottilie, »sind die Gemüsebeete und der Beerengarten. Ich habe mir vorgenommen, diesen Herbst massenhaft Kartoffeln anzubauen. Wenn dann die Deutschen wirklich alle unsere Schiffe versenken, brauchen Archie und ich wenigstens nicht zu verhungern.«

Archie war Ottilies pummeliger, energiegeladener kleiner Sohn. Sie gab ihm einen Kuß und machte ein grimmig entschlossenes Gesicht. »Und wenn dieser elende Krieg nicht vorbeigeht, bevor Archie groß ist, verstecke ich meinen Sohn irgendwo auf dem Speicher. Zum Militär kommt er mir jedenfalls nicht.«

Das Haus war, wie von Ottilie beschrieben, reichlich reparaturbedürftig. Stürme hatten Schindeln auf dem Dach aus ihrer Verankerung gerissen, Türen und Fenster klemmten, manche ließen sich überhaupt nicht mehr öffnen. Ottilies einzige Hausangestellte war eine sehr alte Frau, eine Mrs. Forbes, die früher einmal Ottilies Kinderfrau gewesen war und jetzt bei Archies Betreuung half. Ottilie und Mrs. Forbes lebten in ständigem freundschaftlichem Krieg, weil Mrs. Forbes der Meinung war, Archie brauche einen strenggeregelten Tagesablauf, während sich Ottilie über alle Regeln bezüglich Schlafens- und Essenszeiten achtlos hinwegsetzte. Die Dienstboten, die bei ihrer und Michaels Heirat im Haus gewesen waren, erklärte sie Clemency, waren alle schon recht alt gewesen und hatten seither das Zeitliche gesegnet oder sich zurückgezogen, um ihren Lebensabend bei ihren Kindern zu verbringen. Irgendwie hatte Ottilie es nie geschafft, sich Ersatz zu suchen. Praktisch veranlagt, wie sie war, war sie den schlimmsten Schäden am und im Haus eigenhändig zu Leibe gerückt, hatte mit fanatischer Hingabe den Garten bearbeitet und gekocht und geputzt, wenn sie gerade in Stimmung war. Als sich im Komposthaufen Ratten einnisteten, erschoß Ottilie sie von einem der oberen Fenster aus. Sie war eine gute Schützin, und im Hof häuften sich bald die kleinen braunen Kadaver.

Ihre Freundschaft vertiefte sich, während der Sommer langsam in den Herbst überging. Oft blieb Clemency über Nacht in Hadfield und schlief in einem hohen Himmelbett mit verblichenen Vorhängen, die mit Jagdszenen bestickt waren. Tagsüber kümmerte sie sich zusammen mit Ottilie um Archie und den Garten und half bei allen Arbeiten, die im Haus anfielen. Wenn nötig, kletterte sie in den kalten, dunklen Speicher hinauf, um eine Dachschindel zu befestigen oder das welke Laub aus der Regenrinne zu entfernen.

Natürlich lockte Hadfield selbst in seiner einsamen Verwunschenheit und morschen Schönheit, aber Ottilie hätte auch in einem kleinen Reihenhaus oder einer Mietskaserne in einem der Elendsviertel leben können, Clemency wäre immer wieder zu ihr gefahren, denn es war Ottilie, die sie nach Hadfield zog. Ottilie, dachte sie, war wie eine Zwiebel – kein sehr schmeichelhafter oder poetischer Vergleich, aber etwas Besseres fiel ihr nicht ein, um die Vielschichtigkeit von Ottilies Charakter zu beschreiben, an dem sie ständig neue faszinierende Züge entdeckte. Daheim in Summerleigh oder mit Mrs. Coles unterwegs zu einer Versammlung, stellte sich Clemency Ottilie vor, wie sie in der alten Reithose ihres Mannes und seinem Tweedjackett den Garten umgrub oder nach getaner Arbeit und einem Bad in der Küche saß, das feuchte Haar wie einen dunklen Schleier um die Schultern. Dann flackerten eine Sehnsucht und eine freudige Erregung auf, die sie an das erinnerten, was sie einst für Ivor empfunden hatte, nur daß die Unsicherheit und die kindliche Ehrfurcht fehlten, die, wie sie jetzt erkannte, stets Teil ihrer Liebe zu Ivor gewesen waren.

Ihr fiel auf, daß Ottilie selten von Michael, ihrem Mann, sprach. Die Wunde, die sein Tod gerissen hatte, mußte noch so frisch sein, sagte sie sich, und zu schmerzhaft. Auf dem Kaminsims im Wohnzimmer stand eine Fotografie von Michael Maitland. Trotz der Uniform wirkte er jungenhaft, die runden dunklen Augen schwarz wie Ebenholz, das Lächeln zaghaft, bemüht, zu gefallen.

Einmal als sie nachmittags nach Hadfield kam, fand sie Ottilie in der Küche vor, wo sie vor dem Herd auf dem Boden kniete. »Das verflixte Ding geht nicht an«, sagte sie verärgert. »Ich habe schon eine ganze Schachtel Streichhölzer verbraucht.«

Clemency löste sie ab, während Ottilie davonging, um nach Archie zu sehen, der eine Erkältung hatte. Der Herd war mit Ruß verstopft, und Clemency verbrachte zwei anstrengende Stunden damit, Aschenkästen zu säubern und Abzüge in Ordnung zu bringen. Als der Herd endlich brannte, war Clemency von oben bis unten mit Ruß bedeckt und mußte Töpfe voll Wasser heiß machen, um ein Bad nehmen zu können.

Danach saß sie in Ottilies Morgenrock in der Küche, während Ottilie Käsetoast machte.

»Heute ist Michaels Geburtstag«, sagte Ottilie plötzlich. »Er wäre einunddreißig geworden. An seinem Geburtstag sind wir immer auf die große Eiche im Garten geklettert. Wir haben eine Flasche Rotwein mitgenommen und zwei Gläser und haben sie da oben ausgetrunken. Total verrückt und ganz schön heikel, anschließend wieder hinunterzufinden, aber lustig. Als wir klein waren, haben wir natürlich statt Rotwein Limonade mitgenommen, aber es war trotzdem immer ein Spaß.«

»Ihr habt euch schon als Kinder gekannt?«

»Wir waren verwandt. Vetter und Cousine zweiten oder dritten Grades. Ich kannte Michael schon seit Ewigkeiten, als wir uns verlobten. Er war sechs Jahre älter als ich, und ich hatte ihn immer wahnsinnig bewundert. Er war so groß und klug und gutaussehend.«

»Er fehlt dir sicher ganz schrecklich.«

»In mancher Hinsicht, ja. In anderer nicht.« Sie war dabei, Kakao zu machen, goß kochende Milch in die Henkelbecher. »Wir hätten niemals heiraten sollen. Du bist die erste, der ich das gestanden habe. Sonst *kann* ich es keinem gestehen. Und ich will dich wirklich nicht schockieren, Clemency, aber es ist wahr.«

»Hast du ihn denn nicht geliebt?«

»Doch, ich habe ihn sehr geliebt. Aber wie einen Freund oder Bruder, nicht wie einen Ehemann.« Sie gab in jeden Becher einen Schuß Brandy und schob einen Clemency hin. »Michael war ein wunderbarer Mensch, und wir waren die besten Freunde. Als wir noch verlobt waren, hat er mich manchmal am Ende eines Abends geküßt, und ich fand es gräßlich. Ich dachte, wenn wir erst verheiratet wären, würde sich das schon ändern, ich meine, daß ich dann anders empfinden würde, aber es änderte sich gar nichts. Wenn er mich geküßt hat, habe ich die Augen zugemacht und mir vorgestellt, ich wäre nicht da. Ich versuchte, es nicht zu zeigen, aber ich weiß, daß er es wußte. Und ich glaube, es ging ihm genauso. Oft denke ich, es muß für ihn noch schlimmer gewesen sein. Von Männern wird ja erwartet, daß sie für diese Seite der Ehe die Verantwortung übernehmen.« Sie runzelte die Stirn. »Sag mir, wenn ich aufhören soll. Ich kann's verstehen, wenn dich das nicht interessiert.«

»Doch, doch, es interessiert mich«, entgegnete Clemency.

»Noch einen Kakao?«

»Bitte, ja.«

»Und eine Zigarette. Ich brauche dringend eine Zigarette.« Ottilie bot Clemency eine Zigarette an. »In unserer Hochzeitsnacht hatten wir beide keinen Schimmer, was man da eigentlich so tut. Am Ende haben wir uns einfach in die Arme genommen und sind eingeschlafen. Aber Michael meinte, das sei nicht richtig, und ging zu einem Spezialisten in der Harley Street, und der hat ihm gesagt, was Sache ist. Danach haben wir es mit Müh und Not geschafft, endlich die Ehe zu vollziehen, wie man so schön sagt. Und als sich dann herausstellte, daß Archie unterwegs war, haben wir getrennt geschlafen. Da wurde es etwas besser. Aber glücklich waren wir nicht. Wir wußten ja, daß wir nicht so waren wie die anderen, und ich glaube, wir fühlten uns unbehaglich deswegen. Wir schämten uns beinahe.« Sie seufzte. »Ich glaube, Michael war lieber mit Männern zusammen. Er hatte keine Schwester, und er besuchte natürlich eine Jungenschule. Nach dem Studium ist er zum Militär gegangen. Er hatte wahrscheinlich nie Gelegenheit, sich an den Umgang mit Frauen zu gewöhnen. Wenn ich heute zurückdenke, frage ich mich, ob er mich mochte, weil ich immer schon ein halber Junge war. Wir hatten vieles gemeinsamen – wir waren beide ganz verrückt nach Autos, sind leidenschaftlich gern auf die Jagd oder zum Segeln gegangen. Und er mußte mich natürlich wegen Hadfield heiraten. Mein kleiner Archie ist der letzte Maitland.«

»Warum hast du ihn geheiratet, Ottilie?«

Ottilie lächelte traurig. »Jedenfalls leider nicht aus den richtigen Gründen. Alle meine Freundinnen haben damals geheiratet, und ich wollte nicht übrigbleiben. Es fing an, mir angst zu machen, daß ich nie einem Mann begegnete, mit dem ich die Ehe eingehen wollte. Ich glaube oft, Michael und ich haben einander geheiratet, weil jeder von uns den anderen noch für das erträglichste hielt. Und weil wir uns dann nicht mehr vormachen mußten, wir würden schon noch den Richtigen finden.«

»Glaubst du, du wirst noch einmal heiraten?« fragte Clemency.

»O nein. Ich habe mein Lektion gelernt.« Ottilie tauchte den Milchtopf und die schmutzigen Teller ins Spülbecken. »Ich habe schon sehr früh in meiner Ehe gemerkt, daß ich einen schrecklichen Fehler gemacht hatte. Ich fand es furchtbar, kein eigenes Zimmer zu haben. Ich wollte Michael nicht in meinem Bett haben. Es war – es war mir widerwärtig.«

Clemency dachte an die Szene mit Ivor auf dem Sofa in

seinem Wohnzimmer, an ihre Verwirrung – wenn *das* die Ehe war, was fanden die Leute dann so toll daran?

»Komm, laß mich deine Haare auskämmen«, sagte Ottilie, und Clemency schloß die Augen in einem Gefühl glückseligen Behagens, während Ottilie mit dem Kamm hinter ihr stand.

»Mir tut nur eines leid«, bemerkte Ottilie, »daß ich nicht auf mein Gefühl geachtet habe, obwohl ich tief im Inneren wußte, daß etwas nicht stimmte. Weißt du noch, als wir uns das erste Mal begegnet sind, da habe ich zu dir gesagt, daß ich immer sofort weiß, was ich anderen gegenüber empfinde?«

»Ja, natürlich.«

»Ich wußte, daß ich Michael nicht liebte, aber ich habe nicht auf mich gehört. Nach seinem Tod habe ich mir geschworen, diesen Fehler nie wieder zu machen. Es war mir gegenüber nicht fair und Michael gegenüber erst recht nicht.«

Der Kamm kam zum Stillstand. Von plötzlicher Furcht erfaßt, hob Clemency den Arm und ergriff Ottilies Hand. »Kommt es vor, daß deine Gefühle sich ändern?«

»Nie. Niemals werden sich meine Gefühle für dich ändern, Clemency. Ich liebe dich. Das weiß ich schon seit einer Ewigkeit.« Sie neigte sich hinunter und küßte Clemency auf den Scheitel.

Seit Anfang des Jahres arbeitete Iris in einem britischen Militärkrankenhaus in Etaples nicht weit von der nordfranzösischen Küste. Ende Juni erhielten sie Anweisung, die Rekonvaleszenten zu entlassen, um für einen neuen Zustrom Verwundeter Platz zu schaffen. Tagelang warteten alle voll Beklommenheit, bis schließlich die ersten Transporte von der Somme eintrafen. Beinahe ohne Unterlaß wurden die Verwundeten hereingebracht – ein endloser Strom in braune Decken gehüllter Gestalten, die gebrochenen Glieder notdürftig geschient, die Köpfe mit blutdurchtränkten Verbänden umwickelt. Ein schneller Blick durch den Saal, um sich zu vergewissern, daß *er* nicht unter ihnen war, dann wieder und wieder die gleichen Handgriffe: die mit Blut und Schmutz verkrustete Kleidung entfernen, die im Notlazarett angelegten Verbände entfernen, die Wunden reinigen, desinfizieren und neu verbinden und dabei die ganze Zeit tröstende Worte sprechen. Temperatur und Puls messen, die Hilfspfleger um Bettpfannen und Wasser schicken. Die Patienten wurden unverzüglich in Gruppen aufgeteilt: solche, die zunächst geröntgt werden mußten; solche, bei denen eine sofortige Operation notwendig war; solche, die zu verbluten drohten. Als alle Betten besetzt waren, mußte Iris die Sanitäter anweisen, die leichter Verwundeten auf den Fußboden umzulagern, um für die Unterbringung neuer Schwerverwundeter Raum zu schaffen.

Im Herbst, während einer Kampfpause, brachte ein Bote ihr einen Brief von Ash. Er habe dienstlich im nahe gelegenen Le Touquet zu tun, schrieb er, sei aber den ganzen nächsten Tag frei. Die Oberschwester gewährte ihr einen lange überfälligen Urlaubstag. Als sie ihn am folgenden Morgen traf, ihn zum erstenmal nach so langer Zeit wiedersah, verspürte sie einen beinahe unwiderstehlichen Drang, seinen Körper mit ihren Händen abzutasten, um sicherzugehen, daß er noch heil war. Als hätte er ihre Gedanken gelesen, sagte er lachend: »Alles in einem Stück. Ich war immer schon ein Glückspilz.«

»Bleib es, Ash.«

Er küßte sie. »Was wollen wir tun? Hast du Lust zu einem langen Spaziergang am Strand?«

Sie folgten der Küstenlinie zum Paris-Plage. Ein frischer Wind strich über das Gras auf den Dünen und blähte die Segel der ausfahrenden Fischerboote. Der Salzgeruch des Wassers lag in der Luft, und sie spürte den Druck seines Arms um ihre Taille.

»Ich wünsche mir oft, ich wäre ein bißchen schneller gewesen«, sagte er. »Stell dir nur mal vor, wir hätten geheiratet, als du mir den Antrag gemacht hast, damals nach dem Fest bei euch –«

»Na ja, ein richtiger Antrag war das nicht.«

»Aber so gut wie.« Er sah sie aufmerksam an. »Du wirst ja rot.«

»Unsinn. Das ist nur die gesunde Seeluft.«

»Na jedenfalls, wenn wir damals geheiratet hätten, könnten wir jetzt leicht schon ein halbes Dutzend Kinder haben.«

»Ein halbes Dutzend? Nie im Leben –«

»Doch. Dreimal Zwillinge.«

»Um Gottes willen. Da bräuchten wir ja ein Riesenhaus.«

»Ich habe ein Riesenhaus.«

Ihr fiel das Haus in Cambridgeshire ein, das er von seinem Vormund geerbt hatte. »Ja, richtig!«

Er sagte: »Wenn wir das hier heil überstehen –«

»Ash! Machen wir lieber keine Pläne. Du weißt, das bringt Unglück.«

»Ich habe leider trotzdem welche gemacht. Ich habe dir etwas gekauft.« Er zog eine kleine Schachtel aus seiner Tasche. Ein Ring lag darin, ein altmodisches Stück mit Perlen und kleinen Rubinen. »Ich habe ihn in Le Touquet entdeckt«, sagte er. »Wenn er dir nicht gefällt, kaufe ich dir etwas Spektakuläreres, wenn wir das nächste Mal in London sind.«

»Ich finde ihn wunderschön«, sagte sie und kämpfte mit den Tränen.

»Und dieses Mal mache ich es verdammt noch mal so, wie es sich gehört«, sagte er und kniete im Sand nieder. Die Brandung klatschte ihm gegen die Stiefel, und sie mußte die Hand auf den Mund drücken, um nicht zu lachen.

»Iris, willst du meine Frau werden?« sagte er, und plötzlich war ihr gar nicht mehr nach Lachen zumute.

»Ja, natürlich«, antwortete sie leise.

Er führte sie in Le Touquet zum Mittagessen aus. Bei einer Flasche Champagner und Meeresfrüchten auf Eis sprachen sie über Gott und die Welt, nur nicht über den Krieg. Sie besprachen ihre Hochzeit, wo sie leben, was sie tun würden. »Ich habe daran gedacht, eine Schule zu gründen. Emlyns Haus wäre ideal dafür. In der Juristerei kann man doch immer nur versuchen, das Porzellan wieder zu kitten, das die Leute zerschlagen haben. Da ist es besser, sich vorher zu engagieren, wenn man vielleicht noch etwas bewirken kann.« Er umfaßte Iris' Hand. »Vorausgesetzt natürlich, du hast nichts gegen ein Haus voll Kinder einzuwenden. Aber vielleicht möchtest du nach diesem ganzen Schlamassel hier lieber ein bißchen Ruhe und Frieden.«

»Vielleicht.« Sie hob seine Hand an die Lippen und küßte sie. »Ach, Ash, mein Lieber, du willst immer noch die Welt verändern. Wie schaffst du es nur, dir diesen Glauben zu bewahren?«

»Ich schaffe es nicht immer«, bekannte er.

Sie bemerkte den Ausdruck in seinen Augen. »Es war wohl sehr schlimm?«

»Ziemlich, ja.« Er schenkte ihr noch einmal ein. »Aber du hast sicher auch nicht nur herumgesessen und Däumchen gedreht. Lassen wir das Thema. Genießen wir einen Tag ohne Krieg.« Er lächelte. »Erzähl von euch. Du weißt ja, ich heirate dich nur wegen deiner Geschwister. Ich habe mir immer eine große Familie gewünscht.«

»Du wirst sie ein bißchen auffüllen. Ich kann es immer noch nicht richtig begreifen, daß wir jetzt nur noch sechs sind.« Sie hielt einen Moment inne. »Oder vielleicht sogar nur fünf.«

Er sah sie an. »Fünf?«

Sie erzählte ihm von Marianne. »Ich glaube wirklich, daß ihr etwas Schlimmes zugestoßen ist, Ash.« Beinahe schroff fügte sie hinzu: »Ich glaube, sie ist tot. Zu Eva habe ich nichts davon gesagt, weil es sie nur wütend machen würde, aber ich denke das schon seit einiger Zeit. Sie hätte uns nicht einfach so vergessen, das weiß ich. Es kann ihr nur etwas zugestoßen sein.«

»Aber ihr Mann – und das Kind …«

»Ich habe Lucas Melrose nie getraut. Man konnte ihn nicht *mögen*, Ash. Er sah sehr gut aus, er war sicher klug und reich, aber ich mochte ihn einfach nicht. Und Eva ging es genauso.«

Iris seufzte. »Eva hat an den Gouverneur von Ceylon geschrieben. Aber bis jetzt haben wir nichts gehört, und im Mittelmeer sind so viele Schiffe gesunken, daß wir keine Ahnung haben, ob ihre Briefe überhaupt angekommen sind.«

Er drückte ihre Hand. »Ihr dürft nicht aufgeben. Solange es nicht Gewißheit ist, gibt es immer Hoffnung.«

Sie schaffte es zu lächeln.

»Wie geht es Eva?« fragte Ash weiter.

»Sie schreibt mir wahnsinnig langweilige Briefe über Regierungsaufträge und den Preis für Akkordarbeit. Und über verschiedene Sorten Stahl und was an den Maschinen dauernd nicht funktioniert. Die meiste Zeit habe ich keinen Schimmer, wovon sie eigentlich redet. Verrückt, wenn ich mir vorstelle, daß Eva jetzt die Firma leitet.« Sie schwieg einen Moment, dann sagte sie traurig: »Arme Eva. Sie vermißt unseren Vater so sehr. Er fehlt uns natürlich allen, aber ich glaube, für Eva ist der Verlust am schlimmsten.«

Er goß ihr den letzten Champagner ein. »Komm, trink aus. Wir gehen jetzt tanzen.«

Ash hatte einen Freund, David Richardson, der ein Koffergrammophon besaß. Sie tanzten am Strand zwischen den Dünen und dem Wasser, auf dem glitzernden feuchten Sand, der mit rosafarbenen und gelben Muscheln gestirnt war. Leutnant Richardson hatte zwei Platten mitgebracht, einen Song aus *Hulla, Ragtime!* und den Walzer aus *Gaiety Girl.* Iris tanzte abwechselnd mit den beiden Männern. Neben der Musik war nichts zu hören als das Kreischen der Möwen und das Klatschen der Wellen. Weich lag die Herbstsonne auf ihrer Haut, und sie vergaß den Krieg, verdrängte ihn aus ihren Gedanken, während sie tanzte.

Einmal – sie tanzte gerade mit David Richardson – sah sie Ash vornübergebeugt im Windschatten der Dünen sitzen und aufs Meer hinausschauen. Er ergriff ihre Hand, als sie sich neben ihn setzte. »Ich frage mich«, sagte er, »ob es besser gewesen wäre, das hier nicht gesehen zu haben. Ich frage mich, ob es leichter gewesen wäre.« Er sprach so leise, daß sie sich anstrengen mußte, um über dem Geräusch der Wellen und dem Rascheln des Strandhafers seine Worte zu verstehen. »Wenn ich da in diesem dreckigen Graben liege, dann sage ich mir, daß das das einzige ist. Daß es sonst nichts gibt. Dann vertut man nicht seine Zeit damit, sich nach etwas zu sehnen, was man nicht haben kann. Es ist so unvorstellbar häßlich. Nichts als Dreck und Bombenkrater, so weit das Auge reicht. Hier und da ragt vielleicht mal ein Telegraphenmast oder ein Baumstumpf aus dem Schlamm. Oder ein Kreuz zum Andenken an einen Gefallenen. Das einzige Lebendige sind wir, die Ratten und die Läuse. Sonst gibt es da nichts, was lebt. Überhaupt nichts.«

Er tanzte ein letztes Mal mit ihr. Die Musik ging fast unter im auffrischenden Wind, und der Himmel wurde dunkel. Sie dachte: Ganz gleich, was geschieht, ich werde diesen Moment niemals vergessen. Mein Kopf an seiner Schulter, seine Arme um meinen Körper, seine Wange an der meinen. Und das Wasser, das mir die Füße umspielt, während langsam die Flut kommt und er mich küßt.

Sie flüsterte: »Laß das Glück nicht los, Ash. Versprich mir, daß du auf dich aufpaßt. Versprich mir das.«

Es gab einen Satz, den sie bei jeder Gelegenheit gebrauchten: *Irgendwie muß man weitermachen.*

Irgendwie weitermachen, das konnte heißen, daß man Eintopf aus Katzenfleisch kochte oder gleich am Tag, nachdem man erfahren hatte, daß der Sohn im Feld gefallen war, wieder zur Arbeit ging. Weil es keinen Leichnam zu begraben gab, keine Beerdigung vorzubereiten.

Irgendwie weitermachen, das hieß in Evas Fall, sich sieben Tag in der Woche jeden Morgen trotz der Proteste ihres todmüden Körpers in aller Frühe aus dem Bett zu quälen, um nach dem Vorbild des Vaters vor den Angestellten in der Firma zu sein. Es hieß, bis spät in den Abend hinein am Schreibtisch zu bleiben, um noch einen Auftrag für das Munitionsministerium zu erledigen, obwohl der Kopf schmerzte und einem die Zahlen vor den Augen tanzten. Es hieß, die Zähne zusammenzubeißen, wenn sich Mutter über das Essen und die Kälte beschwerte, nachdem Ruby, das Hausmädchen, gegangen war, um in einer Munitionsfabrik zu arbeiten, und nur noch die immer gebrechlicher werdende Edith und Mrs. Bradwell da waren, um den Haushalt zu führen.

Als Anfang 1917 die Wirkung der deutschen U-Bootblokkade spürbar wurde und gewaltige Mengen an Gütern versenkt wurden, die sich auf dem Seeweg nach Großbritannien befanden, bedrohte Hunger das Land. Die Bevölkerung wurde aufgerufen, wegen der Getreideknappheit an Brot zu sparen. Parks und Sportplätze wurden umgegraben und zum Anbau von Gemüse genutzt; König Georg V. gab bekannt, er werde statt der Rosen und Geranien in den königlichen Parkanlagen Kartoffeln und Kohl anpflanzen lassen. Clemency hatte in Summerleigh die Blumenrabatten umgegraben, und Eva zupfte regelmäßig das Unkraut zwischen den frisch gepflanzten Sämlingen. Im Februar meldete sich Clemency zum Arbeitseinsatz bei der neugegründeten *Women's Land Army* und wurde als Hilfskraft auf einen Bauernhof in der Nähe von Market Harborough geschickt.

Das Essen in Summerleigh war bescheiden und wenig abwechslungsreich, aber Eva wußte, daß es ihnen vergleichweise gutging. Aus verarmten ländlichen Gegenden und aus den Elendsvierteln der Städte hörten sie von Säuglingen, die am Hunger starben. Vor den Fabriktoren der Stadt versammelten sich die Kinder der Ärmsten, hohlwangig und in Lumpen gekleidet, und bettelten die Arbeiter und Angestellten um Reste ihres Mittagsbrots an.

Und auch in anderer Hinsicht, wußte Eva, ging es ihnen gut. Sie hatten den Vater verloren und einen Bruder, aber James' Frau und Kinder konnten von dem Geld, das Joshua ihnen hinterlassen hatte, einigermaßen leben. Aidan hatte das Gemetzel an der Somme überlegt und war jetzt relativ sicher bei einer militärischen Kommandostelle nicht allzudicht an der Front stationiert. Und Philip war in Greenstones glücklich und zufrieden. »Ich wüßte nicht, wie ich ohne ihn zurechtkommen sollte«, schrieb Sadie. »Er ist ein Schatz – so fleißig, hat eine Engelsgeduld mit den Kindern und beschwert sich nie.«

So viele ihrer Freunde und Bekannten mußten ungleich Schwereres ertragen. Väter, Ehemänner und Söhne waren im Feld gefallen oder an Lungenentzündung oder der Ruhr gestorben. Manche hatten als Invaliden überlebt wie Ronnie Catherwood oder waren nervlich so schwer geschädigt, daß sie beim kleinsten Geräusch – dem Knistern einer Zeitung, dem Rascheln des Winds in den Bäumen – vor Angst zu zittern begannen. Bei Maclise arbeiteten Männer, die zwei, drei, ja sogar vier Söhne verloren hatten, und junge Frauen, die um ihren Vater, ihren Mann und ihre Brüder trauerten. Manche Frauen klammerten sich an die Hoffnung, wenn sie erfuhren, daß ihr Mann oder Sohn vermißt war, aber die Hoffnung schwand, wenn Monate und Jahre vergingen, ohne daß sie etwas hörten, und schließlich mußten sie sich damit abfinden, daß der geliebte Mensch tot war, sein Leichnam nie gefunden, sein letzter Ruheplatz für immer unbekannt bleiben würde.

Eva sorgte sich ständig um Marianne. Grauenhaft, diese Ungewißheit. Wenn sie zu Fuß von der Firma nach Hause ging oder im Garten hockte und die Schnecken aus dem Kohlbeet sammelte, machte sie sich Gedanken über Mariannes rätselhaftes Schweigen. Vielleicht, hatte Iris gemeint, war die Ehe zerbrochen, und Marianne hatte Lucas verlassen. Aber wenn das zutraf, warum schrieb sie dann nicht? Sie konnte doch nicht glauben, daß ihre Schwestern den Stab über sie brechen würden – gerade ihre Schwestern, die es selbst in der Liebe nicht leicht gehabt hatten. Aber vielleicht hatte Marianne einfach alles stehen- und liegengelassen und war gegangen. Vielleicht war ihr eines Tages klargeworden, daß sie das falsche Leben gewählt hatte, und sie hatte ihren Sohn genommen und mit ihm zusammen irgendwo anders einen Neuanfang gemacht.

Eines konnte und wollte Eva auf keinen Fall glauben – daß Marianne tot war und sie sie nie wiedersehen würden. Sie wußte, daß Iris so dachte, und nahm es ihr übel, daß sie Marianne einfach so aufgab. Sie war überzeugt – ein Aberglaube vielleicht, über den sie nie gesprochen hatte, weil sie wußte, wie irrational er war –, daß Marianne ihren Glauben an sie brauchte.

In der Fabrik und zu Hause *machte sie weiter.* Der Krieg hatte auch die Firma verändert. Sie stellten jetzt neben Schneidewerkzeugen Bajonette und Stahlhelme her. Manchmal mußte sie lächeln, wenn sie daran dachte, was ihr Vater wohl zu den Frauen in Monteursanzügen gesagt hätte, die heute in den Werkstätten standen und schwierige technische Aufgaben ausführten, die man früher nur Männern zugetraut hatte. Und sie mußte lächeln, wenn sie ihre Straßenbahnkarte bei einer Schaffnerin kaufte oder bei Besuchen im Krankenhaus Ärztinnen durch die Korridore eilen sah. Die Frauen veränderten sich, geradeso wie die Maclise-Schwestern sich verändert hatten. Während alte Beschränkungen und Hemmungen fielen, zeigten die Frauen Talente und Fähigkeiten, mit denen sie früher nicht hätten glänzen dürfen. Es war das, was Eva sich immer erhofft, wofür sie gekämpft hatte. Sie verspürte eine stille Genugtuung, aber keinen Triumph eingedenk des Preises, den sie bezahlt hatten und immer noch bezahlten.

Jemand schüttelte sie behutsam. Eva wachte auf. Sie war über einem Stapel Rechnungen eingeschlafen, der hart gegen ihre Wange drückte.

Rob Foley sagte: »Du solltest nach Hause gehen. Da schläft es sich bestimmt bequemer als im Büro.«

»Wahrscheinlich.« Eva rieb sich die Augen. »Nur daß meine Mutter mich immer ausschimpft, wenn ich im Wohnzimmer einschlafe – sie sagt, sie habe sowieso kaum Gesellschaft, da brauche sie nicht auch noch eine Tochter, die den ganzen Abend verschläft. Außerdem ist so kalt zu Hause – irgendwie reicht die Kohle nie für das große Haus. Ich habe wirklich schon daran gedacht, im Büro zu übernachten, Rob. Überleg nur mal, was für Zeit ich jeden Tag mit dem Hin- und Herfahren vertue. Aber das läßt sich wohl nicht einrichten, oder?«

»Auf keinen Fall. Hier, ich habe dir einen Kaffee mitgebracht.« Er schob ihr Tasse und Untertasse hin. Dann sagte er: »Eva, ich muß dir sagen, daß ich beschlossen habe zu kündigen.«

»Ach, sei nicht albern, Rob –« Noch schlafbenommen starrte sie ihn an. Alle möglichen Gründe – er hatte ein lukrativeres Angebot bei einem anderen Unternehmen bekommen, er hatte es satt, unter einer Frau zu arbeiten – schossen ihr durch den Kopf und wurden augenblicklich verworfen. Dann, während sie ihn noch ansah, verstand sie plötzlich und rief aufgebracht: »Rob, nein! Nein. Das darfst du nicht. Du doch nicht.«

»Ich muß, Eva.«

»Nein, mußt du nicht.« Sie war wütend auf ihn. »Deine Arbeit hier ist so wichtig – und du hast Familie, du bist der einzige Versorger –, du brauchst dich nicht zu melden, das weißt du ganz genau –«

»Genaugenommen nicht, da hast du recht. Aber dieser Krieg wird so bald nicht vorbei sein, Eva. soll ich warten, bis sie die Reste zusammenkratzen? Soll ich warten, bis sie die Fünfzigjährigen einberufen, die Witwer mit Kindern? Da ist es doch anständiger, jetzt zu gehen, aus freiem Willen, meinst du nicht?«

»Aber ich *brauche* dich!« rief sie.

»Für die Firma, meinst du?«

»Ja«, bestätigte sie scharf. »Für die Firma.«

Danach blieb es lange still. Sie trank von ihrem Kaffee. Er war zu heiß und verbrannte ihr den Mund. Sie war völlig außer sich, hätte am liebsten geweint, ihn angeschrien, um ihn zur Vernunft zu bringen.

»Du schaffst das schon«, hörte sie ihn sagen. »Das weiß ich. Du arbeitest jetzt seit mehr als zwei Jahren hier.«

»Aber nicht allein, Rob. Nicht ganz allein.«

»Du bist ja nicht allein. Du hast gute Vorarbeiter und Facharbeiter, die ihr Handwerk im Schlaf beherrschen. Und um Aufträge brauchen wir uns zur Zeit auch keine Sorgen zu machen. Es ist eher zuviel als zuwenig Arbeit.«

»Wenn du weißt, daß es zuviel Arbeit ist«, entgegnete sie heftig, »warum läßt du uns dann gerade jetzt im Stich, wo wir dich brauchen?«

»Das ist nicht fair.« Er ging zur Tür. »Ich muß los, sonst komme ich zu spät zum Abendessen. Kommst du mit?«

Er hielt ihr die Tür auf. Brummig zog sie ihren Mantel über und folgte ihm. Als sie durch das Tor hinausgingen, sagte er: »Du bist gut in deiner Arbeit, Eva. Du verstehst eine Menge vom Geschäft. Du schaffst das schon. Du bist die Tochter deines Vaters.« Aber sie antwortete nicht.

Es war bitter kalt. Eisige Schneeflocken stachen ihnen ins Gesicht, als sie sich auf den Weg zu Robs Wohnung machten. Als sie an einer Kirche vorüberkamen, hörten sie von drinnen Gesang.

Rob blieb stehen. »Wollen wir hineingehen?«

»Und deine Wirtin? Dein Abendessen?«

»Zum Teufel mit meinem Abendessen«, versetzte er, und sie war schockiert, weil Rob Foley sonst niemals solche Ausdrücke gebrauchte.

Die Kirche war eiskalt und von Kerzen erleuchtet. Während sie hinten standen und dem Gesang zuhörten, legte sich Evas Wut allmählich. Ihr fiel auf, daß der Chor zum größten Teil aus jungen Mädchen und Frauen bestand, Tenor- und Baßpartien wurden von einer Handvoll alter Männer bestritten, deren Stimmen die Orgel Fülle gab. Tränen brannten ihr in den Augen. Sie wußte, daß ihr Zorn nicht Rob galt, sondern dieser ganzen elenden Verschwendung und der Einsamkeit, der sie ausgeliefert sein würde, wenn er fort war. *Aber ich brauche dich,* hatte sie gesagt. *Für die Firma.* Das stimmt nicht, Eva Maclise, dachte sie. Das stimmt nicht. Nicht nur für die Firma.

Aber ach, die Risiken der Liebe... Der Schmerz darüber, der weniger Geliebte zu sein, der Schmerz des Verlusts. Die Schwestern Maclise, dachte sie mit bitterem Spott, hätten ein Buch darüber schreiben können. Dennoch schob sie nach einer Weile ihre Hand in die seine. Er sagte nichts, sah sie nicht einmal an, aber sie spürte den bestätigenden Druck seiner Finger.

Die Hymne war zu Ende. Sie verließen die Kirche. Als sie die Treppe hinuntergingen, sagte er: »Ich liebe dich. Ich weiß, daß ich das nicht sollte, aber ich liebe dich trotzdem, Eva.«

»Warum solltest du nicht?« Sie war wieder zornig. »Du kommst mir doch jetzt nicht wieder mit deinen viktorianischen Ansichten über gesellschaftlichen Stand und ähnlichen Blödsinn?«

»Na ja, das ist das eine. Und das andere ist mein Vater.«

Sie gingen die Straße hinunter. Schneeflocken fielen sachte, wurden flüchtig vom trüben Licht der Straßenlaternen eingefangen, ehe sie verschwanden.

»Dein Vater hat Selbstmord begangen«, sagte sie. »Ich hatte ein Verhältnis mit einem verheirateten Mann. Da sind wir doch so ziemlich quitt, findest du nicht?«

Sie wartete auf die moralische Entrüstung in seinem Blick, den Widerwillen in seiner Stimme. Aber er lächelte nur kurz und sagte: »Quitt, was die Verworfenheit angeht, meinst du?«

»Ja, wahrscheinlich.«

Als sie an der Straße waren, in der er wohnte, sagte er: »Und was ist jetzt mit dir? Ist es vorbei?«

»O ja. Es ist lange vorbei.«

»Aber das, was ich erlebt habe, wird nie vorbei sein. Selbstmord ist ein Zeichen von Geistesgestörtheit. Viele Ärzte sind der Meinung, daß Wahnsinn erblich ist.«

Sie entgegnete hitzig: »Ich finde, Ärzte reden eine Menge Unsinn. Denk bloß an die vielen Ärzte, die meine Mutter heilen wollten. Keiner hat es geschafft. Dabei brauchte sie zu ihrer Heilung nichts weiter als eine Tätigkeit, die sie interessierte.«

»Aber du könntest nie sicher sein, Eva. Die Möglichkeit wäre immer da, dieser Schatten.«

Sie klappte fröstelnd ihren Mantelkragen hoch. »Ich bin mir nicht einmal sicher, daß ich überhaupt noch einmal jemanden lieben *will.* Ich bin mir nicht sicher, daß ich das Risiko eingehen will. Und ich weiß außerdem nicht, ob ich Kinder bekommen kann – als ich mit Gabriel zusammen war, ist nie etwas passiert, dabei wäre es so leicht gewesen.« Mit einem Ruck wandte sie sich ihm zu und sagte heftig: »Es gibt keine Sicherheiten, Rob. Wenn ich überhaupt etwas gelernt habe, dann das.« Sie gab ihm einen Kuß auf die Wange, dann eilte sie zur Straßenbahnhaltestelle davon.

Sie hatte nicht vorgehabt, ihn zur Bahn zu bringen. Sie haßte Bahnhofsabschiede, haßte es, tatenlos dastehen und zusehen zu müssen, wie einem ein Mensch, den man liebte, genommen wurde. Aber sie hatte an diesem Morgen einen Termin mit dem Anwalt der Familie in Fargate, und als sie aus der Kanzlei kam, sah sie beim Blick auf die Uhr, daß sie sich noch von Rob würde verabschieden können, wenn sie sich ein wenig beeilte.

Der Zug stand schon am Bahnsteig. Zuerst entdeckte Eva Robs Mutter in der Menge, dann Susan Foley in einem der wallenden schwarzen Gewänder, in die sie sich kleidete, seit ihre Karriere als Medium mit dem Krieg Aufschwung genommen hatte. Sie sah, wie Robs Gesicht aufleuchtete, als er sie bemerkte, und nahm wieder diese Verwandlung wahr, die ihr vor so langer Zeit das erste Mal aufgefallen war – wie ein scheinbar reizloses Gesicht durch ein Lächeln schön wurde.

»Ich wollte dir das eigentlich mit der Post schicken«, sagte sie. »Ich dachte, ich würde es nicht mehr rechtzeitig fertig bekommen. Aber dann habe ich es gestern abend doch noch geschafft.« Sie reichte ihm ein Blatt Papier. »Ich habe es nicht gerahmt, weil ich dachte, so ließe es sich leichter transportieren.«

Er entrollte die Zeichnung, die seine Mutter und seine Schwestern zeigte.

»Ich mußte sie natürlich aus dem Gedächtnis zeichnen«, sagte sie hastig. »Und ich bin leider ziemlich eingerostet.«

»Es ist ein wunderbares Bild, Eva. Tausend Dank.« Dampf zischte, und er griff nach seinem Gepäck. »Ich dachte, du zeichnest nicht mehr?«

»Tu ich auch nicht. Du solltest dich also geehrt fühlen, Rob.«

Der Schaffner pfiff auf seiner Trillerpfeife, schwenkte sein Fähnchen, und Winifred Foley brach in Tränen aus.

»Aber, Mutter –«

»Ich bete für dich, Rob –«

»Und wenn etwas passiert, dann denk daran, daß nur ein dünner Schleier das Jetzt vom Jenseits trennt.«

»Susan!« Winifred Foley weinte lauter.

Beide Frauen klammerten sich schluchzend an Rob. Eva trat zurück. Rob löste sich von Mutter und Schwester und stieg in den Waggon.

Der Zug stampfte ein paar Meter den Bahnsteig entlang, dann hielt er an. Sie sah, wie sich Rob aus der Abteiltür beugte, und hörte ihn ihren Namen rufen. Ohne zu überlegen, rannte sie zu ihm.

Er riß sie in die Arme und küßte sie wieder und wieder. Sie hielten einander immer noch umschlungen, als sich der Zug wieder in Bewegung setzte; und als er sie schließlich losließ, trat sie zurück und sah ihm atemlos und ohne zu winken nach.

Wegen der Kälte und der Kohlenknappheit trug Ottilie jetzt im Haus ihren Pelzmantel. Der Mantel war so dunkel wie ihr Haar und hatte den gleichen lebendigen Glanz, fand Clemency.

Einmal, als Clemency ihren freien Tag in Hadfield verbrachte, war sie gerade mit Ottilie und Archie im Garten, als wie eine gewaltige schwarze Wolke ein Zeppelin am Horizont erschien und immer größer wurde. Mit ängstlichem Staunen beobachteten sie das Luftschiff, bis sein Schatten direkt auf sie fiel. Dann rannten sie ins Haus und verkrochen sich unter dem Küchentisch, bis es wieder weg war.

In dieser Nacht schliefen sie in einem Bett, um einander zu wärmen. Ottilie lag dicht an Clemency geschmiegt, und ihr weiches Haar berührte sacht ihr Gesicht. Draußen tobte der Wind. Clemency streichelte Ottilies Haar, während diese schlief, und dachte, wie seltsam es war, wie unglaublich, daß sie trotz allem – James, Vater, Marianne – glücklicher war als je zuvor in ihrem Leben.

Im Februar 1917, als die Deutschen sich zur Siegfried-Stellung zurückzogen, arbeitete Iris bereits seit mehr als einem Jahr in Etaples. Nachdem sie kurz nach ihrer Ankunft zur leitenden Schwester befördert worden war, war sie jetzt für eine ganze Station zuständig. Den ganzen Winter hindurch wirkte das Gras, das die Dünen bedeckte, wie erstarrt von der eisigen Kälte, und die Kondenströpfchen, die durch die Ritzen ihrer aus Holz und Leinwand errichteten Hütte nach draußen drangen, gefroren zu Eiszapfen.

Auf der Station betreute sie Männer, die an Lungenentzündungen, Blutvergiftungen und Schützengrabenfieber litten. Viele Patienten waren Opfer von Bombenneurosen; wenn sie Nachtdienst hatte, erschütterten die Angstschreie dieser

Männer und das Stöhnen der Verwundeten die Dunkelheit. Sie spürte, wie im Lauf der Monate etwas in ihr abschaltete wie damals bei der Diphtherie-Epidemie im Mandeville-Krankenhaus. Jeder besaß nur eine gewisse Leidensfähigkeit, und bei ihr war die Grenze seit langem erreicht. Obwohl sie in ihrer Arbeit pflichtbewußt und tüchtig war, gewahrte sie manchmal im Blick der Hilfspflegerin, die ihr auf der Station zur Hand ging, einen Ausdruck, der sie in Verlegenheit brachte. Einmal, als »viel Betrieb« herrschte, verlor sie die Beherrschung und trieb die Hilfsschwester, die gerade einen toten Soldaten aufbahrte, zur Eile an. Oft war ihr, als hörte sie das hohle Echo ihrer eigenen Stimme, wenn sie einem Sterbenden Trostworte zuflüsterte, die für sie längst jede Bedeutung verloren hatten.

Sie kam sich immer schmutzig vor, war immer müde. Wie viele ihrer Kolleginnen hatte sie sich einen Mageninfekt geholt, eine in Schüben auftretende magenknurrende Übelkeit, die sie hin und wieder zwang, schnellstens zur Toilette zu laufen, wo sie sich völlig erschöpft übergab. Als sie besonders viel zu tun hatten, ertappte sie sich ein-, zweimal dabei, daß sie im Stehen einnickte, und fürchtete, ihr könnten bei der Arbeit Fehler oder Nachlässigkeiten unterlaufen. Wenn sie endlich ins Bett kam, schlief sie sehr tief, versank in einer gähnenden dunklen Leere, nach der sie sich bei Tag oft sehnte. In ihren Briefen sprachen sie und Ash nicht mehr über das Kriegsende. Tief im Inneren hatte sie sich damit abgefunden, daß der Krieg ewig dauern würde. Sie vermutete, daß Ash genauso empfand, daß er, genau wie sie, wußte, daß es jetzt nichts mehr gab als Dreck und Grauen, keine Hoffnung, nichts Unsägliches, was nicht geschehen konnte. Wenn sie den Ring betrachtete, den er ihr geschenkt hatte, und versuchte, jenen Nachmittag heraufzubeschwören – den Sand, das Tanzen, seinen Kuß –, konnte sie sich nicht mehr richtig erinnern, wie es gewesen war, zu real war das, was sie umgab.

Am Ostersonntag nach dem Gottesdienst erhielt Iris Anweisung, ihre Station freizumachen und für den Eingang eines neuen Verwundetentransports vorzubereiten. Die Patienten wurden in andere Lazarette verlegt oder zur Erholung in Heime in England und Frankreich geschickt, und die Betten wurden frisch bezogen. Am folgenden Tag bereits trafen die ersten Transporte ein, und es folgte der Ablauf der Dinge, der Iris längst zur Routine geworden war.

Am späten Dienstag abend wurden neue Verwundete zu Iris auf die Station gebracht. Sie ging gerade von Patient zu Patient, als ihr Blick auf die Hilfsschwester fiel. In der einen Hand eine Schere, die andere auf den Mund gedrückt, stand die junge Frau da wie gelähmt und starrte einen Patienten an. Iris sah, daß der ganze Kopf des Verwundeten in Verbände gehüllt war, nur seinen Mund und seine Nasenlöcher hatte man freigelassen, damit er Luft bekam. Sie nahm der Hilfsschwester die Schere aus der Hand. Als sie sich anschickte, die Verbände zu entfernen, schoß ihr der wahnsinnige Gedanke durch den Kopf, daß sie diesen Mann vielleicht kannte. Seine Uniform war schlammverkrustet, das Regimentsabzeichen nicht zu erkennen. Es konnte Ash sein. Es konnte Aidan sein. Es konnte jeder ihrer alten Freunde aus Summerleigh sein. Vielleicht hatte sie als junges Mädchen mit diesem Mann getanzt. Die Hand mit der Schere begann unkontrollierbar zu zittern. Dann flüsterte der Patient: »Ich seh ziemlich übel aus, was, Schwester?«, und sie faßte sich und ging daran, den Verband abzunehmen. Während sie Lage um Lage abschälte, hörte sie ihn mit angstvoller Stimme fragen: »Es ist doch nicht so schlimm, oder, Schwester?«

»Nein, nein, keine Sorge.« Doch sie mußte sich anstrengen, um sich kein Zittern anmerken zu lassen. »Wir geben Ihnen etwas gegen die Schmerzen. Das bekommen wir schon wieder hin.«

Immer dieselben alten Floskeln, aber als sie das letzte Stück Verband entfernt hatte, sah sie, daß ein Splitter ihm die Hälfte des Gesichts abgerissen hatte. Sie tat, was sie konnte, schickte ihn unverzüglich in den OP und gönnte sich, sobald es irgend möglich war, einen Moment draußen im Freien, wo sie sich mit fliegenden Fingern eine Zigarette anzündete.

Danach schien sich die Taubheit, die sie über Monate geschützt hatte, aufzulösen. Sie konnte kaum noch essen, und in den Nächten wurde sie von Alpträumen heimgesucht, in denen sie blutgetränkte Verbände entfernte, unter denen sich die schrecklichsten Greuel verbargen. Ein Totenschädel, der von Maden wimmelte. James blind und taub. Und einmal – das Schlimmste – Leere, Nichts, an der Stelle, wo ein Kopf hätte sein sollen.

Einige Tage später begleitete sie einen Patienten von der Station in den Operationssaal, als eine Hilfsschwester ihr nachgelaufen kam.

»Schwester Maclise, auf meiner Station liegt ein Soldat, der sagt, er kennt Sie.«

Ash, dachte sie, und das Herz schlug ihr plötzlich bis zum Hals. Sie wußte, daß Ashs Regiment an den Kämpfen bei Arras teilgenommen hatte. Mit zitternden Händen fuhr sie sich hastig durch die Haare, nahm ihre schmutzige Schürze ab, stopfte sie in den nächsten Wäschewagen und folgte der Hilfsschwester im Laufschritt zur Station.

Es war nicht Ash, es war David Richardson, Ashs Freund mit dem Grammophon. Unter der Bettdecke schützte ein Gestell sein verletztes Bein, und sein Gesicht war beinahe so weiß wie das Kopfkissen.

»David!« Sie trat zu ihm ans Bett. »Wie geht es Ihnen?«

»Einigermaßen.« Der Schatten eines Lächelns. »Aber mit dem Tanzen ist es vorbei. Sie haben mir gerade gesagt, daß sie mir das Bein abnehmen müssen.«

»Ach, David, das tut mir so leid.« Sie ergriff seine Hand.

»Ich muß Ihnen etwas sagen«, sagte er. »Ich tu's nicht gern – aber ich muß. Ich muß es Ihnen jetzt sagen für den Fall, daß ich die Operation nicht überstehe.«

Mit einem Schlag war ihr eiskalt. »Ash?« fragte sie. »Wissen Sie etwas von Ash?«

»Er hat's nicht geschafft. Vermißt. Ich habe mich umgehört – ein Kamerad von einer anderen Einheit hat mir gesagt, Leutnant Wentworth sei bei Monchy-le-Preux gefallen. Es tut mir leid, Iris. Es tut mir so leid.«

Sie schrieb es nur ihren Schwestern, sonst sprach sie mit niemandem darüber. Sie hatte keiner ihrer Kolleginnen im Krankenhaus von ihrer Verlobung mit Ash erzählt, und sie erzählte keiner von seinem Tod. Sie verwahrte den Ring in dem kleinen Kästchen, in dem sie die Dinge aufhob, die ihr teuer waren, schnürte das Bündel Briefe, das ihr geblieben war, mit einem Band zusammen und verstaute es auf dem Grund ihrer Tasche. Sie weinte nicht einmal. Um James und ihren Vater hatte sie geweint, aber um Ash, den sie geliebt hatte, den sie hatte heiraten wollen, weinte sie nicht. Sie tat nur wie immer ihre Arbeit.

Mit der Zeit ließ die Hitze der Schlacht nach, und es kamen nicht mehr so viele Transporte. Als sie eines Abends im Dienst damit beschäftigt war, Instrumente abzuwaschen, merkte sie, daß sich ihre Haare gelöst hatten. Sie nahm ihr Häubchen ab und schickte sich gerade an, die lange, widerspenstige Locke aufzurollen, als sie in den hellen Strähnen etwas herumkrabbeln sah. Sie packte es mit spitzen Fingern. Es war eine Laus.

Sie lachte resigniert und dachte daran, wie sie sich mit zweiundzwanzig für das Fest in Summerleigh zurechtgemacht hatte – langes Ballkleid, Straußenfedern, eine Gardenie im Haar, Diamanten in den Ohren, ein Spritzer Parfum. Wie töricht sie gewesen war zu glauben, Seide und Diamanten wären für die Ewigkeit. Dies hier war das wirkliche Leben: schmutzige Fingernägel und Läuse im Haar.

Auf dem Abtropfbrett lag eine Schere. Sie zog die restlichen Nadeln aus dem Haar, nahm die Schere und begann zu schneiden. Dann hörte sie ein Geräusch und blickte auf. Da stand die Hilfsschwester und starrte sie mit offenem Mund an.

Sie fuhr fort, ihre Haare zu schneiden. Sie hörte die Hilfsschwester aus der Hütte laufen. Büschel honigblonden Haars fielen zu Boden. Ein klarer Schnitt mit einer Vergangenheit, die niemals wiederkehren würde.

Schritte. Eine Stimme. »Schwester? Was tun Sie da?«

Iris hob den Kopf. »Ich schneide mir die Haare, Oberschwester«, sagte sie ruhig. »Ich schneide mir die Haare.«

Als Rob fort war, begann sie, Mosaiken zu machen. Es gefiel ihr, Bilder aus beschädigten Gegenständen herzustellen, aus winzigen Metallabschnitten aus den Werkstätten, aus Scherben alter Tassen und Teller, die sie in Speicherräumen und Nebengebäuden entdeckte, wo man sie aufbewahrt hatte, weil die Maclises von klein auf gelernt hatten, sparsam mit den Dingen umzugehen und nichts zu verschwenden.

Ihre Bilder zeigten die Frauen in den Werkstätten oder Kinder beim Spiel auf der Straße. Sie hatte immer die Gabe besessen, die Schönheit im Alltäglichen zu erkennen. Sie machte ihre Mosaiken abends, nach der Arbeit, in der schmalen Zeitspanne zwischen dem Abendessen und dem Schlafengehen, und hatte dafür eigens eines der Dienstbotenzimmer im obersten Stockwerk des Hauses ausgeräumt; es war ein kalter, feuchter Raum, aber sie packte sich in ihren Mantel und legte eine Wärmflasche unter ihre Füße.

An dem Tag, an dem Iris' Brief mit der Nachricht von Ashs Tod kam, saß sie dort oben zwischen ihren Porzellan- und Keramikscherben und dachte an Ash; wie er damals auf dem Picknickausflug in den Felsen gesessen und Erdbeeren gegessen hatte; wie er und Iris Arm in Arm im strömenden Regen durch Whitechapel spaziert waren; wie seine Augen geleuchtet hatten, wenn er ihnen von seinen Zukunftshoffnungen erzählt hatte.

Nicht lange danach bekam sie eine schlimme Erkältung. »Weil du auch immer im Zug sitzen mußt«, schimpfte ihre Mutter. »Du weißt, wie vorsichtig ich sein muß – es ist einfach rücksichtslos von dir, so eine Infektion ins Haus zu schleppen. Und bitte denk dran, etwas mehr Kohlen zu bestellen, Eva. Mir war kalt bis auf die Knochen, als ich gestern nachmittag im Salon saß.« Sie konnte ihrer Mutter noch so oft erklären, daß die Kohlen im Haus knapp waren, weil sie im ganzen Land knapp waren, genau wie das Essen knapp war, weil man für Lebensmittel stundenlang Schlange stehen mußte und dann oft leer ausging, wenn man endlich an die Reihe kam – Lilian gab immer ihr die Schuld an allen Schwierigkeiten.

Am nächsten Morgen erwachte sie mit heftigen Kopfschmerzen und rauhem Hals. Am liebsten hätte sie sich in ihrem Bett einfach auf die andere Seite gedreht und die Decke über den Kopf gezogen, aber sie zwang sich, aufzustehen und für den kommenden Tag zurechtzumachen. Während sie über ihrer Arbeit saß, war ihr bald so heiß, daß sie Pulli und Strickjacke ablegte, und gleich darauf so kalt, daß sie beides wieder überzog. Fieber, dachte sie und nahm sich vor, in der Mittagspause Aspirin zu besorgen. Es kam ihr vor, als wären ihre Nebenhöhlen zuzementiert, die Erledigung jeder kleinsten Aufgabe kostete übermäßige Anstrengung, und zu allem Überfluß brachte der Tag auch noch eine Menge Schwierigkeiten. Mehrere von den Leuten hatten sich krank gemeldet, und das hieß, daß einige der Frauen einspringen und von der einen in die andere Werkstatt wechseln mußten. Sie murrten über die Trennung von ihren Kolleginnen. Vom Munitionsministerium war ein neuer Auftrag gekommen, der mit Vorrang erledigt werden und um dessentwillen andere Aufträge, mit denen man teilweise bereits im Verzug war, zurückgestellt werden mußten. Eine Stahllieferung war irgendwo am Hafen abhanden gekommen; am Ende ging Eva selbst zu den Kais hinunter, um sie aufzustöbern. Während sie sich zwischen Kohlenhaufen und Holzstapeln hindurch ihren Weg bahnte, war sie sich schmerzlich bewußt, wie sehr Rob ihr fehlte, und sie dachte, wie schön es wäre, wenn er bei ihr sein und ihr einen Teil der Last abnehmen könnte.

Ihre Mittagspause verbrachte sie damit, in der Stadtmitte um Lebensmittel anzustehen. Es war sonst niemand da, der das hätte übernehmen können: Clemency war im Arbeitsdienst, Ediths Beine machten langes Stehen nicht mehr mit, und Mrs. Bradwell war zu alt und zu traurig, ihr konnte man so etwas nicht zumuten. Der Gedanke, daß ihre Mutter sich in ihren mittlerweile seltsam altmodisch wirkenden Ensembles aus Fischbein, Crêpe de Chine und Spitzen anstellen sollte, war einfach absurd.

Als sie an diesem Abend endlich die Firma verließ, hatte es zu regnen begonnen, und die Straßenbahn war überfüllt. Sie beschloß, sie fahren zu lassen, und ging, in der einen Hand den Regenschirm, in der anderen die volle Einkaufstasche, zu Fuß nach Hause. Endlich angekommen, stellte sie erst einmal die schwere Tasche ab und zog ihre nassen Sachen aus.

»Eva?« hörte sie sogleich ihre Mutter in nörgelndem Ton rufen. »Eva? Bist du das?«

»Ja, Mutter.«

Lilian saß im Eßzimmer am ungedeckten Tisch.

»Mutter?« sagte Eva verblüfft. »Was tust du denn hier?«

»Ich warte auf mein Abendessen.« Lilian wirkte verwirrt.

»Du hast noch nicht zu Abend gegessen?« Evas Blick flog zum Kamin. »Und Feuer hast du auch nicht gemacht?«

»Es ist so kalt – mir ist richtig flau, weil ich so lange nichts gegessen habe. Du mußt wirklich zusehen, daß du einen Ersatz für Edith findest. Sie wird immer unzuverlässiger –«

»Mutter«, unterbrach Eva aufgebracht, »heute ist Ediths freier Tag, und Mrs. Bradwell mußte ins Krankenhaus. Das habe ich dir doch gesagt!»

»Nun werd doch nicht gleich unwirsch, Eva –«

»Ich habe dir gesagt, daß Mrs. Bradwell dir einen Teller in die Speisekammer stellt. Du hättest ihn dir nur zu holen brauchen – du hättest nur ein Streichholz anzünden müssen, um Feuer zu machen –«

»Bitte schrei mich nicht an, Eva – mein Kopf! Wenn nur

Clemency oder Iris hier wären... Ich bin so müde – wie soll ich denn ganz allein fertig werden?«

Lilians Stimme zitterte, und ihr Gesicht verzog sich weinerlich. Eva schämte sich plötzlich. Sie hätte am liebsten auch gleich losgeweint, aber sie schaffte es, ihrer Mutter einen Kuß auf die Wange zu geben und etwas liebevoller zu sagen. »Warum gehst du heute nicht einfach einmal zeitig zu Bett? Ich kann dir ja ein Tablett hinaufbringen.«

Sie holte den Teller mit Brot, Schinken und eingelegten Gürkchen, den Mrs. Bradwell zurechtgemacht hatte, aus der Speisekammer, schnitt ein Stück Kuchen ab, kochte eine Kanne Tee und trug alles auf einem Tablett zu ihrer Mutter hinauf. Dann half sie ihr aus Unterröcken und Korsett ins Nachthemd, machte ihr noch eine Wärmflasche und gab ihr einen Gutenachtkuß.

Sie selbst war zu müde, um noch etwas zu essen; sie trank nur den Rest des Tees, der inzwischen ziemlich abgekühlt war, und räumte dann auf. Danach schlüpfte sie in ihren Regenmantel und ging in den Garten hinaus. Die zarten Blättchen der Kohlsämlinge, die Clemency mit soviel Sorgfalt gepflanzt hatte, waren von Löchern durchsiebt. Nicht einmal mit den Schnecken werde ich fertig, dachte sie hoffnungslos. Zurück im Haus, machte sie sich das Mittagsbrot für den folgenden Tag, bügelte eine Bluse, wusch ein Paar Strümpfe aus und deckte zum Frühstück. Bis sie mit allem fertig war, war es elf. Auf dem Weg in den Salon sah sie sich im großen Spiegel im Vestibül. Ihr Haar war kraus von der Nässe, ihre Nase rot. Wegen der Kälte war sie in Pullover und Schals gehüllt. Ich war einmal hübsch, dachte sie. Ich wollte einmal Malerin werden, meine eigene Wohnung haben, ein Leben nach meinem eigenen Geschmack führen.

Im Salon holte sie Füller und Papier, um ihren Schwestern zu schreiben. Sie setzte sich in Großtante Hannahs Sessel. Großtante Hannah fehlte ihr, und Winnie fehlte ihr auch. Es wäre so gemütlich gewesen, jetzt Winnie auf dem Schoß zu haben und zu streicheln. Dann hätte sie sich nicht so einsam gefühlt. Das Haus war voller Echos. Sie war sich der vielen leeren Räume bewußt, der Schatten in den Fluren und im Treppenhaus, der starren Reglosigkeit der Vorhänge und Wandteppiche. Während sie so dasaß, kam ihr plötzlich der Gedanke, daß es vielleicht immer so sein würde, daß sie vielleicht für immer allein bleiben würde. Daß Rob nie zurückkäme. Daß Aidan und ihre Schwestern nie zurückkämen. Sie warf Papier und Füller hin. Wie absurd, sich hinzusetzen und an Marianne zu schreiben, wenn diese so lange nichts von sich hatte hören lassen!

Großtante Hannahs Plaid hing gefaltet über einer Armlehne des Sessels; sie legte es sich um. Es war ein scheußliches, kratziges altes Ding, aber ein heimeliger Geruch nach Kampfer und Veilchenpastillen ging von ihm aus. Sie wußte, sie sollte zu Bett gehen, aber gerade jetzt fühlte sie sich zum erstenmal an diesem Tag geborgen. Die Lider wurden ihr schwer; sie kuschelte sich tiefer in den Sessel, die Wange an eine der Ohrenbacken gelehnt. Gedanken kreisten in ihrem Kopf: Ich darf nicht vergessen, Mr. Garrett zu bitten nachzusehen, was wir noch an Packpapier und Sackleinwand auf Lager haben ... Ich muß herausfinden, ob diese unzuverlässige Frau aus dem Packraum ... wie heißt sie gleich wieder? Sally Soundso – ob sie die Absicht hat, je wieder zur Arbeit zu kommen ... ich darf nicht vergessen ...

Sie schlief ein. Sie träumte, sie wären wieder Kinder und spielten am Strand. Marianne hatte ihren Rock in den Schlüpfer gestopft und sammelte Muscheln. Iris und Clemency spielten Fangen. Sie selbst war dabei, eine Sandburg zu bauen. Sie steckte gerade ein Papierfähnchen auf das oberste Türmchen, als sie hörte, wie Iris sie rief. Aber sie wollte jetzt nicht gestört werden und reagierte nicht. Noch einmal rief Iris ihren Namen, lauter diesmal.

Eva öffnete die Augen. Iris stand vor ihr, im dunkelblauen Mantel mit gleichfarbiger Kappe. Eva zwinkerte, erwartete, daß sich die Vision verflüchtigen würde. Als das nicht geschah, sagte sie: »Iris? Bist du es wirklich?«

Iris nickte. »Ich bin wieder zu Hause, Eva.«

Eva umschlang ihre Schwester mit beiden Armen. »Oh, Iris«, sagte sie und begann zu weinen.

17

Ned Fraser brachte ihr die Opale aus White Cliffs mit. Als sie sie ans Licht hielt, sah sie die farbigen Schlieren, die im Stein eingesperrt waren. »Die Arbeiter in den Opalgruben leben in Höhlen unter der Erde«, erklärte er ihr. »Ich bring dich gern mal hin, Annie, wenn du Lust hast.«

»Bei Gelegenheit, Ned«, sagte sie. »Bei Gelegenheit.«

Sie arbeitete seit einem Jahr im Redburn's Hotel. Als sie und George damals in Broken Hill angekommen waren, hatte sie auf der Suche nach Arbeit jeden Laden und jedes Pub abgeklappert, aber sie hatte nichts als Absagen bekommen – zu mager, dachte sie, zu still, so fehl am Platz hier. Und das Kind spielte natürlich auch eine Rolle. Aber Jean Redburn, die stämmige, kleine, resolute Witwe, die das Hotel betrieb, hatte sich ihrer erbarmt. »Hinten im Haus gibt's noch ein Zimmer, da können Sie mit Ihrem Jungen wohnen«, hatte sie gesagt. »Die Miete ziehe ich Ihnen vom Lohn ab. Und meine drei können sich um George kümmern.« Sie griff George liebevoll unters Kinn. »Meine Jenny wird begeistert sein, wenn sie dich sieht, Kleiner. Für die wirst du der absolute Schatz sein.«

Anfangs stand Marianne die meiste Zeit am Spülbecken, aber nach einigen Wochen bot Jean ihr Arbeit in der Bar an. »Du hast ein hübsches Gesicht, Annie«, sagte sie eines Abends zu Marianne. »Wenn du nur ein bißchen mehr lächeln würdest. Meine Jungs sehen gern was Hübsches.«

Jeans »Jungs« waren die Bergleute, die in den Gruben Silber und Blei abbauten und dafür sorgten, daß Broken Hill boomte. Jeden Freitagabend stürmten sie die Hotelbar, die einen noch in ihrer verdreckten Arbeitskleidung, die anderen geschniegelt und gestriegelt. Die Bar im Redburn's dröhnte von ihren lauten Stimmen, ihren Liedern und ihrem Gelächter. Gab es eine Prügelei, bereitete Jean ihr kurzerhand mit einem Eimer Wasser ein Ende. Half das nicht, so schickte sie die Männer auf die Straße hinaus. Und wenn sie nicht gehorchen wollten, gab es immer ein paar Arbeitskollegen, die sie mit Vergnügen an die Luft setzten.

Marianne hatte eigentlich nicht so lange in Broken Hill bleiben wollen. Sie hatte vorgehabt, nach einigen Monaten weiterzuziehen, wie sie das bisher gehalten hatte. Es war besser so, meinte sie, sicherer. Aber am Ende war sie doch geblieben, weil sie mit der Zeit erkannte, daß sie einen sichereren Ort als Broken Hill kaum finden würde. Sie hatte immer noch schlimme Tage – Tage, an denen ihr mitten auf der geschäftigen Hauptstraße plötzlich ein Mann mit hellem Haar auffiel, ein Mann mit einer gewissen Haltung und Art sich zu bewegen, und sie ihres Schreckens kaum Herr wurde –, aber die schlimmen Tage wurden weniger. Broken Hill, mitten in der Wildnis, würde so leicht nicht zu finden sein.

Auch Alpträume suchten sie immer noch heim. Im Traum durchlebte sie wieder und wieder die letzte Reise, die sie aus Blackwater weggeführt hatte. Wie sie stolpernd, mit George auf dem Arm, den steinigen Bergweg entlangrannte und immer wieder über die Schulter zurückschaute, um zu sehen, ob er sie verfolgte. Wie sie sich durch das Gewühl und Gewoge der feiernden Menschen auf dem Basar zum Bahnhof durchdrängte. In dem Dritte-Klasse-Wagen machte ihr niemand respektvoll Platz, verneigte sich niemand unterwürfig vor ihr. Sie setzte sich auf den einzigen noch freien Platz ganz am Ende einer der hölzernen Bänke. Ein Bettler, der auf dem Boden zwischen den Sitzen hockte, hielt ihr seine klauenähnliche Hand hin; Hausierer drängten sich durch die vollen Gänge und boten Nüsse und Süßigkeiten an. Ihre Anonymität unter dem Sari schützte sie.

Von Colombo aus war sie auf einem niederländischen Postdampfer bis Singapur gereist. Von dort aus nahm sie verschiedene Fähren, die von einem Hafen der Umgebung zum nächsten schipperten. Irgendwo zwischen Singapur und Surabaya legte sie wieder westliche Kleidung an und wurde Annie Leighton, eine Kriegerwitwe mit einem kleinen Sohn. Sie gewöhnte sich an Dritte-Klasse-Kabinen in den nach Dieselöl stinkenden Tiefen des Schiffsrumpfs, sie gewöhnte sich daran, in heißen tropischen Nächten mit George in den Armen an Deck zu schlafen. Sie sparte, um ihr Geld zu strecken, und zog niemals Aufmerksamkeit auf sich.

Zwei Monate nach ihrer Flucht aus Blackwater kam sie in Sydney an. Der größte Teil ihres Geldes war verbraucht, deshalb suchte sie sich als erstes Arbeit. Sie verdiente sich ihr Geld als Putzhilfe und Flickschneiderin und drang dabei immer tiefer in die unermeßlichen roten Weiten Australiens vor. Sie beobachtete, wie die Ängste und Wutanfälle, die Georges frühe Kindheit gekennzeichnet hatten, sich allmählich verloren, und ihr Sohn wieder der fröhliche kleine Junge wurde, der er eigentlich war. Sie zwang sich, allen Impulsen zu widerstehen, ihn zu verzärteln und ständig im Auge zu behalten.

Bei sich entdeckte sie Fähigkeiten und Fertigkeiten, von denen sie nichts geahnt hatte: Sie pflegte George, wenn er krank war, sie machte ihm das Essen, sie schneiderte ihm seine Kleider. Sie lernte kochen, wie man Feuer machte, wie man einen Boden so sauber putzte, daß man sein Gesicht in den Fliesen sehen konnte. Sie lernte, wie man Klapperschlangen, tollwütige Hunde und verliebte Bergleute abwehrte.

Daß sie noch andere, weniger harmlose Fähigkeiten besaß, wußte sie. Sie konnte stehlen und lügen. Und sie konnte töten.

Die Freiheit verlangte ihren Preis; wie der Preis in ihrem Fall aussah, ahnte sie schon: Sie würde den Rest ihres Lebens allein verbringen müssen – konnte weder einen anderen Mann lieben noch nach Hause zurückkehren. Wenn Lucas am Leben geblieben war und sie nach England zurückging, würde er sie finden und ihr George wegnehmen. Wenn er tot war, hatte sie ihn getötet. Sie würde vielleicht ein Gericht davon überzeugen können, daß er durch einen Unfall umgekommen war, als sein Kopf auf die Kaminumrandung aufgeschlagen war, sie selbst aber kannte die Wahrheit. Sie hatte ihn töten wollen. Sie hatte seinen Tod gewünscht. Ein merkwürdiger Zustand, dachte sie oft, nicht zu wissen, ob sie Witwe oder Ehefrau war, jedoch die Gewißheit zu haben, eine Mörderin zu sein.

Aber auch wenn es von Summerleigh nach Broken Hill ein weiter Weg gewesen war, bereute sie nichts. Mit Arthur hatte sie ein Jahr vollkommenen Glücks genossen, das war mehr, als vielen Menschen in einem ganzen Leben beschieden war. Nach ihrer zweiten Heirat hatte Lucas ihr George geschenkt. Liebe konnte auch aus Haß geboren werden.

An ihren freien Abenden ging sie manchmal mit Ned Fraser zum Menindee-See. Bäume mit schwarzen Ästen ragten aus dem hellen Wasser empor, und am Himmel kreisten Adler. Ned erzählte ihr von seiner Familie in Schottland.

»Schreibst du ihnen?« fragte sie.

»Ich bin kein großer Briefschreiber«, sagte er, »aber hin und wieder schicke ich etwas nach Hause.«

»Was?«

»Manchmal ein Foto. Einmal habe ich ihnen Opale aus White Cliffs geschickt.« Er warf einen Stein in den See. »Man muß in Verbindung bleiben, finde ich. Wär doch schlimm, wenn man die eigenen Leute nicht wissen lassen würde, daß man an sie denkt.«

Die Nachrichten vom Krieg in Europa drangen bis nach Broken Hill vor. Sie dachte häufig an ihre Eltern und Geschwister, fragte sich, ob sie alle mit dem Leben davongekommen waren oder ob sie ihnen durch ihr Schweigen vielleicht zusätzlichen Schmerz bereitete.

Manchmal, hatte Arthur bei ihrer ersten Begegnung gesagt, *muß man etwas riskieren.* Eines Tages bat sie Ned, ihr die

Opale zu besorgen. Drei an der Zahl, einen für jede Schwester. Sie packte sie in Watte und legte sie in eine Schachtel.

Sie ließ sich mit George zusammen im Sonntagsstaat fotografieren. Sie preßte Blumen aus dem Garten, den sie hinter dem Hotel angelegt hatte, und suchte eine von Georges Zeichnungen heraus. Das Päckchen gab sie einem reisenden Vertreter, der regelmäßig im Hotel abstieg. Er versprach ihr, es irgendwo weit entfernt von Broken Hill aufzugeben. Sie sollten nicht wissen, wo sie war. Noch nicht. Eines Tages würden sie es vielleicht erfahren. Wenn sie in Sicherheit war.

Iris erklärte Eva, daß die Oberschwester sie nach Hause geschickt hatte. »Sie hat gesagt, ich brauche Ruhe«, bemerkte sie, als sie ihren Hut abnahm. »Ich glaube eher, das hier war der Grund. Sie hat wahrscheinlich gedacht, ich wäre übergeschnappt.«

Eva starrte sie entsetzt an. »Deine Haare! Deine schönen Haare!«

»Ich hatte Läuse«, sagte Iris. »Wahrscheinlich habe ich sie mir von einem der Soldaten geholt. Ich glaube, ich bin sie jetzt los – sie haben mir ein Mittel zum Haarewaschen gegeben. Aber ich brauche nur an sie zu denken, und schon juckt mich der Kopf.«

Sie würde nicht wieder nach Frankreich gehen, sagte Iris. Sie habe genug; es reiche ihr mit der Krankenpflege. Sie sei für immer nach Hause gekommen. Sie sah müde aus, fand Eva, und so dünn.

Sie kümmerten sich umeinander, brachten einander abwechselnd das Frühstück ans Bett, so daß immer eine länger schlafen konnte. Iris ging einkaufen, wo sie oft stundenlang Schlange stehen mußte, und half im Haushalt. Sie entdeckte die Adresse eines teuren kleinen Sanatoriums in Scarborough und verfrachtete ihre Mutter zur gründlichen Erholung dorthin.

Abends redeten sie stundenlang. Eva erfuhr, daß Ash als vermißt galt. »Dann weißt du es ja gar nicht mit Sicherheit«, sagte sie.

»So was in der Art hat Ash auch zu mir gesagt, als wir uns das letzte Mal gesehen haben und ich ihm von Marianne erzählte.«

»Du darfst die Hoffnung nicht aufgeben, Iris.«

»Ich weiß doch, was ›vermißt‹ heißt. Es heißt, daß er in Fetzen gerissen wurde und es keine Leiche zum Begraben gab.« In Iris' Augen stand tiefe Hoffnungslosigkeit.

Eva wechselte das Thema, aber insgeheim schrieb sie Briefe. An das Kriegsamt, an Ashs vorgesetzten Offizier, an Militär- und Rotkreuzkrankenhäuser.

Endlich gab es bessere Nachrichten von der Front. Die Schlacht bei Arras war zwar kein durchschlagender Triumph geworden, aber doch ein Teilsieg – ein Anlaß zu feiern in einem Krieg, in dem Siege Seltenheit waren. In diesem Monat traten die Amerikaner auf seiten der Verbündeten in den Krieg ein. Obwohl das amerikanische Freiwilligenheer noch nicht einsatzbereit war, schöpfte Eva Hoffnung, daß mit Hilfe amerikanischer Energie und amerikanischer Stärke der Konflikt eines Tages beendet werden würde.

Iris war seit drei Wochen wieder zu Hause, als Eva sie eines Abends bei ihrer Heimkehr aus der Firma weinend am Küchentisch vorfand. In der Hand hielt sie einen Brief.

Eva bekam Angst. Sie setzte sich zu ihr. »Iris –«

»Es geht um Ash.«

»Ach Gott, es tut mir so leid.«

Iris schüttelte den Kopf. »Er lebt.« Sie weinte vor Glück. »Er lebt, Eva!«

Es hatte zwei Leutnants mit Namen Wentworth in Ashs Bataillon gegeben; der andere, Alan Wentworth, war in Monchy-le-Preux gefallen. Ash selbst war schwer verwundet worden. Man hatte ihn für tot gehalten und auf dem Schlachtfeld zurückgelassen. Später hatten ihn Sanitäter gefunden und in ein Notlazarett gebracht. Von dort war er in ein Militärkrankenhaus gekommen, wo er mehrere Tage bewußtlos gelegen hatte. Sobald er dazu fähig gewesen war, hatte er Iris nach Etaples geschrieben. Als der Brief mit der Nachricht zurückgekommen war, daß sie nicht mehr dort war, hatte man ihn bereits in ein anderes Krankenhaus verlegt. Er wußte nicht, daß Iris geglaubt hatte, er wäre gefallen, bis er in dem Londoner Militärkrankenhaus, in das er zur völligen Genesung gebracht worden war, Briefe von Eva und David Richardson erhalten hatte.

Iris besuchte ihn. An der Tür zum Saal blieb sie stehen und blickte von Bett zu Bett. Sie versuchte, sich innerlich vorzubereiten, ihre Nerven zu beruhigen. Sie wußte, daß er nicht mehr wie vorher sein würde. Sie waren niemals mehr wie vorher. Sie durfte ihn nicht merken lassen, wie aufgewühlt sie war, ermahnte sie sich streng. Sie mußte behutsam und zurückhaltend sein; das letzte, was ein verwundeter Soldat gebrauchen konnte, war eine heulende Verlobte.

Ihr Vorsatz überdauerte knapp die Begrüßung und den ersten Kuß. Als sie ihn dann betrachtete, die Verletzungen und die Verbände sah, wahrnahm, was der Krieg aus ihm gemacht hatte, rief sie mit ungezügelter Heftigkeit: »Ach, Ash, ich habe dir doch gesagt, du sollst auf dich aufpassen. Ich habe es dir immer wieder gesagt.«

Er nahm sie in die Arme. »Nicht weinen. Ich bin ja hier. Nicht weinen, Iris, mein Liebling, bitte weine doch nicht.«

Iris und Ash heirateten im Juli 1917. Eva wußte, daß es nicht die große Hochzeit war, die Iris sich einmal gewünscht hatte. Aber Iris war in der weißen Spitze, die ihre Mutter bei ihrer eigenen Hochzeit getragen hatte, wunderschön, und Ash sah gut aus in seiner Uniform, auch wenn er sich noch auf einen Stock stützen mußte. Die Sonne strahlte, Clemency, Mutter und Philip waren da, und sogar Aidan hatte es geschafft, Urlaub zu bekommen.

Der Empfang fand in Summerleigh statt. Sie hatten Essen für das Büfett gehamstert, und Aidan hatte mehrere Flaschen Champagner aus Frankreich mitgebracht. Sie schmückten die Tafel mit rosaroten und weißen Rosen aus dem Garten, und Mrs. Bradwell backte eine Torte.

Als die Reden gehalten und die Torte gegessen war, gingen sie ins Freie. Eigentlich wollten sie tanzen, aber irgendwie wurde nichts daraus, und schließlich zerstreuten sie sich in Zweier- und Dreiergrüppchen im Garten.

»Meine Tabletten«, rief Lilian plötzlich und griff sich mit der Hand an den Kopf. »Ich habe vergessen, meine Tabletten zu nehmen. Ach, Eva, Schatz …«

Eva lief durch den Garten. Sie sah Ash und Iris im Obstgarten unter den Bäumen sitzen. Aidan sprach mit Clemency, Philip war in eine Unterhaltung mit Clemencys Freundin Ottilie vertieft.

Eva holte ihrer Mutter die Tabletten. Sie war auf dem Weg nach unten, als es draußen klopfte.

Der Briefträger übergab ihr ein Päckchen. Zuerst glaubte sie, es wäre ein Hochzeitsgeschenk, aber als sie die Anschrift sah, bekam sie heftiges Herzklopfen.

Sie nahm das Päckchen mit hinaus und rief Iris und Clemency.

»Ein Päckchen«, sagte Iris.

»Für wen?« fragte Clemeny.

»Es ist für uns«, sagte Eva. »Für uns drei. Von Marianne.«

Sie riß die Schnur und das Siegelwachs auf. Während sie das Seidenpapier auseinanderschlug, in dem drei schimmernde Opale neben einer Kinderzeichnung und einer Fotografie lagen, glättete Clemency das braune Packpapier und las vor, was Marianne darauf geschrieben hatte.

An meine Schwestern.

Die Autorin

Ich wurde in Salisbury geboren, im Südwesten Englands, aber als ich fünf war, zog meine Familie um. Unser neues Haus auf dem Land in Hampshire hatte zuvor einem Wildhüter gehört. Es stand am Waldrand; rundherum gab es keine anderen Häuser, die Wege waren nicht beleuchtet, und wenige Autos passierten die Straße. Unser Wasser schöpften wir aus einem Brunnen, und der Strom kam aus einer privaten Leitung und fiel häufig aus – einmal an Weihnachten, das werde ich nie vergessen. Hinter unserem Haus begann ein riesengroßer Wald, den meine Geschwister und ich erforschten, indem wir auf Bäume kletterten und Verstecke bauten, immer auf der Hut vor den Wespennestern, die in umgestürzten Baumstämmen verborgen sein konnten, und den Kreuzottern, die zusammengerollt in der Sonne schliefen. Hier und da wuchsen Blumen unter dem dunklen Dach aus Buchen und Eichen, und an lichteren Stellen bedeckten wilde Erdbeeren den Waldboden. Nicht weit vom Wald stand ein altes, riesengroßes georgianisches Haus, das damals unbewohnt war und nur als Möbellager genutzt wurde. Wir spielten in dem überwucherten Garten und erkundeten die düsteren Wege rings um das Haus, an dessen abbröckelnder Fassade Fledermäuse hingen. Die Landschaft meiner Kindheit fließt noch immer in meine Romane ein – sie ist in der Schönheit und der Einsamkeit des Landlebens präsent und in den verlassenen, verfallenen Häusern und Gärten.

Als ich fünfzehn war, kehrten wir nach Salisbury zurück. Meine Mutter, eine Wissenschaftlerin, hatte das Landleben einsam und unglücklich gemacht – sie wollte eine Karriere,

Freunde, die Gesellschaft Erwachsener, einkaufen, ohne erst vier Meilen mit dem Bus fahren zu müssen. Es fiel mir schwer, mich wieder an die Stadt zu gewöhnen, an Nachbarn, Häuserzeilen, und ich sehnte mich danach, von dort wegzugehen. Einige Jahre später zog ich fort und ging an die Universität von Lancaster, im Nordwesten Englands, um Englisch zu studieren. Dort, auf der Feier zu meinem 21. Geburtstag, lernte ich meinen Ehemann Iain kennen, einen Physiker aus Glasgow in Schottland. Wir heirateten ein Jahr später, zogen einige Zeit durch Südengland, bis wir uns schließlich in Cambridgeshire niederließen. East Anglia ist gekennzeichnet durch einen großen, weiten Himmel, geheimnisvolle Moore und flache, dunkle Felder, völlig anders als die Landschaft meiner Kindheit mit ihren ausgedehnten Wäldern und saftig-grünen Tälern.

Wir haben drei Söhne; als unser jüngster zwei wurde, begann ich, mein erstes Buch zu schreiben. Ich hatte immer schon im Hinterkopf gehabt, einmal einen Roman zu schreiben, war immer eine leidenschaftliche Leserin und stets davon fasziniert gewesen, wie ein Satz eine Landschaft, einen Menschen oder ein Gefühl lebendig machen kann. Außerdem wollte ich meinen eigenen Gedanken Ausdruck verleihen, meine eigenen Geschichten erzählen – Bücher schreiben, die ich selbst gern lesen würde. Und ich brauchte etwas, das mich mit der Welt verband: mir, ebenso wie meiner Mutter, genügte es nicht, zu Hause zu sein. Als ich mich zum erstenmal an meinen Schreibtisch setzte und zu schreiben begann (meine Kinder sicher aufgehoben in der Schule oder in der Krippe, mein Mann bei der Arbeit), verspürte ich ein tiefes Gefühl der Erleichterung und der Freude.

Historische Romane hatte ich schon immer besonders gemocht, weil sie mich in eine andere Zeit hineinversetzen. Meine ersten vier Bücher spielen im 16./17. Jahrhundert. Damals (wie auch heute noch) inspirierten mich Orte – das Grenzland zwischen Engländern und Schotten in »Bis der Tag sich neigt« zum Beispiel, oder die Schlösser des Loire-Tals in »Der Garten von Schloß Marigny«. Schließlich spürte ich, daß mich diese Epoche einschränkte – es gibt eine Grenze, bis zu der ein Autor speziell seine weiblichen Charaktere im 16. Jahrhundert ausgestalten kann und dabei noch historisch korrekt bleibt. »Die geheimen Jahre« war mein erster Roman, der im 20. Jahrhundert spielt; sein Nachfolger »Das Winterhaus« wurde in Großbritannien und Deutschland zum Bestseller.

Die erste Hälfte des 20. Jahrhunderts mit ihren großen Umstürzen, schrecklichen Kriegen und Vertriebenenbewegungen, der Veränderung im Status der Frauen und den gewaltigen Eigentumsverschiebungen von Land und Reichtum ist eine Epoche, die faszinierend und zugleich herausfordernd ist, wenn man über sie schreiben will. Die Ereignisse in der Geschichte prägen das Leben meiner Figuren und zwingen sie mitunter, Wege einzuschlagen, die sie sonst nicht genommen hätten, die ihnen andererseits aber auch Möglichkeiten eröffnen, die sie unter anderen Umständen nicht gehabt hätten. In »Zeit der Freundschaft« ist es der Krieg, der Julia hilft, Unabhängigkeit und Autonomie zu erlangen, sie gleichzeitig jedoch auch ihrer großen Liebe beraubt.

Meine Romane werden gemeinhin als Liebesromane bezeichnet, und es stimmt, daß ich über die Liebe zwischen Männern und Frauen schreibe. Allerdings richte ich ebensoviel Aufmerksamkeit auf die Liebe zwischen Freunden und die Liebe – und Feindschaft, manchmal Haß – zwischen den Mitgliedern einer Familie. Meine Bücher sind zudem Gesellschaftsromane, die zwischenmenschliche Beziehungen ausloten. Ich versuche, dem Leser die Motivation aller meiner Figuren verständlich zu machen, auch die der weniger sympathischen. In »Alle meine Schwestern« wollte ich über das Kräftespiel in einer großen Familie schreiben, über die Bündnisse, die geknüpft werden, und über Liebe und Loyalität, die gleichzeitig mit dem Wunsch nach Unabhängigkeit bestehen können. Außerdem hat mich das unbewußte Rollenverhalten innerhalb einer Familie interessiert – die schöne Schwester, die talentierte Schwester, die gute, langweilige Schwester, die immer für einen dazusein scheint, Hausfrau wird und zum Kummerkasten für die Probleme aller Familienmitglieder.

Ein wiederkehrendes Merkmal in all meinen Romanen ist die Suche nach Selbstverwirklichung und Erfüllung – besonders meine weiblichen Figuren stellen ihre eigenen Bedürfnisse und Wünsche oft hinter die anderer zurück. Clemency in »Alle meine Schwestern« ist gefangen in den Interessen ihrer Familie, ebenso wie Helen in »Das Winterhaus« – mit tragischen Folgen. Die Heldin in »Die Mädchen mit den dunklen Augen« ist Liv, deren Leben mehr und mehr von der zwanghaften Liebe ihres Mannes Stefan bestimmt wird; ihre eigene Liebe zu den Kindern gibt schließlich den Ausschlag dafür, daß sie ihren Mann verläßt. Meine Figuren kämpfen, auch um sich von anderen Fesseln zu befreien: Romy in »Das Erbe des Vaters« sehnt sich danach, ihren ärmlichen Verhältnissen zu entkommen; Alix in »Picknick im Schatten« kann das Verschwinden ihres kleinen Cousins Charlie Lanchbury nicht vergessen.

Mein eigenes Leben hat sich in der letzten Zeit sehr stark verändert. Vor drei Jahren haben wir uns ein Haus in Derbyshire Peak gekauft, wo wir ausgedehnte Spaziergänge durch die Hügel machen. Ich verbringe die Hälfte meiner Zeit in Cambridge und die andere Hälfte in Derbyshire, was sowohl mein Verlangen nach Gesellschaft und nach den Vorteilen des Stadtlebens als auch nach Einsamkeit und der Schönheit der Landschaft erfüllt. Meine Söhne sind erwachsen und wohnen nicht mehr zu Hause – zwei von ihnen, beide Wissenschaftler, leben in Cambridge, so daß wir uns glücklicherweise oft sehen können. Der dritte ist Musiker und lebt in London. Letztes Jahr hat er geheiratet, und für mich war es eine große Freude, mit anzusehen, wie die Familie wieder wächst und sich in neue Richtungen weiterentwickelt.

Judith Lennox
Cambridge, im März 2006

Die Presse über Judith Lennox

»Ihre Romane machen süchtig. Sie sind akribisch recherchiert, intelligent und poetisch geschrieben - und echte ›Pageturner‹, die man nicht mehr aus der Hand legt.« *Frau im Spiegel*

»Leidenschaft, Liebe, Hingabe. Ein grandioser Roman!« *Bild am Sonntag*

»Bestsellerautorin Judith Lennox liefert in ihrem neuen bewegenden Roman auch Happy Ends, aber die sind hart erkämpft – Neustarts ohne träumerische rosarote Brille.« *Journal für die Frau*

»Judith Lennox garantiert träumerische Stunden voller Sehnsucht.« *Cosmopolitan*

»Perfekte Lektüre für ein gemütliches Wochenende auf dem Sofa. Sehr gute, überaus spannende Unterhaltung.« *Freundin*

»Ein fesselndes Zeitbild - ehrlich, emotional und schmerzhaft intensiv.« *Echo der Frau*

»Eine echte Entdeckung: ein Schmöker für lange Abende oder kurze Ferientage.« *NDR*

»Eine dramatische und gefühlvolle Geschichte um Liebe, Verrat und Vergebung, die den Leser bewegt.« *Frau mit Herz*

»Ein Gesellschaftsroman im Pilcher-Stil, weit ausholend, mit kräftig gezeichneten Figuren und einer schönen Portion Liebesdrama. Also: Füße hoch und loslesen.« *Brigitte*

»Ein wundervoll erzähltes Epos.« *Frau mit Herz*

»Ein fesselndes, ein wunderbares Buch zum Schmökern – dramatisch, romantisch und voller Warmherzigkeit.« *WDR*